LA ERA
DE LA REVOLUCIÓN

1789-1848

LIBROS *de* HISTORIA

ERIC HOBSBAWM

LA ERA
DE LA REVOLUCIÓN

1789-1848

CRÍTICA

BARCELONA

Primera edición en tapa dura flexible: noviembre de 1997
Primera edición en rústica: junio de 2001
Primera edición en nueva presentación: febrero de 2011
Novena impresión: abril de 2021

Título original: *The Age of the Revolution.*
  Europe 1789 – 1848
  Weidenfeld and Nicholson, Londres

Diseño de la cubierta: Jaime Fernández
Ilustración de la cubierta: © Corbis

Composición: Pacmer

© 1962, Eric J. Hobsbawm
© 1997, de la traducción Felipe Ximénez de Sandoval
© 2011, de la presente edición para España y América:
  Crítica, S.L., Diagonal 662-664, 08034 Barcelona
editorial@ed-critica.es
www.ed-critica.es
ISBN: 978-84-9892-188-5
Depósito legal: B. 1952-2010
2021. Impreso y encuadernado en España

PREFACIO

El presente libro estudia la transformación del mundo entre 1789 y 1848, debida a lo que llamamos la «doble revolución»: la Revolución francesa de 1789 y la contemporánea Revolución industrial británica. Por ello no es estrictamente ni una historia de Europa ni del mundo. No obstante, cuando un país cualquiera haya sufrido las repercusiones de la doble revolución de este período, he procurado referirme a él aunque sea ligeramente. En cambio, si el impacto de la revolución fue imperceptible, lo he omitido. Así el lector encontrará páginas sobre Egipto y no sobre el Japón; más sobre Irlanda que sobre Bulgaria; más sobre América Latina que sobre África. Naturalmente, esto no quiere decir que las historias de los países y los pueblos que no figuran en este volumen tengan menos interés o importancia que las de los incluidos. Si su perspectiva es principalmente europea, o, más concretamente, franco-inglesa, es porque en dicho período el mundo —o al menos gran parte de él— se transformó en una base europea o, mejor dicho, franco-inglesa.

El objeto de este libro no es una narración detallada, sino una interpretación y lo que los franceses llaman haute vulgarisation. *Su lector ideal será el formado teóricamente, el ciudadano inteligente y culto, que no siente una mera curiosidad por el pasado, sino que desea saber cómo y por qué el mundo ha llegado a ser lo que es hoy y hacia dónde va. Por ello, sería pedante e inadecuado recargar el texto con una aparatosa erudición, como si se destinara a un público más especializado. Así pues, mis notas se refieren casi totalmente a las fuentes de las citas y las cifras, y en algún caso a reforzar la autoridad de algunas afirmaciones que pudieran parecer demasiado sorprendentes o polémicas.*

Pero nos parece oportuno decir algo acerca del material en el que se ha basado una gran parte de este libro. Todos los historiadores son más expertos (o, dicho de otro modo, más ignorantes) en unos campos que en otros. Fuera de una zona generalmente limitada, deben confiar ampliamente en la tarea de otros historiadores. Para el período 1789-1848 sólo esta bibliografía secundaria forma una masa impresa tan vasta, que sobrepasa el conocimiento de cualquier hombre, incluso del que pudiera leer todos los idiomas en que está escrita. (De hecho, todos los historiadores están limitados a manejar tan sólo unas pocas lenguas.) Por eso, no negamos que gran parte de este libro es de segunda y hasta de tercera mano, e inevitablemente contendrá errores y cortes que algunos lamentarán como el propio autor. Al final figura una bibliografía como guía para un estudio posterior más amplio.

Aunque la trama de la historia no puede desenredarse en hilos separados sin destruirla, es muy conveniente, a efectos prácticos, cierta subdivisión del tema básico. De una manera general, he intentado dividir el libro en dos partes. La primera trata con amplitud el desarrollo principal del período, mientras la segunda esboza la clase de sociedad producida por la doble revolución. Claro que hay interferencias deliberadas, pues la división no es cuestión de teoría, sino de pura conveniencia.

Debo profundo agradecimiento a numerosas personas con quienes he discutido diferentes aspectos de este libro o que han leído sus capítulos en el manuscrito o en las pruebas, pero que no son responsables de mis errores: señaladamente, a J. D. Bernal, Douglas Dakin, Ernst Fischer, Francis Haskell, H. G. Koenigsberger y R. F. Leslie. En particular, el capítulo 14 debe mucho a las ideas de Ernst Fischer. La señorita P. Ralph me prestó gran ayuda como secretaria y ayudante en el acopio de documentación.

E. J. H.

Londres, diciembre de 1961

INTRODUCCIÓN

Las palabras son testigos que a menudo hablan más alto que los documentos. Consideremos algunos vocablos que fueron inventados o que adquirieron su significado moderno en el período de sesenta años que abarca este volumen. Entre ellos están: «industria», «industrial», «fábrica», «clase media», «clase trabajadora», «capitalismo» y «socialismo». Lo mismo podemos decir de «aristocracia» y de «ferrocarril», de «liberal» y «conservador», como términos políticos, de «nacionalismo», «científico», «ingeniero», «proletariado» y «crisis» (económica). «Utilitario» y «estadística», «sociología» y otros muchos nombres de ciencias modernas, «periodismo» e «ideología» fueron acuñados o adaptados en dicha época.[1] Y lo mismo «huelga» y «depauperación».

Imaginar el mundo moderno sin esas palabras (es decir, sin las cosas y conceptos a las que dan nombre) es medir la profundidad de la revolución producida entre 1789 y 1848, que supuso la mayor transformación en la historia humana desde los remotos tiempos en que los hombres inventaron la agricultura y la metalurgia, la escritura, la ciudad y el Estado. Esta revolución transformó y sigue transformando al mundo entero. Pero al considerarla hemos de distinguir con cuidado sus resultados a la larga, que no pueden limitarse a cualquier armazón social, organización política o distribución de fuerzas y recursos internacionales, y su fase primera y decisiva, estrechamente ligada a una específica situación social e internacional. La gran revolución de 1789-1848 fue el triunfo no de la «industria» como tal, sino de la industria «capitalista»; no de la libertad y la igualdad en general, sino de la «clase media» o sociedad «burguesa» y liberal; no de la «economía moderna», sino de las economías y estados en una región geográfica particular del mundo (parte de Europa y algunas regiones de Norteamérica), cuyo centro fueron los estados rivales de Gran Bretaña y Francia. La transformación de 1789-1848 está constituida sobre todo por el trastorno gemelo iniciado en ambos países y propagado en seguida al mundo entero.

Pero no es irrazonable considerar esta doble revolución —la francesa,

---

1. La mayor parte de esas palabras tienen curso internacional o fueron traducidas literalmente en los diferentes idiomas. Así, «socialismo» y «periodismo» se internacionalizaron, mientras la combinación «camino» y «hierro» es la base de «ferrocarril» en todas partes, menos en su país de origen.

más bien política, y la Revolución industrial inglesa— no tanto como algo perteneciente a la historia de los dos países que fueron sus principales mensajeros y símbolos, sino como el doble cráter de un anchísimo volcán regional. Ahora bien, que las simultáneas erupciones ocurrieran en Francia y Gran Bretaña y tuvieran características ligeramente diferentes no es cosa accidental ni carente de interés. Pero desde el punto de vista del historiador, digamos, del año 3000, como desde el punto de vista del observador chino o africano, es más relevante anotar que se produjeron una y otra en la Europa del noroeste y en sus prolongaciones ultramarinas, y que no hubieran tenido probabilidad alguna de suceder en aquel tiempo en ninguna otra parte del mundo. También es digno de señalar que en aquella época hubieran sido casi inconcebibles en otra forma que no fuera el triunfo del capitalismo liberal y burgués.

Es evidente que una transformación tan profunda no puede comprenderse sin remontarse en la historia mucho más atrás de 1789, o al menos a las décadas que precedieron inmediatamente a esta fecha y que reflejan la crisis de los *anciens régimes* del mundo occidental del norte, que la doble revolución iba a barrer. Quiérase o no, es menester considerar la revolución norteamericana de 1776 como una erupción de significado igual al de la anglo-francesa, o por lo menos como su más inmediata precursora y acuciadora; quiérase o no, hemos de conceder fundamental importancia a las crisis constitucionales y a los trastornos y agitaciones económicas de 1760-1789, que explican claramente la ocasión y la hora de la gran explosión, aunque no sus causas fundamentales. Cuánto más habríamos de remontarnos en la historia —hasta la revolución inglesa del siglo XVII, hasta la Reforma y el comienzo de la conquista militar y la explotación colonial del mundo por los europeos a principios del siglo XVI e incluso antes—, no viene al caso para nuestro propósito, ya que semejante análisis a fondo nos llevaría mucho más allá de los límites cronológicos de este volumen.

Aquí sólo necesitamos observar que las fuerzas sociales y económicas, y los instrumentos políticos e intelectuales de esta transformación, ya estaban preparados en todo caso en una parte de Europa lo suficientemente vasta para revolucionar al resto. Nuestro problema no es señalar la aparición de un mercado mundial, de una clase suficientemente activa de empresarios privados, o incluso (en Inglaterra) la de un Estado dedicado a sostener que el llevar al máximo las ganancias privadas era el fundamento de la política del gobierno. Ni tampoco señalar la evolución de la tecnología, los conocimientos científicos o la ideología de una creencia en el progreso individualista, secular o racionalista. Podemos dar por supuesta la existencia de todo eso en 1780, aunque no podamos afirmar que fuese suficientemente poderosa o estuviese suficientemente difundida. Por el contrario, debemos, si acaso, ponernos en guardia contra la tentación de pasar por alto la novedad de la doble revolución por la familiaridad de su apariencia externa, por el hecho innegable de que los trajes, modales y prosa de Robespierre y Saint-Just no habrían estado desplazados en un salón del *ancien régime*, porque Jeremy Bentham, cuyas ideas reformistas acogía la burguesía británica de 1830, fuera el hombre que había propuesto las mismas ideas a Catalina la Grande de Rusia y porque las manifestaciones más extremas de la política económica de la clase media procedieran de miembros de la Cámara de los Lores inglesa del siglo XVIII.

Nuestro problema es, pues, explicar, no la existencia de esos elementos de una nueva economía y una nueva sociedad, sino su triunfo; trazar, no el progreso de su gradual zapado y minado en los siglos anteriores, sino la decisiva conquista de la fortaleza. Y también señalar los profundos cambios que este súbito triunfo ocasionó en los países más inmediatamente afectados por él y en el resto del mundo, que se encontraba de pronto abierto a la invasión de las nuevas fuerzas, del «burgués conquistador», para citar el título de una reciente historia universal de este período.

Puesto que la doble revolución ocurrió en una parte de Europa, y sus efectos más importantes e inmediatos fueron más evidentes allí, es inevitable que la historia a que se refiere este volumen sea principalmente regional. También es inevitable que por haberse esparcido la revolución mundial desde el doble cráter de Inglaterra y Francia tomase la forma de una expansión europea y conquistase al resto del mundo. Sin embargo, su consecuencia más importante para la historia universal fue el establecimiento del dominio del globo por parte de unos cuantos regímenes occidentales (especialmente por el británico) sin paralelo en la historia. Ante los mercaderes, las máquinas de vapor, los barcos y los cañones de Occidente —y también ante sus ideas—, los viejos imperios y civilizaciones del mundo se derrumbaban y capitulaban. La India se convirtió en una provincia administrada por procónsules británicos, los estados islámicos fueron sacudidos por terribles crisis, África quedó abierta a la conquista directa. Incluso el gran Imperio chino se vio obligado, en 1839-1842, a abrir sus fronteras a la explotación occidental. En 1848 nada se oponía a la conquista occidental de los territorios, que tanto los gobiernos como los negociantes consideraban conveniente ocupar, y el progreso de la empresa capitalista occidental sólo era cuestión de tiempo.

A pesar de todo ello, la historia de la doble revolución no es simplemente la del triunfo de la nueva sociedad burguesa. También es la historia de la aparición de las fuerzas que un siglo después de 1848 habrían de convertir la expansión en contracción. Lo curioso es que ya en 1848 este futuro cambio de fortunas era previsible en parte. Sin embargo, todavía no se podía creer que una vasta revolución mundial contra Occidente pudiera producirse al mediar el siglo XX. Solamente en el mundo islámico se pueden observar los primeros pasos del proceso por el que los conquistados por Occidente adoptan sus ideas y técnicas para devolverles un día la pelota: en los comienzos de la reforma interna occidentalista del Imperio turco, hacia 1830, y sobre todo en la significativa, pero desdeñada, carrera de Mohamed Alí de Egipto. Pero también dentro de Europa estaban empezando a surgir las fuerzas e ideas que buscaban la sustitución de la nueva sociedad triunfante. El «espectro del comunismo» ya rondó a Europa en 1848, pero pudo ser exorcizado. Durante mucho tiempo sería todo lo ineficaz que son los fantasmas, sobre todo en el mundo occidental más inmediatamente transformado por la doble revolución. Pero si miramos al mundo de la década de 1960 no caeremos en la tentación de subestimar la fuerza histórica de la ideología socialista revolucionaria y de la comunista, nacidas de la reacción contra la doble revolución, y que hacia 1848 encontró su primera formulación clásica. El período histórico iniciado con la construcción de la primera fábrica del mundo moderno en Lancashire y la Revolución francesa de 1789 termina con la construcción de su primera red ferroviaria y la publicación del *Manifiesto comunista*.

Primera parte

EVOLUCIONES

1. EL MUNDO EN 1780-1790

I

Lo primero que debemos observar acerca del mundo de 1780-1790 es que era a la vez mucho más pequeño y mucho más grande que el nuestro. Era mucho más pequeño geográficamente, porque incluso los hombres más cultos y mejor informados que entonces vivían —por ejemplo, el sabio y viajero Alexander von Humboldt (1769-1859)— sólo conocían algunas partes habitadas del globo. (Los «mundos conocidos» de otras comunidades menos expansionistas y avanzadas científicamente que las de la Europa occidental eran todavía más pequeños, reducidos incluso a los pequeños segmentos de la tierra dentro de los que el analfabeto campesino de Sicilia o el cultivador de las colinas birmanas vivía su vida y más allá de los cuales todo era y sería siempre absolutamente desconocido.) Gran parte de la superficie de los océanos, por no decir toda, ya había sido explorada y consignada en los mapas gracias a la notable competencia de los navegantes del siglo XVIII, como James Cook, aunque el conocimiento humano del lecho de los mares seguiría siendo insignificante hasta mediados del siglo XX. Los principales contornos de los continentes y las islas eran conocidos, aunque no con la seguridad de hoy. La extensión y altura de las cadenas montañosas europeas eran conocidas con relativa exactitud, pero las de América Latina lo eran escasamente y sólo en algunas partes, las de Asia apenas y las de África (con excepción del Atlas) eran totalmente ignoradas a fines prácticos. Excepto los de China y la India, el curso de los grandes ríos del mundo era desconocido para todos, salvo para algunos cazadores de Siberia y madereros norteamericanos, que conocían o podían conocer los de sus regiones. Fuera de unas escasas áreas —en algunos continentes no alcanzaban más que unas cuantas millas al interior desde la costa—, el mapa del mundo consistía en espacios blancos

---

1. Saint-Just, *Oeuvres complètes*, vol. II, p. 514.

cruzados por las pistas marcadas por los mercaderes o los exploradores. Pero por las burdas informaciones de segunda o tercera mano recogidas por los viajeros o funcionarios en los remotos puestos avanzados, esos espacios blancos habrían sido incluso mucho más vastos de lo que en realidad eran.

No solamente el «mundo conocido» era más pequeño, sino también el mundo real, al menos en términos humanos. Por no existir censos y empadronamientos con finalidad práctica, todos los cálculos demográficos son puras conjeturas, pero es evidente que la tierra tenía sólo una fracción de la población de hoy; probablemente, no más de un tercio. Si es creencia general que Asia y África tenían una mayor proporción de habitantes que hoy, la de Europa, con unos 187 millones en 1800 (frente a unos 600 millones hoy), era más pequeña, y mucho más pequeña aún la del continente americano. Aproximadamente, en 1800, dos de cada tres pobladores del planeta eran asiáticos, uno de cada cinco europeo, uno de cada diez africano y uno de cada treinta y tres americano y oceánico. Es evidente que esta población mucho menor estaba mucho más esparcida por la superficie del globo, salvo quizá en ciertas pequeñas regiones de agricultura intensiva o elevada concentración urbana, como algunas zonas de China, la India y la Europa central y occidental, en donde existían densidades comparables a las de los tiempos modernos. Si la población era más pequeña, también lo era el área de asentamiento posible del hombre. Las condiciones climatológicas (probablemente algo más frías y más húmedas que las de hoy, aunque no tanto como durante el período de la «pequeña edad del hielo», entre 1300 y 1700) hicieron retroceder los límites habitables en el Ártico. Enfermedades endémicas, como el paludismo, mantenían deshabitadas muchas zonas, como las de Italia meridional, en donde las llanuras del litoral sólo se irían poblando poco a poco a lo largo del siglo XIX. Las formas primitivas de la economía, sobre todo la caza y (en Europa) la extensión territorial de la trashumancia de los ganados, impidieron los grandes establecimientos en regiones enteras, como, por ejemplo, las llanuras de la Apulia; los dibujos y grabados de los primeros turistas del siglo XIX nos han familiarizado con paisajes de la campiña romana: grandes extensiones palúdicas desiertas, escaso ganado y bandidos pintorescos. Y, desde luego, muchas tierras que después se han sometido al arado, eran yermos incultos, marismas, pastizales o bosques.

También la humanidad era más pequeña en un tercer aspecto: los europeos, en su conjunto, eran más bajos y más delgados que ahora. Tomemos un ejemplo de las abundantes estadísticas sobre las condiciones físicas de los reclutas en las que se basan estas consideraciones: en un cantón de la costa ligur, el 72 por 100 de los reclutas en 1792-1799 tenían menos de 1,50 metros de estatura.[2] Esto no quiere decir que los hombres de finales del siglo XVIII fueran más frágiles que los de hoy. Los flacos y desmedrados soldados de la Revolución francesa demostraron una resistencia física sólo

---

2. A. Hovelacque, «La taille dans un canton ligure», *Revue Mensuelle de l'École d'Anthropologie* (1896), París.

igualada en nuestros días por las ligerísimas guerrillas de montaña en las guerras coloniales. Marchas de una semana, con un promedio de cincuenta kilómetros diarios y cargados con todo el equipo militar, eran frecuentes en aquellas tropas. No obstante, sigue siendo cierto que la constitución física humana era muy pobre en relación con la actual, como lo indica la excepcional importancia que los reyes y los generales concedían a los «mozos altos», que formaban los regimientos de elite, guardia real, coraceros, etc.

Pero si en muchos aspectos el mundo era más pequeño, la dificultad e incertidumbre de las comunicaciones lo hacía en la práctica mucho mayor que hoy. No quiero exagerar estas dificultades. La segunda mitad del siglo XVIII fue, respecto a la Edad Media y los siglos XVI y XVII, una era de abundantes y rápidas comunicaciones, e incluso antes de la revolución del ferrocarril, el aumento y mejora de caminos, vehículos de tiro y servicios postales es muy notable. Entre 1760 y el final del siglo, el viaje de Londres a Glasgow se acortó, de diez o doce días, a sesenta y dos horas. El sistema de *mail-coaches* o diligencias, instituido en la segunda mitad del siglo XVIII y ampliadísimo entre el final de las guerras napoleónicas y el advenimiento del ferrocarril, proporcionó no solamente una relativa velocidad —el servicio postal desde París a Estrasburgo empleaba treinta y seis horas en 1833—, sino también regularidad. Pero las posibilidades para el transporte de viajeros por tierra eran escasas, y el transporte de mercancías era a la vez lento y carísimo. Los gobernantes y grandes comerciantes no estaban aislados unos de otros: se estima que veinte millones de cartas pasaron por los correos ingleses al principio de las guerras con Bonaparte (al final de la época que estudiamos serían diez veces más); pero para la mayor parte de los habitantes del mundo, las cartas eran algo inusitado y no podían leer o viajar —excepto tal vez a las ferias y mercados— fuera de lo corriente. Si tenían que desplazarse o enviar mercancías, habían de hacerlo a pie o utilizando lentísimos carros, que todavía en las primeras décadas del siglo XIX transportaban cinco sextas partes de las mercancías francesas a menos de 40 kilómetros por día. Los correos diplomáticos volaban a través de largas distancias con su correspondencia oficial; los postillones conducían las diligencias sacudiendo los huesos de una docena de viajeros o, si iban equipadas con la nueva suspensión de cueros, haciéndoles padecer las torturas del mareo. Los nobles viajaban en sus carrozas particulares. Pero para la mayor parte del mundo la velocidad del carretero caminando al lado de su caballo o su mula imperaba en el transporte por tierra.

En estas circunstancias, el transporte por medio acuático era no sólo más fácil y barato, sino también a menudo más rápido si los vientos y el tiempo eran favorables. Durante su viaje por Italia, Goethe empleó cuatro y tres días, respectivamente, en ir y volver navegando de Nápoles a Sicilia. ¿Cuánto tiempo habría tardado en recorrer la misma distancia por tierra con muchísima menos comodidad? Vivir cerca de un puerto era vivir cerca del mundo. Realmente, Londres estaba más cerca de Plymouth o de Leith que de los pueblos de Breckland en Norfolk; Sevilla era más accesible desde Veracruz que desde Valladolid, y Hamburgo desde Bahía que desde el interior de Pomerania. El mayor inconveniente del transporte acuático era su intermitencia. Hasta 1820, los correos de Londres a Hamburgo y Holanda sólo se hacían dos veces a la semana; los de Suecia y Portugal, una vez por semana, y los de Norteamérica, una vez al mes. A pesar de ello no cabe duda de que Nueva York y Boston estaban en contacto mucho más estrecho que, digamos, el condado de Maramaros, en los Cárpatos, con Budapest. También era más fácil transportar hombres y mercancías en cantidad sobre la vasta extensión de los océanos —por ejemplo, en cinco años (1769-1774) salieron de los puertos del norte de Irlanda 44.000 personas para América, mientras sólo salieron cinco mil para Dundee en tres generaciones— y unir capitales distantes que la ciudad y el campo del mismo país. La noticia de la caída de la Bastilla tardó trece días en llegar a Madrid, y, en cambio, no se recibió en Péronne, distante sólo de París 133 kilómetros, hasta el 28 de julio.

Por todo ello, el mundo de 1789 era incalculablemente vasto para la casi totalidad de sus habitantes. La mayor parte de éstos, de no verse desplazados por algún terrible acontecimiento o el servicio militar, vivían y morían en la región, y con frecuencia en la parroquia de su nacimiento: hasta 1861 más de nueve personas por cada diez en setenta de los noventa departamentos franceses vivían en el departamento en que nacieron. El resto del globo era asunto de los agentes de gobierno y materia de rumor. No había periódicos, salvo para un escaso número de lectores de las clases media y alta —la tirada corriente de un periódico francés era de 5.000 ejemplares en 1814—, y en todo caso muchos no sabían leer. Las noticias eran difundidas por los viajeros y el sector móvil de la población: mercaderes y buhoneros, viajantes, artesanos y trabajadores de la tierra sometidos a la migración de la siega o la vendimia, la amplia y variada población vagabunda, que comprendía desde frailes mendicantes o peregrinos hasta contrabandistas, bandoleros, salteadores, gitanos y titiriteros y, desde luego, a través de los soldados que caían sobre las poblaciones en tiempo de guerra o las guarnecían en tiempos de paz. Naturalmente, también llegaban las noticias por las vías oficiales del Estado o la Iglesia. Pero incluso la mayor parte de los agentes de uno y otra eran personas de la localidad elegidas para prestar en ella un servicio vitalicio. Aparte de en las colonias, el funcionario nombrado por el gobierno central y enviado a una serie de puestos provinciales sucesivos, casi no existía todavía. De todos los empleados del Estado, quizá sólo los militares de carrera podían esperar vivir una vida un poco errante, de la que sólo les consolaba la variedad de vinos, mujeres y caballos de su país.

II

El mundo de 1789 era preponderantemente rural y no puede comprenderse si no nos damos cuenta exacta de este hecho. En países como Rusia, Escandinavia o los Balcanes, en donde la ciudad no había florecido demasiado, del 90 al 97 por 100 de la población era campesina. Incluso en regiones con fuerte, aunque decaída, tradición urbana, el tanto por ciento rural o agrícola era altísimo: el 85 en Lombardía, del 72 al 80 en Venecia, más del 90 en Calabria y Lucania, según datos dignos de crédito.[3] De hecho, fuera de algunas florecientes zonas industriales o comerciales, difícilmente encontraríamos un gran país europeo en el que por lo menos cuatro de cada cinco de sus habitantes no fueran campesinos. Hasta en la propia Inglaterra, la población urbana sólo superó por primera vez a la rural en 1851. La palabra «urbana» es ambigua, desde luego. Comprende a las dos ciudades europeas que en 1789 podían ser llamadas verdaderamente grandes por el número de sus habitantes: Londres, con casi un millón; París, con casi medio, y algunas otras con cien mil más o menos: dos en Francia, dos en Alemania, quizá cuatro en España, quizá cinco en Italia (el Mediterráneo era tradicionalmente la patria de las ciudades), dos en Rusia y una en Portugal, Polonia, Holanda, Austria, Irlanda, Escocia y la Turquía europea. Pero también incluye la multitud de pequeñas ciudades provincianas en las que vivían realmente la mayor parte de sus habitantes: ciudades en las que un hombre podía trasladarse en cinco minutos desde la catedral, rodeada de edificios públicos y casas de personajes, al campo. Del 19 por 100 de los austríacos que todavía al final de nuestro período (1834) vivían en ciudades, más de las tres cuartas partes residían en poblaciones de menos de 20.000 habitantes, y casi la mitad en pueblos de dos mil a cinco mil habitantes. Estas eran las ciudades a través de las cuales los jornaleros franceses hacían su vuelta a Francia; en cuyos perfiles del siglo XVI, conservados intactos por la paralización de los siglos, los poetas románticos alemanes se inspiraban sobre el telón de fondo de sus tranquilos paisajes; por encima de las cuales despuntaban las catedrales españolas; entre cuyo polvo los judíos hasidíes veneraban a sus rabinos, obradores de milagros, y los judíos ortodoxos discutían las sutilezas divinas de la ley; a las que el inspector general de Gogol llegaba para aterrorizar a los ricos y Chichikov, para estudiar la compra de las almas muertas. Pero estas eran también las ciudades de las que los jóvenes ambiciosos salían para hacer revoluciones, millones o ambas cosas a la vez. Robespierre salió de Arras; Gracchus Babeuf, de San Quintín; Napoleón Bonaparte, de Ajaccio.

Estas ciudades provincianas no eran menos urbanas por ser pequeñas. Los verdaderos ciudadanos miraban por encima del hombro al campo circundante con el desprecio que el vivo y sabihondo siente por el fuerte, el lento, el ignorante y el estúpido. (No obstante, el nivel de cultura de los habitantes de estas adormecidas ciudades campesinas no era como para vanagloriarse: las comedias populares alemanas ridiculizan tan cruelmente a las *Kraehwinkel*, o pequeñas municipalidades, como a los más zafios patanes.) La línea fronteriza entre ciudad y campo, o, mejor dicho, entre ocupaciones urbanas y ocupaciones rurales, era rígida. En muchos países la barrera de los

3. L. Dal Pane, *Storia del lavoro dagli inizi del secolo XVIII al 1815*, 1958, p. 135. R. S. Eckaus, «The North-South Differential in Italian Economic Development», *Journal of Economic History*, XXI (1961), p. 290.

consumos, y a veces hasta la vieja línea de la muralla, dividía a ambas. En casos extremos, como en Prusia, el gobierno, deseoso de conservar a sus ciudadanos contribuyentes bajo su propia supervisión, procuraba una total separación de las actividades urbanas y rurales. Pero aun en donde no existía esa rígida división administrativa, los ciudadanos eran a menudo físicamente distintos de los campesinos. En una vasta extensión de la Europa oriental había islotes germánicos, judíos o italianos en lagos eslavos, magiares o rumanos. Incluso los ciudadanos de la misma nacionalidad y religión *parecían* distintos de los campesinos de los contornos: vestían otros trajes y realmente en muchos casos (excepto en la explotada población obrera y artesana del interior) eran más altos, aunque quizá también más delgados.[4] Ciertamente se enorgullecían de tener más agilidad mental y más cultura, y tal vez la tuvieran. No obstante, en su manera de vivir eran casi tan ignorantes de lo que ocurría fuera de su ciudad y estaban casi tan encerrados en ella como los aldeanos en sus aldeas.

Sin embargo, la ciudad provinciana pertenecía esencialmente a la economía y a la sociedad de la comarca. Vivía a expensas de los aldeanos de las cercanías y (con raras excepciones) casi como ellos. Sus clases media y profesional eran los traficantes en cereales y ganado; los transformadores de los productos agrícolas; los abogados y notarios que llevaban los asuntos de los grandes propietarios y los interminables litigios que forman parte de la posesión y explotación de la tierra; los mercaderes que adquirían y revendían el trabajo de las hilanderas, tejedoras y encajeras de las aldeas; los más respetables representantes del gobierno, el señor o la Iglesia. Sus artesanos y tenderos abastecían a los campesinos y a los ciudadanos que vivían del campo. La ciudad provinciana había declinado tristemente desde sus días gloriosos de la Edad Media. Ya no eran como antaño «ciudades libres» o «ciudades-Estado», sino rara vez un centro de manufacturas para un mercado más amplio o un puesto estratégico para el comercio internacional. A medida que declinaba, se aferraba con obstinación al monopolio de su mercado, que defendía contra todos los competidores: gran parte del provincianismo del que se burlaban los jóvenes radicales y los negociantes de las grandes ciudades procedía de ese movimiento de autodefensa económica. En la Europa meridional, gran parte de la nobleza vivía en ellas de las rentas de sus fincas. En Alemania, las burocracias de los innumerables principados —que apenas eran más que inmensas fincas— satisfacían los caprichos y deseos de sus serenísimos señores con las rentas obtenidas de un campesinado sumiso y respetuoso. La ciudad provinciana de finales del siglo XVIII pudo ser una comunidad próspera y expansiva, como todavía atestiguan en algunas partes de Europa occidental sus conjuntos de piedra de un modesto estilo neoclásico o rococó. Pero toda esa prosperidad y expansión procedía del campo.

4. En 1823-1827 los ciudadanos de Bruselas medían tres centímetros más que los hombres de las aldeas rurales, y los de Lovaina, dos centímetros más. Existe un considerable volumen de estadísticas militares sobre este punto, aunque todas corresponden al siglo XIX (Quetelet, citado por Manouvrier, «Sur la taille des parisiens», *Bulletin de la Société Anthropologique de París*, 1888, p. 171.

III

El problema agrario era por eso fundamental en el mundo de 1789, y es fácil comprender por qué la primera escuela sistemática de economistas continentales —los fisiócratas franceses— consideraron indiscutible que la tierra, y la renta de la tierra, eran la única fuente de ingresos. Y que el eje del problema agrario era la relación entre quienes poseen la tierra y quienes la cultivan, entre los que producen su riqueza y los que la acumulan.

Desde el punto de vista de las relaciones de la propiedad agraria, podemos dividir a Europa —o más bien al complejo económico cuyo centro radica en la Europa occidental— en tres grandes sectores. Al oeste de Europa estaban las colonias ultramarinas. En ellas, con la notable excepción de los Estados Unidos de América del Norte y algunos pocos territorios menos importantes de cultivo independiente, el cultivador típico era el indio, que trabajaba como un labrador forzado o un virtual siervo, o el negro, que trabajaba como esclavo; menos frecuente era el arrendatario que cultivaba la tierra personalmente. (En las colonias de las Indias Orientales, donde el cultivo directo por los plantadores europeos era rarísimo, la forma típica obligatoria impuesta por los poseedores de la tierra era la entrega forzosa de determinada cantidad de producto de una cosecha: por ejemplo, café o especias en las islas holandesas.) En otras palabras, el cultivador típico no era libre o estaba sometido a una coacción política. El típico terrateniente era el propietario de un vasto territorio casi feudal (hacienda, finca, estancia) o de una plantación de esclavos. La economía característica de la posesión casi feudal era primitiva y autolimitada, o, en todo caso, regida por las demandas puramente regionales: la América española exportaba productos de minería, también extraídos por los indios —virtualmente siervos—, pero apenas nada de productos agrícolas. La economía característica de la zona de plantaciones de esclavos, cuyo centro estaba en las islas del Caribe, a lo largo de las costas septentrionales de América del Sur (especialmente en el norte del Brasil) y las del sur de los Estados Unidos, era la obtención de importantes cosechas de productos de exportación, sobre todo el azúcar, en menos extensión tabaco y café, colorantes y, desde el principio de la revolución industrial, el algodón más que nada. Éste formaba por ello parte integrante de la economía europea y, a través de la trata de esclavos, de la africana. Fundamentalmente la historia de esta zona en el período de que nos ocupamos podría resumirse en la decadencia del azúcar y la preponderancia del algodón.

Al este de Europa occidental, más específicamente aún, al este de la línea que corre a lo largo del Elba, las fronteras occidentales de lo que hoy es Checoslovaquia, y que llegaban hasta el sur de Trieste, separando el Austria oriental de la occidental, estaba la región de la servidumbre agraria. Socialmente, la Italia al sur de la Toscana y la Umbría, y la España meridional, pertenecían a esta región; pero no Escandinavia (con la excepción parcial de Dinamarca y el sur de Suecia). Esta vasta zona contenía algunos sectores de cultivadores técnicamente libres: los colonos alemanes se esparcían por todas partes, desde Eslovenia hasta el Volga, en clanes virtualmente independientes en las abruptas montañas de Iliria, casi igualmente que los hoscos campesinos guerreros que eran los panduros y cosacos, que habían constituido hasta poco antes la frontera militar entre los cristianos y los turcos y los tártaros, labriegos independientes del señor o el Estado, o aquellos que vivían en los grandes bosques en donde no existía el cultivo en gran escala. En conjunto, sin embargo, el cultivador típico no era libre, sino que realmente estaba ahogado en la marea de la servidumbre, creciente casi sin interrupción desde finales del siglo XV o principios del XVI. Esto era menos patente en la región de los Balcanes, que había estado o estaba todavía bajo la directa administración de los turcos. Aunque el primitivo sistema agrario del prefeudalismo turco, una rígida división de la tierra en la que cada unidad mantenía, no hereditariamente, a un guerrero turco, había degenerado en un sistema de propiedad rural hereditaria bajo señores mahometanos. Estos señores rara vez se dedicaban a cultivar sus tierras, limitándose a sacar lo que podían de sus campesinos. Por esa razón, los Balcanes, al sur del Danubio y el Save, surgieron de la dominación turca en los siglos XIX y XX como países fundamentalmente campesinos, aunque muy pobres, y no como países de propiedad agrícola concentrada. No obstante, el campesino balcánico era legalmente tan poco libre como un cristiano y de hecho tan poco libre como un campesino, al menos en cuanto concernía a los señores.

En el resto de la zona, el campesino típico era un siervo que dedicaba una gran parte de la semana a trabajos forzosos sobre la tierra del señor u otras obligaciones por el estilo. Su falta de libertad podía ser tan grande que apenas se diferenciara de la esclavitud, como en Rusia y en algunas partes de Polonia, en donde podían ser vendidos separadamente de la tierra. Un anuncio insertado en la *Gaceta de Moscú*, en 1801, decía: «Se venden tres cocheros, expertos y de buena presencia, y dos muchachas, de dieciocho y quince años, ambas de buena presencia y expertas en diferentes clases de trabajo manual. La misma casa tiene en venta dos peluqueros: uno, de veintiún años, sabe leer, escribir, tocar un instrumento musical y servir como postillón; el otro es útil para arreglar el cabello a damas y caballeros y afinar pianos y órganos». (Una gran proporción de siervos servían como criados domésticos; en Rusia eran por lo menos el 5 por 100.)[5] En la costa del Báltico —la principal ruta comercial con la Europa occidental—, los siervos campesinos producían grandes cosechas para la exportación al oeste, sobre todo cereales, lino, cáñamo y maderas para la construcción de barcos. Por otra parte, también suministraban mucho al mercado regional, que contenía al menos una región accesible de importancia industrial y desarrollo urbano: Sajonia, Bohemia y la gran ciudad de Viena. Sin embargo, gran parte de la zona permanecía atrasada. La apertura de la ruta del mar Negro y la creciente urba-

---

5. H. Sée, *Esquisse d'une histoire du régime agraire en Europe au XVIII et XIX siècles*, 1921, p. 184. J. Blum, *Lord and Peasant in Russia*, 1961, pp. 455-460.

nización de Europa occidental, y principalmente de Inglaterra, acababan de empezar hacía poco a estimular las exportaciones de cereales del cinturón de tierras negras rusas, que serían casi la única mercancía exportada por Rusia hasta la industrialización de la URSS. Por ello, también el área servil oriental puede considerarse, lo mismo que la de las colonias ultramarinas, como una «economía dependiente» de Europa occidental en cuanto a alimentos y materias primas.

Las regiones serviles de Italia y España tenían características económicas similares, aunque la situación legal de los campesinos era distinta. En términos generales, había zonas de grandes propiedades de la nobleza. No es imposible que algunas de ellas fueran en Sicilia y en Andalucía descendientes directos de los latifundios romanos, cuyos esclavos y *coloni* se convirtieron en los característicos labradores sin tierra de dichas regiones. Las grandes dehesas, los cereales (Sicilia siempre fue un riquísimo granero) y la extorsión de todo cuanto podía obtenerse del mísero campesinado, producían las rentas de los grandes señores a los que pertenecían.

El señor característico de las zonas serviles era, pues, un noble propietario y cultivador o explotador de grandes haciendas, cuya extensión produce vértigos a la imaginación: Catalina la Grande repartió unos cuarenta a cincuenta mil siervos entre sus favoritos; los Radziwill, de Polonia, tenían propiedades mayores que la mitad de Irlanda; los Potocki poseían millón y medio de hectáreas en Ucrania; el conde húngaro Esterhazy (patrón de Haydn) llegó a tener más de dos millones. Las propiedades de decenas de miles de hectáreas eran numerosas.[6] Aunque descuidadas y cultivadas con procedimientos primitivos muchas de ellas, producían rentas fabulosas. El grande de España podía —como observaba un visitante francés de los desolados estados de la casa de Medina-Sidonia— «reinar como un león en la selva, cuyo rugido espantaba a cualquiera que pudiera acercarse»,[7] pero no estaba falto de dinero, igualando los amplios recursos de los milores ingleses.

Además de los magnates, otra clase de hidalgos rurales, de diferente magnitud y recursos económicos, expoliaba también a los campesinos. En algunos países esta clase era abundantísima, y, por tanto, pobre y descontenta. Se distinguía de los plebeyos principalmente por sus privilegios sociales y políticos y su poca afición a dedicarse a cosas —como el trabajo— indignas de su condición. En Hungría y Polonia esta clase representaba el 10 por 100 de la población total, y en España, a finales del siglo XVIII, la componían medio millón de personas, y en 1827 equivalía al 10 por 100 de la total nobleza europea;[8] en otros sitios era mucho menos numerosa.

6. Después de 1918 fueron confiscadas en Checoslovaquia ochenta propiedades de más de 10.000 hectáreas. Entre ellas las de 200.000 de los Schoenborn y los Schwarzenberg, y las de 150.000 y 100.000 de los Liechtenstein y los Kinsky (T. Haebich, *Deutsche Latifundien*, 1947, pp. 27 ss.).

7. A. Goodwin, ed., *The European Nobility in the Eighteenth Century*, 1953, p. 52.

8. L. B. Namier, *1848, the Revolution of the Intellectuals*, 1944. J. Vicens Vives, *Historia económica de España*, 1959.

IV

Socialmente, la estructura agraria en el resto de Europa no era muy diferente. Esto quiere decir que, para el campesino o labrador, cualquiera que poseyese una finca era un «caballero», un miembro de la clase dirigente, y viceversa: la condición de noble o hidalgo (que llevaba aparejados privilegios sociales y políticos y era el único camino para acceder a los altos puestos del Estado) era inconcebible sin una gran propiedad. En muchos países de Europa occidental el orden feudal implicado por tales maneras de pensar estaba vivo políticamente, aunque cada vez resultaba más anticuado en lo económico. En realidad, su obsolescencia que hacía aumentar las rentas de los nobles y los hidalgos, a pesar del aumento de precios y de gastos, hacía a los aristócratas explotar cada vez más su posición económica inalienable y los privilegios de su nacimiento y condición. En toda la Europa continental los nobles expulsaban a sus rivales de origen más modesto de los cargos provechosos dependientes de la corona: desde Suecia, en donde la proporción de oficiales plebeyos bajó del 66 por 100 en 1719 (42 por 100 en 1700) al 23 por 100 en 1780,[9] hasta Francia, en donde esta «reacción feudal» precipitaría la revolución. Pero incluso en donde había en algunos aspectos cierta flexibilidad, como en Francia, en que el ingreso en la nobleza territorial era relativamente fácil, o como en Inglaterra, en donde la condición de noble y propietario se alcanzaba como recompensa por servicios o riquezas de otro género, el vínculo entre gran propiedad rural y clase dirigente seguía firme y acabó por hacerse más cerrado.

Sin embargo, económicamente, la sociedad rural occidental era muy diferente. El campesino había perdido mucho de su condición servil en los últimos tiempos de la Edad Media, aunque subsistieran a menudo muchos restos irritantes de dependencia legal. Los fundos característicos hacía tiempo que habían dejado de ser una unidad de explotación económica convirtiéndose en un sistema de percibir rentas y otros ingresos en dinero. El campesino, más o menos libre, grande, mediano o pequeño, era el típico cultivador del suelo. Si era arrendatario de cualquier clase, pagaba una renta (o, en algunos sitios, una parte de la cosecha) al señor. Si técnicamente era un propietario, probablemente estaba sujeto a una serie de obligaciones respecto al señor local, que podían o no convertirse en dinero (como la obligación de vender su trigo al molino del señor), lo mismo que pagar impuestos al príncipe, diezmos a la Iglesia y prestar algunos servicios de trabajo forzoso, todo lo cual contrastaba con la relativa exención de los estratos sociales más elevados. Pero si estos vínculos políticos se hubieran roto, una gran parte de Europa habría surgido como un área de agricultura campesina; generalmente una en la que una minoría de ricos campesinos habría tendido a convertirse en granjeros comerciales, vendiendo un permanente sobrante de cosecha al

---

9. Sten Carlsson, *Ståndssamhälle och ståndspersoner 1700-1865*, 1949.

mercado urbano, y en la que una mayoría de campesinos medianos y pequeños habría vivido con cierta independencia de sus recursos, a menos que éstos
fueran tan pequeños que les obligaran a dedicarse temporalmente a otros trabajos, agrícolas o industriales, que les permitieran aumentar sus ingresos.

Sólo unas pocas comarcas habían impulsado el desarrollo agrario dando
un paso adelante hacia una agricultura puramente capitalista, principalmente
en Inglaterra. La gran propiedad estaba muy concentrada, pero el típico cultivador era un comerciante de tipo medio, granjero-arrendatario que operaba
con trabajo alquilado. Una gran cantidad de pequeños propietarios, habitantes en chozas, embrollaba la situación. Pero cuando ésta cambió (entre 1760
y 1830, aproximadamente), lo que surgió no fue una agricultura campesina,
sino una clase de empresarios agrícolas —los granjeros— y un gran proletariado agrario. Algunas regiones europeas en donde eran tradicionales las
inversiones comerciales en la labranza —como en ciertas zonas de Italia y
los Países Bajos—, o en donde se producían cosechas comerciales especializadas, mostraron también fuertes tendencias capitalistas, pero ello fue excepcional. Una excepción posterior fue Irlanda, desgraciada isla en la que se
combinaban las desventajas de las zonas más atrasadas de Europa con las de
la proximidad a la economía más avanzada. Un puñado de latifundistas
absentistas, parecidos a los de Sicilia y Andalucía, explotaban a una vasta
masa de pequeños arrendatarios cobrándoles sus rentas en dinero.

Técnicamente, la agricultura europea era todavía, con la excepción de
unas pocas regiones avanzadas, tradicional, a la vez que asombrosamente
ineficiente. Sus productos seguían siendo los más tradicionales: trigo, cente-
no, cebada, avena y, en Europa oriental, alforfón, el alimento básico del pueblo; ganado vacuno, lanar, cabrío y sus productos, cerdos y aves de corral,
frutas y verduras y cierto número de materias primas industriales como
lana, lino, cáñamo para cordaje, cebada y lúpulo para la cervecería, etc. La
alimentación de Europa todavía seguía siendo regional. Los productos de
otros climas eran rarezas rayanas en el lujo, con la excepción quizá del azúcar, el más importante producto alimenticio importado de los trópicos y el
que con su dulzura ha creado más amargura para la humanidad que cualquier
otro. En Gran Bretaña (reconocido como el país más adelantado) el promedio de consumo anual por cabeza en 1790 era de 14 libras. Pero incluso en
Gran Bretaña el promedio de consumo de té *per capita* era 1,16 libras, o sea,
apenas dos onzas al mes.

Los nuevos productos importados de América o de otras zonas tropica-
les habían avanzado algo. En la Europa meridional y en los Balcanes, el
maíz (cereal indio) estaba ya bastante difundido —y había contribuido a
asentar a los campesinos nómadas en sus tierras de los Balcanes— y en el
norte de Italia el arroz empezaba a hacer progresos. El tabaco se cultivaba
en varios países, más como monopolio del gobierno para la obtención de
rentas, aunque su consumo era insignificante en comparación con los tiempos modernos: el inglés medio de 1790 que fumaba, tomaba rapé o masca-
ba tabaco no consumía más de una onza y un tercio por mes. El gusano de

seda se criaba en numerosas regiones del sur de Europa. El más importante de esos nuevos productos —la patata— empezaba a abrirse paso poco a poco, excepto en Irlanda, en donde su capacidad alimenticia por hectárea, muy superior a la de otros, la había popularizado rápidamente. Fuera de Inglaterra y los Países Bajos, el cultivo de los tubérculos y forrajes era excepcional, y sólo con las guerras napoleónicas empezó la producción masiva de remolacha azucarera.

El siglo XVIII no supuso, desde luego, un estancamiento agrícola. Por el contrario, una gran era de expansión demográfica, de aumento de urbanización, comercio y manufactura, impulsó y hasta exigió el desarrollo agrario. La segunda mitad del siglo vio el principio del tremendo, y desde entonces ininterrumpido, aumento de población, característico del mundo moderno: entre 1755 y 1784, por ejemplo, la población rural de Brabante (Bélgica) aumentó en un 44 por 100.[10] Pero lo que originó numerosas campañas para el progreso agrícola, lo que multiplicó las sociedades de labradores, los informes gubernamentales y las publicaciones propagandísticas desde Rusia hasta España, fue, más que sus progresos, la cantidad de obstáculos que dificultaban el avance agrario.

V

El mundo de la agricultura resultaba perezoso, salvo quizá para su sector capitalista. El del comercio y el de las manufacturas y las actividades técnicas e intelectuales que surgían con ellos era confiado, animado y expansivo, así como eficientes, decididas y optimistas las clases que de ambos se beneficiaban. El observador contemporáneo se sentía sorprendidísimo por el vasto despliegue de trabajo, estrechamente unido a la explotación colonial. Un sistema de comunicaciones marítimas, que aumentaba rápidamente en volumen y capacidad, circundaba la tierra, beneficiando a las comunidades mercantiles de la Europa del Atlántico Norte, que usaban el poderío colonial para despojar a los habitantes de las Indias Orientales[11] de sus géneros, exportándolos a Europa y África, en donde estos y otros productos europeos servían para la compra de esclavos con destino a los cada vez más importantes sistemas de plantación de las Américas. Las plantaciones americanas exportaban por su parte en cantidades cada vez mayores su azúcar, su algodón, etc., a los puertos del Atlántico y del mar del Norte, desde donde se redistribuían hacia el este junto con los productos y manufacturas tradicionales del intercambio comercial este-oeste: textiles, sal, vino y otras mercan-

---

10.   Pierre Lebrun et al., «La rivoluzione industriale in Belgio», Studi Storici, II, 3-4 (1961), pp. 564-565.

11.   También con alguna extensión al Extremo Oriente, en donde compraban sedas, té, porcelana, etc., productos de los que era creciente la demanda en Europa. Pero la independencia política de China y el Japón quitaría a este comercio una parte de su carácter de piratería.

cías. Del oriente europeo venían granos, madera de construcción, lino (muy solicitado en los trópicos), cáñamo y hierro de esta segunda zona colonial. Y entre las economías relativamente desarrolladas de Europa —que incluían, hablando en términos económicos, las activas comunidades de pobladores blancos en las colonias británicas de América del Norte (desde 1783, los Estados Unidos de América)— la red comercial se hacía más y más densa.

El *nabab* o indiano, que regresaba de las colonias con una fortuna muy superior a los sueños de la avaricia provinciana; el comerciante y armador, cuyos espléndidos puertos —Burdeos, Bristol, Liverpool— habían sido construidos o reconstruidos en el siglo, parecían los verdaderos triunfadores económicos de la época, sólo comparables a los grandes funcionarios y financieros que amasaban sus caudales en el provechoso servicio de los estados, pues aquella era la época en la que el término «oficio provechoso bajo la corona» tenía un significado literal. Aparte de ellos, la clase media de abogados, administradores de grandes fincas, cerveceros, tenderos y algunas otras profesiones que acumulaban una modesta riqueza a costa del mundo agrícola, vivían unas vidas humildes y tranquilas, e incluso el industrial parecía poco más que un pariente pobre. Pues aunque la minería y la industria se extendían con rapidez en todas partes de Europa, el mercader (y en Europa oriental muy a menudo también el señor feudal) seguía siendo su verdadero director.

Por esta razón, la principal forma de expansión de la producción industrial fue la denominada sistema doméstico, o *putting-out system*, por la cual un mercader compraba todos los productos del artesano o del trabajo no agrícola de los campesinos para venderlo luego en los grandes mercados. El simple crecimiento de este tráfico creó inevitablemente unas rudimentarias condiciones para un temprano capitalismo industrial. El artesano, vendiendo su producción total, podía convertirse en algo más que un trabajador pagado a destajo, sobre todo si el gran mercader le proporcionaba el material en bruto o le suministraba algunas herramientas. El campesino que también tejía podía convertirse en el tejedor que tenía también una parcelita de tierra. La especialización en los procedimientos y funciones permitió dividir la vieja artesanía o crear un grupo de trabajadores semiexpertos entre los campesinos. El antiguo maestro artesano, o algunos grupos especiales de artesanos o algún grupo local de intermediarios, pudieron convertirse en algo semejante a subcontratistas o patronos. Pero la llave maestra de estas formas descentralizadas de producción, el lazo de unión del trabajo de las aldeas perdidas o los suburbios de las ciudades pequeñas con el mercado mundial, era siempre alguna clase de mercader. Y los «industriales» que surgieron o estaban a punto de surgir de las filas de los propios productores eran pequeños operarios a su lado, aun cuando no dependieran directamente de aquél. Hubo algunas raras excepciones, especialmente en la Inglaterra industrial. Los forjadores, y otros hombres como el gran alfarero Josiah Wedgwood, eran personas orgullosas y respetadas, cuyos establecimientos visitaban los curiosos de toda

Europa. Pero el típico industrial (la palabra no se había inventado todavía) seguía siendo un suboficial más bien que un capitán de industria.

No obstante, cualquiera que fuera su situación, las actividades del comercio y la manufactura florecían brillantemente. Inglaterra, el país europeo más próspero del siglo XVIII, debía su poderío a su progreso económico. Y hacia 1780 todos los gobiernos continentales que aspiraban a una política racional, fomentaban el progreso económico y, de manera especial, el desarrollo industrial, pero no todos con el mismo éxito. Las ciencias, no divididas todavía como en el académico siglo XIX en una rama superior «pura» y en otra inferior «aplicada», se dedicaban a resolver los problemas de la producción: los avances más sorprendentes en 1780 fueron los de la química, más estrechamente ligada por la tradición a la práctica de los talleres y a las necesidades de la industria. La gran *Enciclopedia* de Diderot y D'Alembert no fue sólo un compendio del pensamiento progresista político y social, sino también del progreso técnico y científico. Pues, en efecto, la convicción del progreso del conocimiento humano, el racionalismo, la riqueza, la civilización y el dominio de la naturaleza de que tan profundamente imbuido estaba el siglo XVIII, la Ilustración, debió su fuerza, ante todo, al evidente progreso de la producción y el comercio, y al racionalismo económico y científico, que se creía asociado a ellos de manera inevitable. Y sus mayores paladines fueron las clases más progresistas económicamente, las más directamente implicadas en los tangibles adelantos de los tiempos: los círculos mercantiles y los grandes señores económicamente ilustrados, los financieros, los funcionarios con formación económica y social, la clase media educada, los fabricantes y los empresarios. Tales hombres saludaron a un Benjamin Franklin, impresor y periodista, inventor, empresario, estadista y habilísimo negociante, como el símbolo del futuro ciudadano, activo, razonador y autoformado. Tales hombres, en Inglaterra, en donde los hombres nuevos no tenían necesidades de encarnaciones revolucionarias transatlánticas, formaron las sociedades provincianas de las que brotarían muchos avances científicos, industriales y políticos. La Sociedad Lunar (Lunar Society) de Birmingham, por ejemplo, contaba entre sus miembros al citado Josiah Wedgwood, al inventor de la máquina de vapor, James Watt, y a su socio Matthew Boulton, al químico Priestley, al biólogo precursor de las teorías evolucionistas Erasmus Darwin (abuelo de un Darwin más famoso), al gran impresor Baskerville. Todos estos hombres, a su vez, pertenecían a las logias masónicas, en las que no contaban las diferencias de clase y se propagaba con celo desinteresado la ideología de la Ilustración.

Es significativo que los dos centros principales de esta ideología —Francia e Inglaterra— lo fueran también de la doble revolución; aunque de hecho sus ideas alcanzaron mucha mayor difusión en sus fórmulas francesas (incluso cuando éstas eran versiones galas de otras inglesas). Un individualismo secular, racionalista y progresivo, dominaba el pensamiento «ilustrado». Su objetivo principal era liberar al individuo de las cadenas que le oprimían: el tradicionalismo ignorante de la Edad Media que todavía proyectaba sus sombras sobre el mundo; la superstición de las iglesias (tan distintas de la religión «natural» o «racional»); de la irracionalidad que dividía a los hombres en una jerarquía de clases altas y bajas según el nacimiento o algún otro criterio desatinado. La libertad, la igualdad —y luego la fraternidad— de todos los hombres eran sus lemas. (En debida forma serían también los de la Revolución francesa.) El reinado de la libertad individual no podría tener sino las más beneficiosas consecuencias. El libre ejercicio del talento individual en un mundo de razón produciría los más extraordinarios resultados. La apasionada creencia en el progreso del típico pensador «ilustrado» reflejaba el visible aumento en conocimientos y técnica, en riqueza, bienestar y civilización que podía ver en torno suyo y que achacaba con alguna justicia al avance creciente de sus ideas. Al principio de su siglo, todavía se llevaba a la hoguera a las brujas; a su final, algunos gobiernos «ilustrados», como el de Austria, habían abolido no sólo la tortura judicial, sino también la esclavitud. ¿Qué no cabría esperar si los obstáculos que aún oponían al progreso los intereses del feudalismo y la Iglesia fuesen barridos definitivamente?

No es del todo exacto considerar la Ilustración como una ideología de clase media, aunque hubo muchos «ilustrados» —y en política fueron los más decisivos— que consideraban irrefutable que la sociedad libre sería una sociedad capitalista.[12] Pero, en teoría, su objetivo era hacer libres a todos los seres humanos. Todas las ideologías progresistas, racionalistas y humanistas están implícitas en ello y proceden de ello. Sin embargo, en la práctica, los jefes de la emancipación por la que clamaba la Ilustración procedían por lo general de las clases intermedias de la sociedad —hombres nuevos y racionales, de talento y méritos independientes del nacimiento—, y el orden social que nacería de sus actividades sería un orden «burgués» y capitalista.

Por tanto, es más exacto considerar la Ilustración como una ideología revolucionaria, a pesar de la cautela y moderación política de muchos de sus paladines continentales, la mayor parte de los cuales —hasta 1780— ponían su fe en la monarquía absoluta «ilustrada». El «despotismo ilustrado» supondría la abolición del orden político y social existente en la mayor parte de Europa. Pero era demasiado esperar que los *anciens régimes* se destruyeran a sí mismos voluntariamente. Por el contrario, como hemos visto, en algunos aspectos se reforzaron contra el avance de las nuevas fuerzas sociales y económicas. Y sus ciudadelas (fuera de Inglaterra, las Provincias Unidas y algún otro sitio en donde ya habían sido derrotados), eran las mismas monarquías en las que los moderados «ilustrados» tenían puestas sus esperanzas.

---

12. Como Turgot, *Oeuvres*, p. 244: «Quienes conocen la marcha del comercio saben también que toda importante empresa, de tráfico o de industria, exige el concurso de dos clases de hombres, los empresarios ... y los obreros que trabajan por cuenta de los primeros, mediante un salario estipulado. Tal es el verdadero origen de la distinción entre los empresarios y los maestros, y los obreros u oficiales, fundada en la naturaleza de las cosas».

VI

Con la excepción de Gran Bretaña (que había hecho su revolución en el siglo XVII) y algunos estados pequeños, las monarquías absolutas gobernaban en todos los países del continente europeo. Y aquellos en los que no gobernaban, como Polonia, cayeron en la anarquía y fueron absorbidos por sus poderosos vecinos. Los monarcas hereditarios por la gracia de Dios encabezaban jerarquías de nobles terratenientes, sostenidas por la tradicional ortodoxia de las iglesias y rodeadas por una serie de instituciones que nada tenían que las recomendara excepto un largo pasado. Cierto que las evidentes necesidades de la cohesión y la eficacia estatal, en una época de vivas rivalidades internacionales, habían obligado a los monarcas a doblegar las tendencias anárquicas de sus nobles y otros intereses, y crearse un aparato estatal con servidores civiles, no aristocráticos en cuanto fuera posible. Más aún, en la última parte del siglo XVIII, estas necesidades y el patente éxito internacional del poder capitalista británico llevaron a esos monarcas (o más bien a sus consejeros) a intentar unos programas de modernización económica, social, intelectual y administrativa. En aquellos días, los príncipes adoptaron el sobrenombre de «ilustrados» para sus gobiernos, como los de los nuestros, y por análogas razones, adoptan el de «planificadores». Y como en nuestros días, muchos de los que lo adoptaron en teoría hicieron muy poco para llevarlo a la práctica, y algunos de los que lo hicieron, lo hicieron movidos menos por un interés en las ideas generales que para la sociedad suponían la «ilustración» o la «planificación», que por las ventajas prácticas que la adopción de tales métodos suponía para el aumento de sus ingresos, riqueza y poder.

Por el contrario, las clases medias y educadas con tendencia al progreso consideraban a menudo el poderoso aparato centralista de una monarquía «ilustrada» como la mejor posibilidad de lograr sus esperanzas. Un príncipe necesitaba de una clase media y de sus ideas para modernizar su régimen; una clase media débil necesitaba un príncipe para abatir la resistencia al progreso de unos intereses aristocráticos y clericales sólidamente atrincherados.

Pero la monarquía absoluta, a pesar de ser modernista e innovadora, no podía —y tampoco daba muchas señales de quererlo— zafarse de la jerarquía de los nobles terratenientes, cuyos valores simbolizaba e incorporaba, y de los que dependía en gran parte. La monarquía absoluta, teóricamente libre para hacer cuanto quisiera, pertenecía en la práctica al mundo bautizado por la Ilustración con el nombre de *feudalidad* o feudalismo, vocablo que luego popularizaría la Revolución francesa. Semejante monarquía estaba dispuesta a utilizar todos los recursos posibles para reforzar su autoridad y sus rentas dentro de sus fronteras y su poder fuera de ellas, lo cual podía muy bien llevarla a mimar a las que eran, en efecto, las fuerzas ascendentes de la sociedad. Estaba dispuesta a reforzar su posición política enfrentando a unas clases, fundos o provincias contra otros. Pero sus horizontes eran los de su historia, su función y su clase. Difícilmente podía desear, y de hecho jamás la realizaría, la total transformación económica y social exigida por el progreso de la economía y los grupos sociales ascendentes.

Pongamos un ejemplo. Pocos pensadores racionalistas, incluso entre los consejeros de los príncipes, dudaban seriamente de la necesidad de abolir la servidumbre y los lazos de dependencia feudal que aún sujetaban a los campesinos. Esta reforma era reconocida como uno de los primeros puntos de cualquier programa «ilustrado», y virtualmente no hubo soberano desde Madrid hasta San Petersburgo y desde Nápoles hasta Estocolmo que en el cuarto de siglo anterior a la Revolución francesa no suscribiera uno de estos programas. Sin embargo, las únicas liberaciones verdaderas de campesinos realizadas antes de 1789 tuvieron lugar en pequeños países como Dinamarca y Saboya, o en las posesiones privadas de algunos otros príncipes. Una liberación más amplia fue intentada en 1781 por el emperador José II de Austria, pero fracasó frente a la resistencia política de determinados intereses y la rebelión de los propios campesinos para quienes había sido concebida, quedando incompleta. Lo que aboliría las relaciones feudales agrarias en toda Europa central y occidental sería la Revolución francesa, por acción directa, reacción o ejemplo, y luego la revolución de 1848.

Existía, pues, un latente —que pronto sería abierto— conflicto entre las fuerzas de la vieja sociedad y la nueva sociedad «burguesa», que no podía resolverse dentro de las estructuras de los regímenes políticos existentes, con la excepción de los sitios en donde ya habían triunfado los elementos burgueses, como en Inglaterra. Lo que hacía a esos regímenes más vulnerables todavía era que estaban sometidos a diversas presiones: la de las nuevas fuerzas, la de la tenaz y creciente resistencia de los viejos intereses y la de los rivales extranjeros.

Su punto más vulnerable era aquel en el que la oposición antigua y nueva tendían a coincidir: en los movimientos autonomistas de las colonias o provincias más remotas y menos firmemente controladas. Así, en la monarquía de los Habsburgo, las reformas de José II hacia 1780 originaron tumultos en los Países Bajos austríacos —la actual Bélgica— y un movimiento revolucionario que en 1789 se unió naturalmente al de Francia. Con más intensidad, las comunidades blancas en las colonias ultramarinas de los países europeos se oponían a la política de sus gobiernos centrales, que subordinaba los intereses estrictamente coloniales a los de la metrópoli. En todas partes de las Américas —española, francesa e inglesa—, lo mismo que en Irlanda, se produjeron movimientos que pedían autonomía —no siempre por regímenes que representaban fuerzas más progresivas económicamente que las de las metrópolis—, y varias colonias la consiguieron por vía pacífica durante algún tiempo, como Irlanda, o la obtuvieron por vía revolucionaria, como los Estados Unidos. La expansión económica, el desarrollo colonial y la tensión de las proyectadas reformas del «despotismo ilustrado» multiplicaron la ocasión de tales conflictos entre los años 1770 y 1790.

La disidencia provincial o colonial no era fatal en sí. Las sólidas monarquías antiguas podían soportar la pérdida de una o dos provincias, y la víctima principal del autonomismo colonial —Inglaterra— no sufrió las debilidades de los viejos regímenes, por lo que permaneció tan estable y dinámica a pesar de la revolución americana. Había pocos países en donde concurrieran las condiciones puramente domésticas para una amplia transferencia de los poderes. Lo que hacía explosiva la situación era la rivalidad internacional.

La extrema rivalidad internacional —la guerra— ponía a prueba los recursos de un Estado. Cuando era incapaz de soportar esa prueba, se tambaleaba, se resquebrajaba o caía. Una tremenda serie de rivalidades políticas imperó en la escena internacional europea durante la mayor parte del siglo XVIII, alcanzando sus períodos álgidos de guerra general en 1689-1713, 1740-1748, 1756-1763, 1776-1783 y sobre todo en la época que estudiamos, 1792-1815. Este último fue el gran conflicto entre Gran Bretaña y Francia, que también, en cierto sentido, fue el conflicto entre los viejos y los nuevos regímenes. Pues Francia, aun suscitando la hostilidad británica por la rápida expansión de su comercio y su imperio colonial, era también la más poderosa, eminente e influyente y, en una palabra, la clásica monarquía absoluta y aristocrática. En ninguna ocasión se hace más manifiesta la superioridad del nuevo sobre el viejo orden social que en el conflicto entre ambas potencias. Los ingleses no sólo vencieron más o menos decisivamente en todas esas guerras excepto en una, sino que soportaron el esfuerzo de su organización, sostenimiento y consecuencias con relativa facilidad. En cambio, para la monarquía francesa, aunque más grande, más populosa y más provista de recursos que la inglesa, el esfuerzo fue demasiado grande. Después de su derrota en la guerra de los Siete Años (1756-1763), la rebelión de las colonias americanas le dio oportunidad de cambiar las tornas para con su adversario. Francia la aprovechó. Y naturalmente, en el subsiguiente conflicto internacional Gran Bretaña fue duramente derrotada, perdiendo la parte más importante de su imperio americano, mientras Francia, aliada de los nuevos Estados Unidos, resultó victoriosa. Pero el coste de esta victoria fue excesivo, y las dificultades del gobierno francés desembocaron inevitablemente en un período de crisis política interna, del que seis años más tarde saldría la revolución.

VII

Parece necesario completar este examen preliminar del mundo en la época de la doble revolución con una ojeada sobre las relaciones entre Europa (o más concretamente la Europa occidental del norte) y el resto del mundo. El completo dominio político y militar del mundo por Europa (y sus prolongaciones ultramarinas, las comunidades de colonos blancos) iba a ser el producto de la época de la doble revolución. A finales del siglo XVIII, en varias de las grandes potencias y civilizaciones no europeas, todavía se consideraba iguales al mercader, al marino y al soldado blancos. El gran Imperio chino, entonces en la cima de su poderío bajo la dinastía manchú (Ch'ing),

no era víctima de nadie. Al contrario, una parte de la influencia cultural
corría desde el este hacia el oeste, y los filósofos europeos ponderaban las
lecciones de aquella civilización distinta pero evidentemente refinada, mientras los artistas y artesanos copiaban los motivos —a menudo ininteligibles—
del Extremo Oriente en sus obras y adaptaban sus nuevos materiales (porcelana) a los usos europeos. Las potencias islámicas (como Turquía), aunque
sacudidas periódicamente por las fuerzas militares de los estados europeos
vecinos (Austria y sobre todo Rusia), distaban mucho de ser los pueblos desvalidos en que se convertirían en el siglo XIX. África permanecía virtualmente inmune a la penetración militar europea. Excepto en algunas regiones
alrededor del cabo de Buena Esperanza, los blancos estaban confinados en
las factorías comerciales costeras.

Sin embargo, ya la rápida y creciente expansión del comercio y las
empresas capitalistas europeas socavaban su orden social; en África, a través
de la intensidad sin precedentes del terrible tráfico de esclavos; en el océano
Índico, a través de la penetración de las potencias colonizadoras rivales, y en
el Oriente Próximo, a través de los conflictos comerciales y militares. La
conquista europea directa ya empezaba a extenderse significativamente más
allá del área ocupada desde hacía mucho tiempo por la primitiva colonización de los españoles y los portugueses en el siglo XVI, y los emigrados blancos en Norteamérica en el XVII. El avance crucial lo hicieron los ingleses, que
ya habían establecido un control territorial directo sobre parte de la India
(Bengala principalmente) y virtual sobre el Imperio mogol, lo que, dando un
paso más, los llevaría en el período estudiado por nosotros a convertirse en
gobernadores y administradores de toda la India. La relativa debilidad de las
civilizaciones no europeas cuando se enfrentaran con la superioridad técnica
y militar de Occidente estaba prevista. La que ha sido llamada «la época de
Vasco de Gama», las cuatro centurias de historia universal durante las cuales
un puñado de estados europeos y la fuerza del capitalismo europeo estableció un completo, aunque temporal —como ahora se ha demostrado—, dominio del mundo, estaba a punto de alcanzar su momento culminante. La doble
revolución iba a hacer irresistible la expansión europea, aunque también iba
a proporcionar al mundo no europeo las condiciones y el equipo para lan-
zarse al contraataque.

2. LA REVOLUCIÓN INDUSTRIAL

Tales trabajos, a pesar de sus operaciones, causas y consecuencias, tienen un mérito infinito y acreditan los talentos de este hombre ingenioso y práctico, cuya voluntad tiene el mérito, donde quiera que va, de hacer pensar a los hombres … Liberadlos de esa indiferencia perezosa, soñolienta y estúpida, de esa ociosa negligencia que los encadena a los senderos trillados de sus antepasados, sin curiosidad, sin imaginación y sin ambición, y tened la seguridad de hacer el bien. ¡Qué serie de pensamientos, qué espíritu de lucha, qué masa de energía y esfuerzo ha brotado en cada aspecto de la vida, de las obras de hombres como Brindley, Watt Priestley, Harrison Arkwright…! ¿En qué campo de la actividad podríamos encontrar un hombre que no se sintiera animado en sus ocupaciones contemplando la máquina de vapor de Watt?

ARTHUR YOUNG, *Tours in England and Wales* [1]

Desde esta sucia acequia la mayor corriente de industria humana saldría para fertilizar al mundo entero. Desde esta charca corrompida brotaría oro puro. Aquí la humanidad alcanza su más completo desarrollo. Aquí la civilización realiza sus milagros y el hombre civilizado se convierte casi en un salvaje.

A. de TOCQUEVILLE, sobre Manchester, en 1835 [2]

I

Vamos a empezar con la Revolución industrial, es decir, con Gran Bretaña. A primera vista es un punto de partida caprichoso, pues las repercusiones de esta revolución no se hicieron sentir de manera inequívoca —y menos aún fuera de Inglaterra— hasta muy avanzado ya el período que estudiamos; seguramente no antes de 1830, probablemente no antes de 1840. Sólo en 1830

---

1. Arthur Young, *Tours in England and Wales*, edición de la London School of Economics, p. 269.
2. A. de Tocqueville, *Journeys to England and Ireland*, edición de J. P. Mayer, 1958, pp. 107-108.

la literatura y las artes empiezan a sentirse atraídas por la ascensión de la sociedad capitalista, por ese mundo en el que todos los lazos sociales se aflojan salvo los implacables nexos del oro y los pagarés (la frase es de Carlyle). *La comedia humana* de Balzac, el monumento más extraordinario dedicado a esa ascensión, pertenece a esta década. Pero hasta cerca de 1840 no empieza a producirse la gran corriente de literatura oficial y no oficial sobre los efectos sociales de la Revolución industrial: los grandes *Bluebooks* (Libros Azules) e investigaciones estadísticas en Inglaterra, el *Tableau de l'état physique et moral des ouvriers* de Villermé, *La situación de la clase obrera en Inglaterra* de Engels, la obra de Ducpetiaux en Bélgica y los informes de observadores inquietos u horrorizados viajeros de Alemania a España y a los Estados Unidos. Hasta 1840, el proletariado —ese hijo de la Revolución industrial— y el comunismo, unido ahora a sus movimientos sociales —el fantasma del *Manifiesto comunista*—, no se ponen en marcha sobre el continente. El mismo nombre de Revolución industrial refleja su impacto relativamente tardío sobre Europa. La cosa existía en Inglaterra antes que el nombre. Hacia 1820, los socialistas ingleses y franceses —que formaban un grupo sin precedentes— lo inventaron probablemente por analogía con la revolución política de Francia.[3]

No obstante, conviene considerarla antes, por dos razones. Primero, porque en realidad «estalló» antes de la toma de la Bastilla; y segundo, porque sin ella no podríamos comprender el impersonal subsuelo de la historia en el que nacieron los hombres y se produjeron los sucesos más singulares de nuestro período; la desigual complejidad de su ritmo.

¿Qué significa la frase «estalló la Revolución industrial»? Significa que un día entre 1780 y 1790, y por primera vez en la historia humana, se liberó de sus cadenas al poder productivo de las sociedades humanas, que desde entonces se hicieron capaces de una constante, rápida y hasta el presente ilimitada multiplicación de hombres, bienes y servicios. Esto es lo que ahora se denomina técnicamente por los economistas «el despegue (*take-off*) hacia el crecimiento autosostenido». Ninguna sociedad anterior había sido capaz de romper los muros que una estructura social preindustrial, una ciencia y una técnica defectuosas, el paro, el hambre y la muerte imponían periódicamente a la producción. El *take-off* no fue, desde luego, uno de esos fenómenos que, como los terremotos y los cometas, sorprenden al mundo no técnico. Su prehistoria en Europa puede remontarse, según el gusto del historiador y su clase de interés, al año 1000, si no antes, y sus primeros intentos para saltar al aire —torpes, como los primeros pasos de un patito— ya hubieran podido recibir el nombre de «Revolución industrial» en el siglo XIII, en el XVI y en las últimas décadas del XVII. Desde mediados del XVIII, el proceso de aceleración se hace tan patente que los antiguos historiadores tendían a atribuir a

3. Anna Bezanson, «The Early Uses of the Term Industrial Revolution», *Quarterly Journal of Economics*, XXXVI (1921-1922), p. 343. G. N. Clark, *The Idea of the Industrial Revolution*, Glasgow, 1953.

la Revolución industrial la fecha inicial de 1760. Pero un estudio más detenido ha hecho a los expertos preferir como decisiva la década de 1780 a la de 1760, por ser en ella cuando los índices estadísticos tomaron el súbito, intenso y casi vertical impulso ascendente que caracteriza al *take-off*. La economía emprendió el vuelo.

Llamar Revolución industrial a este proceso es algo lógico y conforme a una tradición sólidamente establecida, aunque algún tiempo hubo una tendencia entre los historiadores conservadores —quizá debida a cierto temor en presencia de conceptos incendiarios— a negar su existencia y a sustituir el término por otro más apacible, como, por ejemplo, «evolución acelerada». Si la súbita, cualitativa y fundamental transformación verificada hacia 1780 no fue una revolución, la palabra carece de un significado sensato. Claro que la Revolución industrial no fue un episodio con principio y fin. Preguntar cuándo se completó es absurdo, pues su esencia era que, en adelante, nuevos cambios revolucionarios constituyeran su norma. Y así sigue siendo; a lo sumo podemos preguntarnos si las transformaciones económicas fueron lo bastante lejos como para establecer una economía industrializada, capaz de producir —hablando en términos generales— todo cuanto desea, dentro del alcance de las técnicas disponibles, una «madura economía industrial», por utilizar el término técnico. En Gran Bretaña y, por tanto, en todo el mundo, este período inicial de industrialización coincide probablemente y casi con exactitud con el período que abarca este libro, pues si empezó con el *take-off* en la década de 1780, podemos afirmar que concluyó con la construcción del ferrocarril y la creación de una fuerte industria pesada en Inglaterra en la década de 1840. Pero la revolución en sí, el período de *take-off*, puede datarse, con la precisión posible en tales materias, en los lustros que corren entre 1780 y 1800: es decir, simultáneamente, aunque con ligera prioridad, a la Revolución francesa.

Sea lo que fuere de estos cómputos fue probablemente el acontecimiento más importante de la historia del mundo y, en todo caso, desde la invención de la agricultura y las ciudades. Y lo inició Gran Bretaña. Lo cual, evidentemente, no fue fortuito. Si en el siglo XVIII iba a celebrarse una carrera para iniciar la Revolución industrial, sólo hubo en realidad un corredor que se adelantara. Había un gran avance industrial y comercial, impulsado por los ministros y funcionarios inteligentes y nada cándidos en el aspecto económico de cada monarquía ilustrada europea, desde Portugal hasta Rusia, todos los cuales sentían tanta preocupación por el «desarrollo económico» como la que pueden sentir los gobernantes de hoy. Algunos pequeños estados y regiones alcanzaban una industrialización verdaderamente impresionante, como, por ejemplo, Sajonia y el obispado de Lieja, si bien sus complejos industriales eran demasiado pequeños y localizados para ejercer la revolucionaria influencia mundial de los ingleses. Pero parece claro que, incluso antes de la revolución, Gran Bretaña iba ya muy por delante de su principal competidora potencial en cuanto a producción *per capita* y comercio.

Como quiera que fuere, el adelanto británico no se debía a una superioridad científica y técnica. En las ciencias naturales, seguramente los franceses superaban con mucho a los ingleses. La Revolución francesa acentuaría de modo notable esta ventaja, sobre todo en las matemáticas y en la física. Mientras el gobierno revolucionario francés estimulaba las investigaciones científicas, el reaccionario británico las consideraba peligrosas. Hasta en las ciencias sociales los ingleses estaban muy lejos de esa superioridad que hacía de las económicas un campo fundamentalmente anglosajón. La Revolución industrial puso a estas ciencias en un primer lugar indiscutible. Los economistas de la década de 1780 leían, sí, a Adam Smith, pero también —y quizá con más provecho— a los fisiócratas y a los expertos hacendistas franceses Quesnay, Turgot, Dupont de Nemours, Lavoisier, y tal vez a uno o dos italianos. Los franceses realizaban inventos más originales, como el telar Jacquard (1804), conjunto mecánico muy superior a cualquiera de los conocidos en Inglaterra, y construían mejores barcos. Los alemanes disponían de instituciones para la enseñanza técnica como la Bergakademie prusiana, sin igual en Inglaterra, y la Revolución francesa creó ese organismo impresionante y único que era la Escuela Politécnica. La educación inglesa era una broma de dudoso gusto, aunque sus deficiencias se compensaban en parte con las escuelas rurales y las austeras, turbulentas y democráticas universidades calvinistas de Escocia, que enviaban un flujo de jóvenes brillantes, laboriosos y ambiciosos al país meridional. Entre ellos figuraban James Watt, Thomas Telford, Loudon McAdam, James Mill y otros. Oxford y Cambridge, las dos únicas universidades inglesas, eran intelectualmente nulas, igual que los soñolientos internados privados o institutos, con la excepción de las academias fundadas por los disidentes, excluidos del sistema educativo anglicano. Incluso algunas familias aristocráticas que deseaban que sus hijos adquiriesen una buena educación, los confiaban a preceptores o los enviaban a las universidades escocesas. En realidad, no hubo un sistema de enseñanza primaria hasta que el cuáquero Lancaster (y tras él sus rivales anglicanos) obtuvo abundantísima cosecha de graduados elementales a principios del siglo XIX, cargando incidentalmente para siempre de discusiones sectarias la educación inglesa. Los temores sociales frustraban la educación de los pobres.

Por fortuna, eran necesarios pocos refinamientos intelectuales para hacer la Revolución industrial.[4] Sus inventos técnicos fueron sumamente modestos, y en ningún sentido superaron a los experimentos de los artesanos inteligen-

---

4. «Por una parte, es satisfactorio ver cómo los ingleses adquieren un rico tesoro para su vida política del estudio de los autores antiguos, aunque éste lo realicen pedantescamente. Hasta el punto de que con frecuencia los oradores parlamentarios citan a todo pasto a esos autores, práctica aceptada favorablemente por la Asamblea, en la que esas citas no dejan de surtir efecto. Por otra parte, no puede por menos de sorprendernos que en un país en que predominan las tendencias manufactureras, por lo que es evidente la necesidad de familiarizar al pueblo con las ciencias y las artes que las favorecen, se advierta la ausencia de tales temas en los planes de educación juvenil. Es igualmente asombroso lo mucho que se ha realizado por hombres carentes de una educación formal para su profesión» (W. Wachsmuth, *Europaeische Sittengeschichte 5*, 2 (1839), Leipzig, p. 736).

tes en sus tareas, o las capacidades constructivas de los carpinteros, constructores de molinos y cerrajeros: la lanzadera volante, la máquina para hilar, el huso mecánico. Hasta su máquina más científica —la giratoria de vapor de James Watt (1784)— no requirió más conocimientos físicos de los asequibles en la mayor parte del siglo —la verdadera teoría de las máquinas de vapor sólo se desarrollaría *ex post facto* por el francés Carnot en 1820— y serían necesarias varias generaciones para su utilización práctica, sobre todo en las minas. Dadas las condiciones legales, las innovaciones técnicas de la Revolución industrial se hicieron realmente a sí mismas, excepto quizá en la industria química. Lo cual no quiere decir que los primeros industriales no se interesaran con frecuencia por la ciencia y la búsqueda de los beneficios prácticos que ella pudiera proporcionarles.[5]

Pero las condiciones legales se dejaban sentir mucho en Gran Bretaña, en donde había pasado más de un siglo desde que el primer rey fue procesado en debida forma y ejecutado por su pueblo, y desde que el beneficio privado y el desarrollo económico habían sido aceptados como los objetivos supremos de la política gubernamental. Para fines prácticos, la única solución revolucionaria británica para el problema agrario ya había sido encontrada. Un puñado de terratenientes de mentalidad comercial monopolizaba casi la tierra, que era cultivada por arrendatarios que a su vez empleaban a gentes sin tierras o propietarios de pequeñísimas parcelas. Muchos residuos de la antigua economía aldeana subsistían todavía para ser barridos por las *Enclosure Acts* (1760-1830) y transacciones privadas, pero difícilmente se puede hablar de un «campesinado británico» en el mismo sentido en que se habla de un campesinado francés, alemán o ruso. Los arrendamientos rústicos eran numerosísimos y los productos de las granjas dominaban los mercados; la manufactura se había difundido hacía tiempo por el campo no feudal. La agricultura estaba preparada, pues, para cumplir sus tres funciones fundamentales en una era de industrialización: aumentar la producción y la productividad para alimentar a una población no agraria en rápido y creciente aumento; proporcionar un vasto y ascendente cupo de potenciales reclutas para las ciudades y las industrias, y suministrar un mecanismo para la acumulación de capital utilizable por los sectores más modernos de la economía. (Otras dos funciones eran probablemente menos importantes en Gran Bretaña: la de crear un mercado suficientemente amplio entre la población agraria —normalmente la gran masa del pueblo— y la de proporcionar un excedente para la exportación que ayudase a las importaciones de capital.) Un considerable volumen de capital social —el costoso equipo general necesario para poner en marcha toda la economía— ya estaba siendo constituido, principalmente en buques, instalaciones portuarias y mejoras de

5. Cf. A. E. Musson y E. Robinson, «Science and Industry in the Late Eighteenth Century», *Economic History Review*, XIII (2 de diciembre de 1960); y la obra de R. E. Schofield sobre los industriales de las Midlands y la Sociedad Lunar, *Isis*, 47 (marzo de 1956); 48 (1957); *Annals of Science*, II (junio de 1965), etc.

caminos y canales. La política estaba ya engranada con los beneficios. Las peticiones específicas de los hombres de negocios podían encontrar resistencia en otros grupos de intereses; y como veremos más adelante, los agricultores iban a alzar una última barrera para impedir el avance de los industriales entre 1795 y 1846. Sin embargo, en conjunto se aceptaba que el dinero no sólo hablaba, sino que gobernaba. Todo lo que un industrial necesitaba adquirir para ser admitido entre los regidores de la sociedad, era bastante dinero.

El hombre de negocios estaba indudablemente en un proceso de ganar más dinero, pues la mayor parte del siglo XVIII fue para casi toda Europa un período de prosperidad y de cómoda expansión económica: el verdadero fondo para el dichoso optimismo del volteriano doctor Pangloss. Se puede argüir que más pronto o más temprano esta expansión, ayudada por una suave inflación, habría impulsado a otros países a cruzar el umbral que separa a la economía preindustrial de la industrial. Pero el problema no es tan sencillo. Una gran parte de la expansión industrial del siglo XVIII no condujo de hecho, inmediatamente o dentro del futuro previsible, a la *Revolución* industrial, por ejemplo, a la creación de un sistema de «talleres mecanizados» que a su vez produjeran tan gran cantidad de artículos disminuyendo tanto su coste como para no depender más de la demanda existente, sino para crear su propio mercado.[6] Así, por ejemplo, la rama de la construcción, o las numerosas industrias menores que producían utensilios domésticos de metal —clavos, navajas, tijeras, cacharros, etc.— en las Midlands inglesas y en Yorkshire, alcanzaron gran expansión en este período, pero siempre en función de un mercado existente. En 1850, produciendo mucho más que en 1750, seguían haciéndolo a la manera antigua. Lo que necesitaban no era cualquier clase de expansión, sino la clase especial de expansión que generaba Manchester más bien que Birmingham.

Por otra parte, las primeras manifestaciones de la Revolución industrial ocurrieron en una situación histórica especial, en la que el crecimiento económico surgía de las decisiones entrecruzadas de innumerables empresarios privados e inversores, regidos por el principal imperativo de la época: comprar en el mercado más barato para vender en el más caro. ¿Cómo iban a imaginar que obtendrían el máximo beneficio de una Revolución industrial organizada en vez de unas actividades mercantiles familiares, más provechosas en el pasado? ¿Cómo iban a saber lo que nadie sabía todavía, es decir, que la Revolución industrial produciría una aceleración sin igual en la expansión de sus mercados? Dado que ya se habían puesto los principales cimientos sociales de una sociedad industrial —como había ocurrido en la Inglaterra de finales del siglo XVIII—, se requerían dos cosas: primero, una industria que ya ofrecía excepcionales retribuciones para el fabricante que pudiera

---

6. La moderna industria del motor es un buen ejemplo de esto. No fue la demanda de automóviles existente en 1890 la que creó una industria de moderna envergadura, sino la capacidad para producir automóviles baratos la que dio lugar a la moderna masa de peticiones.

aumentar rápidamente su producción total, si era menester, con innovaciones razonablemente baratas y sencillas, y segundo, un mercado *mundial* ampliamente monopolizado por la producción de una sola nación.[7]

Estas consideraciones son aplicables en cierto modo a todos los países en el período que estudiamos. Por ejemplo, en todos ellos se pusieron a la cabeza del crecimiento industrial los fabricantes de mercancías de consumo de masas —principal, aunque no exclusivamente, textiles—,[8] porque ya existía el gran mercado para tales mercancías y los negociantes pudieron ver con claridad sus posibilidades de expansión. No obstante, en otros aspectos sólo pueden aplicarse a Inglaterra, pues los primitivos industrializadores se enfrentaron con los problemas más difíciles. Una vez que Gran Bretaña empezó a industrializarse, otros países empezaron a disfrutar de los beneficios de la rápida expansión económica estimulada por la vanguardia de la Revolución industrial. Además, el éxito británico demostró lo que podía conseguirse: la técnica británica se podía imitar, e importarse la habilidad y los capitales ingleses. La industria textil sajona, incapaz de hacer sus propios inventos, copió los de los ingleses, a veces bajo la supervisión de mecánicos británicos; algunos ingleses aficionados al continente, como los Cockerill, se establecieron en Bélgica y en algunos puntos de Alemania. Entre 1789 y 1848, Europa y América se vieron inundadas de expertos, máquinas de vapor, maquinaria algodonera e inversiones de capital, todo ello británico.

Gran Bretaña no disfrutaba de tales ventajas. Por otra parte, tenía una economía lo bastante fuerte y un Estado lo bastante agresivo para apoderarse de los mercados de sus competidores. En efecto, las guerras de 1793-1815, última y decisiva fase del duelo librado durante un siglo por Francia e Inglaterra, eliminaron virtualmente a todos los rivales en el mundo extraeuropeo, con la excepción de los jóvenes Estados Unidos. Además, Gran Bretaña poseía una industria admirablemente equipada para acaudillar la Revolución industrial en las circunstancias capitalistas, y una coyuntura económica que se lo permitía: la industria algodonera y la expansión colonial.

II

La industria británica, como todas las demás industrias algodoneras, tuvo su origen como un subproducto del comercio ultramarino, que producía su material crudo (o más bien uno de sus materiales crudos, pues el producto original era el *fustán*, mezcla de algodón y lino), y los artículos de algo-

---

7. Sólo lentamente el poder adquisitivo aumentó con el crecimiento de población, la renta *per capita*, el precio de los transportes y las limitaciones del comercio. Pero el mercado se ampliaba, y la cuestión vital consistía en que un producto de mercancías de gran consumo adquiriera nuevos mercados que le permitieran una continua expansión de su producción (K. Berrill, «International Trade and the Rate of Economic Growth», *Economic History Review*, XII (1960), p. 358.

8. W. G. Hoffmann, *The Growth of Industrial Economies*, Manchester, 1958, p. 68.

dón indio o *indianas*, que ganaron los mercados, de los que los fabricantes europeos intentarían apoderarse con sus imitaciones. En un principio no tuvieron éxito, aunque fueran más capaces de reproducir a precios de competencia las mercancías más toscas y baratas que las finas y costosas. Sin embargo, por fortuna, los antiguos y poderosos magnates del comercio de lanas conseguían periódicamente la prohibición de importar los *calicoes* o *indianas* (que el interés puramente mercantil de la East India Company —Compañía de las Indias Orientales— trataba de exportar desde la India en la mayor cantidad posible), dando así oportunidades a los sucedáneos que producía la industria autóctona del algodón. Más baratos que la lana, el algodón y las mezclas de algodón no tardaron en obtener en Inglaterra un mercado modesto, pero beneficioso. Pero sus mayores posibilidades para una rápida expansión estaban en ultramar.

El comercio colonial había creado la industria del algodón y continuaba nutriéndola. En el siglo XVIII se desarrolló en el *hinterland* de los mayores puertos coloniales, como Bristol, Glasgow y especialmente Liverpool, el gran centro de comercio de esclavos. Cada fase de este inhumano pero rápidamente próspero tráfico, parecía estimular aquélla. De hecho, durante todo el período a que este libro se refiere, la esclavitud y el algodón marcharon juntos. Los esclavos africanos se compraban, al menos en parte, con algodón indio; pero cuando el suministro de éste se interrumpía por guerras o revueltas en la India o en otras partes, Lancashire salía a la palestra. Las plantaciones de las Indias Occidentales, adonde los esclavos eran llevados, proporcionaban la cantidad de algodón en bruto suficiente para la industria británica, y en compensación los plantadores compraban grandes cantidades de algodón elaborado en Manchester. Hasta poco antes del *take-off*, el volumen principal de exportaciones de algodón de Lancashire iba a los mercados combinados de África y América.[9] Lancashire recompensaría más tarde su deuda a la esclavitud conservándola, pues a partir de 1790 las plantaciones de esclavos de los Estados Unidos del Sur se extenderían y mantendrían por las insaciables y fabulosas demandas de los telares de Lancashire, a los que proporcionaban la casi totalidad de sus cosechas de algodón.

De este modo, la industria del algodón fue lanzada como un planeador por el impulso del comercio colonial al que estaba ligada; un comercio que prometía no sólo una grande, sino también una rápida y sobre todo imprevisible expansión que incitaba a los empresarios a adoptar las técnicas revolucionarias para conseguirla. Entre 1750 y 1769 la exportación de algodones británicos aumentó más de diez veces. En tal situación, las ganancias para el hombre que llegara primero al mercado con sus remesas de algodón eran astronómicas y compensaban los riesgos inherentes a las aventuras técnicas. Pero el mercado ultramarino, y especialmente el de las pobres y atrasadas

9. A. P. Wadsworth y J. de L. Mann, *The Cotton Trade and Industrial Lancashire*, 1931, cap. VII.

«zonas subdesarrolladas», no sólo aumentaba dramáticamente de cuando en cuando, sino que se extendía constantemente sin límites aparentes. Sin duda, cualquier sección de él, considerada aisladamente, era pequeña para la escala industrial, y la competencia de las «economías avanzadas» lo hacía todavía más pequeño para cada una de éstas. Pero, como hemos visto, suponiendo a cualquiera de esas economías avanzadas preparada, para un tiempo suficientemente largo, a monopolizarlo *todo* o casi todo, sus perspectivas eran realmente ilimitadas. Esto es precisamente lo que consiguió la industria británica del algodón, ayudada por el agresivo apoyo del gobierno inglés. En términos mercantiles, la Revolución industrial puede considerarse, salvo en unos cuantos años iniciales, hacia 1780-1790, como el triunfo del mercado exterior sobre el interior: en 1814 Inglaterra exportaba cuatro yardas de tela de algodón por cada tres consumidas en ella; en 1850, trece por cada ocho.[10] Y dentro de esta creciente marea de exportaciones, la importancia mayor la adquirirían los mercados coloniales o semicoloniales que la metrópoli tenía en el exterior. Durante las guerras napoleónicas, en que los mercados europeos estuvieron cortados por el bloqueo, esto era bastante natural. Pero una vez terminadas las guerras, aquellos mercados continuaron afirmándose. En 1820, abierta Europa de nuevo a las importaciones británicas, consumió 128 millones de yardas de algodones ingleses, y América —excepto los Estados Unidos—, África y Asia consumieron 80 millones; pero en 1840 Europa consumiría 200 millones de yardas, mientras las «zonas subdesarrolladas» consumirían 529 millones.

Dentro de estas zonas, la industria británica había establecido un monopolio a causa de la guerra, las revoluciones de otros países y su propio gobierno imperial. Dos regiones merecen un examen particular. América Latina vino a depender virtualmente casi por completo de las importaciones británicas durante las guerras napoleónicas, y después de su ruptura con España y Portugal se convirtió casi por completo en una dependencia económica de Inglaterra, aislada de cualquier interferencia política de los posibles competidores de este último país. En 1820, el empobrecido continente adquiría ya una cuarta parte más de telas de algodón inglés que Europa; en 1840 adquiría la mitad que Europa. Las Indias Orientales habían sido, como hemos visto, el exportador tradicional de mercancías de algodón, impulsadas por la Compañía de las Indias. Pero cuando los nuevos intereses industriales predominaron en Inglaterra, los intereses mercantiles de las Indias Orientales se vinieron abajo. La India fue sistemáticamente desindustrializada y se convirtió a su vez en un mercado para los algodones de Lancashire: en 1820, el subcontinente asiático compró sólo 11 millones de yardas; pero en 1840 llegó a adquirir 145 millones. Esto suponía no sólo una satisfactoria extensión de mercados para Lancashire, sino también un hito importantísimo en la historia del mundo, pues desde los más remotos tiempos Europa había impor-

---

10. F. Crouzet, *Le blocus continental et l'économie britannique*, 1958, p. 63, sugiere que en 1805 llegaba a los dos tercios.

tado siempre de Oriente mucho más de lo que allí vendía, por ser poco lo que los mercados orientales pedían a Occidente a cambio de las especias, sedas, indianas, joyas, etc., que se compraban allí. Por primera vez las telas de algodón para camisas de la Revolución industrial trastrocaban esas relaciones que hasta ahora se habían equilibrado por una mezcla de exportaciones de metal y latrocinios. Solamente la conservadora y autárquica China se negaba a comprar lo que Occidente o las economías controladas por Occidente le ofrecían, hasta que, entre 1815 y 1842, los comerciantes occidentales, ayudados por los cañoneros occidentales, descubrieron un producto ideal que podría ser exportado en masa desde la India a Oriente: el opio

El algodón, por todo ello, ofrecía unas perspectivas astronómicas para tentar a los negociantes particulares a emprender la aventura de la Revolución industrial, y una expansión lo suficientemente rápida como para requerir esa revolución. Pero, por fortuna, también ofrecía las demás condiciones que la hacían posible. Los nuevos inventos que lo revolucionaron —las máquinas de hilar, los husos mecánicos y, un poco más tarde, los poderosos telares— eran relativamente sencillos y baratos y compensaban en seguida sus gastos de instalación con una altísima producción. Podían ser instalados —si era preciso, gradualmente— por pequeños empresarios que empezaban con unas cuantas libras prestadas, pues los hombres que controlaban las grandes concentraciones de riqueza del siglo XVIII no eran muy partidarios de invertir cantidades importantes en la industria. La expansión de la industria pudo financiarse fácilmente al margen de las ganancias corrientes, pues la combinación de sus conquistas de vastos mercados y una continua inflación de precios produjo fantásticos beneficios. «No fueron el cinco o el diez por ciento, sino centenares y millares por ciento los que hicieron las fortunas de Lancashire», diría más tarde, con razón, un político inglés. En 1789, un ex ayudante de pañero como Robert Owen podría empezar en Manchester con cien libras prestadas y en 1809 adquirir la parte de sus socios en la empresa New Lanark Mills por 84.000 libras en dinero contante y sonante. Y este fue un episodio relativamente modesto en la historia de los negocios afortunados. Téngase en cuenta que, hacia 1800, menos del 15 por 100 de las familias británicas tenían una renta superior a cincuenta libras anuales, y de ellas sólo una cuarta parte superaba las doscientas libras por año.[11]

Pero la fabricación del algodón tenía otras ventajas. Toda la materia prima provenía de fuera, por lo cual su abastecimiento podía aumentarse con los drásticos procedimientos utilizados por los blancos en las colonias —esclavitud y apertura de nuevas áreas de cultivo— más bien que con los lentísimos procedimientos de la agricultura europea. Tampoco se veía estorbado por los tradicionales intereses de los agricultores europeos.[12] Desde 1790 la

---

11. P. K. O'Brien, «British Incomes and Property in the Early Nineteenth Century», *Economic History Review*, XII, 2 (1959), p. 267.

12. Los suministros ultramarinos de lana, en cambio, fueron de escasa importancia durante el período que estudiamos, y sólo se convirtieron en un factor mayor en 1870.

industria algodonera británica encontró su suministro, al cual permaneció ligada su fortuna hasta 1860, en los recién abiertos estados del sur de los Estados Unidos. De nuevo, entonces, en un momento crucial de la manufactura (singularmente en el hilado) el algodón padeció las consecuencias de una merma de trabajo barato y eficiente, viéndose impulsado a la mecanización total. Una industria como la del lino, que en un principio tuvo muchas más posibilidades de expansión colonial que el algodón, adoleció a la larga de la facilidad con que su barata y no mecanizada producción pudo extenderse por las empobrecidas regiones campesinas (principalmente en Europa central, pero también en Irlanda) en las que florecía sobre todo. Pues el camino evidente de la expansión industrial en el siglo XVIII, tanto en Sajonia y Normandía como en Inglaterra, era no construir talleres, sino extender el llamado sistema «doméstico», o *putting-out system*, en el que los trabajadores —unas veces antiguos artesanos independientes, otras, campesinos con tiempo libre en la estación muerta— elaboraban el material en bruto en sus casas, con sus utensilios propios o alquilados, recibiéndolo de y entregándolo de nuevo a los mercaderes, que estaban a punto de convertirse en empresarios.[13] Claro está que, tanto en Gran Bretaña como en el resto del mundo económicamente progresivo, la principal expansión en el período inicial de industrialización continuó siendo de esta clase. Incluso en la industria del algodón, esos procedimientos se extendieron mediante la creación de grupos de tejedores manuales domésticos que servían a los núcleos de los telares mecánicos, por ser el trabajo manual primitivo más eficiente que el de las máquinas. En todas partes, el tejer se mecanizó al cabo de una generación, y en todas partes los tejedores manuales murieron lentamente, a veces rebelándose contra su terrible destino, cuando ya la industria no los necesitaba para nada.

III

Así pues, la opinión tradicional que ha visto en el algodón el primer paso de la Revolución industrial inglesa es acertada. El algodón fue la primera industria revolucionada y no es fácil ver qué otra hubiera podido impulsar a los patronos de empresas privadas a una revolución. En 1830 la algodonera era la única industria británica en la que predominaba el taller o «hilandería» (nombre este último derivado de los diferentes establecimientos preindustriales que emplearon una potente maquinaria). Al principio (1780-1815) estas máquinas se dedicaban a hilar, cardar y realizar algunas otras operaciones secundarias; después de 1815 se ampliaron también para el tejido. Las fábricas a las que las nuevas disposiciones legales —*Factory Acts*— se referían,

---

13. El «sistema doméstico», que es una etapa universal del desarrollo industrial en el camino desde la producción artesana a la moderna industria, puede tomar innumerables formas, algunas de las cuales se acercan ya al taller. Si un escritor del siglo XVIII habla de «manufacturas», lo que quiere decir es invariable para todos los países occidentales.

fueron, hasta 1860-1870, casi exclusivamente talleres textiles, con absoluto predominio de los algodoneros. La producción fabril en las otras ramas textiles se desarrolló lentamente antes de 1840, y en las demás manufacturas era casi insignificante. Incluso las máquinas de vapor, utilizadas ya por numerosas industrias en 1815, no se empleaban mucho fuera de la de la minería. Puede asegurarse que las palabras «industria» y «fábrica» en su sentido moderno se aplicaban casi exclusivamente a las manufacturas del algodón en el Reino Unido.

Esto no es subestimar los esfuerzos realizados para la renovación industrial en otras ramas de la producción, sobre todo en las demás textiles,[14] en las de la alimentación y bebidas, en la construcción de utensilios domésticos, muy estimuladas por el rápido crecimiento de las ciudades. Pero, en primer lugar, todas ellas empleaban a muy poca gente: ninguna de ellas se acercaba ni remotamente al millón y medio de personas directa o indirectamente empleadas en la industria del algodón en 1833.[15] En segundo lugar, su poder de transformación era mucho más pequeño, la industria cervecera, que en muchos aspectos técnicos y científicos estaba más avanzada y mecanizada, y hasta revolucionada antes que la del algodón, escasamente afectó a la economía general, como lo demuestra la gran cervecera Guinness de Dublín, que dejó al resto de la economía dublinesa e irlandesa (aunque no los gustos locales) lo mismo que estaba antes de su creación.[16] La demanda derivada del algodón —en cuanto a la construcción y demás actividades en las nuevas zonas industriales, en cuanto a máquinas, adelantos químicos, alumbrado industrial, buques, etc.— contribuyó en cambio en gran parte al progreso económico de Gran Bretaña hasta 1830. En tercer lugar, la expansión de la industria algodonera fue tan grande y su peso en el comercio exterior británico tan decisivo, que dominó los movimientos de la economía total del país. La cantidad de algodón en bruto importado en Gran Bretaña pasó de 11 millones de libras en 1785 a 588 millones en 1850; la producción total de telas, de 40 millones a 2.025 millones de yardas.[17] Las manufacturas de algodón representaron entre el 40 y el 50 por 100 del valor de todas las exportaciones británicas entre 1816 y 1848. Si el algodón prosperaba, prosperaba la economía; si decaía, languidecía esa economía. Sus oscilaciones de precios determinaban el equilibrio del comercio nacional. Sólo la agricultura tenía una fuerza comparable, aunque declinaba visiblemente.

No obstante, aunque la expansión de la industria algodonera y de la economía industrial dominada por el algodón «superaba todo cuanto la imaginación más romántica hubiera podido considerar posible en cualquier cir-

---

14. En todos los países que poseían cualquier clase de manufacturas comerciales, las textiles tendían a predominar; en Silesia (1800) significaban el 74 por 100 del valor total (Hoffmann, *op. cit.*, p. 73).

15. Baines, *History of the Cotton Manufacture in Great Britain*, Londres, 1835, p. 431.

16. P. Mathias, *The Brewing Industry in England*, Cambridge, 1959.

17. M. Mulhall, *Dictionary of Statistics*, 1892, p. 158.

cunstancia»,[18] su progreso distaba mucho de ser uniforme y en la década 1830-1840 suscitó los mayores problemas de crecimiento, sin mencionar el desasosiego revolucionario sin igual en ningún período de la historia moderna de Gran Bretaña. Estos primeros tropiezos de la economía industrial capitalista se reflejaron en una marcada lentitud en el crecimiento y quizá incluso en una disminución de la renta nacional británica en dicho período.[19] Pero esta primera crisis general capitalista no fue un fenómeno puramente inglés.

Sus más graves consecuencias fueron sociales: la transición a la nueva economía creó miseria y descontento, materiales primordiales de la revolución social. Y en efecto, la revolución social estalló en la forma de levantamientos espontáneos de los pobres en las zonas urbanas e industriales, y dio origen a las revoluciones de 1848 en el continente y al vasto movimiento cartista en Inglaterra. El descontento no se limitaba a los trabajadores pobres. Los pequeños e inadaptables negociantes, los pequeños burgueses y otras ramas especiales de la economía, resultaron también víctimas de la Revolución industrial y de sus ramificaciones. Los trabajadores sencillos e incultos reaccionaron frente al nuevo sistema destrozando las máquinas que consideraban responsables de sus dificultades; pero también una cantidad —sorprendentemente grande— de pequeños patronos y granjeros simpatizaron abiertamente con esas actitudes destructoras, por considerarse también víctimas de una diabólica minoría de innovadores egoístas. La explotación del trabajo que mantenía las rentas del obrero a un nivel de subsistencia, permitiendo a los ricos acumular los beneficios que financiaban la industrialización y aumentar sus comodidades, suscitaba el antagonismo del proletariado. Pero también otro aspecto de esta desviación de la renta nacional del pobre al rico, del consumo a la inversión, contrariaba al pequeño empresario. Los grandes financieros, la estrecha comunidad de los *rentistas* nacionales y extranjeros, que percibían lo que todos los demás pagaban de impuestos —alrededor de un 8 por 100 de toda la renta nacional—,[20] eran quizá más impopulares todavía entre los pequeños negociantes, granjeros y demás que entre los braceros, pues aquéllos sabían de sobra lo que eran el dinero y el crédito para no sentir una rabia personal por sus perjuicios. Todo iba muy bien para los ricos, que podían encontrar cuanto crédito necesitaran para superar la rígida deflación y la vuelta a la ortodoxia monetaria de la economía después de las guerras napoleónicas; en cambio, el hombre medio era quien sufría y quien en todas partes y en todas las épocas del siglo XIX solicitaba, sin obtenerlos, un fácil crédito y una flexibilidad financiera.[21] Los obreros y los pequeños burgueses

18. Baines, *op. cit.*, p. 112

19. Cf. Phyllis Deane, «Estimates of the British National Income», *Economic History Review* (abril de 1956 y abril de 1957).

20. O'Brien, *op. cit.*, p. 267.

21. Desde el radicalismo posnapoleónico en Inglaterra hasta el populismo en los Estados Unidos, todos los movimientos de protesta que incluían a los granjeros y a los pequeños empresarios se caracterizaban por sus peticiones de flexibilidad financiera para obtener el dinero necesario.

descontentos se encontraban al borde de un abismo y por ello mostraban el mismo descontento, que les uniría en los movimientos de masas del «radicalismo», la «democracia» o el «republicanismo», entre los cuales el radical inglés, el republicano francés y el demócrata jacksoniano norteamericano serían los más formidables entre 1815 y 1848.

Sin embargo, desde el punto de vista de los capitalistas, esos problemas sociales sólo afectaban al progreso de la economía si, por algún horrible accidente, derrocaran el orden social establecido. Por otra parte, parecía haber ciertos fallos inherentes al proceso económico que amenazaban a su principal razón de ser: la ganancia. Si los réditos del capital se reducían a cero, una economía en la que los hombres producían sólo por la ganancia volvería a aquel «estado estacionario» temido por los economistas.[22]

Los tres fallos más evidentes fueron el ciclo comercial de alza y baja, la tendencia de la ganancia a declinar y (lo que venía a ser lo mismo) la disminución de las oportunidades de inversiones provechosas. El primero de ellos no se consideraba grave, salvo por los críticos del capitalismo en sí, que fueron los primeros en investigarlo y considerarlo como parte integral del proceso económico del capitalismo y un síntoma de sus inherentes contradicciones.[23] Las crisis periódicas de la economía que conducían al paro, a la baja de producción, a la bancarrota, etc., eran bien conocidas. En el siglo XVIII reflejaban, por lo general, alguna catástrofe agrícola (pérdida de cosechas, etc.), y, como se ha dicho, en el continente europeo, las perturbaciones agrarias fueron la causa principal de las más profundas depresiones hasta el final del período que estudiamos. También eran frecuentes en Inglaterra, al menos desde 1793, las crisis periódicas en los pequeños sectores fabriles y financieros. Después de las guerras napoleónicas, el drama periódico de las grandes alzas y caídas —en 1825-1826, en 1836-1837, en 1839-1842, en 1846-1848— dominaba claramente la vida económica de una nación en paz. En la década 1830-1840, la verdaderamente crucial en la época que estudiamos, ya se reconocía vagamente que eran un fenómeno periódico y regular, al menos en el comercio y en las finanzas.[24] Sin embargo, se atribuían generalmente

22. Para el estado estacionario, cf. J. Schumpeter, *History of Economic Analysis*, 1954, pp. 570-571. La fórmula principal es de John Stuart Mill, *Principios de economía política*, libro IV, cap. IV: «Cuando un país ha tenido durante mucho tiempo una gran producción y una gran red de impuestos para aprovecharla, y cuando, por ello, ha contado con los medios para un gran aumento anual de capital, una de las características de tal país es que la proporción de beneficios está, por decirlo así, a un palmo del mínimum, y el país, por eso, al borde del estado estacionario ... La mera prolongación del presente aumento de capital, si no se presentan circunstancias que contraríen sus efectos, bastaría en pocos años para reducir esos beneficios al mínimum». No obstante, cuando esto se publicó (1848), la fuerza contraria —la ola de desarrollo producida por el ferrocarril— ya había aparecido.

23. El suizo Simonde de Sismondi y el conservador Malthus, hombre de mentalidad campesina, fueron los primeros en tratar de estos temas antes de 1825. Los nuevos socialistas hicieron de sus teorías sobre la crisis una clave de su crítica del capitalismo.

24. Por el radical John Wade, *History of the Middle and Working Classes*; el banquero lord Overstone, *Reflections Suggested by the Perusal of Mr. J. Horsley Patmer's Pamphlet on*

por los hombres de negocios a errores particulares—como, por ejemplo, la superespeculación en los depósitos americanos—o a interferencias extrañas en las plácidas operaciones de la economía capitalista sin creer que reflejaran alguna dificultad fundamental del sistema.

No así la disminución del margen de beneficios, como lo ilustra claramente la industria del algodón. Inicialmente, esta industria disfrutaba de inmensas ventajas. La mecanización aumentó mucho la productividad (por ejemplo, al reducir el costo por unidad producida) de los trabajadores, muy mal pagados en todo caso, y en gran parte mujeres y niños.[25] De los 12.000 operarios de las fábricas de algodón de Glasgow en 1833, sólo 2.000 percibían un jornal de 11 chelines semanales. En 131 fábricas de Manchester los jornales eran inferiores a 12 chelines, y sólo en 21 superiores.[26] Y la construcción de fábricas era relativamente barata: en 1846 una nave para 410 máquinas, incluido el coste del suelo y las edificaciones, podía construirse por unas 11.000 libras esterlinas.[27] Pero, por encima de todo, el mayor costo —el del material en bruto— fue drásticamente rebajado por la rápida expansión del cultivo del algodón en el sur de los Estados Unidos después de inventar Eli Whitney en 1793 el almarrá. Si se añade que los empresarios gozaban de la bonificación de una provechosa inflación (es decir, la tendencia general de los precios a ser más altos cuando vendían sus productos que cuando los hacían), se comprenderá por qué los fabricantes se sentían boyantes.

Después de 1815 estas ventajas se vieron cada vez más neutralizadas por la reducción del margen de ganancias. En primer lugar, la Revolución industrial y la competencia causaron una constante y dramática caída en el precio del artículo terminado, pero no en los diferentes costos de la producción.[28] En segundo lugar, después de 1815, el ambiente general de los precios era de deflación y no de inflación, o sea, que las ganancias, lejos de gozar de un alza, padecían una ligera baja. Así, mientras en 1784 el precio de venta de una libra de hilaza era de 10 chelines con 11 peniques, y el costo de la materia bruta de dos chelines, dejando un margen de ganancia de 8 chelines y 11 peniques, en 1812 su precio de venta era de 2 chelines con 6 peniques, el costo del material bruto de 1 con 6 (margen de un chelín) y en 1832 su precio de venta 11 peniques y cuarto, el de adquisición de material en bruto de

---

the Causes and Consequences of the Pressure on the Money Market, 1837; el veterano detractor de las Corn Laws J. Wilson, Fluctuations of Currency, Commerce and Manufacture; Referable to the Corn Laws, 1840, y en Francia, por A. Blanqui (hermano del famoso revolucionario), en 1837, y M. Briaune, en 1840. Y sin duda, por muchos más.

25. E. Baines estimaba en 1835 el jornal medio de los obreros de los telares mecánicos en diez chelines semanales —con dos semanas de vacaciones sin jornal al año—, y el de los obreros de telares a mano, en siete chelines.

26. Baines, op. cit., p. 441; A. Ure y P. L. Simmonds, The Cotton Manufacture of Great Britain, edición de 1861, pp. 390 ss.

27. Geo. White, A Treatise on Weaving, Glasgow, 1846, p. 272.

28. M. Blaug, «The Productivity of Capital in the Lancashire Cotton Industry during the Nineteenth Century», Economic History Review (abril de 1961).

7 peniques y medio y el margen de beneficio no llegaba a los 4 peniques.[29] Claro que la situación, general en toda la industria británica —también en la avanzada—, no era del todo pesimista. «Las ganancias son todavía suficientes —escribía el paladín e historiador del algodón en 1835 en un arranque de sinceridad— para permitir una gran acumulación de capital en la manufactura.»[30] Como las ventas totales seguían ascendiendo, el total de ingresos ascendía también, aunque la unidad de ganancias fuera menor. Todo lo que se necesitaba era continuar adelante hasta llegar a una expansión astronómica. Sin embargo, parecía que el retroceso de las ganancias tenía que detenerse o al menos atenuarse. Esto sólo podía lograrse reduciendo los costos. Y de todos los costos, el de los jornales —que McCulloch calculaba en tres veces el importe anual del material en bruto— era el que más se podía comprimir.

Podía comprimirse por una reducción directa de jornales, por la sustitución de los caros obreros expertos por mecánicos más baratos, y por la competencia de la máquina. Esta última redujo el promedio semanal del jornal de los tejedores manuales en Bolton de 33 chelines en 1795 y 14 en 1815 a 5 chelines y 6 peniques (o, más prácticamente, un ingreso neto de 4 chelines y un penique y medio), en 1829-1834.[31] Y los jornales en dinero siguieron disminuyendo en el período posnapoleónico. Pero había un límite fisiológico a tales reducciones, si no se quería que los trabajadores murieran de hambre, como les ocurrió a 500.000 tejedores manuales. Sólo si el costo de la vida descendía, podían descender más allá de ese punto los jornales. Los fabricantes de algodón opinaban que ese costo se mantenía artificialmente elevado por el monopolio de los intereses de los hacendados, agravado por las tremendas tarifas protectoras con las que un Parlamento de terratenientes había envuelto a la agricultura británica después de las guerras: las *Corn Laws*, las leyes de cereales. Lo cual tenía además la desventaja de amenazar el crecimiento esencial de las exportaciones inglesas. Pues si al resto del mundo todavía no industrializado se le impedía vender sus productos agrarios, ¿cómo iba a pagar los productos manufacturados que sólo Gran Bretaña podía y tenía que proporcionarle? Manchester se convirtió en el centro de una desesperada y creciente oposición militante al terratenientismo en general y a las *Corn Laws* en particular y en la espina dorsal de la Liga Anti-Corn Law entre 1838-1846, fecha en que dichas leyes de cereales se abolieron, aunque su abolición no llevó inmediatamente a una baja del coste de la vida, y es dudoso que antes de la época de los ferrocarriles y vapores hubiera podido bajarlo mucho incluso la libre importación de materias alimenticias.

Así pues, la industria se veía obligada a mecanizarse (lo que reduciría los costos al reducir el número de obreros), a racionalizarse y a aumentar su producción y sus ventas, sustituyendo por un volumen de pequeños beneficios por unidad la desaparición de los grandes márgenes. Su éxito fue vario.

29. Thomas Ellison, *The Cotton Trade of Great Britain*, Londres, 1886, p. 61.
30. Baines, *op. cit.*, p. 356.
31. Baines, *op. cit.*, p. 489.

Como hemos visto, el aumento efectivo en producción y exportación fue gigantesco; también, después de 1815, lo fue la mecanización de los oficios hasta entonces manuales o parcialmente mecanizados, sobre todo el de tejedor. Esta mecanización tomó principalmente más bien la forma de una adaptación o ligera modificación de la maquinaria ya existente que la de una absoluta revolución técnica. Aunque la presión para esta innovación técnica aumentara significativamente —en 1800-1820 hubo 39 patentes nuevas de telares de algodón, etc., 51 en 1820-1830, 86 en 1830-1840 y 156 en la década siguiente—,[32] la industria algodonera británica se estabilizó tecnológicamente en 1830. Por otra parte, aunque la producción por operario aumentara en el período posnapoleónico, no lo hizo con una amplitud revolucionaria. El verdadero y trascendental aumento de operaciones no ocurriría hasta la segunda mitad del siglo.

Una presión parecida había sobre el tipo de interés del capital, que la teoría contemporánea asimilaba al beneficio. Pero su examen nos lleva a la siguiente fase del desarrollo industrial: la construcción de una industria básica de bienes de producción.

IV

Es evidente que ninguna economía industrial puede desenvolverse más allá de cierto punto hasta que posee una adecuada capacidad de bienes de producción. Por esto, todavía hoy el índice más seguro del poderío industrial de un país es la cantidad de su producción de hierro y acero. Pero también es evidente que, en las condiciones de la empresa privada, la inversión —sumamente costosa— de capital necesario para ese desarrollo no puede hacerse fácilmente, por las mismas razones que la industrialización del algodón o de otras mercancías de mayor consumo. Para estas últimas, siempre existe —aunque sea en potencia— un mercado masivo: incluso los hombres más modestos llevan camisa, usan ropa de casa y muebles, y comen. El problema es, sencillamente, cómo encontrar con rapidez buenos y vastos mercados al alcance de los fabricantes. Pero semejantes mercados no existen, por ejemplo, para la industria pesada del hierro, pues sólo empiezan a existir en el transcurso de una Revolución industrial (y no siempre), por lo que aquellos que emplean su dinero en las grandes inversiones requeridas incluso para montar fundiciones modestas comparadas con las grandes fábricas de algodón), antes de que ese dinero sea visible, más parecen especuladores, aventureros o soñadores que verdaderos hombres de negocios. En efecto, una secta de tales aventureros especuladores técnicos franceses —los sansimonianos— actuaban como principales propagandistas de la clase de industrialización necesitada de inversiones fuertes y de largo alcance.

32. Ure y Simmonds, *op. cit.*, vol. I, pp. 317 ss.

Estas desventajas concernían particularmente a la metalurgia, sobre todo a la del hierro. Su capacidad aumentó, gracias a unas pocas y sencillas innovaciones, como la pudelación y el laminado en la década de 1780-1790, pero la demanda no militar era relativamente modesta, y la militar, aunque abundante gracias a una sucesión de guerras entre 1756 y 1815, remitió mucho después de Waterloo. Desde luego no era lo bastante grande para convertir a Gran Bretaña en un país que descollara en la producción de hierro. En 1790 superaba a Francia sólo en un 40 por 100, sobre poco más o menos, e incluso en 1800 su producción total era menos de la mitad de toda la continental junta, y no pasaba del cuarto de millón de toneladas. La participación inglesa en la producción mundial de hierro tendería a disminuir en las próximas décadas.

Afortunadamente no ocurría lo mismo con la minería, que era principalmente la de carbón. El carbón tenía la ventaja de ser no sólo la mayor fuente de poderío industrial del siglo XIX, sino también el más importante combustible doméstico, gracias sobre todo a la relativa escasez de bosques en Gran Bretaña. El crecimiento de las ciudades (y especialmente el de Londres) había hecho que la explotación de las minas de carbón se extendiera rápidamente desde el siglo XVI. A principios del siglo XVIII, era sustancialmente una primitiva industria moderna, empleando incluso las más antiguas máquinas de vapor (inventadas para fines similares en la minería de metales no ferrosos, principalmente en Cornualles) para sondeos y extracciones. De aquí que la industria carbonífera apenas necesitara o experimentara una gran revolución técnica en el período a que nos referimos. Sus innovaciones fueron más bien mejoras que verdaderas transformaciones en la producción. Pero su capacidad era ya inmensa y, a escala mundial, astronómica. En 1800, Gran Bretaña produjo unos diez millones de toneladas de carbón, casi el 90 por 100 de la producción mundial. Su más próximo competidor —Francia— produjo menos de un millón.

Esta inmensa industria, aunque probablemente no lo bastante desarrollada para una verdadera industrialización masiva a moderna escala, era lo suficientemente amplia para estimular la invención básica que iba a transformar a las principales industrias de mercancías: el ferrocarril. Las minas no sólo requerían máquinas de vapor en grandes cantidades y de gran potencia para su explotación, sino también unos eficientes medios de transporte para trasladar las grandes cantidades de carbón desde las galerías a la bocamina y especialmente desde ésta al punto de embarque. El «tranvía» o «ferrocarril» por el que corrieran las vagonetas era una respuesta evidente. Impulsar esas vagonetas por máquinas fijas era tentador; impulsarlas por máquinas móviles no parecía demasiado impracticable. Por otra parte, el coste de los transportes por tierra de mercancías voluminosas era tan alto, que resultaba facilísimo convencer a los propietarios de minas carboníferas en el interior de que la utilización de esos rápidos medios de transporte sería enormemente ventajosa para ellos. La línea férrea desde la zona minera interior de Durham hasta la costa (Stockton-Darlington, 1825) fue la primera de los modernos ferrocarriles. Técnicamente, el ferrocarril es el hijo de la mina, y especialmente de las minas de carbón del norte de Inglaterra. George Stephenson empezó a ganarse la vida como maquinista en Tyneside, y durante varios años todos los conductores de locomotoras se reclutaban virtualmente en sus respectivas zonas mineras.

Ninguna de las innovaciones de la Revolución industrial encendería las imaginaciones como el ferrocarril, como lo demuestra el hecho de que es el único producto de la industrialización del siglo XIX plenamente absorbido por la fantasía de los poetas populares y literarios. Apenas se demostró en Inglaterra que era factible y útil (1825-1830), se hicieron proyectos para construirlo en casi todo el mundo occidental, aunque su ejecución se aplazara en muchos sitios. Las primeras líneas cortas se abrieron en los Estados Unidos en 1827, en Francia en 1828 y 1835, en Alemania y Bélgica en 1835 y en Rusia en 1837. La razón era indudablemente que ningún otro invento revelaba tan dramáticamente al hombre profano la fuerza y la velocidad de la nueva época; revelación aún más sorprendente por la notable madurez técnica que demostraban incluso los primeros ferrocarriles. (Velocidades de sesenta millas a la hora, por ejemplo, eran perfectamente alcanzables en 1830-1840 y no fueron superadas por los ferrocarriles de vapor posteriores.) La locomotora lanzando al viento sus penachos de humo a través de países y continentes, los terraplenes y túneles, los puentes y estaciones, formaban un colosal conjunto, al lado del cual las pirámides, los acueductos romanos e incluso la Gran Muralla de la China resultaban pálidos y provincianos. El ferrocarril constituía el gran triunfo del hombre por medio de la técnica.

Desde un punto de vista económico, su gran coste era su principal ventaja. Sin duda su capacidad para abrir caminos hacia países antes separados del comercio mundial por el alto precio de los transportes, el gran aumento en la velocidad y el volumen de las comunicaciones terrestres, tanto para personas como para mercancías, iban a ser a la larga de la mayor importancia. Antes de 1848 eran menos importantes económicamente: fuera de Gran Bretaña porque los ferrocarriles eran escasos; en Gran Bretaña, porque por razones geográficas los problemas de transporte eran menores que en los países con grandes extensiones de tierras interiores.[33] Pero desde el punto de vista del que estudia el desarrollo económico, el inmenso apetito de los ferrocarriles, apetito de hierro y acero, de carbón y maquinaria pesada, de trabajo e inversiones de capital, fue más importante en esta etapa. Aquella enorme demanda era necesaria para que las grandes industrias se transformaran tan profundamente como lo había hecho la del algodón. En las dos primeras décadas del ferrocarril (1830-1850), la producción de hierro en Gran Bretaña ascendió de 680.000 a 2.250.000 toneladas, es decir, se triplicó. También se triplicó en aquellos veinte años —de 15 a 49 millones de toneladas— la

---

33. Ningún punto de Gran Bretaña dista más de 70 millas del mar, y todas las principales zonas industriales del siglo XIX, con una sola excepción, estaban junto al mar o el mar era fácilmente alcanzado desde ellas.

producción de carbón. Este impresionante aumento se debía principalmente al tendido de las vías, pues cada milla de línea requería unas 300 toneladas de hierro sólo para los raíles.[34] Los avances industriales que por primera vez hicieron posible esta masiva producción de acero prosiguieron naturalmente en las sucesivas décadas.

La razón de esta súbita, inmensa y esencial expansión estriba en la pasión, aparentemente irracional, con la que los hombres de negocios y los inversionistas se lanzaron a la construcción de ferrocarriles. En 1830 había escasamente unas decenas de millas de vías férreas en todo el mundo, casi todas en la línea de Liverpool a Manchester. En 1840 pasaban de las 4.500 y en 1850 de las 23.500. La mayor parte de ellas fueron proyectadas en unas cuantas llamaradas de frenesí especulativo, conocidas por las «locuras del ferrocarril» de 1835-1837, y especialmente de 1844-1847; casi todas se construyeron en gran parte con capital británico, hierro británico y máquinas y técnicos británicos.[35] Inversiones tan descomunales parecen irrazonables, porque en realidad pocos ferrocarriles eran mucho más provechosos para el inversionista que otros negocios o empresas; la mayor parte proporcionaban modestos beneficios y algunos absolutamente ninguno: en 1855 el interés medio del capital invertido en los ferrocarriles británicos era de un 3,7 por 100. Sin duda los promotores, especuladores, etc., obtenían beneficios mucho mayores, pero el inversionista corriente no pasaba de ese pequeño tanto por ciento. Y, sin embargo, en 1840 se habían invertido ilusionadamente en ferrocarriles 28 millones de libras esterlinas, y 240 millones en 1850.[36]

¿Por qué? El hecho fundamental en Inglaterra en las dos primeras generaciones de la Revolución industrial fue que las clases ricas acumularon rentas tan deprisa y en tan grandes cantidades que excedían a toda posibilidad de gastarlas e invertirlas. (El superávit invertible en 1840-1850 se calcula en 60 millones de libras esterlinas.)[37] Sin duda las sociedades feudal y aristocrática se lanzaron a malgastar una gran parte de esas rentas en una vida de libertinaje, lujosísimas construcciones y otras actividades antieconómicas.[38] Así, el sexto duque de Devonshire, cuya renta normal era principesca, llegó a dejar a su heredero, a mediados del siglo XIX, un millón de libras de deudas, que ese heredero pudo pagar pidiendo prestado millón y medio y dedicándose a explotar sus fincas.[39] Pero el conjunto de la clase media, que formaba el núcleo

---

34. J. H. Clapham, *An Economic History of Modern Britain*, 1926 pp. 427 ss.; Mulhall, *op. cit.*, pp. 121 y 332; M. Robbins, *The Railway Age*, 1962, pp. 30-31.

35. En 1840, un tercio del capital de los ferrocarriles franceses era inglés (Rondo E. Cameron, *France and the Economic Development of Europe 1800-1914*, 1961, p. 77).

36. Mulhall, *op. cit.*, pp. 497 y 501.

37. L. H. Jenks, *The Migration of British Capital to 1875*, Nueva York y Londres, 1927, p. 126.

38. Claro está que tales gastos también estimulaban la economía, pero de una manera ineficaz y en un sentido completamente contrario al del desarrollo industrial.

39. D. Spring, «The English Landed Estate in the Age of Coal and Iron», *Journal of Economic History*, XI, I (1951).

principal de inversionistas, era ahorrativo más bien que derrochador, aunque en 1840 había muchos síntomas de que se sentía lo suficientemente rico para gastar tanto como invertía. Sus mujeres empezaron a convertirse en «damas» instruidas por los manuales de etiqueta que se multiplicaron en aquella época; empezaron a construir sus capillas en pomposos y costosos estilos, e incluso comenzaron a celebrar su gloria colectiva construyendo esos horribles ayuntamientos y otras monstruosidades civiles, imitaciones góticas o renacentistas, cuyo costo exacto y napoleónico registraban con orgullo los cronistas municipales.[40]

Una sociedad moderna próspera o socialista no habría dudado en emplear algunas de aquellas vastas sumas en instituciones sociales. Pero en nuestro período nada era menos probable. Virtualmente libres de impuestos, las clases medias continuaban acumulando riqueza en medio de una población hambrienta, cuya hambre era la contrapartida de aquella acumulación. Y como no eran patanes que se conformaran con emplear sus ahorros en medias de lana u objetos dorados, tenían que encontrar mejor destino para ellos. Pero ¿dónde? Existían industrias, desde luego, pero insuficientes para absorber más de una parte del superávit disponible para inversiones: aun suponiendo que el volumen de la industria algodonera se duplicase, el capital necesario absorbería sólo una fracción de ese superávit. Era precisa, pues, una esponja lo bastante capaz para recogerlo todo.[41]

Las inversiones en el extranjero eran una magnífica posibilidad. El resto del mundo —principalmente los viejos gobiernos, que trataban de recobrarse de las guerras napoleónicas, y los nuevos, solicitando préstamos con su habitual prisa y abandono para propósitos indefinidos— sentía avidez de ilimitados empréstitos. El capital británico estaba dispuesto al préstamo. Pero, ¡ay!, los empréstitos suramericanos que parecieron tan prometedores en la década de 1820-1830, y los norteamericanos en la siguiente, no tardaron en convertirse en papeles mojados: de veinticinco empréstitos a gobiernos extranjeros concertados entre 1818 y 1831, dieciséis (que representaban más de la mitad de los 42 millones de libras esterlinas invertidos en ellos) resultaron un fracaso. En teoría, dichos empréstitos deberían haber rentado a los inversionistas del 7 al 9 por 100, pero en 1831 sólo percibieron un 3,1 por 100. ¿Quién no se desanimaría con experiencias como la de los empréstitos griegos al 5 por 100 de 1824 y 1825 que no empezaron a pagar intereses hasta 1870?[42] Por lo tanto, es natural que el capital invertido en el extranjero en los auges especulativos de 1825 y 1835-1837 buscara un empleo menos decepcionante.

40. Algunas ciudades con tradiciones dieciochescas nunca cesaron de erigir edificios públicos; pero las nuevas metrópolis típicamente industriales, como Bolton, en Lancashire, no construyeron edificios utilitarios de importancia antes de 1847-1848 (J. Clegg, *A Chronological History of Bolton*, 1876).

41. El capital total —maquinaria y trabajo— de la industria algodonera era estimado por McCulloch en 34 millones de libras esterlinas en 1833, y en 47 millones en 1845.

42. Albert M. Imlah, «British Balance of Payments and Export of Capital 1816-1913», *Economic History Review*, V, 2 (1952), p. 24.

John Francis, reflexionando sobre el frenesí de 1815, hablaba del hombre rico «que vislumbraba la acumulación de riqueza —la cual, con una población industrial, siempre supera los modos ordinarios de inversión— empleada legítima y justamente ... Veía el dinero que en su juventud había sido empleado en empréstitos de guerra y en su madurez malgastado en las minas suramericanas, construyendo caminos, empleando trabajadores y aumentando los negocios. La absorción de capital (por los ferrocarriles) fue una absorción aunque infructuosa, al menos dentro del país que lo producía. A diferencia de las minas y los empréstitos extranjeros (los ferrocarriles), no podían gastarse o desvalorizarse absolutamente».[43]

Si ese capital hubiese podido encontrar otras formas de inversión dentro del país —por ejemplo, en edificaciones—, es una pregunta puramente académica, cuya respuesta es dudosa. En realidad encontró los ferrocarriles, cuya creación rapidísima y en gran escala no hubiera sido posible sin ese torrente de dinero invertido en ellos, especialmente a mediados de la década 1830-1840. Lo cual fue una feliz coyuntura, ya que los ferrocarriles lograron resolver virtualmente y de una vez todos los problemas del crecimiento económico.

V

Investigar el impulso para la industrialización constituye sólo una parte de la tarea del historiador. La otra es estudiar la movilización y el despliegue de los recursos económicos, la adaptación de la economía y la sociedad exigida para mantener la nueva y revolucionaria ruta.

El primer factor, y quizá el más crucial que hubo de movilizarse y desplegarse, fue el *trabajo*, pues una economía industrial significa una violenta y proporcionada disminución en la población agrícola (rural) y un aumento paralelo en la no agrícola (urbana), y casi seguramente (como ocurrió en la época a que nos referimos) un rápido aumento general de toda la población. Lo cual implica también un brusco aumento en el suministro de alimentos, principalmente agrarios; es decir, «una revolución agrícola».[44]

El gran crecimiento de las ciudades y pueblos no agrícolas en Inglaterra había estimulado naturalmente mucho la agricultura, la cual es, por fortuna, tan ineficaz en sus formas preindustriales que algunos pequeños progresos —una pequeña atención racional a la crianza de animales, rotación de cultivos, abonos, instalación de granjas o siembra de nuevas semillas— puede

43. John Francis, *A History of the English Railway*, 1851, II, p. 136. Véase también H. Tuck, *The Railway Shareholder's Manual*, 7.ª ed., 1846, prefacio, y T. Tooke, *History of Prices*, II, pp. 275, 333 y 334, para la presión de los excedentes acumulados de Lancashire en los ferrocarriles.

44. Antes de la época del ferrocarril y los buques de vapor —o sea, antes del final de nuestro período—, la posibilidad de importar grandes cantidades de alimentos del extranjero era limitada, aunque Inglaterra venía siendo una neta importadora desde 1780.

producir resultados insospechados. Ese cambio agrícola había precedido a la Revolución industrial haciendo posibles los primeros pasos del rápido aumento de población, por lo que el impulso siguió adelante, aunque el campo británico padeciera mucho con la baja que se produjo en los precios anormalmente elevados durante las guerras napoleónicas. En términos de tecnología e inversión de capitales, los cambios del período aquí estudiado fueron probablemente de una razonable modestia hasta 1840-1850, década en la cual la ciencia agronómica y la ingeniería alcanzaron su mayoría de edad. El gran aumento de producción que permitió a la agricultura británica en 1830-1840 proporcionar el 98 por 100 de la alimentación a una población entre dos y tres veces mayor que la de mediados del siglo XVIII,[45] se alcanzó gracias a la adopción general de métodos descubiertos a principios del siglo anterior para la racionalización y expansión de las áreas de cultivo.

Pero todo ello se logró por una transformación social más bien que técnica: por la liquidación de los cultivos comunales medievales con su campo abierto y pastos comunes (el «movimiento de cercados»), de la petulancia de la agricultura campesina y de las caducas actitudes anticomerciales respecto a la tierra. Gracias a la evolución preparatoria de los siglos XVI a XVIII, esta única solución radical del problema agrario, que hizo de Inglaterra un país de escasos grandes terratenientes, de un moderado número de arrendatarios rurales y de muchos labradores jornaleros, se consiguió con un mínimum de perturbaciones, aunque intermitentemente se opusieran a ella no sólo las desdichadas clases pobres del campo, sino también la tradicionalista clase media rural. El «sistema Speenhamland» de modestos socorros, adoptado espontáneamente por los hacendados en varios condados durante y después del año de hambre de 1795, ha sido considerado como el último intento sistemático de salvaguardar a la vieja sociedad rural del desgaste de los pagos al contado.[46] Las *Corn Laws* con las que los intereses agrarios trataban de proteger la labranza contra la crisis que siguió a 1815, a despecho de toda ortodoxia económica, fueron también en parte un manifiesto contra la tendencia a tratar la agricultura como una industria cualquiera y juzgarla sólo con un criterio de lucro. Pero no pasaron de ser acciones de retaguardia contra la introducción final del capitalismo en el campo y acabaron siendo derrotadas por el radical avance de la ola de la clase media a partir de 1830, por la nueva ley de pobres de 1834 y por la abolición de las *Corn Laws* en 1846.

En términos de productividad económica, esta transformación social fue un éxito inmenso; en términos de sufrimiento humano, una tragedia, aumentada por la depresión agrícola que después de 1815 redujo al pobre rural a la miseria más desmoralizadora. A partir de 1800, incluso un paladín tan entusiasta del movimiento de cercados y el progreso agrícola como Arthur Young,

---

45. Mulhall, *op. cit.*, p. 14.
46. Según ese sistema, al pobre debía garantizársele, si era necesario, un jornal vital mediante subsidios proporcionados. Aunque bien intencionado, el sistema produjo una mayor depauperación que antes.

se sorprendió por sus efectos sociales.[47] Pero desde el punto de vista de la industrialización también tuvo consecuencias deseables, pues una economía industrial necesita trabajadores, y ¿de dónde podía obtenerlos sino del sector antes no industrial? La población rural en el país o, en forma de inmigración (sobre todo irlandesa), en el extranjero, fueron las principales fuentes abiertas por los diversos pequeños productores y trabajadores pobres.[48] Los hombres debieron de verse atraídos hacia las nuevas ocupaciones, o, si —como es lo más probable— se mantuvieron en un principio inmunes a esa atracción y poco propicios a abandonar sus tradicionales medios de vida,[49] obligados a aceptarlas. El afán de liberarse de la injusticia económica y social era el estímulo más efectivo, al que se añadían los altos salarios en dinero y la mayor libertad de las ciudades. Por diferentes razones, las fuerzas que tendían a captar a los hombres desprendidos de su asidero histórico-social, eran todavía relativamente débiles en nuestro período comparadas con las de la segunda mitad del siglo XIX. Será necesaria una verdadera y sensacional catástrofe, como la del hambre en Irlanda, para producir una emigración en masa (millón y medio de habitantes de una población total de ocho y medio en 1835-1850) que se hizo corriente después de 1850. Sin embargo, dichas fuerzas eran más potentes en Inglaterra que en otras partes. De lo contrario, el desarrollo industrial británico hubiera sido tan difícil como lo fue en Francia por la estabilidad y relativo bienestar de su clase campesina y de la pequeña burguesía, que privaban a la industria del aumento de trabajadores requerido.[50]

Una cosa era adquirir un número suficiente de trabajadores, y otra adquirir una mano de obra experta y eficaz. La experiencia del siglo XX ha demostrado que este problema es tan crucial como difícil de resolver. En primer lugar *todo* trabajador tiene que aprender a trabajar de una manera conveniente para la industria, por ejemplo, con arreglo a un ritmo diario ininterrumpido, completamente diferente del de las estaciones en el campo, o el del taller manual del artesano independiente. También tiene que aprender a adaptarse a los estímulos pecuniarios. Los patronos ingleses entonces, como ahora los surafricanos, se quejaban constantemente de la «indolencia» del trabajador o de su tendencia a trabajar hasta alcanzar el tradicional salario

47. *Annals of Agric.*, XXXVI, p. 214.

48. Algunos sostienen que el aumento de trabajo no procedía de tal traspaso, sino del aumento de la población total, que, como sabemos, fue muy rápido. Pero eso no es cierto. En una economía industrial no sólo el número, sino la proporción de la fuerza de trabajo no agraria debe crecer exorbitantemente. Esto significa que hombres y mujeres que de otro modo habrían permanecido en las aldeas y vivido como sus antepasados, debieron cambiar de alguna forma su manera de vivir, pues las ciudades progresaban más deprisa de su ritmo natural de crecimiento, que en algún caso tendía normalmente a ser inferior al de los pueblos. Y esto es así, ya disminuya realmente la población agraria, mantenga su número o incluso lo aumente.

49. Wilbert Moore, *Industrialisation and Labour*, Cornell, 1951.

50. Alternativamente, Inglaterra, como los Estados Unidos, tuvo que acudir a una inmigración masiva. En realidad lo hizo en parte con la inmigración irlandesa.

semanal y luego detenerse. La solución se encontró estableciendo una disciplina laboral draconiana (en un código de patronos y obreros que inclinaba la ley del lado de los primeros, etc.), pero sobre todo en la práctica —donde era posible— de retribuir tan escasamente al trabajador que éste necesitaba trabajar intensamente toda la semana para alcanzar unos salarios mínimos (véanse pp. 203-204). En las fábricas, en donde el problema de la disciplina laboral era más urgente, se consideró a veces más conveniente el empleo de mujeres y niños, más dúctiles y baratos que los hombres, hasta el punto de que en los telares algodoneros de Inglaterra, entre 1834 y 1847, una cuarta parte de los trabajadores eran varones adultos, más de la mitad mujeres y chicas y el resto muchachos menores de dieciocho años.[51] Otro procedimiento para asegurar la disciplina laboral, que refleja la pequeña escala y el lento proceso de la industrialización en aquella primera fase, fue el subcontrato o la práctica de hacer de los trabajadores expertos los verdaderos patronos de sus inexpertos auxiliares. En la industria del algodón, por ejemplo, unos dos tercios de muchachos y un tercio de muchachas estaban «a las órdenes directas de otros obreros» y, por tanto, más estrechamente vigilados, y, fuera de las fábricas propiamente dichas, esta modalidad estaba todavía más extendida. El «subpatrono» tenía desde luego un interés financiero directo en que sus operarios alquilados no flaqueasen.

Era más bien difícil reclutar o entrenar a un número suficiente de obreros expertos o preparados técnicamente, pues pocos de los procedimientos preindustriales eran utilizados en la moderna industria, aunque muchos oficios, como el de la construcción, seguían en la práctica sin cambiar. Por fortuna, la lenta industrialización de Gran Bretaña en los siglos anteriores a 1789 había conseguido un considerable progreso mecánico tanto en la técnica textil como en la metalúrgica. Del mismo modo que en el continente el cerrajero, uno de los pocos artesanos que realizaban un trabajo de precisión con los metales, se convirtió en el antepasado del constructor de máquinas al que algunas veces dio nombre, en Inglaterra, el constructor de molinos lo fue del «ingeniero» u «hombre de ingenios» (frecuente en la minería). No es casualidad que la palabra inglesa «ingeniero» se aplique lo mismo al metalúrgico experto que al inventor y al proyectista, ya que la mayor parte de los altos técnicos fueron reclutados entre aquellos hombres seguros y expertos en mecánica. De hecho, la industrialización británica descansó sobre aquella inesperada aportación de los grandes expertos, con los que no contaba el industrialismo continental. Lo cual explica el sorprendente desdén británico por la educación general y técnica, que habría de pagar caro más tarde.

Junto a tales problemas de provisión de mano de obra, el de la provisión de capital carecía de importancia. A diferencia de la mayor parte de los otros países europeos, no hubo en Inglaterra una disminución de capital inmediatamente invertible. La gran dificultad consistía en que la mayor parte de quie-

---

51. Blaug, *loc. cit.*, p. 368. Sin embargo, el número de niños menores de 13 años disminuyó notablemente entre 1830 y 1840.

nes poseían riquezas en el siglo XVIII —terratenientes, mercaderes, armadores, financieros, etc.— eran reacios a invertirlas en las nuevas industrias, que por eso empezaron a menudo con pequeños ahorros o préstamos y se desenvolvieron con la utilización de los beneficios. Lo exiguo del capital local hizo a los primeros industriales —en especial a los autoformados— más duros, tacaños y codiciosos, y, por tanto, más explotados a sus obreros; pero esto refleja el imperfecto fluir de las inversiones nacionales y no su insuficiencia. Por otra parte, el rico siglo XVIII estaba preparado para emplear su dinero en ciertas empresas beneficiosas para la industrialización, sobre todo en transportes (canales, muelles, caminos y más tarde también ferrocarriles) y en minas, de las que los propietarios obtenían rentas incluso cuando no las explotaban directamente.[52]

Tampoco había dificultades respecto a la técnica del comercio y las finanzas, privadas o públicas. Los bancos, los billetes de banco, las letras de cambio, las acciones y obligaciones, las modalidades del comercio exterior y al por mayor, etc., eran cosas bien conocidas y numerosos los hombres que podían manejarlas o aprender a hacerlo. Además, a finales del siglo XVIII, la política gubernamental estaba fuertemente enlazada a la supremacía de los negocios. Las viejas disposiciones contrarias (como la del código social de los Tudor) hacía tiempo que habían caído en desuso, siendo al fin abolidas —excepto en lo que concernía a la agricultura— en 1813-1835. En teoría, las leyes e instituciones financieras o comerciales de Inglaterra eran torpes y parecían dictadas más para dificultar que para favorecer el desarrollo económico; por ejemplo, exigía costosas «actas privadas» del Parlamento cada vez que un grupo de personas deseaba constituir una sociedad o compañía anónima. La Revolución francesa proporcionó a los franceses —y a través de su influencia, al resto del continente— una maquinaria legal más racional y efectiva para tales finalidades. Pero en la práctica, los ingleses se las arreglaban perfectamente bien y con frecuencia mucho mejor que sus rivales.

De esta manera casual, improvisada y empírica se formó la primera gran economía industrial. Según los patrones modernos era pequeña y arcaica, y su arcaísmo sigue imperando hoy en Gran Bretaña. Para los de 1848 era monumental, aunque sorprendente y desagradable, pues sus nuevas ciudades eran más feas, su proletariado menos feliz que el de otras partes,[53] y la niebla y el humo que enviciaban la atmósfera respirada por aquellas pálidas muchedumbres disgustaban a los visitantes extranjeros. Pero suponía la fuerza de un millón de caballos en sus máquinas de vapor, se convertía en más de dos millones de yardas de tela de algodón por año, en más de diecisiete millones de husos mecánicos, extraía casi cincuenta millones de toneladas de carbón, importaba y exportaba toda clase de productos por valor de ciento

52. En muchos puntos del continente, tales derechos mineros eran prerrogativa del Estado.

53. «En conjunto, la condición de las clases trabajadoras parece evidentemente peor, en 1830-1848, en Inglaterra que en Francia», afirma un historiador moderno (H. Sée, *Histoire économique de la France*, vol. II, p. 189 n.).

setenta millones de libras esterlinas anuales. Su comercio era el doble que el de Francia, su más próxima competidora: ya en 1780 la había superado. Su consumo de algodón era dos veces el de los Estados Unidos y cuatro el de Francia. Producía más de la mitad del total de lingotes de hierro del mundo desarrollado económicamente, y utilizaba dos veces más por habitante que el país próximo más industrializado (Bélgica), tres veces más que los Estados Unidos y sobre cuatro veces más que Francia. Entre los doscientos y trescientos millones de capital británico invertido —una cuarta parte en los Estados Unidos, casi una quinta parte en América Latina—, le devolvían dividendos e intereses de todas las partes del mundo.[54] Gran Bretaña era, en efecto, «el taller del mundo».

Y tanto Gran Bretaña como el mundo sabían que la Revolución industrial, iniciada en aquellas islas por y a través de los comerciantes y empresarios cuya única ley era comprar en el mercado más barato y vender sin restricción en el más caro, estaba transformando al mundo. Nadie podía detenerla en este camino. Los dioses y los reyes del pasado estaban inermes ante los hombres de negocios y las máquinas de vapor del presente.

54. Mulhall, *op. cit.*; Imlah, *loc. cit.*, II, 52, pp. 228-229. La fecha precisa de esta estimación es 1854.

3. LA REVOLUCIÓN FRANCESA

> Un inglés que no esté lleno de estima y admiración por la
> sublime manera en que una de las más IMPORTANTES REVOLUCIO-
> NES que el mundo ha conocido se está ahora efectuando, debe de
> estar muerto para todo sentimiento de virtud y libertad; ninguno
> de mis compatriotas que haya tenido la buena fortuna de presen-
> ciar las transacciones de los últimos tres días en esta ciudad, tes-
> tificará que mi lenguaje es hiperbólico.
>
> Del *Morning Post* (21 de julio de 1789,
> sobre la toma de la Bastilla)

> Pronto las naciones ilustradas procesarán a quienes las han
> gobernado hasta ahora.
> Los reyes serán enviados al desierto a hacer compañía a las
> bestias feroces a las que se parecen, y la naturaleza recobrará sus
> derechos.
>
> SAINT-JUST, *Sur la constitution de la France*,
> discurso pronunciado en la Convención el 24 de abril de 1793.

I

Si la economía del mundo del siglo XIX se formó principalmente bajo la influencia de la Revolución industrial inglesa, su política e ideología se formaron principalmente bajo la influencia de la Revolución francesa. Gran Bretaña proporcionó el modelo para sus ferrocarriles y fábricas y el explosivo económico que hizo estallar las tradicionales estructuras económicas y sociales del mundo no europeo, pero Francia hizo sus revoluciones y les dio sus ideas, hasta el punto de que cualquier cosa tricolor se convirtió en el emblema de todas las nacionalidades nacientes. Entre 1789 y 1917, las políticas europeas (y las de todo el mundo) lucharon ardorosamente en pro o en contra de los principios de 1789 o los más incendiarios todavía de 1793. Francia proporcionó el vocabulario y los programas de los partidos liberales, radicales y democráticos de la mayor parte del mundo. Francia ofreció el primer gran ejemplo, el concepto y el vocabulario del nacionalismo. Francia proporcionó los códigos legales, el modelo de organización científica y técnica y el sistema métrico decimal a muchísimos países. La ideología del mundo moderno penetró por primera vez en las antiguas civilizaciones, que hasta entonces habían resistido a las ideas europeas, a través de la influencia francesa. Esta fue la obra de la Revolución francesa.[1]

Como hemos visto, el siglo XVIII fue una época de crisis para los viejos regímenes europeos y para sus sistemas económicos, y sus últimas décadas estuvieron llenas de agitaciones políticas que a veces alcanzaron categoría de revueltas, de movimientos coloniales autonomistas e incluso secesionistas: no sólo en los Estados Unidos (1776-1783), sino también en Irlanda (1782-1784), en Bélgica y Lieja (1787-1790), en Holanda (1783-1787), en Ginebra, e incluso —se ha discutido— en Inglaterra (1779). Tan notable es este conjunto de desasosiego político que algunos historiadores recientes han hablado de una «era de revoluciones democráticas» de las que la francesa fue solamente una, aunque la más dramática y de mayor alcance.[2]

Desde luego, como la crisis del antiguo régimen no fue un fenómeno puramente francés, dichas observaciones no carecen de fundamento. Incluso se puede decir que la Revolución rusa de 1917 (que ocupa una posición de importancia similar en nuestro siglo) fue simplemente el más dramático de toda una serie de movimientos análogos, como los que —algunos años antes— acabaron derribando a los viejos imperios chino y turco. Sin embargo, hay aquí un equívoco. La Revolución francesa puede no haber sido un fenómeno aislado, pero fue mucho más fundamental que cualquiera de sus contemporáneas y sus consecuencias fueron mucho más profundas. En primer lugar, sucedió en el más poderoso y populoso Estado europeo (excepto Rusia). En 1789, casi de cada cinco europeos, uno era francés. En segundo lugar, de todas las revoluciones que la precedieron y la siguieron fue la única revolución social de masas, e inconmensurablemente más radical que cualquier otro levantamiento. No es casual que los revolucionarios norteamericanos y los «jacobinos» británicos que emigraron a Francia por sus simpatías políticas, se consideraran moderados en Francia. Tom Paine, que era un extremista en Inglaterra y Norteamérica, figuró en París entre los más moderados de los girondinos. Los resultados de las revoluciones americanas fueron, hablando en términos generales, que los países quedaran poco más o menos como antes, aunque liberados del dominio político de los ingleses, los españoles o los portugueses. En cambio, el resultado de la Revolución francesa fue que la época de Balzac sustituyera a la de madame Dubarry.

---

1. Esta diferencia entre las influencias francesa e inglesa no se puede llevar demasiado lejos. Ninguno de los centros de la doble revolución limitó su influencia a cualquier campo especial de la actividad humana y ambos fueron complementarios más que competidores. Sin embargo, aunque los dos coinciden más claramente —como en el *socialismo*, que fue inventado y bautizado casi simultáneamente en los dos países—, convergen desde direcciones diferentes.

2. Véase R. R. Palmer, *The Age of Democratic Revolution*, 1959; J. Godechot, *La grande nation*, 1956, vol. I, cap. I.

En tercer lugar, de todas las revoluciones contemporáneas, la francesa fue la única ecuménica. Sus ejércitos se pusieron en marcha para revolucionar al mundo, y sus ideas lo lograron. La revolución norteamericana sigue siendo un acontecimiento crucial en la historia de los Estados Unidos, pero (salvo en los países directamente envueltos en ella y por ella) no dejó huellas importantes en ninguna parte. La Revolución francesa, en cambio, es un hito en todas partes. Sus repercusiones, mucho más que las de la revolución norteamericana, ocasionaron los levantamientos que llevarían a la liberación de los países latinoamericanos después de 1808. Su influencia directa irradió hasta Bengala, en donde Ram Mohan Roy se inspiró en ella para fundar el primer movimiento reformista hindú, precursor del moderno nacionalismo indio. (Cuando Ran Mohan Roy visitó Inglaterra en 1830, insistió en viajar en un barco francés para demostrar su entusiasmo por los principios de la Revolución francesa.) Fue, como se ha dicho con razón, «el primer gran movimiento de ideas en la cristiandad occidental que produjo algún efecto real sobre el mundo del Islam»,[3] y esto casi inmediatamente. A mediados del siglo XIX la palabra turca «vatan», que antes significaba sólo el lugar de nacimiento o residencia de un hombre, se había transformado bajo la influencia de la Revolución francesa en algo así como «patria»; el vocablo «libertad», que antes de 1800 no era más que un término legal denotando lo contrario que «esclavitud», también había empezado a adquirir un nuevo contenido político. La influencia indirecta de la Revolución francesa es universal, pues proporcionó el patrón para todos los movimientos revolucionarios subsiguientes, y sus lecciones (interpretadas conforme al gusto de cada país o cada caudillo) fueron incorporadas en el moderno socialismo y comunismo.[4]

Así pues, la Revolución francesa está considerada como *la* revolución de su época, y no sólo una, aunque la más prominente, de su clase. Y sus orígenes deben buscarse por ello no simplemente en las condiciones generales de Europa, sino en la específica situación de Francia. Su peculiaridad se explica mejor en términos internacionales. Durante el siglo XVIII Francia fue el mayor rival económico internacional de Gran Bretaña. Su comercio exterior, que se cuadruplicó entre 1720 y 1780, causaba preocupación en Gran Bretaña; su sistema colonial era en ciertas áreas (tales como las Indias Occidentales) más dinámico que el británico. A pesar de lo cual, Francia no era una potencia como Gran Bretaña, cuya política exterior ya estaba determinada sustancialmente por los intereses de la expansión capitalista. Francia era la más poderosa y en muchos aspectos la más característica de las viejas monarquías absolutas y aristocráticas de Europa. En otros términos: el conflicto

---

3. B. Lewis, «The Impact of the French Revolution on Turkey», *Journal of World History*, I (1953-1954), p. 105.

4. Esto no es subestimar la influencia de la revolución norteamericana que, sin duda alguna, ayudó a estimular la francesa y, en un sentido estricto, proporcionó modelos constitucionales —en competencia y algunas veces alternando con la francesa— para varios estados latinoamericanos, y de vez en cuando inspiración para algunos movimientos radical-democráticos.

entre la armazón oficial y los inconmovibles intereses del antiguo régimen y la ascensión de las nuevas fuerzas sociales era más agudo en Francia que en cualquier otro sitio.

Las nuevas fuerzas sabían con exactitud lo que querían. Turgot, el economista fisiócrata, preconizaba una eficaz explotación de la tierra, la libertad de empresa y de comercio, una normal y eficiente administración de un territorio nacional único y homogéneo, la abolición de todas las restricciones y desigualdades sociales que entorpecían el desenvolvimiento de los recursos nacionales y una equitativa y racional administración y tributación. Sin embargo, su intento de aplicar tal programa como primer ministro de Luis XVI en 1774-1776 fracasó lamentablemente, y ese fracaso es característico. Reformas de este género, en pequeñas dosis, no eran incompatibles con las monarquías absolutas ni mal recibidas por ellas. Antes al contrario, puesto que fortalecían su poder, estaban, como hemos visto, muy difundidas en aquella época entre los llamados «déspotas ilustrados». Pero en la mayor parte de los países en que imperaba el «despotismo ilustrado», tales reformas eran inaplicables, y por eso resultaban meros escarceos teóricos, o incapaces de cambiar el carácter general de su estructura política y social, o fracasaban frente a la resistencia de las aristocracias locales y otros intereses intocables, dejando al país recaer en una nueva versión de su primitivo estado. En Francia fracasaban más rápidamente que en otros países, porque la resistencia de los intereses tradicionales era más efectiva. Pero los resultados de ese fracaso fueron más catastróficos para la monarquía; y las fuerzas de cambio burguesas eran demasiado fuertes para caer en la inactividad, por lo que se limitaron a transferir sus esperanzas de una monarquía ilustrada al pueblo o a «la nación».

Sin embargo, semejante generalización no debe alejarnos del entendimiento de por qué la revolución estalló cuando lo hizo y por qué tomó el rumbo que tomó. Para esto es más conveniente considerar la llamada «reacción feudal», que realmente proporcionó la mecha que inflamaría el barril de pólvora de Francia.

Las cuatrocientas mil personas que, sobre poco más o menos, formaban entre los veintitrés millones de franceses la nobleza —el indiscutible «primer orden» de la nación, aunque no tan absolutamente salvaguardado contra la intrusión de los órdenes inferiores como en Prusia y otros países— estaban bastante seguras. Gozaban de considerables privilegios, incluida la exención de varios impuestos (aunque no de tantos como estaba exento el bien organizado clero) y el derecho a cobrar tributos feudales. Políticamente, su situación era menos brillante. La monarquía absoluta, aunque completamente aristocrática e incluso feudal en sus *ethos*, había privado a los nobles de toda independencia y responsabilidad política, cercenando todo lo posible sus viejas instituciones representativas: estados y *parlements*. El hecho continuó al situar entre la alta aristocracia y entre la más reciente *noblesse de robe* creada por los reyes con distintos designios, generalmente financieros y administrativos, a una ennoblecida clase media gubernamental que manifestaba en lo posible el doble descontento de aristócratas y burgueses a través de los tribunales y estados que aún subsistían. Económicamente, las inquietudes de los nobles no eran injustificadas. Guerreros más que trabajadores por nacimiento y tradición —los nobles estaban excluidos oficialmente del ejercicio del comercio o cualquier profesión—, dependían de las rentas de sus propiedades o, si pertenecían a la minoría cortesana, de matrimonios de conveniencia, pensiones regias, donaciones y sinecuras. Pero como los gastos inherentes a la condición nobiliaria —siempre cuantiosos— iban en aumento, los ingresos, mal administrados por lo general, resultaban insuficientes. La inflación tendía a reducir el valor de los ingresos fijos, tales como las rentas.

Por todo ello era natural que los nobles utilizaran su caudal principal, los reconocidos privilegios de clase. Durante el siglo XVIII, tanto en Francia como en otros muchos países, se aferraban tenazmente a los cargos oficiales que la monarquía absoluta hubiera preferido encomendar a los hombres de la clase media, competentes técnicamente y políticamente inocuos. Hacia 1780 se requerían cuatro cuarteles de nobleza para conseguir un puesto en el ejército; todos los obispos eran nobles e incluso la clave de la administración real, las intendencias, estaban acaparadas por la nobleza. Como consecuencia, la nobleza no sólo irritaba los sentimientos de la clase media al competir con éxito en la provisión de cargos oficiales, sino que socavaba los cimientos del Estado con su creciente inclinación a apoderarse de la administración central y provincial. Asimismo —sobre todo los señores más pobres de provincias con pocos recursos— intentaban contrarrestar la merma de sus rentas exprimiendo hasta el límite sus considerables derechos feudales para obtener dinero, o, con menos frecuencia, servicios de los campesinos. Una nueva profesión —la de «feudista»— surgió para hacer revivir anticuados derechos de esta clase o para aumentar hasta el máximo los productos de los existentes. Su más famoso miembro, Gracchus Babeuf, se convertiría en el líder de la primera revuelta comunista de la historia moderna en 1796. Con esta actitud, la nobleza no sólo irritaba a la clase media, sino también al campesinado.

La posición de esta vasta clase, que comprendía aproximadamente el 80 por 100 de los franceses, distaba mucho de ser brillante, aunque sus componentes eran libres en general y a menudo terratenientes. En realidad, las propiedades de la nobleza ocupaban sólo una quinta parte de la tierra, y las del clero quizá otro 6 por 100, con variaciones en las diferentes regiones.[5] Así, en la diócesis de Montpellier, los campesinos poseían del 38 al 40 por 100 de la tierra, la burguesía del 18 al 19, los nobles del 15 al 16, el clero del 3 al 4, mientras una quinta parte era de propiedad comunal.[6] Sin embargo, de hecho, la mayor parte eran gentes pobres o con recursos insuficientes, deficiencia ésta aumentada por el atraso técnico reinante. La miseria general se intensificaba por el aumento de la población. Los tributos feu-

5. H. Sée, *Esquise d'une histoire du régime agraire*, 1931, pp. 16-17.
6. A. Soboul, *Les campagnes montpelliéraines à la fin de l'Ancien Régime*, 1958.

dales, los diezmos y gabelas suponían unas cargas pesadas y crecientes para los ingresos de los campesinos. La inflación reducía el valor del remanente. Sólo una minoría de campesinos que disponía de un excedente constante para vender se beneficiaba de los precios cada vez más elevados; los demás, de una manera u otra, los sufrían, de manera especial en las épocas de malas cosechas, en las que el hambre fijaba los precios. No hay duda de que en los veinte años anteriores a la revolución la situación de los campesinos empeoró por estas razones.

Los problemas financieros de la monarquía iban en aumento. La estructura administrativa y fiscal del reino estaba muy anticuada y, como hemos visto, el intento de remediarlo mediante las reformas de 1774-1776 fracasó, derrotado por la resistencia de los intereses tradicionales encabezados por los *parlements*. Entonces, Francia se vio envuelta en la guerra de la independencia americana. La victoria sobre Inglaterra se obtuvo a costa de una bancarrota final, por lo que la revolución norteamericana puede considerarse la causa directa de la francesa. Varios procedimientos se ensayaron sin éxito, pero sin intentar una reforma fundamental que, movilizando la verdadera y considerable capacidad tributaria del país, contuviera una situación en la que los gastos superaban a los ingresos al menos en un 20 por 100, haciendo imposible cualquier economía efectiva. Aunque muchas veces se ha echado la culpa de la crisis a las extravagancias de Versalles, hay que decir que los gastos de la corte sólo suponían el 6 por 100 del presupuesto total en 1788. La guerra, la escuadra y la diplomacia consumían un 25 por 100 y la deuda existente un 50 por 100. Guerra y deuda —la guerra norteamericana y su deuda— rompieron el espinazo de la monarquía.

La crisis gubernamental brindó una oportunidad a la aristocracia y a los *parlements*. Pero una y otros se negaron a pagar sin la contrapartida de un aumento de sus privilegios. La primera brecha en el frente del absolutismo fue abierta por una selecta pero rebelde «Asamblea de Notables», convocada en 1787 para asentir a las peticiones del gobierno. La segunda, y decisiva, fue la desesperada decisión de convocar los Estados Generales, la vieja asamblea feudal del reino, enterrada desde 1614. Así pues, la revolución empezó como un intento aristocrático de recuperar los mandos del Estado. Este intento fracasó por dos razones: por subestimar las intenciones independientes del «tercer estado» —la ficticia entidad concebida para representar a todos los que no eran ni nobles ni clérigos, pero dominada de hecho por la clase media— y por desconocer la profunda crisis económica y social que impelía a sus peticiones políticas.

La Revolución francesa no fue hecha o dirigida por un partido o movimiento en el sentido moderno, ni por unos hombres que trataran de llevar a la práctica un programa sistemático. Incluso sería difícil encontrar en ella líderes de la clase a que nos han acostumbrado las revoluciones del siglo XX, hasta la figura posrevolucionaria de Napoleón. No obstante, un sorprendente consenso de ideas entre un grupo social coherente dio unidad efectiva al movimiento revolucionario. Este grupo era la «burguesía»; sus ideas eran las del liberalismo clásico formulado por los «filósofos» y los «economistas» y propagado por la francmasonería y otras asociaciones. En este sentido, «los filósofos» pueden ser considerados en justicia los responsables de la revolución. Ésta también hubiera estallado sin ellos; pero probablemente fueron ellos los que establecieron la diferencia entre una simple quiebra de un viejo régimen y la efectiva y rápida sustitución por otro nuevo.

En su forma más general, la ideología de 1789 era la masónica, expresada con tan inocente sublimidad en *La flauta mágica*, de Mozart (1791), una de las primeras entre las grandes obras de arte propagandísticas de una época cuyas más altas realizaciones artísticas pertenecen a menudo a la propaganda. De modo más específico, las peticiones del *burgués* de 1789 están contenidas en la famosa *Declaración de los derechos del hombre y del ciudadano* de aquel año. Este documento es un manifiesto contra la sociedad jerárquica y los privilegios de los nobles, pero no en favor de una sociedad democrática o igualitaria. «Los hombres nacen y viven libres e iguales bajo las leyes», dice su artículo primero; pero luego se acepta la existencia de distinciones sociales «aunque sólo por razón de la utilidad común». La propiedad privada era un derecho natural sagrado, inalienable e inviolable. Los hombres eran iguales ante la ley y todas las carreras estaban abiertas por igual al talento, pero si la salida empezaba para todos sin *handicap*, se daba por supuesto que los *corredores* no terminarían juntos. La declaración establecía (frente a la jerarquía nobiliaria y el absolutismo) que «todos los ciudadanos tienen derecho a cooperar en la formación de la ley», pero «o personalmente o a través de sus representantes». Ni la asamblea representativa, que se preconiza como órgano fundamental de gobierno, tenía que ser necesariamente una asamblea elegida en forma democrática, ni el régimen que implica había de eliminar por fuerza a los reyes. Una monarquía constitucional basada en una oligarquía de propietarios que se expresaran a través de una asamblea representativa, era más adecuada para la mayor parte de los burgueses liberales que la república democrática, que pudiera haber parecido una expresión más lógica de sus aspiraciones teóricas; aunque hubo algunos que no vacilaron en preconizar esta última. Pero, en conjunto, el clásico liberal burgués de 1789 (y el liberal de 1789-1848) no era un demócrata, sino un creyente en el constitucionalismo, en un Estado secular con libertades civiles y garantías para la iniciativa privada, gobernado por contribuyentes y propietarios.

Sin embargo, oficialmente, dicho régimen no expresaría sólo sus intereses de clase, sino la voluntad general «del pueblo», al que se identificaba de manera significativa con «la nación francesa». En adelante, el rey ya no sería Luis, por la gracia de Dios, rey de Francia y de Navarra, sino Luis, por la gracia de Dios y la Ley Constitucional del Estado, rey de los Franceses. «La fuente de toda soberanía —dice la *Declaración*— reside esencialmente en la nación.» Y la nación, según el abate Sieyès, no reconoce en la tierra un interés sobre el suyo y no acepta más ley o autoridad que la suya, ni las de la humanidad en general ni las de otras naciones. Sin duda la nación francesa (y sus subsiguientes imitadoras) no concebía en un principio que sus intereses chocaran con los de los otros pueblos, sino que, al contrario, se veía como inaugurando —o participando en él— un movimiento de liberación general de los pueblos del poder de las tiranías. Pero, de hecho, la rivalidad nacional (por ejemplo, la de los negociantes franceses con los negociantes ingleses) y la subordinación nacional (por ejemplo, la de las naciones conquistadas o liberadas a los intereses de *la grande nation*), se hallaban implícitas en el nacionalismo al que el burgués de 1789 dio su primera expresión oficial. «El pueblo», identificado con «la nación» era un concepto revolucionario; más revolucionario de lo que el programa burgués-liberal se proponía expresar. Por lo cual era un arma de doble filo.

Aunque los pobres campesinos y los obreros eran analfabetos, políticamente modestos e inmaduros y el procedimiento de elección indirecto, 610 hombres, la mayor parte de ellos de aquella clase, fueron elegidos para representar al tercer estado. Muchos eran abogados que desempeñaban un importante papel económico en la Francia provinciana. Cerca de un centenar eran capitalistas y negociantes. La clase media había luchado arduamente y con éxito para conseguir una representación tan amplia como las de la nobleza y el clero juntas, ambición muy moderada para un grupo que representaba oficialmente al 95 por 100 de la población. Ahora luchaban con igual energía por el derecho a explotar su mayoría potencial de votos para convertir los Estados Generales en una asamblea de diputados individuales que votaran como tales, en vez del tradicional cuerpo feudal que deliberaba y votaba «por órdenes», situación en la cual la nobleza y el clero siempre podían superar en votos al tercer estado. Con este motivo se produjo el primer choque directo revolucionario. Unas seis semanas después de la apertura de los Estados Generales, los comunes, impacientes por adelantarse a cualquier acción del rey, de los nobles y el clero, constituyeron (con todos cuantos quisieron unírseles) una Asamblea Nacional con derecho a reformar la Constitución. Una maniobra contrarrevolucionaria los llevó a formular sus reivindicaciones en términos de la Cámara de los Comunes británica. El absolutismo terminó cuando Mirabeau, brillante y desacreditado ex noble, dijo al rey: «Señor, sois un extraño en esta Asamblea y no tenéis derecho a hablar en ella».[7]

El tercer estado triunfó frente a la resistencia unida del rey y de los órdenes privilegiados, porque representaba no sólo los puntos de vista de una minoría educada y militante, sino los de otras fuerzas mucho más poderosas: los trabajadores pobres de las ciudades, especialmente de París, así como el campesinado revolucionario. Pero lo que transformó una limitada agitación reformista en verdadera revolución fue el hecho de que la convocatoria de los Estados Generales coincidiera con una profunda crisis económica y social. La última década había sido, por una compleja serie de razones, una época de graves dificultades para casi todas las ramas de la economía francesa. Una mala cosecha en 1788 (y en 1789) y un dificilísimo invierno agudizaron

7. A. Goodwin, *The French Revolution*, edición de 1959, p. 70.

aquella crisis. Las malas cosechas afectan a los campesinos, pues significan que los grandes productores podrán vender el grano a precios de hambre, mientras la mayor parte de los cultivadores, sin reservas suficientes, pueden tener que comerse sus simientes o comprar el alimento a aquellos precios de hambre, sobre todo en los meses inmediatamente precedentes a la nueva cosecha (es decir, de mayo a julio). Como es natural, afectan también a las clases pobres urbanas, para quienes el coste de la vida, empezando por el pan, se duplica. Y también porque el empobrecimiento del campo reduce el mercado de productos manufacturados y origina una depresión industrial. Los pobres rurales estaban desesperados y desvalidos a causa de los motines y los actos de bandolerismo; los pobres urbanos lo estaban doblemente por el cese del trabajo en el preciso momento en que el coste de la vida se elevaba. En circunstancias normales esta situación no hubiera pasado de provocar algunos tumultos. Pero en 1788 y en 1789, una mayor convulsión en el reino, una campaña de propaganda electoral, daba a la desesperación del pueblo una perspectiva política al introducir en sus mentes la tremenda y trascendental idea de liberarse de la opresión y de la tiranía de los ricos. Un pueblo encrespado respaldaba a los diputados del tercer estado.

La contrarrevolución convirtió a una masa en potencia en una masa efectiva y actuante. Sin duda era natural que el antiguo régimen luchara con energía, si era menester con la fuerza armada, aunque el ejército ya no era digno de confianza. (Sólo algunos soñadores idealistas han podido pensar que Luis XVI pudo haber aceptado la derrota convirtiéndose inmediatamente en un monarca constitucional, aun cuando hubiera sido un hombre menos indolente y necio, casado con una mujer menos frívola e irresponsable, y menos dispuesto siempre a escuchar a los más torpes consejeros.) De hecho, la contrarrevolución movilizó a las masas de París, ya hambrientas, recelosas y militantes. El resultado más sensacional de aquella movilización fue la toma de la Bastilla, prisión del Estado que simbolizaba la autoridad real, en donde los revolucionarios esperaban encontrar armas. En época de revolución nada tiene más fuerza que la caída de los símbolos. La toma de la Bastilla, que convirtió la fecha del 14 de julio en la fiesta nacional de Francia, ratificó la caída del despotismo y fue aclamada en todo el mundo como el comienzo de la liberación. Incluso el austero filósofo Immanuel Kant, de Koenigsberg, de quien se dice que era tan puntual en todo que los habitantes de la ciudad ponían sus relojes por el suyo, aplazó la hora de su paseo vespertino cuando recibió la noticia, convenciendo así a Koenigsberg de que había ocurrido un acontecimiento que conmovería al mundo. Y lo que hace más al caso, la caída de la Bastilla extendió la revolución a las ciudades y los campos de Francia.

Las revoluciones campesinas son movimientos amplios, informes, anónimos, pero irresistibles. Lo que en Francia convirtió una epidemia de desasosiego campesino en una irreversible convulsión fue una combinación de insurrecciones en ciudades provincianas y una oleada de pánico masivo que se extendió oscura pero rápidamente a través de casi todo el país: la llamada *Grande Peur* de finales de julio y principios de agosto de 1789. Al cabo de tres semanas desde el 14 de julio, la estructura social del feudalismo rural francés y la máquina estatal de la monarquía francesa yacían en pedazos. Todo lo que quedaba de la fuerza del Estado eran unos cuantos regimientos dispersos de utilidad dudosa, una Asamblea Nacional sin fuerza coercitiva y una infinidad de administraciones municipales o provinciales de clase media que pronto pondrían en pie a unidades de burgueses armados —«guardias nacionales»— según el modelo de París. La aristocracia y la clase media aceptaron inmediatamente lo inevitable: todos los privilegios feudales se abolieron de manera oficial aunque, una vez estabilizada la situación política, el precio fijado para su redención fue muy alto. El feudalismo no se abolió finalmente hasta 1793. A finales de agosto la revolución obtuvo su manifiesto formal, la *Declaración de los derechos del hombre y del ciudadano*. Por el contrario, el rey resistía con su habitual insensatez, y algunos sectores de la clase media revolucionaria, asustados por las complicaciones sociales del levantamiento de masas, empezaron a pensar que había llegado el momento del conservadurismo.

En resumen, la forma principal de la política burguesa revolucionaria francesa —y de las subsiguientes de otros países— ya era claramente apreciable. Esta dramática danza dialéctica iba a dominar a las generaciones futuras. Una y otra vez veremos a los reformistas moderados de la clase media movilizar a las masas contra la tenaz resistencia de la contrarrevolución. Veremos a las masas pujando más allá de las intenciones de los moderados por su propia revolución social, y a los moderados escindiéndose a su vez en un grupo conservador que hace causa común con los reaccionarios, y un ala izquierda decidida a proseguir adelante en sus primitivos ideales de moderación con ayuda de las masas, aun a riesgo de perder el control sobre ellas. Y así sucesivamente, a través de repeticiones y variaciones del patrón de resistencia —movilización de masas— giro a la izquierda —ruptura entre los moderados —giro a la derecha—, hasta que el grueso de la clase media se pasa al campo conservador o es derrotado por la revolución social. En muchas revoluciones burguesas subsiguientes, los liberales moderados fueron obligados a retroceder o a pasarse al campo conservador apenas iniciadas. Por ello, en el siglo XIX encontramos que (sobre todo en Alemania) esos liberales se sienten poco inclinados a iniciar revoluciones por miedo a sus incalculables consecuencias, y prefieren llegar a un compromiso con el rey y con la aristocracia. La peculiaridad de la Revolución francesa es que una parte de la clase media liberal estaba preparada para permanecer revolucionaria hasta el final sin alterar su postura: la formaban los «jacobinos», cuyo nombre se dará en todas partes a los partidarios de la «revolución radical».

¿Por qué? Desde luego, en parte, porque la burguesía francesa no tenía todavía, como los liberales posteriores, el terrible recuerdo de la Revolución francesa para atemorizarla. A partir de 1794 resultó evidente para los moderados que el régimen jacobino había llevado la revolución demasiado lejos para los propósitos y la comodidad burgueses, lo mismo que estaba clarísimo para los revolucionarios que «el sol de 1793», si volviera a levantarse, brillaría sobre una sociedad no burguesa. Pero otra vez los jacobinos aportarían radicalismo, porque en su época no existía una clase que pudiera proporcionar una coherente alternativa social a los suyos. Tal clase sólo surgiría en el curso de la Revolución industrial, con el «proletariado», o, mejor dicho, con las ideologías y movimientos basados en él. En la Revolución francesa, la clase trabajadora —e incluso este es un nombre inadecuado para el conjunto de jornaleros, en su mayor parte no industriales— no representaba todavía una parte independiente significativa. Hambrientos y revoltosos, quizá lo soñaban; pero en la práctica seguían a jefes no proletarios. El campesinado nunca proporciona una alternativa política a nadie; si acaso, de llegar la ocasión, una fuerza casi irresistible o un objetivo casi inmutable. La única alternativa frente al radicalismo burgués (si exceptuamos pequeños grupos de ideólogos o militantes inermes cuando pierden el apoyo de las masas) eran los *sans-culottes*, un movimiento informe y principalmente urbano de pobres trabajadores, artesanos, tenderos, operarios, pequeños empresarios, etc. Los *sans-culottes* estaban organizados, sobre todo en las «secciones» de París y en los clubes políticos locales, y proporcionaban la principal fuerza de choque de la revolución: los manifestantes más ruidosos, los amotinados, los constructores de barricadas. A través de periodistas como Marat y Hébert, a través de oradores locales, también formulaban una política, tras la cual existía una idea social apenas definida y contradictoria, en la que se combinaba el respeto a la pequeña propiedad con la más feroz hostilidad a los ricos, el trabajo garantizado por el gobierno, salarios y seguridad social para el pobre, en resumen, una extremada democracia igualitaria y libertaria, localizada y directa. En realidad, los *sans-culottes* eran una rama de esa importante y universal tendencia política que trata de expresar los intereses de la gran masa de «hombres pequeños» que existen entre los polos de la «burguesía» y del «proletariado», quizá a menudo más cerca de éste que de aquélla, por ser en su mayor parte muy pobres. Podemos observar esa misma tendencia en los Estados Unidos (jeffersonianismo y democracia jacksoniana, o populismo), en Inglaterra (radicalismo), en Francia (precursores de los futuros «republicanos» y radicales-socialistas), en Italia (mazzinianos y garibaldinos), y en otros países. En su mayor parte tendían a fijarse, en las horas posrevolucionarias, como el ala izquierda del liberalismo de la clase media, pero negándose a abandonar el principio de que no hay enemigos a la izquierda, y dispuestos, en momentos de crisis, a rebelarse contra «la muralla del dinero», «la economía monárquica» o «la cruz de oro que crucifica a la humanidad». Pero el «sans-culottismo» no presentaba una verdadera alternativa. Su ideal, un áureo pasado de aldeanos y pequeños operarios o un futuro dorado de pequeños granjeros y artesanos no perturbados por banqueros y millonarios, era irrealizable. La historia lo condenaba a muerte. Lo más que pudieron hacer —y lo que hicieron en 1793-1794— fue poner obstáculos en el camino que dificultaron el desarrollo de la economía francesa desde aquellos días hasta la fecha. En realidad, el «sans-culottismo» fue un fenómeno de desesperación cuyo nombre ha caído en el olvido o se recuerda sólo como sinónimo del jacobinismo, que le proporcionó sus jefes en el año II.

II

Entre 1789 y 1791 la burguesía moderada victoriosa, actuando a través de la que entonces se había convertido en Asamblea Constituyente, emprendió la gigantesca obra de racionalización y reforma de Francia que era su objetivo. La mayoría de las realizaciones duraderas de la revolución datan de aquel período, como también sus resultados internacionales más sorprendentes, la instauración del sistema métrico decimal y la emancipación de los judíos. Desde el punto de vista económico, las perspectivas de la Asamblea Constituyente eran completamente liberales: su política respecto al campesinado fue el cercado de las tierras comunales y el estímulo a los empresarios rurales; respecto a la clase trabajadora, la proscripción de los gremios; respecto a los artesanos, la abolición de las corporaciones. Dio pocas satisfacciones concretas a la plebe, salvo, desde 1790, la de la secularización y venta de las tierras de la Iglesia (así como las de la nobleza emigrada), que tuvo la triple ventaja de debilitar el clericalismo, fortalecer a los empresarios provinciales y aldeanos, y proporcionar a muchos campesinos una recompensa por su actividad revolucionaria. La Constitución de 1791 evitaba los excesos democráticos mediante la instauración de una monarquía constitucional fundada sobre una franquicia de propiedad para los «ciudadanos activos». Los pasivos, se esperaba que vivieran en conformidad con su nombre.

Pero no sucedió así. Por un lado, la monarquía, aunque ahora sostenida fuertemente por una poderosa facción burguesa ex revolucionaria, no podía resignarse al nuevo régimen. La corte soñaba —e intrigaba para conseguirla— con una cruzada de los regios parientes para expulsar a la chusma de gobernantes comuneros y restaurar al ungido de Dios, al cristianísimo rey de Francia, en su puesto legítimo. La Constitución Civil del Clero (1790), un mal interpretado intento de destruir, no a la Iglesia, sino su sumisión al absolutismo romano, llevó a la oposición a la mayor parte del clero y de los fieles, y contribuyó a impulsar al rey a la desesperada y —como más tarde se vería— suicida tentativa de huir del país. Fue detenido en Varennes en junio de 1791, y en adelante el republicanismo se hizo una fuerza masiva, pues los reyes tradicionales que abandonan a sus pueblos pierden el derecho a la lealtad de los súbditos. Por otro lado, la incontrolada economía de libre empresa de los moderados acentuaba las fluctuaciones en el nivel de precios de los alimentos y, como consecuencia, la combatividad de los ciudadanos pobres, especialmente en París. El precio del pan registraba la temperatura política de París con la exactitud de un termómetro, y las masas parisienses eran la fuerza revolucionaria decisiva. No en balde la nueva bandera francesa tricolor combinaba el blanco del antiguo pabellón real con el rojo y el azul, colores de París.

El estallido de la guerra tendría inesperadas consecuencias al dar origen a la segunda revolución de 1792 —la República jacobina del año II— y más tarde al advenimiento de Napoleón Bonaparte. En otras palabras, convirtió la historia de la Revolución francesa en la historia de Europa.

Dos fuerzas impulsaron a Francia a una guerra general: la extrema derecha y la izquierda moderada. Para el rey, la nobleza francesa y la creciente emigración aristocrática y eclesiástica, acampada en diferentes ciudades de la Alemania occidental, era evidente que sólo la intervención extranjera podría restaurar el viejo régimen.[8] Tal intervención no era demasiado fácil de organizar dada la complejidad de la situación internacional y la relativa tranquilidad política de los otros países. No obstante, era cada vez más evidente para los nobles y los gobernantes de «derecho divino» de todas partes, que la restauración del poder de Luis XVI no era simplemente un acto de solidaridad de clase, sino una importante salvaguardia contra la difusión de las espantosas ideas propagadas desde Francia. Como consecuencia de todo ello, las fuerzas para la reconquista de Francia se iban reuniendo en el extranjero.

Al mismo tiempo, los propios liberales moderados, y de modo especial el grupo de políticos agrupado en torno a los diputados del departamento mercantil de la Gironda, eran una fuerza belicosa. Esto se debía en parte a que cada revolución genuina tiende a ser ecuménica. Para los franceses, como para sus numerosos simpatizantes en el extranjero, la liberación de Francia era el primer paso del triunfo universal de la libertad, actitud que llevaba fácilmente a la convicción de que la patria de la revolución estaba obligada a liberar a los pueblos que gemían bajo la opresión y la tiranía. Entre los revolucionarios, moderados o extremistas, había una exaltada y generosa pasión por expandir la libertad, así como una verdadera incapacidad para separar la causa de la nación francesa de la de toda la humanidad esclavizada. Tanto la francesa como las otras revoluciones tuvieron que aceptar este punto de vista o adaptarlo, por lo menos hasta 1848. Todos los planes para la liberación europea hasta esa fecha giraban sobre un alzamiento conjunto de los pueblos bajo la dirección de Francia para derribar a la reacción. Y desde 1830 otros movimientos de rebelión nacionalista o liberal, como los de Italia y Polonia, tendían a ver convertidas en cierto sentido a sus naciones en mesías destinados por su libertad a iniciar la de los demás pueblos oprimidos.

Por otra parte, la guerra, considerada de modo menos idealista, ayudaría a resolver numerosos problemas domésticos. Era tan tentador como evidente achacar las dificultades del nuevo régimen a las conjuras de los emigrados y los tiranos extranjeros y encauzar contra ellos el descontento popular. Más específicamente, los hombres de negocios afirmaban que las inciertas perspectivas económicas, la devaluación del dinero y otras perturbaciones sólo

---

8. Unos 300.000 franceses emigraron entre 1789 y 1795; véase C. Bloch, «L'émigration française au xixe siècle», *Études d'Histoire Moderne et Contemporaine*, I, 1947, p. 137. D. Greer, *The Incidence of the Emigration during the French Revolution*, 1951, propone, en cambio, una proporción mucho más pequeña.

podrían remediarse si desaparecía la amenaza de la intervención. Ellos y los ideólogos se daban cuenta, al reflexionar sobre la situación de Gran Bretaña, de que la supremacía económica era la consecuencia de una sistemática agresividad. (El siglo XVIII no se caracterizó porque los negociantes triunfadores fueran precisamente pacifistas.) Además, como pronto se iba a demostrar, podía hacerse la guerra para sacar provecho. Por todas estas razones, la mayoría de la nueva Asamblea Legislativa (con la excepción de una pequeña ala derecha y otra pequeña ala izquierda dirigida por Robespierre) preconizaba la guerra. Y también por todas estas razones, el día que estallara, las conquistas de la revolución iban a combinar las ideas de liberación con las de explotación y juego político.

La guerra se declaró en abril de 1792. La derrota, que el pueblo atribuiría, no sin razón, a sabotaje real y a traición, provocó la radicalización. En agosto y septiembre fue derribada la monarquía, establecida la República una e indivisible y proclamada una nueva era de la historia humana con la institución del año I del calendario revolucionario por la acción de las masas de *sans-culottes* de París. La edad férrea y heroica de la Revolución francesa empezó con la matanza de los presos políticos, las elecciones para la Convención Nacional —probablemente la asamblea más extraordinaria en la historia del parlamentarismo— y el llamamiento para oponer una resistencia total a los invasores. El rey fue encarcelado, y la invasión extranjera detenida por un duelo de artillería poco dramático en Valmy.

Las guerras revolucionarias imponen su propia lógica. El partido dominante en la nueva Convención era el de los girondinos, belicosos en el exterior y moderados en el interior, un cuerpo de elocuentes y brillantes oradores que representaba a los grandes negociantes, a la burguesía provinciana y a la refinada intelectualidad. Su política era absolutamente imposible. Pues solamente los estados que emprendieran campañas limitadas con sólidas fuerzas regulares podían esperar mantener la guerra y los asuntos internos en compartimientos estancos, como las damas y los caballeros de las novelas de Jane Austen hacían entonces en Gran Bretaña. Pero la revolución no podía emprender una campaña limitada ni contaba con unas fuerzas regulares, por lo que su guerra oscilaba entre la victoria total de la revolución mundial y la derrota total que significaría la contrarrevolución. Y su ejército —lo que quedaba del antiguo ejército francés— era tan ineficaz como inseguro. Dumouriez, el principal general de la República, no tardaría en pasarse al enemigo. Así pues, sólo unos métodos revolucionarios sin precedentes podían ganar la guerra, aunque la victoria significara nada más que la derrota de la intervención extranjera. En realidad, se encontraron esos métodos. En el curso de la crisis, la joven República francesa descubrió o inventó la guerra total: la total movilización de los recursos de una nación mediante el reclutamiento en masa, el racionamiento, el establecimiento de una economía de guerra rígidamente controlada y la abolición virtual, dentro y fuera del país, de la distinción entre soldados y civiles. Las consecuencias aterradoras de este descubrimiento no se verían con claridad hasta nuestro tiempo. Puesto que la guerra revolucionaria de 1792-1794 constituyó un episodio excepcional, la mayor parte de los observadores del siglo XIX no repararon en ella más que para señalar (e incluso esto se olvidó en los últimos años de prosperidad de la época victoriana) que las guerras conducen a las revoluciones, y que, por otra parte, las revoluciones ganan guerras inganables. Sólo hoy podemos ver cómo la República jacobina y el «Terror» de 1793-1794 tuvieron muchos puntos de contacto con lo que modernamente se ha llamado el esfuerzo de guerra total.

Los *sans-culottes* recibieron con entusiasmo al gobierno de guerra revolucionaria, no sólo porque afirmaban que únicamente de esta manera podían ser derrotadas la contrarrevolución y la intervención extranjera, sino también porque sus métodos movilizaban al pueblo y facilitaban la justicia social. (Pasaban por alto el hecho de que ningún esfuerzo efectivo de guerra moderna es compatible con la descentralización democrática a que aspiraban.) Por otra parte, los girondinos temían las consecuencias políticas de la combinación de revolución de masas y guerra que habían provocado. Ni estaban preparados para competir con la izquierda. No querían procesar o ejecutar al rey, pero tenían que luchar con sus rivales los jacobinos (la «Montaña») por este símbolo de celo revolucionario; la Montaña ganaba prestigio y ellos no. Por otra parte, querían convertir la guerra en una cruzada ideológica y general de liberación y en un desafío directo a Gran Bretaña, la gran rival económica, objetivo que consiguieron. En marzo de 1793, Francia estaba en guerra con la mayor parte de Europa y había empezado la anexión de territorios extranjeros, justificada por la recién inventada doctrina del derecho de Francia a sus «fronteras naturales». Pero la expansión de la guerra, sobre todo cuando la guerra iba mal, sólo fortalecía las manos de la izquierda, única capaz de ganarla. A la retirada y aventajados en su capacidad de efectuar maniobras, los girondinos acabaron por desencadenar virulentos ataques contra la izquierda que pronto se convirtieron en organizadas rebeliones provinciales contra París. Un rápido golpe de los *sans-culottes* los desbordó el 2 de junio de 1793, instaurando la República jacobina.

III

Cuando los profanos cultos piensan en la Revolución francesa, son los acontecimientos de 1789 y especialmente la República jacobina del año II los que acuden en seguida a su mente. El almidonado Robespierre, el gigantesco y mujeriego Danton, la fría elegancia revolucionaria de Saint-Just, el tosco Marat, el Comité de Salud Pública, el tribunal revolucionario y la guillotina son imágenes que aparecen con mayor claridad, mientras los nombres de los revolucionarios moderados que figuraron entre Mirabeau y Lafayette en 1789 y los jefes jacobinos de 1793 parecen haberse borrado de la memoria de todos, menos de los historiadores. Los girondinos son recordados sólo como grupo, y quizá por las mujeres románticas pero políticamente irrelevantes unidas a ellos: madame Roland o Charlotte Corday. Fuera del campo de los especialistas, ¿se conocen siquiera los nombres de Brissot, Vergniaud, Guadet, etc.? Los conservadores han creado una permanente imagen del Terror como una dictadura histérica y ferozmente sanguinaria, aunque en comparación con algunas marcas del siglo XX, e incluso algunas represiones conservadoras de movimientos de revolución social —como, por ejemplo, las matanzas subsiguientes a la Comuna de París en 1871—, su volumen de crímenes fuera relativamente modesto: 17.000 ejecuciones oficiales en catorce meses.[9] Todos los revolucionarios, de manera especial en Francia, lo han considerado como la primera República popular y la inspiración de todas las revueltas subsiguientes. Por todo ello puede afirmarse que fue una época imposible de medir con el criterio humano de cada día.

Todo ello es cierto. Pero para la sólida clase media francesa que permaneció tras el Terror, éste no fue algo patológico o apocalíptico, sino el único método eficaz para conservar el país. Esto lo logró, en efecto, la República jacobina a costa de un esfuerzo sobrehumano. En junio de 1793 sesenta de los ochenta departamentos de Francia estaban sublevados contra París; los ejércitos de los príncipes alemanes invadían Francia por el norte y por el este; los ingleses la atacaban por el sur y por el oeste; el país estaba desamparado y en quiebra. Catorce meses más tarde, toda Francia estaba firmemente gobernada, los invasores habían sido rechazados y, por añadidura, los ejércitos franceses ocupaban Bélgica y estaban a punto de iniciar una etapa de veinte años de ininterrumpidos triunfos militares. Ya en marzo de 1794, un ejército tres veces mayor que antes funcionaba a la perfección y costaba la mitad que en marzo de 1793, y el valor del dinero francés (o más bien de los «asignados» de papel, que casi lo habían sustituido del todo) se mantenía estabilizado, en marcado contraste con el pasado y el futuro. No es de extrañar que Jeanbon St.-André, jacobino miembro del Comité de Salud Pública y más tarde, a pesar de su firme republicanismo, uno de los mejores prefectos de Napoleón, mirase con desprecio a la Francia imperial que se bamboleaba por las derrotas de 1812-1813. La República del año II había superado crisis peores con muchos menos recursos.[10]

Para tales hombres, como para la mayoría de la Convención Nacional, que en el fondo mantuvo el control durante aquel heroico período, el dilema era sencillo: o el Terror con todos sus defectos desde el punto de vista de la clase media, o la destrucción de la revolución, la desintegración del Estado

9. D. Greer, *The Incidence of the Terror*, Harvard, 1935.
10. «¿Saben qué clase de gobierno salió victorioso? ... Un gobierno de la Convención. Un gobierno de jacobinos apasionados con gorros frigios rojos, vestidos con toscas lanas y calzados con zuecos, que se alimentaban sencillamente de pan y mala cerveza y se acostaban en colchonetas tiradas en el suelo de sus salas de reunión cuando se sentían demasiado cansados para seguir velando y deliberando. Tal fue la clase de hombres que salvaron a Francia. Yo, señores, era uno de ellos. Y aquí, como en las habitaciones del emperador, en las que estoy a punto de entrar, me enorgullezco de ello.» Citado por J. Savant en *Les préfets de Napoléon*, 1958, pp. 111-112.

nacional, y probablemente —¿no existía el ejemplo de Polonia?— la desaparición del país. Quizá para la desesperada crisis de Francia, muchos de ellos hubiesen preferido un régimen menos férreo y con seguridad una economía menos firmemente dirigida: la caída de Robespierre llevó aparejada una epidemia de desbarajuste económico y de corrupción que culminó en una tremenda inflación y en la bancarrota nacional de 1797. Pero incluso desde el más estrecho punto de vista, las perspectivas de la clase media francesa dependían en gran parte de las de un Estado nacional unificado y fuertemente centralizado. Y en fin, ¿podía la revolución que había creado virtualmente los términos «nación» y «patriotismo» en su sentido moderno, abandonar su idea de «gran nación»?

La primera tarea del régimen jacobino era la de movilizar el apoyo de las masas contra la disidencia de los girondinos y los notables provincianos, y conservar el ya existente de los *sans-culottes* parisienses, algunas de cuyas peticiones a favor de un esfuerzo de guerra revolucionario —movilización general (la *levée en masse*), terror contra los «traidores» y control general de precios (el *maximum*)— coincidían con el sentido común jacobino, aunque sus otras demandas resultaran inoportunas. Se promulgó una nueva Constitución radicalísima, varias veces aplazada por los girondinos. En este noble pero académico documento se ofrecía al pueblo el sufragio universal, el derecho de insurrección, trabajo y alimento, y —lo más significativo de todo— la declaración oficial de que el bien común era la finalidad del gobierno y de que los derechos del pueblo no serían meramente asequibles, sino operantes. Aquella fue la primera genuina Constitución democrática promulgada por un Estado moderno. Concretamente, los jacobinos abolían sin indemnización todos los derechos feudales aún existentes, aumentaban las posibilidades de los pequeños propietarios de cultivar las tierras confiscadas de los emigrados y —algunos meses después— abolieron la esclavitud en las colonias francesas, con el fin de estimular a los negros de Santo Domingo a luchar por la República contra los ingleses. Estas medidas tuvieron los más trascendentes resultados. En América ayudaron a crear el primer caudillo revolucionario que reclamó la independencia de su país: Toussaint-Louverture.[11] En Francia establecieron la inexpugnable ciudadela de los pequeños y medianos propietarios campesinos, artesanos y tenderos, retrógrada desde el punto de vista económico, pero apasionadamente devota de la revolución y la República, que desde entonces domina la vida del país. La transformación capitalista de la agricultura y las pequeñas empresas, condición esencial para el rápido desarrollo económico, se retrasó, y con ella la rapidez de la urbanización, la expansión del mercado interno, la multiplicación de la clase trabajadora e, incidentalmente, el ulterior avance de la revolución proletaria. Tanto los gran-

---

11. El hecho de que la Francia napoleónica no consiguiera reconquistar Haití fue una de las principales razones para liquidar los restos del imperio americano con la venta de la Luisiana a los Estados Unidos (1803). Así, una ulterior consecuencia de la expansión jacobina en América fue hacer de los Estados Unidos una gran potencia continental.

des negocios como el movimiento obrero se vieron condenados a permanecer en Francia como fenómenos minoritarios, como islas rodeadas por el mar de los tenderos de comestibles, los pequeños propietarios rurales y los propietarios de cafés (véase posteriormente el capítulo 9).

El centro del nuevo gobierno, aun representando una alianza de los jacobinos y los *sans-culottes*, se inclinaba perceptiblemente hacia la izquierda. Esto se reflejó en el reconstruido Comité de Salud Pública, pronto convertido en el efectivo «gabinete de guerra» de Francia. El Comité perdió a Danton, hombre poderoso, disoluto y probablemente corrompido, pero de un inmenso talento revolucionario, mucho más moderado de lo que parecía (había sido ministro en la última administración real), y ganó a Maximilien de Robespierre, que llegó a ser su miembro más influyente. Pocos historiadores se han mostrado desapasionados respecto a aquel abogado fanático, dandi de buena cuna que creía monopolizar la austeridad y la virtud, porque todavía encarnaba el terrible y glorioso año II, frente al que ningún hombre era neutral. No fue un individuo agradable, e incluso los que en nuestros días piensan que tenía razón prefieren el brillante rigor matemático del arquitecto de paraísos espartanos que fue el joven Saint-Just. No fue un gran hombre y a menudo dio muestras de mezquindad. Pero es el único —fuera de Napoleón— salido de la revolución a quien se rindió culto. Ello se debió a que para él, como para la historia, la República jacobina no era un lema para ganar la guerra, sino un ideal: el terrible y glorioso reino de la justicia y la virtud en el que todos los hombres fueran iguales ante los ojos de la nación y el pueblo el sancionador de los traidores. Jean-Jacques Rousseau y la cristalina convicción de su rectitud le daban su fortaleza. No tenía poderes dictatoriales, ni siquiera un cargo, siendo simplemente un miembro del Comité de Salud Pública, el cual era a su vez un subcomité —el más poderoso, aunque no todopoderoso— de la Convención. Su poder era el del pueblo —las masas de París—; su terror, el de esas masas. Cuando ellas le abandonaron, se produjo su caída.

La tragedia de Robespierre y de la República jacobina fue la de tener que perder, forzosamente, ese apoyo. El régimen era una alianza entre la clase media y las masas obreras; pero para los jacobinos de la clase media las concesiones a los *sans-culottes* eran tolerables sólo en cuanto ligaban las masas al régimen sin aterrorizar a los propietarios; y dentro de la alianza los jacobinos de clase media eran una fuerza decisiva. Además, las necesidades de la guerra obligaban al gobierno a la centralización y la disciplina a expensas de la libre, local y directa democracia de club y de sección, de la milicia voluntaria accidental y de las elecciones libres que favorecían a los *sans-culottes*. El mismo proceso que durante la guerra civil de España de 1936-1939 fortaleció a los comunistas a expensas de los anarquistas, fue el que fortaleció a los jacobinos de cuño Saint-Just a costa de los *sans-culottes* de Hébert. En 1794 el gobierno y la política eran monolíticos y corrían guiados por agentes directos del Comité o la Convención —a través de delegados en *misión*— y un vasto cuerpo de funcionarios jacobinos en conjunción con organizaciones locales de partido. Por último, las exigencias económicas de la guerra les enajenaron el apoyo popular. En las ciudades, el racionamiento y la tasa de precios beneficiaba a las masas, pero la correspondiente congelación de salarios las perjudicaba. En el campo, la sistemática requisa de alimentos (que los *sans-culottes* urbanos habían sido los primeros en preconizar) les enajenaban a los campesinos.

Por eso las masas se apartaron descontentas en una turbia y resentida pasividad, especialmente después del proceso y ejecución de los hebertistas, las voces más autorizadas del «sans-culottismo». Al mismo tiempo muchos moderados se alarmaron por el ataque al ala derecha de la oposición, dirigida ahora por Danton. Esta facción había proporcionado cobijo a numerosos delincuentes, especuladores, estraperlistas y otros elementos corrompidos y enriquecidos, dispuestos como el propio Danton a formar esa minoría amoral, falstaffiana, viciosa y derrochadora que siempre surge en las revoluciones sociales hasta que las supera el duro puritanismo, que invariablemente llega a dominarlas. En la historia siempre los Danton han sido derrotados por los Robespierre (o por los que intentan actuar como Robespierre), porque la rigidez puede triunfar en donde la picaresca fracasa. No obstante, si Robespierre ganó el apoyo de los moderados eliminando la corrupción —lo cual· era servir a los intereses del esfuerzo de guerra—, sus posteriores restricciones de la libertad y la ganancia desconcertaron a los hombres de negocios. Por último, no agradaban a muchas gentes ciertas excursiones ideológicas de aquel período, como las sistemáticas campañas de descristianización —debidas al celo de los *sans-culottes*— y la nueva religión cívica del Ser Supremo de Robespierre, con todas sus ceremonias, que intentaban neutralizar a los ateos imponiendo los preceptos del «divino» Jean-Jacques. Y el constante silbido de la guillotina recordando a todos los políticos que ninguno podía sentirse seguro de conservar su vida.

En abril de 1794, tanto los componentes del ala derecha como los del ala izquierda habían sido guillotinados y los robespierristas se encontraban políticamente aislados. Sólo la crisis bélica los mantenía en el poder. Cuando a finales de junio del mismo año los nuevos ejércitos de la República demostraron su firmeza derrotando decisivamente a los austríacos en Fleurus y ocupando Bélgica, el final se preveía. El 9 termidor, según el calendario revolucionario (27 de julio de 1794), la Convención derribó a Robespierre. Al día siguiente, él, Saint Just y Couthon fueron ejecutados. Pocos días más tarde cayeron las cabezas de ochenta y siete miembros de la revolucionaria Comuna de París.

IV

Termidor supone el fin de la heroica y recordada fase de la revolución: la fase de los andrajosos *sans-culottes* y los correctos ciudadanos con gorro frigio que se consideraban nuevos Brutos y Catones, de lo grandilocuente, clásico y generoso, pero también de las mortales frases: «Lyon n'est plus»,

«Diez mil soldados carecen de calzado. Apodérese de los zapatos de todos los aristócratas de Estrasburgo y entréguelos preparados para su transporte al cuartel general mañana a las diez de la mañana».[12] No fue una fase de vida cómoda, pues la mayor parte de los hombres estaban hambrientos y muchos aterrorizados; pero fue un fenómeno tan terrible e irrevocable como la primera explosión nuclear, que cambió para siempre toda la historia. Y la energía que generó fue suficiente para barrer como paja a los ejércitos de los viejos regímenes europeos.

El problema con el que hubo de enfrentarse la clase media francesa para la permanencia de lo que técnicamente se llama período revolucionario (1794-1799), era el de conseguir una estabilidad política y un progreso económico sobre las bases del programa liberal original de 1789-1791. Este problema no se ha resuelto adecuadamente todavía, aunque desde 1870 se descubriera una fórmula viable para mucho tiempo en la república parlamentaria. La rápida sucesión de regímenes —Directorio (1795-1799), Consulado (1799-1804), Imperio (1804-1814), monarquía borbónica restaurada (1815-1830), monarquía constitucional (1830-1848), República (1848-1851) e Imperio (1852-1870)— no supuso más que el propósito de mantener una sociedad burguesa y evitar el doble peligro de la república democrática jacobina y del antiguo régimen.

La gran debilidad de los termidorianos consistía en que no gozaban de un verdadero apoyo político, sino todo lo más de una tolerancia, y en verse acosados por una rediviva reacción aristocrática y por las masas jacobinas y *sans-culottes* de París que pronto lamentaron la caída de Robespierre. En 1795 proyectaron una elaborada Constitución de tira y afloja para defenderse de ambos peligros. Periódicas inclinaciones a la derecha o a la izquierda los mantuvieron en un equilibrio precario, pero teniendo cada vez más que acudir al ejército para contener las oposiciones. Era una situación curiosamente parecida a la de la Cuarta República, y su conclusión fue la misma: el gobierno de un general. Pero el Directorio dependía del ejército para mucho más que para la supresión de periódicas conjuras y levantamientos (varios de 1795, conspiración de Babeuf en 1796, fructidor en 1797, floreal en 1798, pradial en 1799).[13] La inactividad era la única garantía de poder para un régimen débil e impopular, pero lo que la clase media necesitaba eran iniciativas y expansión. El problema, irresoluble en apariencia, lo resolvió el ejército, que conquistaba y pagaba por sí, y, más aún, su botín y sus conquistas pagaban por el gobierno. ¿Puede sorprender que un día el más inteligente y hábil de los jefes del ejército, Napoleón Bonaparte, decidiera que ese ejército hiciera caso omiso de aquel endeble régimen civil?

Este ejército revolucionario fue el hijo más formidable de la República jacobina. De «leva en masa» de ciudadanos revolucionarios, se convirtió muy

---

12. *Oeuvres complètes de Saint-Just*, vol. II, p. 147, edición de C. Vellay, París, 1908.
13. Nombres de los meses del calendario revolucionario.

pronto en una fuerza de combatientes profesionales, que abandonaron en masa cuantos no tenían afición o voluntad de seguir siendo soldados. Por eso conservó las características de la revolución al mismo tiempo que adquiría las de un verdadero ejército tradicional; típica mixtura bonapartista. La revolución consiguió una superioridad militar sin precedentes, que el soberbio talento militar de Napoleón explotaría. Pero siempre conservó algo de leva improvisada, en la que los reclutas apenas instruidos adquirían veteranía y moral a fuerza de fatigas, se desdeñaba la verdadera disciplina castrense, los soldados eran tratados como hombres y los ascensos por méritos (es decir, la distinción en la batalla) producían una simple jerarquía de valor. Todo esto y el arrogante sentido de cumplir una misión revolucionaria hizo al ejército francés independiente de los recursos de que dependen las fuerzas más ortodoxas. Nunca tuvo un efectivo sistema de intendencia, pues vivía fuera del país, y nunca se vio respaldado por una industria de armamento adecuada a sus necesidades nominales; pero ganaba sus batallas tan rápidamente que necesitaba pocas armas: en 1806, la gran máquina del ejército prusiano se desmoronó ante un ejército en el que un cuerpo disparó sólo 1.400 cañonazos. Los generales confiaban en el ilimitado valor ofensivo de sus hombres y en su gran capacidad de iniciativa. Naturalmente, también tenía la debilidad de sus orígenes. Aparte de Napoleón y de algunos pocos más, su generalato y su cuerpo de estado mayor era pobre, pues el general revolucionario o el mariscal napoleónico eran la mayor parte de las veces el tipo del sargento o el oficial ascendidos más por su valor personal y sus dotes de mando que por su inteligencia: el ejemplo más típico es el del heroico pero estúpido mariscal Ney. Napoleón ganaba las batallas, pero sus mariscales tendían a perderlas. Su esbozado sistema de intendencia, suficiente en los países ricos y propicios para el saqueo —Bélgica, el norte de Italia y Alemania— en que se inició, se derrumbaría, como veremos, en los vastos territorios de Polonia y de Rusia. Su total carencia de servicios sanitarios multiplicaba las bajas: entre 1800 y 1815 Napoleón perdió el 40 por 100 de sus fuerzas (cerca de un tercio de esa cifra por deserción); pero entre el 90 y el 98 por 100 de esas pérdidas fueron hombres que no murieron en el campo de batalla, sino a consecuencia de heridas, enfermedades, agotamiento y frío. En resumen: fue un ejército que conquistó a toda Europa en poco tiempo, no sólo porque pudo, sino también porque tuvo que hacerlo.

Por otra parte, el ejército fue una carrera como otra cualquiera de las muchas que la revolución burguesa había abierto al talento, y quienes consiguieron éxito en ella tenían un vivo interés en la estabilidad interna, como el resto de los burgueses. Esto fue lo que convirtió al ejército, a pesar de su jacobinismo inicial, en un pilar del gobierno postermidoriano, y a su jefe Bonaparte en el personaje indicado para concluir la revolución burguesa y empezar el régimen burgués. El propio Napoleón Bonaparte, aunque de condición hidalga en su tierra natal de Córcega, fue uno de esos militares de carrera. Nacido en 1769, ambicioso, disconforme y revolucionario, comenzó lentamente su carrera en el arma de artillería, una de las pocas ramas del ejército real en la que era indispensable una competencia técnica. Durante la revolución, y especialmente bajo la dictadura jacobina, a la que sostuvo con energía, fue reconocido por un comisario local en un frente crucial —siendo todavía un joven corso que difícilmente podía tener muchas perspectivas— como un soldado de magníficas dotes y de gran porvenir. El año II ascendió a general. Sobrevivió a la caída de Robespierre, y su habilidad para cultivar útiles relaciones en París le ayudó a superar aquel difícil momento. Encontró su gran oportunidad en la campaña de Italia de 1796 que le convirtió sin discusión posible en el primer soldado de la República que actuaba virtualmente con independencia de las autoridades civiles. El poder recayó en parte en sus manos y en parte él mismo lo arrebató cuando las invasiones extranjeras de 1799 revelaron la debilidad del Directorio y la indispensable necesidad de su espada. En seguida fue nombrado primer cónsul; luego cónsul vitalicio; por último, emperador. Con su llegada, y como por milagro, los irresolubles problemas del Directorio encontraron solución. Al cabo de pocos años Francia tenía un código civil, un concordato con la Iglesia y hasta un Banco Nacional, el más patente símbolo de la estabilidad burguesa. Y el mundo tenía su primer mito secular.

Los viejos lectores o los de los países anticuados reconocerán que el mito existió durante todo el siglo XIX, en el que ninguna sala de la clase media estaba completa si faltaba su busto y cualquier escritor afirmaba —aunque fuera en broma— que no había sido un hombre, sino un dios-sol. La extraordinaria fuerza expansiva de este mito no puede explicarse adecuadamente ni por las victorias napoleónicas, ni por la propaganda napoleónica, ni siquiera por el indiscutible genio de Napoleón. Como hombre era indudablemente brillantísimo, versátil, inteligente e imaginativo, aunque el poder le hizo más bien desagradable. Como general no tuvo igual; como gobernante fue un proyectista de soberbia eficacia, enérgico y ejecutivo jefe de un círculo intelectual, capaz de comprender y supervisar cuanto hacían sus subordinados. Como hombre parece que irradiaba un halo de grandeza; pero la mayor parte de los que dan testimonio de esto —como Goethe— le vieron en la cúspide de su fama, cuando ya la atmósfera del mito le rodeaba. Sin género de dudas era un gran hombre, y —quizá con la excepción de Lenin— su retrato es el único que cualquier hombre medianamente culto reconoce con facilidad, incluso hoy, en la galería iconográfica de la historia, aunque sólo sea por la triple marca de su corta talla, el pelo peinado hacia delante sobre la frente y la mano derecha metida entre el chaleco entreabierto. Quizá sea inútil tratar de compararle con los candidatos a la grandeza de nuestro siglo XX.

El mito napoleónico se basó menos en los méritos de Napoleón que en los hechos, únicos entonces, de su carrera. Los grandes hombres conocidos que estremecieron al mundo en el pasado habían empezado siendo reyes, como Alejandro Magno, o patricios, como Julio César. Pero Napoleón fue el «petit caporal» que llegó a gobernar un continente por su propio talento personal. (Esto no es del todo cierto, pero su ascensión fue lo suficientemente meteórica y alta para hacer razonable la afirmación.) Todo joven intelectual devorador de libros como el joven Bonaparte, autor de malos poemas y novelas y adorador de Rousseau, pudo desde entonces ver al cielo como su límite y los laureles rodeando su monograma. Todo hombre de negocios tuvo desde entonces un nombre para su ambición: ser —el clisé se utiliza todavía— un «Napoleón de las finanzas o de la industria». Todos los hombres vulgares se conmovieron ante el fenómeno —único hasta entonces— de un hombre vulgar que llegó a ser más grande que los nacidos para llevar una corona. Napoleón dio un nombre propio a la ambición en el momento en que la doble revolución había abierto el mundo a los hombres ambiciosos. Y aún había más: Napoleón era el hombre civilizado del siglo XVIII, racionalista, curioso, ilustrado, pero lo suficientemente discípulo de Rousseau para ser también el hombre romántico del siglo XIX. Era el hombre de la revolución y el hombre que traía la estabilidad. En una palabra, era la figura con la que cada hombre que rompe con la tradición se identificaría en sus sueños.

Para los franceses fue, además, algo mucho más sencillo: el más afortunado gobernante de su larga historia. Triunfó gloriosamente en el exterior, pero también en el interior estableció o restableció el conjunto de las instituciones francesas tal y como existen hasta hoy en día. Claro que muchas —quizá todas— de sus ideas fueron anticipadas por la revolución y el Directorio, por lo que su contribución personal fue hacerlas más conservadoras, jerárquicas y autoritarias. Pero si sus predecesores las anticiparon, él las llevó a cabo. Los grandes monumentos legales franceses, los códigos que sirvieron de modelo para todo el mundo burgués no anglosajón, fueron napoleónicos. La jerarquía de los funcionarios públicos —desde prefecto para abajo—, de los tribunales, las universidades y las escuelas, también fue suya. Las grandes «carreras» de la vida pública francesa —ejército, administración civil, enseñanza, justicia— conservan la forma que les dio Napoleón. Napoleón proporcionó estabilidad y prosperidad a todos, excepto al cuarto de millón de franceses que no volvieron de sus guerras, e incluso a sus parientes les proporcionó gloria. Sin duda los ingleses se consideraron combatientes de la libertad frente a la tiranía; pero en 1815 la mayor parte de ellos eran probablemente más pobres y estaban peor situados que en 1800, mientras la situación social y económica de la mayoría de los franceses era mucho mejor, pues nadie, salvo los todavía menospreciados jornaleros, había perdido los sustanciales beneficios económicos de la revolución. No puede sorprender, por tanto, la persistencia del bonapartismo como ideología de los franceses apolíticos, especialmente de los campesinos más ricos, después de la caída de Napoleón. Un segundo y más pequeño Napoleón sería el encargado de desvanecerlo entre 1851 y 1870.

Napoleón sólo destruyó una cosa: la revolución jacobina, el sueño de libertad, igualdad y fraternidad y de la majestuosa ascensión del pueblo para sacudir el yugo de la opresión. Sin embargo, este era un mito más poderoso aún que el napoleónico, ya que, después de la caída del emperador, sería ese mito, y no la memoria de aquél, el que inspiraría las revoluciones del siglo XIX, incluso en su propio país.

4. LA GUERRA

En época de innovación todo lo que no es nuevo es pernicio-
so. El arte militar de la monarquía ya no nos sirve, porque somos
hombres diferentes y tenemos diferentes enemigos. El poder y las
conquistas de pueblos, el esplendor de su política y su milicia ha
dependido siempre de un solo principio, de una sola y poderosa
institución ... Nuestra nación tiene ya un carácter nacional peculiar. Su sistema militar debe ser distinto que el de sus enemigos.
Muy bien entonces: si la nación francesa es terrible a causa de
nuestro ardor y destreza, y si nuestros enemigos son torpes, fríos
y lentos, nuestro sistema militar debe ser impetuoso.

SAINT-JUST, *Rapport présenté à la Convention Nationale au
nom du Comité de Salut Public, 19 du premier mois de l'an II*
(10 de octubre de 1793)

No es verdad que la guerra sea *una orden divina*; no es verdad
que *la tierra esté sedienta de sangre*. Dios anatematizó la guerra
y son los hombres quienes la emprenden y quienes la mantienen
en secreto horror.

ALFRED DE VIGNY, *Servitude et grandeur militaires*

I

Desde 1792 hasta 1815 hubo guerra en Europa, casi sin interrupción,
combinada o coincidente con otras guerras accidentales fuera del continente:
en las Indias Occidentales, el Levante y la India entre 1790 y 1800; operaciones navales en todos los mares; en los Estados Unidos en 1812-1814. Las
consecuencias de la victoria o la derrota en aquellas guerras fueron considerables, pues transformaron el mapa del mundo. Por eso debemos examinar-
las primero. Pero luego tendremos que considerar otro problema menos tan-
gible: cuáles fueron las consecuencias del proceso real de la contienda, la
movilización y las operaciones militares y las medidas políticas y económicas a que dieron lugar.

Dos clases muy distintas de beligerantes se enfrentaron a lo largo de aquellos veinte años y pico de guerra: poderes y sistemas. Francia como Estado, con sus intereses y aspiraciones, se enfrentaba (o se aliaba) con otros estados de la misma clase, pero, por otra parte, Francia como revolución convocaba a los pueblos del mundo para derribar la tiranía y abrazar la libertad, a lo que se oponían las fuerzas conservadoras y reaccionarias. Claro que después de los primeros apocalípticos años de guerra revolucionaria las diferencias entre estos dos matices de conflicto disminuyeron. A finales del reinado de Napoleón, el elemento de conquista imperial y de explotación prevalecía sobre el elemento de liberación donde quiera que las tropas francesas derrotaban, ocupaban o anexionaban algún país, por lo que la guerra entre las naciones estaba mucho menos mezclada con la guerra civil internacional (doméstica en cada país). Por el contrario, las potencias antirrevolucionarias se resignaban a la irrevocabilidad de muchas de las conquistas de la revolución en Francia, disponiéndose a negociar (con ciertas reservas) tratados de paz como entre potencias que funcionaban normalmente más bien que entre la luz y las tinieblas. Incluso a las pocas semanas de la primera derrota de Napoleón se preparaban a readmitir a Francia como un igual en el tradicional juego de alianzas, contraalianzas, fanfarronadas, amenazas y guerras con que la diplomacia regulaba las relaciones entre las grandes potencias. Sin embargo, la doble naturaleza de las guerras como conflictos entre estados y entre sistemas sociales permanecía intacta.

Socialmente hablando, los beligerantes estaban muy desigualmente divididos. Aparte Francia, sólo había un Estado de importancia al que sus orígenes revolucionarios y su simpatía por la *Declaración de los derechos del hombre* pudieran inclinar ideológicamente del lado de Francia: los Estados Unidos de América. En realidad, los Estados Unidos apoyaron a los franceses y al menos en una ocasión (1812-1814) lucharon, si no como aliados suyos, sí contra un enemigo común: Gran Bretaña. Sin embargo, los Estados Unidos permanecieron neutrales casi todo el tiempo y su fricción con los ingleses no se debía a motivos ideológicos. El resto de los aliados ideológicos de Francia, más que los plenos poderes estatales, lo constituían algunos partidos y corrientes de opinión dentro de otros estados.

En un sentido amplio puede decirse que, virtualmente, cualquier persona de talento, educación e ilustración simpatizaba con la revolución, en todo caso hasta el advenimiento de la dictadura jacobina, y con frecuencia hasta mucho después. (¿No revocó Beethoven la dedicatoria de la *Sinfonía Heroica* a Napoleón cuando éste se proclamó emperador?) La lista de genios o talentos europeos que en un principio simpatizaron con la revolución, sólo puede compararse con la parecida y casi universal simpatía por la República española en los años treinta. En Inglaterra comprendía a los poetas —Wordsworth, Blake, Coleridge, Robert Burns, Southey—, a los hombres de ciencia como el químico Joseph Priestley y varios miembros de la distinguida Lunar Society de Birmingham,[1] técnicos e industriales como el forjador Wilkinson,

---

1. El hijo de James Watt se marchó a Francia, con gran alarma de su padre.

el ingeniero Thomas Telford o intelectuales liberales o protestantes. En Alemania, a los filósofos Kant, Herder, Fichte, Schelling y Hegel, a los poetas Schiller, Hölderlin, Wieland y el viejo Klopstock y al músico Beethoven. En Suiza, al pedagogo Pestalozzi, al psicólogo Lavater y al pintor Fuessli (Fuseli). En Italia, virtualmente a todas las personas de opiniones anticlericales. Sin embargo, aunque la revolución estaba encantada con ese apoyo intelectual y llegó a conceder la ciudadanía honoraria francesa a los que consideraba más afines a sus principios,[2] ni un Beethoven ni un Robert Burns tenían mucha importancia política o militar.

Un serio sentimiento filojacobino o profrancés existía principalmente en ciertos sectores contiguos a Francia, en donde las condiciones sociales eran comparables o los contactos culturales permanentes (los Países Bajos, la Renania, Suiza y Saboya), en Italia, y, por diferentes razones, en Irlanda y en Polonia. En Inglaterra, el «jacobinismo» hubiera sido sin duda un fenómeno de la mayor importancia política, incluso después del Terror, si no hubiera chocado con el tradicional prejuicio antifrancés del nacionalismo británico, compuesto por igual por el desprecio del ahíto John Bull hacia los hambrientos continentales (en todas las caricaturas de aquella época representan a los franceses tan delgados como cerillas) y por la hostilidad al que desde siempre era el «enemigo tradicional» de Inglaterra y el aliado secular de Escocia.[3] El jacobinismo británico fue el único que apareció inicialmente como un fenómeno de clase artesana o trabajadora, al menos después de pasar el primer entusiasmo general. Las *Corresponding Societies* pueden alardear de ser las primeras organizaciones políticas independientes de la clase trabajadora. Pero el jacobinismo encontró una voz de gran fuerza en *Los derechos del hombre* de Tom Paine (de los que se vendieron casi un millón de ejemplares) y algún apoyo político por parte de los *whigs*, inmunes a la persecución por su firme posición social, quienes se mostraban dispuestos a defender las tradiciones de la libertad civil británica y la conveniencia de una paz negociada con Francia. A pesar de ello, la evidente debilidad del jacobinismo inglés se manifestó por el hecho de que la flota amotinada en Spithead en un momento crucial de la guerra (1797) pidió que se le permitiese zarpar contra los franceses tan pronto como sus peticiones económicas fueron satisfechas.

En la península ibérica, los dominios de los Habsburgo, la Alemania central y oriental, Escandinavia, los Balcanes y Rusia, el filojacobinismo era una fuerza insignificante. Atraía a algunos jóvenes ardorosos, a algunos intelectuales iluministas y a algunos otros que, como Ignatius Martinovics en Hungría o Rhigas en Grecia, ocupan el honroso puesto de precursores en la his-

---

2. Entre ellos, Priestley, Bentham, Wilberforce, Clarkson (el agitador antiesclavista), James Mackintosh, David Williams, de Inglaterra; Klopstock, Schiller, Campe y Anarcharsis Cloots, de Alemania; Pestalozzi, de Suiza; Kosziusko, de Polonia; Gorani, de Italia; Cornelius de Pauw, de Holanda; Washington, Hamilton, Madison, Tom Paine y Joel Barlow, de los Estados Unidos. No todos ellos, simpatizantes de la Revolución.

3. Esto no puede desvincularse del hecho de que el jacobinismo escocés había sido una fuerza popular mucho más poderosa.

toria de la lucha por la liberación nacional o social en sus países. Pero la falta de apoyo masivo a sus ideas por parte de las clases media y elevada, más aún, su aislamiento de los fanáticos e incultos campesinos, hizo fácil la supresión del jacobinismo cuando, como en Austria, se arriesgó a una conspiración. Tendría que pasar una generación antes de que la fuerte y militante tradición liberal española surgiera de las modestas conspiraciones estudiantiles o de los emisarios jacobinos de 1792-1795.

La verdad es que en su mayor parte el jacobinismo en el exterior hacía su llamamiento ideológico directo a las clases medias y cultas y que, por ello, su fuerza política dependía de la efectividad o buena voluntad con que aquéllas lo aplicaran. Así, en Polonia, la Revolución francesa causó una profunda impresión. Francia había sido la principal potencia en la que Polonia esperaba encontrar sostén contra la codicia de Prusia, Rusia y Austria, que ya se habían anexionado vastas regiones del país y amenazaban con repartírselo por completo. A su vez, Francia proporcionaba el modelo de la clase de profundas reformas interiores con las que soñaban todos los polacos ilustrados, merced a las cuales podrían resistir a sus terribles vecinos. Por tanto, nada tiene de extraño que la reforma constitucional polaca de 1791 estuviera profundamente influida por la Revolución francesa, siendo la primera en seguir sus huellas.[4] Pero en Polonia, la nobleza y la clase media reformista tenían las manos libres. En cambio en Hungría, en donde el endémico conflicto entre Viena y los autonomistas locales suministraba un incentivo análogo a los nobles del país para interesarse en teorías de resistencia (el conde de Gömör pidió la supresión de la censura como contraria al *Contrato social* de Rousseau), no las tenían. Y, como consecuencia, el «jacobinismo» era a la vez mucho más débil y mucho menos efectivo. En cambio, en Irlanda, el descontento nacional y agrario daba al «jacobinismo» una fuerza política muy superior al efectivo apoyo prestado a la ideología masónica y librepensadora de los jefes de los United Irishmen. En aquel país, uno de los más católicos de Europa, se celebraban actos religiosos pidiendo la victoria de los franceses ateos, y los irlandeses se disponían a acoger con júbilo la invasión de su país por las fuerzas francesas, no porque simpatizaran con Robespierre, sino porque odiaban a los ingleses y buscaban aliados frente a ellos. Por otra parte, en España, en donde el catolicismo y la pobreza eran igualmente importantes, el jacobinismo perdió la ocasión de encontrar un punto de apoyo por la razón contraria: ningún extranjero oprimía a los españoles y el único que pretendía hacerlo era el francés.

Ni Polonia ni Irlanda fueron típicos ejemplos de filojacobinismo, pues el verdadero programa de la revolución era poco atractivo para una y otra. En cambio sí lo era en los países que tenían problemas políticos y sociales parecidos a los de Francia. Estos países se dividían en dos grupos: aquellos en

4. Como Polonia era esencialmente una república de nobles y clase media, la Constitución era «jacobina» sólo en el más superficial de los sentidos: el papel de los nobles más bien se reforzaba que se abolía.

que el «jacobinismo» nacional tenía posibilidades de prosperar por su propia fuerza, y países en los que sólo su conquista por Francia podría hacerlo adelantar. Los Países Bajos, parte de Suiza y quizá uno o dos estados italianos, pertenecían al primer grupo; la mayor parte de la Alemania occidental y de Italia, al segundo. Bélgica (los Países Bajos austríacos) ya estaba en rebelión en 1789: se olvida a menudo que Camille Desmoulins llamó a su periódico *Les Révolutions de France et de Brabant*. El elemento profrancés de los revolucionarios (los democráticos «vonckistas») era desde luego más débil que los conservadores «statistas», pero lo bastante fuerte para proporcionar un verdadero apoyo revolucionario a la conquista —que favorecía— de su país por Francia. En las Provincias Unidas, los «patriotas», buscando una alianza con Francia, eran lo bastante fuertes para pensar en una revolución, aun cuando dudaran de que pudiera triunfar sin ayuda exterior. Representaban a la clase media más modesta y estaban aliados con otras contra la oligarquía dominante de los grandes mercaderes patricios. En Suiza, el elemento izquierdista en ciertos cantones protestantes siempre había sido fuerte y la influencia de Francia, poderosa. Allí también la conquista francesa completó más que creó las fuerzas revolucionarias locales.

En Alemania occidental y en Italia, la cosa fue diferente. La invasión francesa fue bien recibida por los jacobinos alemanes, sobre todo en Maguncia y en el suroeste, pero no se puede decir que éstos llegaran a causar graves preocupaciones a los gobiernos. Los franceses, incluso, fracasaron en su proyecto de establecer una República renana satélite. En Italia, la preponderancia del iluminismo y la masonería hizo inmensamente popular la revolución entre las gentes cultas, pero el jacobinismo local sólo tuvo verdadera fuerza en el reino de Nápoles, en donde captó virtualmente a toda la clase media ilustrada (y anticlerical), así como a una parte del pueblo, y estaba perfectamente organizado en las logias y sociedades secretas que con tanta facilidad florecen en la atmósfera de la Italia meridional. Pero a pesar de ello, fracasó totalmente en establecer contacto con las masas social-revolucionarias. Cuando llegaron las noticias del avance francés, se proclamó con toda facilidad una República napolitana que con la misma facilidad fue derrocada por una revolución social de derechas, bajo las banderas del papa y el rey. Con cierta razón, los campesinos y los *lazzaroni* napolitanos definían a un jacobino como «un hombre con coche».

Por todo ello, en términos generales se puede decir que el valor militar del filojacobinismo extranjero fue más que nada el de un auxiliar para la conquista francesa, y una fuente de administradores, políticamente seguros, para los territorios conquistados. Pero, en realidad, la tendencia era convertir a las zonas con fuerza jacobina local, en repúblicas satélites que, más tarde, cuando conviniera, se anexionarían a Francia. Bélgica fue anexionada en 1795; Holanda se convirtió en la República bátava en el mismo año, y más adelante en un reino para la familia Bonaparte. La orilla izquierda del Rin también fue anexionada, y, bajo Napoleón, convertida en estados satélites (como el Gran Ducado de Berg —la actual zona del Rur— y el reino de Westfalia), mientras la anexión directa se extendía más allá, a través del noroeste de Alemania. Suiza se convirtió en la República Helvética en 1798 para ser anexionada finalmente. En Italia surgió una serie de repúblicas: la cisalpina (1797), la ligur (1797), la romana (1798), la partenopea (1798), que más tarde serían en parte territorio francés, pero predominantemente estados satélites (el reino de Italia, el reino de Nápoles, etc.).

El jacobinismo extranjero tuvo alguna importancia militar, y los extranjeros jacobinos residentes en Francia tuvieron una parte importante en la formación de la estrategia republicana, de manera especial el grupo Saliceti, el cual influyó bastante en la ascensión del italiano Napoleón Bonaparte dentro del ejército francés y en su ulterior fortuna en Italia. Pero no puede decirse que ese grupo o grupos fueran decisivos. Sólo un movimiento profrancés extranjero pudo haber sido decisivo si hubiera sido bien explotado: el irlandés. Una revolución irlandesa combinada con una invasión francesa, particularmente en 1797-1798, cuando Inglaterra era el único beligerante que quedaba en el campo de batalla con Francia, podía haber forzado a pedir la paz a los ingleses. Pero el problema técnico de la invasión a través de tan gran extensión de mar era difícil, los esfuerzos franceses para superarlo vacilantes y mal concebidos, y la sublevación irlandesa de 1798, aun contando con un fuerte apoyo popular, estaba pobremente organizada y resultó fácil de vencer. Por tanto, es inútil especular sobre las posibilidades teóricas de unas operaciones francoirlandesas.

Pero si Francia contaba con la ayuda de las fuerzas revolucionarias en el extranjero, también los antifranceses. En los espontáneos movimientos de resistencia popular contra las conquistas francesas, no se puede negar su composición social-revolucionaria, aun cuando los campesinos enrolados en ellos se expresaran en términos de conservadurismo militante eclesiástico y monárquico. Es significativo que la táctica militar identificada en nuestro siglo con la guerra revolucionaria —la guerrilla o los partisanos— fuera utilizada casi exclusivamente en el lado antifrancés entre 1792 y 1815. En la propia Francia, la Vendée y los *chuanes* realistas de la Bretaña hicieron una guerra de guerrillas entre 1793 y 1802, con interrupciones. Fuera de Francia, los bandidos de la Italia meridional, en 1798-1799, fueron quizá los precursores de la acción de las guerrillas populares antifrancesas. Los tiroleses, dirigidos por el posadero Andreas Hofer en 1809, pero sobre todo los españoles desde 1808 y en alguna extensión los rusos en 1812-1813, practicaron con éxito esa forma de combatir. Paradójicamente, la importancia militar de esta táctica revolucionaria para los antifranceses fue mucho mayor que la importancia militar del jacobinismo extranjero para los franceses. Ninguna zona más allá de las fronteras francesas conservó un gobierno projacobino un momento después de la derrota o la retirada de las tropas francesas, pero el Tirol, España y, en cierta medida, el sur de Italia presentaron a los franceses un problema militar mucho más grave después de las derrotas de sus ejércitos y gobernantes oficiales que antes. La razón es obvia: ahora se trataba de movimientos campesinos. En donde el nacionalismo antifrancés no se basaba en el campesino local, su importancia militar era casi nula. Un patriotismo retrospectivo ha creado una «guerra de liberación» alemana en 1813-1814, pero se puede decir con certeza que, por lo que respecta a la suposición de que estaba basada en una resistencia popular contra los franceses, es una piadosa mentira.[5] En España, el pueblo tuvo en jaque a los franceses cuando los ejércitos habían fracasado; en Alemania, los ejércitos ortodoxos fueron quienes los derrotaron en una forma completamente ortodoxa.

Hablando socialmente, pues, no es demasiado exagerado considerar esta guerra como sostenida por Francia y sus territorios fronterizos contra el resto de Europa. En términos de las anticuadas relaciones de las potencias, la cuestión era más compleja. Aquí, el conflicto fundamental era el que mediaba entre Francia y Gran Bretaña, que había dominado las relaciones internacionales europeas durante gran parte de un siglo. Desde el punto de vista británico, ese conflicto era casi exclusivamente económico. Los ingleses deseaban eliminar a su principal competidor a fin de conseguir el total predominio de su comercio en los mercados europeos, el absoluto control de los mercados coloniales y ultramarinos, que a su vez suponía el dominio pleno de los mares. En realidad, no querían mucho más que esto con la victoria. Este objetivo no suponía ambiciones territoriales en Europa, salvo la posesión de ciertos lugares de importancia marítima o la seguridad de que éstos no caerían en manos de países lo bastante fuertes para resultar peligrosos. Es decir, Gran Bretaña se conformaba con un equilibrio continental en el que cualquier rival en potencia estuviera mantenido a raya por los demás países. En el exterior, esto suponía la completa destrucción de los otros imperios coloniales y considerables anexiones al suyo.

Esta política era suficiente en sí para proporcionar a los franceses algunos aliados potenciales, ya que todos los estados marítimos, comerciales o coloniales la veían con desconfianza u hostilidad. De hecho, la postura normal de esos estados era la de la neutralidad, ya que los beneficios del libre comercio en tiempos de guerra son considerables. Pero la tendencia inglesa a tratar (casi realistamente) a los buques neutrales como una fuerza que ayudaba a Francia más que a sus propios países, los arrastró de cuando en cuando en el conflicto, hasta que la política francesa de bloqueo a partir de 1806 los impulsó en sentido opuesto. La mayor parte de las potencias marítimas eran demasiado débiles o demasiado lejanas para causar perjuicios a Gran Bretaña; pero la guerra angloamericana de 1812-1813 sería el resultado de tal conflicto.

La hostilidad francesa hacia Gran Bretaña era algo más complejo, pero el elemento que, como entre los ingleses, exigía una victoria *total*, estaba muy fortalecido por la revolución que llevó al poder a la burguesía francesa, cuyos apetitos eran, en el aspecto comercial, tan insaciables como los de los ingleses. La victoria sobre los ingleses exigía la destrucción del comercio británi-

---

5. Cf. W. von Groote, *Die Entstehung d. Nationalbewussteins in Nordwestdeutschland 1790-1830*, 1952.

co, del que se creía —con razón— que Gran Bretaña dependía; y la salvaguardia contra una futura recuperación, su aniquilamiento definitivo. (El paralelo entre el conflicto anglo-francés y el de Cartago y Roma estaba en la
mente de los franceses, cuya fantasía política era muy clásica.) De manera
más ambiciosa, la burguesía francesa esperaba rebasar la evidente superioridad económica de los ingleses sólo con sus recursos políticos y militares; por
ejemplo, creando un vasto mercado absorbente del que estuvieran excluidos
sus rivales. Ambas consideraciones dieron a la pugna anglo-francesa una persistencia y una tenacidad sin precedentes. Pero ninguno de los contendientes
—cosa rara en aquellos tiempos, pero corriente hoy— estaba realmente preparado para conseguir menos que una victoria total. El único y breve período de paz entre ellos (1802-1803) acabó por romperse por la repugnancia de
uno y otro a mantenerla. Cosa singular, ya que la situación puramente militar imponía unas tablas, pues ya en la última década se había hecho evidente que los ingleses no podían llegar al continente de una manera efectiva, ni
salir de él del mismo modo los franceses.

Las demás potencias antifrancesas estaban empeñadas en una lucha
menos encarnizada. Todas esperaban derrocar a la Revolución francesa,
aunque no a expensas de sus propias ambiciones políticas, pero después del
período 1792-1795 se vio claramente que ello no era tan fácil. Austria,
cuyos lazos de familia con los Borbones se reforzaron por la directa amenaza francesa a sus posesiones y zonas de influencia en Italia y a su predominante posición en Alemania, era la más tenaz antifrancesa, por lo que
tomó parte en todas las grandes coaliciones contra Francia. Rusia fue antifrancesa intermitentemente, entrando en la guerra sólo en 1795-1800, 1805-
1807 y 1812. Prusia se encontraba indecisa entre sus simpatías por el bando
antirrevolucionario, su desconfianza de Austria y sus ambiciones en Polonia y Alemania, a las que favorecía la iniciativa francesa. Por eso entró en
la guerra ocasionalmente y de manera semiindependiente: en 1792-1795,
1806-1807 (cuando fue pulverizada) y 1813. La política de los restantes
países que de cuando en cuando entraban en las coaliciones antifrancesas,
mostraba parecidas fluctuaciones. Estaban contra la revolución, pero la política es la política, tenían otras cosas en que pensar y nada en sus intereses
estatales les imponía una firme hostilidad hacia Francia, sobre todo hacia
una Francia victoriosa que decidía las periódicas redistribuciones del territorio europeo.

También las ambiciones diplomáticas y los intereses de los estados europeos proporcionaban a los franceses cierto número de aliados potenciales,
pues, en todo sistema permanente de estados en rivalidad y tensión constante, la enemistad de A implica la simpatía de anti-A. Los más seguros aliados
de Francia eran los pequeños príncipes alemanes, cuyo interés ancestral era
—casi siempre de acuerdo con Francia— debilitar el poder del emperador
(ahora el de Austria) sobre los principados, que sufrían las consecuencias del
crecimiento de la potencia prusiana. Los estados del suroeste de Alemania
—Baden, Wurtemberg, Baviera, que constituirían el núcleo de la napoleóni-

ca Confederación del Rin (1806)— y Sajonia, antigua rival y víctima de Prusia, fueron los más importantes. Sajonia sería el último y más leal aliado de Napoleón, hecho explicable en gran parte por sus intereses económicos, pues, siendo un centro industrial muy adelantado, obtenía grandes beneficios del «sistema continental» napoleónico.

Sin embargo, aun teniendo en cuenta las divisiones del bando antifrancés y los aliados potenciales con que Francia podía contar, la coalición antifrancesa era sobre el papel mucho más fuerte que los franceses, al menos inicialmente. A pesar de ello, la historia de las guerras es una serie de ininterrumpidas victorias de Francia. Después de que la combinación inicial de ataque exterior y contrarrevolución interna fue batida (1793-1794), sólo hubo un breve período, antes del final, en que los ejércitos franceses se vieron obligados a ponerse a la defensiva: en 1799, cuando la Segunda Coalición movilizó al formidable ejército ruso mandado por Suvorov para sus primeras operaciones en la Europa occidental. Pero, a efectos prácticos, la lista de campañas y batallas en tierra entre 1794 y 1812 sólo comprende virtualmente triunfos franceses. La razón de esos triunfos está en la revolución en Francia. Su irradiación política en el exterior no fue decisiva, como hemos visto. Todo lo más que logró fue impedir que la población de los estados reaccionarios resistiera a los franceses que le llevaban la libertad; pero la verdad es que ni la estrategia ni la táctica militante de los ortodoxos estados del siglo XVIII esperaba ni deseaba la participación de los civiles en la guerra: Federico el Grande había respondido a sus leales berlineses, que se le ofrecían para resistir a los rusos, que dejaran la guerra a los profesionales, a quienes correspondía hacerla. En cambio en Francia, la revolución transformó las normas bélicas haciéndolas inconmensurablemente superiores a las de los ejércitos del antiguo régimen. Técnicamente, los antiguos ejércitos estaban mejor instruidos y disciplinados, por lo que en donde esas cualidades eran decisivas, como en la guerra naval, los franceses fueron netamente inferiores. Eran buenos corsarios capaces de actuar por sorpresa, pero ello no podía compensar la escasez de marineros bien entrenados y, sobre todo, de oficiales expertos, diezmados por la revolución por pertenecer casi en su mayor parte a familias realistas normandas y bretonas, y difíciles de sustituir de improviso. En seis grandes y ocho pequeñas batallas navales con los ingleses, los franceses tuvieron pérdidas de hombres diez veces mayores que sus contrincantes.[6] Pero en donde lo que contaba era la organización improvisada, la movilidad, la flexibilidad y sobre todo el ímpetu ofensivo y la moral, los franceses no tenían rival. Esta ventaja no dependía del genio militar de un hombre, pues las hazañas bélicas de los franceses antes de que Napoleón tomara el mando eran numerosas y las cualidades de los generales franceses distaban mucho de ser excepcionales. Es posible, pues, que dependiera en parte del rejuvenecimiento de los cuadros de mando dentro y fuera de Francia, lo cual es una de las principales consecuencias de toda revolución. En 1806, de los 142

6. M. Lewis, *A Social History of the Navy, 1793-1815*, 1960, pp. 370 y 373.

generales con que contaba el potente ejército prusiano, setenta y nueve tenían más de sesenta años, y lo mismo una cuarta parte de los jefes de regimientos.[7] En ese mismo año, Napoleón (que había llegado a general a los veinticuatro), Murat (que había mandado una brigada a los veintiséis), Ney (que lo hizo a los veintisiete) y Davout, oscilaban entre los veintiséis y los treinta y siete años.

II

La relativa monotonía de los éxitos franceses hace innecesario hablar con detalle de las operaciones militares de la guerra terrestre. En 1793-1794 las tropas francesas salvaron la revolución. En 1794-1795 ocuparon los Países Bajos, Renania y zonas de España, Suiza, Saboya y Liguria. En 1796, la famosa campaña de Italia de Napoleón les dio toda Italia y rompió la Primera Coalición contra Francia. La expedición de Napoleón a Malta, Egipto y Siria (1797-1799) fue aislada de su base por el poderío naval de los ingleses, y, en su ausencia, la Segunda Coalición expulsó a los franceses de Italia y los rechazó hacia Alemania. La derrota de los ejércitos aliados en Suiza (batalla de Zurich en 1799) salvó a Francia de la invasión, y pronto, después de la vuelta de Napoleón y su toma de poder, los franceses pasaron otra vez a la ofensiva. En 1801 habían impuesto la paz a los aliados continentales, y en 1802 incluso a los ingleses. Desde entonces, la supremacía francesa en las regiones conquistadas o controladas en 1794-1798 fue indiscutible. Un renovado intento de lanzar la guerra contra Francia, en 1805-1807, sirvió para llevar la influencia francesa hasta las fronteras de Rusia. Austria fue derrotada en 1805 en la batalla de Austerlitz (en Moravia) y hubo de firmar una paz impuesta. Prusia, que entró por separado y más tarde en la contienda, fue destrozada a su vez en las batallas de Jena y Auerstadt, en 1806, y desmembrada. Rusia, aunque derrotada en Austerlitz, machacada en Eylau (1807) y vuelta a batir en Friedland (1807), permaneció intacta como potencia militar. El tratado de Tilsit (1807) la trató con justificado respeto, pero estableció la hegemonía francesa sobre el resto del continente, con la excepción de Escandinavia y los Balcanes turcos. Una tentativa austríaca de sacudir el yugo de 1809 fue sofocada en las batallas de Aspern-Essling y Wagram. Sin embargo, la rebelión de los españoles en 1808, contra el deseo de Napoleón de imponerles como rey a su hermano José Bonaparte, abrió un campo de operaciones a los ingleses y mantuvo una constante actividad militar en la península, a la que no afectaron las periódicas derrotas y retiradas de los ingleses (por ejemplo, en 1809-1810).

Por el contrario, en el mar, los franceses fueron ampliamente derrotados en aquella época. Después de la batalla de Trafalgar (1805) desapareció cualquier posibilidad, no sólo de invadir Gran Bretaña a través del Canal, sino

---

7. Gordon Craig, *The Politics of the Prussian Army 1640-1945*, 1955, p. 26.

de mantener contactos ultramarinos. No parecía existir más procedimiento de derrotar a Inglaterra que una presión económica que Napoleón trató de hacer efectiva por medio del «sistema continental» (1806). Las dificultades para imponer este bloqueo minaron la estabilidad de la paz de Tilsit y llevaron a la ruptura con Rusia, que sería el punto crítico de la fortuna de Napoleón. Rusia fue invadida y Moscú ocupado. Si el zar hubiese pedido la paz, como habían hecho casi todos los enemigos de Napoleón en tales circunstancias, la jugada habría salido bien. Pero no la pidió, y Napoleón hubo de enfrentarse con el dilema de una guerra interminable sin claras perspectivas de victoria, o una retirada. Ambas serían igualmente desastrosas. Como hemos visto, los métodos del ejército francés eran eficacísimos para campañas rápidas en zonas lo suficientemente ricas y pobladas para permitirle vivir sobre el terreno. Pero lo logrado en Lombardía o en Renania —en donde se ensayaron primeramente esos procedimientos—, factible todavía en la Europa central, fracasó de manera absoluta en los vastos, vacíos y empobrecidos espacios de Polonia y de Rusia. Napoleón fue derrotado no tanto por el invierno ruso como por su fracaso en el adecuado abastecimiento de la *Grande Armée*. La retirada de Moscú destrozó al ejército. De los 610.000 hombres que lo formaban al cruzar la frontera rusa, sólo volvieron a cruzarla unos 100.000.

En tan críticas circunstancias, la coalición final contra los franceses se formó no sólo con sus antiguos enemigos y víctimas, sino con todos los impacientes por uncirse al carro del que ahora se veía con claridad que iba a ser el vencedor: sólo el rey de Sajonia aplazó su adhesión para más tarde. En una nueva y feroz batalla, el ejército francés fue derrotado en Leipzig (1813), y los aliados avanzaron inexorablemente por tierras de Francia, a pesar de las deslumbrantes maniobras de Napoleón, mientras los ingleses las invadían desde la península. París fue ocupado y el emperador abdicó el 6 de abril de 1814. Intentó restaurar su poder en 1815, pero la batalla de Waterloo, en junio de aquel año, acabó con él para siempre.

III

En el transcurso de aquellas décadas de guerra, las fronteras políticas de Europa fueron borradas o alteradas varias veces. Pero aquí debemos ocuparnos sólo de aquellos cambios que, de una manera u otra, fueron lo bastante permanentes para sobrevivir a la derrota de Napoleón.

Lo más importante de todo fue una racionalización general del mapa político de Europa, especialmente en Alemania e Italia. Dicho en términos de geografía política, la Revolución francesa terminó la Edad Media europea. El característico Estado moderno, que se venía desarrollando desde hacía varios siglos, es una zona territorial coherente e indivisa, con fronteras bien definidas, gobernada por una sola autoridad soberana conforme a un solo sistema fundamental de administración y ley. (Desde la Revolución francesa también se supone que representa a una sola «nación» o grupo lingüístico, pero en aquella época un Estado territorial soberano no suponía esto forzosamente.) El característico Estado feudal europeo, aunque a veces lo pareciera, como, por ejemplo, la Inglaterra medieval, no exigía tales condiciones. Su patrón era mucho más el «estado» en el sentido de propiedad. Lo mismo que el término «los estados del duque de Bedford» no implicaba ni que constituyeran un solo bloque ni que estuvieran regidos directamente por su propietario o mantenidos en las mismas condiciones, ni que se excluyeran los arriendos y subarriendos, el Estado feudal de la Europa occidental no excluía una complejidad que hoy parecería totalmente intolerable. En 1789 tales complejidades ya habían empezado a producir complicaciones. Algunos enclaves extranjeros se encontraban muy dentro del territorio de otro Estado, como, por ejemplo, la ciudad papal de Aviñón en Francia. A veces, territorios dentro de un Estado dependían, por razones históricas, de otro señor que a su vez dependía de otro Estado, es decir, en lenguaje moderno diríamos que se hallaba bajo una soberanía dual.[8] «Fronteras», en forma de barreras aduaneras, se establecían entre las provincias de un mismo Estado. El Sacro Imperio Romano contenía sus principados privados, acumulados a lo largo de los siglos y jamás unificados debidamente —el jefe de la casa de Habsburgo ni siquiera tuvo un solo título para expresar su soberanía sobre todos sus territorios hasta 1804—,[9] y su imperial autoridad sobre una infinidad de territorios que comprendían desde grandes potencias por derecho propio, como el reino de Prusia (tampoco plenamente unificado como tal hasta 1807), y principados de todos los tamaños, hasta ciudades independientes organizadas en repúblicas y «libres señoríos imperiales» cuyos estados, a veces, no eran mayores que unas cuantas hectáreas y no reconocían un señor superior. Todos ellos, grandes o pequeños, mostraban la misma falta de unidad y normalización, y dependían de los caprichos de una larga serie de adquisiciones a trozos o de divisiones y reunificaciones de una herencia de familia. Todavía no se aplicaba el conjunto de consideraciones económicas, administrativas, ideológicas y de poder que tienden a imponer un mínimo de territorio y población como moderna unidad de gobierno, y que nos inquietan hoy al pensar, por ejemplo, en un Liechtenstein pidiendo un puesto en las Naciones Unidas. Como consecuencia de todo lo dicho, los estados diminutos abundaban en Alemania y en Italia.

La revolución y las guerras subsiguientes abolieron un buen número de aquellas reliquias, en parte por el afán revolucionario de unificación, y en parte porque los estados pequeños y débiles llevaban demasiado tiempo expuestos a la codicia de sus grandes vecinos. Otras formas supervivientes de remotos tiempos, como el Sacro Imperio Romano y muchas ciudades-Estado y ciudades-imperios, desaparecieron. El Imperio feneció en 1806, las

---

8. La única supervivencia europea de esta clase es la República de Andorra, que está bajo la soberanía dual del obispo español de Urgell y del presidente de la República francesa.

9. Su persona era, simplemente, duque de Austria, rey de Hungría, rey de Bohemia, conde del Tirol, etc.

antiguas repúblicas de Génova y Venecia habían dejado de existir en 1797 y, al final de la guerra, las ciudades libres de Alemania habían quedado reducidas a cuatro. Otra característica supervivencia medieval —los estados eclesiásticos independientes— siguieron el mismo camino: los principados episcopales de Colonia, Maguncia, Tréveris, Salzburgo, etc., desaparecieron. Sólo los Estados Pontificios en la Italia central subsistieron hasta 1870. Las anexiones, los tratados de paz y los congresos, en los que los franceses intentaron sistemáticamente reorganizar el mapa político alemán (en 1797-1798 y 1803), redujeron los 234 territorios del Sacro Imperio Romano —sin contar los señoríos imperiales libres, etc.— a cuarenta; en Italia, en donde varias generaciones de guerras implacables habían simplificado ya la estructura política —sólo existían algunos minúsculos estados en los confines de la Italia septentrional y central—, los cambios fueron menos drásticos. Como la mayor parte de estos cambios beneficiaban a algún fuerte Estado monárquico, la derrota de Napoleón los perpetuó. Austria jamás pensaría en restaurar la República veneciana, pues había adquirido sus territorios a través de la operación de los ejércitos revolucionarios franceses, y no pensó en devolver Salzburgo (que adquiriera en 1803), a pesar de su respeto a la Iglesia católica.

Fuera de Europa, los cambios territoriales de las guerras fueron la consecuencia de la amplísima anexión llevada a cabo por Inglaterra de las colonias de otros países, y de los movimientos de liberación colonial, inspirados por la Revolución francesa (como en Santo Domingo), posibilitados o impuestos por la separación temporal de las colonias de sus metrópolis (como en las Américas española y portuguesa). El dominio británico de los mares garantizaba que la mayor parte de aquellos cambios serían irrevocables, tanto si se habían producido a expensas de los franceses como, más a menudo, de los antifranceses.

También fueron importantes los cambios institucionales introducidos directa o indirectamente por las conquistas francesas. En el apogeo de su poder (1810), los franceses gobernaban como si fuera parte de Francia toda la orilla izquierda alemana del Rin, Bélgica, Holanda y la Alemania del norte hasta Lübeck, Saboya, Piamonte, Liguria y la zona occidental de los Apeninos hasta las fronteras de Nápoles, y las provincias ilíricas desde Carintia hasta Dalmacia. Miembros de la familia imperial o reinos y ducados satélites cubrían España, el resto de Italia, el resto de Renania-Westfalia y una gran parte de Polonia. En todos estos territorios (quizá con la excepción del Gran Ducado de Varsovia), las instituciones de la Revolución francesa y el Imperio napoleónico eran automáticamente aplicadas o servían de modelo para la administración local: el feudalismo había sido abolido, regían los códigos legales franceses, etc. Estos cambios serían más duraderos que las alteraciones de las fronteras. Así, el código civil de Napoleón se convirtió en el cimiento de las leyes locales de Bélgica, Renania (incluso después de su reincorporación a Prusia) e Italia. El feudalismo, una vez abolido oficialmente, no volvió a restablecerse.

Como para los inteligentes adversarios de Francia era evidente que su derrota se debía a la superioridad de un nuevo sistema político, o en todo caso a su error al no establecer reformas equivalentes, las guerras produjeron cambios no sólo a través de las conquistas francesas, sino como reacción contra ellas; en algunos casos —como en España—, de las dos maneras, pues de un lado los colaboradores de Napoleón —los afrancesados— y de otro los jefes liberales de la antifrancesa Junta de Cádiz aspiraban en suma al mismo tipo de una España modernizada según las líneas reformistas de la Revolución francesa. Lo que unos no lograron, lo intentaron los otros. Un caso más claro todavía de reforma por reacción —pues los liberales españoles eran ante todo reformadores y sólo antifranceses por accidente histórico— fue el de Prusia, en donde se estableció una forma de liberación de los campesinos, un ejército organizado con elementos de la *levée en masse*, y una serie de reformas legales, económicas y docentes, llevadas a cabo bajo el impacto del derrumbamiento del ejército y el Estado federiquianos en Jena y Auerstadt, y con el firme propósito de aminorar y aprovechar la derrota.

No es exagerado decir que todos los estados continentales de menor importancia surgidos al oeste de Rusia y Turquía y al sur de Escandinavia después de aquellas dos décadas de guerra se vieron, juntamente con sus instituciones, afectados por la expansión o la imitación de la Revolución francesa. Incluso el ultrarreaccionario reino de Nápoles no se atrevió a restablecer el feudalismo legal que abolieran los franceses.

Pero los cambios en fronteras, leyes e instituciones gubernamentales fueron nada comparados con un tercer efecto de aquellas décadas de guerra revolucionaria: la profunda transformación de la atmósfera política. Cuando estalló la Revolución francesa, los gobiernos de Europa la consideraron con relativa sangre fría: el mero hecho de que las instituciones cambiaran bruscamente, se produjeran insurrecciones, las dinastías fueran depuestas y los reyes asesinados o ejecutados, no conmovía en sí a los gobernantes del siglo XVIII, que estaban acostumbrados a tales sucesos y los consideraban en otros países desde el punto de vista de su efecto en el equilibrio de poderes y en la relativa posición del suyo. «Los insurgentes que destierro de Ginebra —escribía Vergennes, el famoso ministro francés de Asuntos Exteriores del antiguo régimen— son agentes de Inglaterra, mientras que los insurgentes de América ofrecen perspectivas de larga amistad. Mi política respecto a unos y otros se determina no por sus sistemas políticos, sino por su actitud respecto a Francia. Esta es mi razón de Estado.»[10] Pero en 1815 una actitud completamente distinta hacia la revolución prevalecía y dominaba en la política de las potencias.

Ahora se sabía que la revolución en un único país podía ser un fenómeno europeo; que sus doctrinas podían difundirse más allá de las fronteras, y —lo que era peor— sus ejércitos, convertidos en cruzados de la causa revolucionaria, barrer los sistemas políticos del continente. Ahora se sabía que la revolución social era posible; que las naciones existían como algo indepen-

10.   A. Sorel, *L'Europe et la Révolution française*, I, edición de 1922, p. 66.

diente de los estados, los pueblos como algo independiente de sus gobernantes, e incluso que los pobres existían como algo independiente de las clases dirigentes. «La Revolución francesa —había observado el reaccionario De Bonald en 1796— es un acontecimiento único en la historia.»[11] Se quedaba corto: era un acontecimiento universal. Ningún país estaba inmunizado. Los soldados franceses que acampaban desde Andalucía hasta Moscú, desde el Báltico hasta Siria —sobre un área mucho más vasta que la pisada por un ejército conquistador desde los mongoles, y desde luego mucho más ancha que la ocupada por una fuerza militar en Europa excepto los bárbaros del norte—, impelían a la universalidad de su revolución con más efectividad que nada o nadie pudiera hacerlo. Y las doctrinas e instituciones que llevaron con ellos, incluso bajo Napoleón, desde España hasta Iliria, eran doctrinas universales, como lo sabían los gobiernos y como pronto iban a saberlo también los pueblos. Un bandido y patriota griego —Kolokotrones— expresaba así sus sentimientos:

> A mi juicio, la Revolución francesa y los hechos de Napoleón abrieron los ojos al mundo. Antes, las naciones nada sabían y los pueblos pensaban que sus reyes eran dioses sobre la tierra y que por ello estaban obligados a creer que todo cuanto hacían estaba bien hecho. Después del cambio que se ha producido es más difícil el gobierno de los pueblos.[12]

IV

Hemos examinado los efectos de los veintitantos años de guerra sobre la estructura política de Europa. Pero ¿cuáles fueron las consecuencias del verdadero proceso de la guerra, las movilizaciones y operaciones militares y las subsiguientes medidas políticas y económicas?

Paradójicamente, fueron mayores en donde fue menor el derramamiento de sangre, excepto en Francia, que casi seguramente sufrió más bajas y pérdidas indirectas de población que los demás países. Los hombres del período revolucionario y napoleónico tuvieron la suerte de vivir entre dos épocas de terribles guerras —las del siglo XVII y las del nuestro— que devastaron los países de tremenda manera. Ninguna zona afectada por las guerras de 1792-1815 —ni siquiera la península ibérica, en donde las operaciones militares se prolongaron más que en ninguna parte y la resistencia popular y las represalias las hicieron más feroces— quedó tan arrasada como las regiones de la Europa central y oriental durante las guerras de los Treinta Años, y del Norte en el siglo XVII, Suecia y Polonia en los comienzos del XVIII, o grandes zonas del mundo en las guerras civiles e internacionales del XX. El largo período de progreso económico que precedió a 1789 hizo que el hambre y

---

11. *Considérations sur la France*, cap. IV.
12. Citado en L. S. Stavrianos, «Antecedents to Balkan Revolutions», *Journal of Modern History*, XXIX (1957), p. 344.

sus secuelas, la miseria y la peste, no se sumaran con exceso a los destrozos de la batalla y el saqueo, al menos hasta después de 1811. (La mayor época de hambre fue *después* de las guerras, en 1816-1817.) Las campañas militares tendían a ser cortas y decisivas, y los armamentos empleados —artillería relativamente ligera y móvil— no eran tan destructores como los de nuestros tiempos. Los sitios no eran frecuentes. El fuego era probablemente el mayor riesgo para los edificios y los medios de producción, pero las casas pequeñas y las granjas se reconstruían con facilidad. La única destrucción verdaderamente difícil de reparar pronto en una economía preindustrial era la de los bosques, los árboles frutales y los olivos, que tardan mucho en crecer, pero no parece que se destruyeran muchos.

El total de pérdidas humanas como consecuencia de aquellas dos décadas de guerra no parece haber sido aterrador, en comparación con las modernas. Como ningún gobierno trató de establecer un balance exacto, nuestros cálculos modernos son vagos y no pasan de meras conjeturas, excepto para Francia y algunos casos especiales. Un millón de muertos de guerra en todo el período [13] resulta una cifra escasa comparada con las pérdidas de cualquiera de los grandes beligerantes en los cuatro años y medio de la primera guerra mundial, o con los 600.000 y pico de muertos de la guerra civil norteamericana de 1861-1865. Incluso dos millones no habría sido una cifra excesiva para más de dos décadas de guerra general, sobre todo si se recuerda la extraordinaria mortandad producida en aquellos tiempos por las epidemias y hambres: en 1865 una epidemia de cólera en España se dice que produjo 236.744 víctimas.[14] En realidad, ningún país acusó una sensible alteración en el aumento de población durante aquel período, con la excepción quizá de Francia.

Para muchos habitantes de Europa no combatientes, la guerra no significó probablemente más que una interrupción accidental del normal tenor de vida, y quizá ni esto. Las familias del país de Jane Austen seguían su ritmo de vida como si no pasara nada. El mecklemburgués Fritz Reuter recordaba el tiempo de las guarniciones extranjeras como una pequeña anécdota más que como un drama; el viejo Herr Kuegelgen, evocando su infancia en Sajonia (uno de los campos de batalla de Europa, cuya situación geográfica y política atraía a los ejércitos y a las batallas, como Bélgica y Lombardía), se limitaba a recordar las largas semanas en que los ejércitos atravesaban o se acuartelaban en Dresde. Desde luego, el número de hombres armados implicados en la contienda era mucho más alto que en todas las guerras anteriores, aunque no extraordinario en comparación con las modernas. Incluso las quintas no suponían más que la llamada de una fracción de los hombres afectados: la Costa de Oro, departamento de Francia en el reinado de Napoleón, sólo proporcionó 11.000 reclutas de sus 350.000 habitantes, o sea, el 3,15 por 100, y entre 1800 y 1815 sólo un 7 por 100 de la población total de Francia fue llamado a filas, frente al 21 por 100 llamado en el período, mucho más corto,

13. G. Bodart, *Losses of Life in Modern Wars*, 1916, p. 133
14. J. Vicens Vives, ed., *Historia social de España y América*, 1956, IV, II, p. 15.

de la primera guerra mundial.[15] Y este no se puede decir que fuera un gran número. La *levée en masse* de 1793-1794 tal vez pusiera sobre las armas a 630.000 hombres (de un teórico llamamiento de 770.000); las fuerzas de Napoleón en tiempo de paz (1805) constaban de unos 400.000, y al principio de la campaña de Rusia, en 1812, el Gran Ejército comprendía 700.000 soldados (de ellos 300.000 no franceses), sin contar las tropas francesas en el resto del continente, especialmente en España. Las permanentes movilizaciones de los adversarios de Francia eran mucho más pequeñas porque (con la excepción de Inglaterra) estaban menos continuamente en el campo, y también porque las crisis financieras y las dificultades de organización presentaban muchos inconvenientes a la plena movilización, como, por ejemplo, a los austríacos, que, autorizados por el tratado de paz de 1809 a tener un ejército de 150.000 hombres, sólo tenían en 1813 unos 60.000 verdaderamente dispuestos para entrar en campaña. En cambio, los británicos tenían un sorprendente número de hombres movilizados. En 1813-1814, con créditos votados para sostener 300.000 hombres en el ejército de tierra y 140.000 en la flota, podía haber sostenido proporcionalmente una fuerza mayor que la de los franceses en casi toda la guerra.[16]

Las pérdidas fueron graves, aunque repetimos que no excesivas en comparación con las de las guerras contemporáneas; pero, curiosamente, pocas de ellas causadas por el enemigo. Sólo el 6 o el 7 por 100 de los marineros ingleses muertos entre 1793 y 1815 sucumbieron a manos de los franceses: más del 80 por 100 perecieron a causa de enfermedades o accidentes. La muerte en el campo de batalla era un pequeño riesgo: sólo el 2 por 100 de las bajas en Austerlitz, quizá el 8 o 9 por 100 de las de Waterloo, fueron resultado de la batalla. Los peligros verdaderamente tremendos de la guerra eran la suciedad, el descuido, la pobre organización, los servicios médicos defectuosos y la ignorancia de la higiene, que mataban a los heridos, a los prisioneros y en determinadas condiciones climatológicas (como en los trópicos) prácticamente a todo el mundo.

Las operaciones militares mataban directa o indirectamente a las gentes y destruían equipos productivos, pero, como hemos visto, no en proporciones que afectaran seriamente a la vida y al desarrollo normal de un país. Las exigencias económicas de la guerra tendrían consecuencias de mayor alcance.

Para el criterio del siglo XVIII, las guerras revolucionarias y napoleónicas eran de un costo sin precedentes; pero más que el costo en vidas era el costo en dinero el que quizá impresionaba a los contemporáneos. Claro que el peso de las cargas financieras de la guerra sobre la generación siguiente a Waterloo fue mucho más que el de las cargas humanas. Se calcula que mien-

---

15. G. Bruun, *Europe and the French Imperium*, 1938, p. 72.
16. Como estas cifras se basan en el dinero autorizado por el Parlamento, el número de hombres en pie de guerra era seguramente más pequeño. J. Leverrier, *La naissance de l'armée nationale, 1789-1794*, 1939, p. 139; G. Lefebvre, *Napoléon*, 1936, pp. 198 y 527; M. Lewis, *op. cit.*, p. 119; *Parliamentary Papers*, XVII (1859), p. 15.

tras el costo de las guerras entre 1821 y 1850 suponía un promedio inferior al 10 por 100 anual del número equivalente en 1790-1820, el promedio anual de muertos de guerra fue menos del 25 por 100 que en el período precedente.[17] ¿Cómo iba a pagarse esto? El método tradicional había sido una combinación de inflación monetaria (la emisión de nueva moneda para pagar las deudas del gobierno), empréstitos y un mínimum de impuestos especiales, ya que los impuestos creaban descontento público y (en donde tenían que ser concedidos por los parlamentos o estados) perturbaciones políticas. Pero las extraordinarias peticiones financieras y las circunstancias de las guerras quebraron o transformaron todo ello.

En primer lugar familiarizaron al mundo con el inconvertible papel moneda.[18] En el continente, la facilidad con que se imprimían las piezas de papel para pagar las obligaciones del gobierno, se manifestó irresistible. Los asignados franceses (1789) fueron en un principio simples bonos de tesorería (*bons de trésor*) con un interés del 5 por 100, destinados a adelantar los trámites de la eventual venta de las tierras de la Iglesia. Al cabo de pocos meses se transformaron en dinero, y cada crisis sucesiva obligó a imprimirlos en mayor cantidad y a depreciarlos más por la creciente falta de confianza del público. Al principio de la guerra se habían depreciado un 40 por 100, y en junio de 1793, más de dos tercios. El régimen jacobino los mantuvo bastante bien, pero la orgía del desbarajuste económico después de termidor los redujo progresivamente a unas tres centésimas de su valor, hasta que la bancarrota oficial del Estado en 1797 puso punto final a un episodio monetario que mantuvo en guardia a los franceses contra cualquier clase de billetes de banco durante la mayor parte del siglo XIX. El papel moneda de otros países tuvo una carrera menos catastrófica, aunque en 1810 el ruso bajó a un 20 por 100 de su valor nominal y el austríaco (desvalorizado dos veces, en 1810 y en 1815), a un 10 por 100. Los ingleses evitaron esta forma particular de financiar la guerra y estaban lo bastante familiarizados con los billetes de banco para no asustarse por ellos, pero incluso el Banco de Inglaterra no resistiría la doble presión de las peticiones del gobierno —para conceder empréstitos y subsidios al extranjero—, las operaciones privadas sobre su metálico y la tensión especial de un año de hambre. En 1797 quedaron en suspenso los pagos en oro a los clientes privados y el inconvertible billete de banco se convirtió *de facto* en la moneda efectiva. Resultado de esto fue el billete de una libra esterlina. La «libra papel» nunca se depreció tanto como sus equivalentes continentales —su nivel más bajo fue el del 71 por 100 de su valor nominal, y ya en 1817 había subido hasta el 98 por 100—, pero duró mucho más de lo que se había previsto. Hasta 1821 no se reanudaron los pagos en metálico.

La otra alternativa frente a los impuestos eran los empréstitos, pero el

---

17.   Mulhall, *Dictionary of Statistics*. Véase la voz *War*.

18.   En realidad, cualquier clase de papel moneda, canjeable o no por metálico, era muy rara antes de finales del siglo XVIII.

vertiginoso incremento de la deuda pública, producida por el inesperado aumento de los gastos de guerra y la prolongación de ésta, asustaron incluso a los países más prósperos, fuertes y saludables financieramente. Después de cinco años de financiar la guerra mediante empréstitos, el gobierno británico se vio obligado a dar el paso extraordinario y sin precedentes de costear la guerra, no por medio del impuesto directo, sino introduciendo para esa finalidad un impuesto sobre la renta (1799-1816). La rápida y creciente prosperidad del país lo hizo perfectamente factible, y en adelante el coste de la guerra se sufragó con la renta general. Si se hubiera impuesto desde el principio una tributación adecuada, la deuda nacional no habría pasado de 228 millones de libras en 1793 a 876 millones en 1816, y sus réditos anuales de 10 millones en 1792, a 30 millones en 1815, cantidad *mayor que el gasto total del gobierno en el año anterior a la guerra*. Las consecuencias sociales de tal adeudo fueron grandes, pues en efecto actuaba como un embudo para verter cantidades cada vez mayores de los tributos pagados por la población en general en los bolsillos de la pequeña clase de «rentistas», contra los cuales los portavoces de los pobres y los modestos granjeros y comerciantes, como William Cobbett, lanzaban sus críticas desde los periódicos. Los empréstitos al extranjero se concedían principalmente (al menos en el lado antifrancés) por el gobierno británico, que siguió mucho tiempo una política de ayuda económica a sus aliados. Entre 1794 y 1804 dedicó 80 millones de libras a esa finalidad. Los principales beneficiarios directos fueron las casas financieras internacionales —inglesas o extranjeras, pero operando cada vez más a través de Londres, que se convirtió en el principal centro financiero internacional—, como la Baring y la casa Rothschild, que actuaban como intermediarios en dichas transacciones. (Meyer Amschel Rothschild, el fundador, envió desde Francfort a Londres a su hijo Nathan, en 1798.) La época de esplendor de aquellos financieros internacionales fue después de las guerras, cuando financiaron los grandes empréstitos destinados a ayudar a los antiguos regímenes a recobrarse de la guerra y a los nuevos a estabilizarse. Pero los cimientos de esa era en que los Baring y los Rothschild dominaron el mundo de las finanzas —como nadie lo había hecho desde los grandes banqueros alemanes del siglo XVI— se construyeron durante las guerras.

Sin embargo, las técnicas financieras de la época de la guerra son menos importantes que el efecto económico general de la gran desviación de los recursos exigida por una importante contienda bélica: los recursos dejan de emplearse para fines de paz y se aplican a fines militares. Es erróneo atribuir al esfuerzo de guerra resultados totalmente perjudiciales para la economía civil. Hasta cierto punto, las fuerzas armadas pueden sólo movilizar a hombres que de lo contrario estarían parados por no encontrar trabajo dentro de los límites de la economía.[19] La industria de guerra, aunque de momento prive de hombres y materiales al mercado civil, puede a la larga estimular cier-

---

19. Esta fue la base de la gran tradición de emigración en las regiones montañosas superpobladas, como Suiza, para servir como mercenarios en ejércitos extranjeros.

tos aspectos que las consideraciones de provecho corrientes en tiempo de paz hubieran desdeñado. Tal fue, por ejemplo, el caso de las industrias del hierro y del acero, que, como hemos visto, no parecían tener posibilidades de una rápida expansión comparable a la textil algodonera y, por tanto, confiaban su desarrollo al gobierno y a la guerra. «Durante el siglo XVIII —escribía Dionysius Lardner en 1831— la fundición de hierro estuvo casi identificada con la fundición de cañones.»[20] Por eso podemos considerar en parte la desviación de los recursos del capital de los fines pacíficos como una inversión a largo plazo para nuevas industrias importantes y para mejoras técnicas. Entre las innovaciones técnicas debidas a las guerras revolucionarias y napoleónicas, figuran la creación de la industria remolachera en el continente (para sustituir al azúcar de caña que se importaba de las Indias Occidentales) y la de la conservera (que surgió de la necesidad de la escuadra inglesa de contar con alimentos que pudieran conservarse indefinidamente a bordo de los barcos). No obstante, aun haciendo todas las concesiones, una guerra grande significa una mayor desviación de recursos e incluso, en circunstancias de bloqueo mutuo, puede significar que los sectores de las economías de paz y de guerra compiten directamente por los mismos escasos recursos.

Una consecuencia evidente de tal competencia es la inflación, y ya sabemos que, en efecto, el período de guerra impulsó la lenta ascensión del nivel de precios del siglo XVIII en todos los países, si bien ello fuera debido en parte a la devaluación monetaria. En sí, esto supone, o refleja, cierta redistribución de rentas, lo cual tiene consecuencias económicas; por ejemplo, más ingresos para los hombres de negocios, y menos para los jornaleros (puesto que los jornales van a la zaga de los precios); ganancia para los agricultores, que siempre acogen bien las subidas de precios en tiempo de guerra, y pérdidas para los obreros. Por el contrario, la terminación de las imperiosas exigencias de los tiempos de guerra significa la devolución de una masa de recursos —incluyendo los hombres— antes empleados para la producción bélica, a los mercados de paz, lo que provoca siempre intensos problemas de reajuste. Pondremos un ejemplo: entre 1814 y 1818 las fuerzas del ejército británico se redujeron en unos 150.000 hombres —más que la población de Manchester entonces—, y el nivel de precio del trigo bajó de 108,5 chelines la arroba a 64,2 en 1815. El período de reajuste de la posguerra fue de grandes y anormales dificultades económicas en toda Europa, intensificadas todavía más por las desastrosas cosechas de 1816-1817.

Debemos, sin embargo, hacernos una pregunta más general. ¿Hasta qué punto la desviación de recursos debida a la guerra impidió o retrasó el desarrollo económico de los diferentes países? Esta pregunta es de especial importancia respecto a Francia y Gran Bretaña, las dos mayores potencias económicas, y las dos que soportaron las más pesadas cargas económicas. La carga francesa no se debía a la guerra en sí, ya que sus gastos se pagaron a expensas de los extranjeros cuyos territorios saqueaban o requisaban los

---

20. *Cabinet Cyclopedia*, I. Véase la voz *Manufactures in Metal*, pp. 55-56.

soldados invasores, imponiéndoles luego crecidas contribuciones de hombres, material y dinero. Casi la mitad de las riquezas de Italia fueron a parar a Francia entre 1805 y 1812.[21] Este procedimiento era, desde luego, mucho más barato —en términos reales y económicos— que cualquier otro que Francia hubiera podido utilizar. La quiebra de la economía francesa se debió a la década de revolución, guerra civil y caos que, por ejemplo, redujo la producción de las manufacturas del Sena inferior (Ruán) de 41 a 15 millones entre 1790 y 1795, y el número de sus operarios de 246.000 a 86.000. A esto hay que añadir la pérdida del comercio de ultramar debido al dominio de los mares ejercido por la flota británica. La carga que hubo de soportar Inglaterra era debida al costo no sólo del sostenimiento de su propia guerra, sino también, mediante las tradicionales subvenciones a sus aliados continentales, del sostenimiento de la de los otros estados. En estrictos términos monetarios puede decirse que Inglaterra soportó la carga más pesada durante la guerra, que le costó entre tres y cuatro veces más que a Francia.

La respuesta a esa pregunta general es más fácil para Francia que para Gran Bretaña, pues no hay duda de que la economía francesa permaneció relativamente estancada y que su industria y su comercio se habrían extendido más y más deprisa a no ser por la revolución y la guerra. Aunque la economía del país progresó mucho bajo Napoleón, no pudo compensar el retraso y los ímpetus perdidos en los años 1790-1800. En cuanto a Gran Bretaña, la respuesta es menos concreta, pues si su expansión fue meteórica, queda la duda de si no hubiera sido todavía más rápida sin la guerra. La opinión general de hoy es que sí lo hubiera sido.[22] Respecto a los demás países, la pregunta tiene menos importancia en cuanto a los de desarrollo económico lento o fluctuante, como el Imperio de los Habsburgo, en los que el impacto cuantitativo del esfuerzo de guerra fue relativamente pequeño.

Desde luego, estas escuetas consideraciones cometen petición de principio. Incluso las guerras, francamente económicas, sostenidas por los ingleses en los siglos XVII y XVIII no supusieron un desarrollo económico por ellas mismas o por estimular la economía, sino por la victoria, que les permitió eliminar competidores y conquistar nuevos mercados. Su «costo» en cuanto a negocios truncados, desviación de recursos, etc., fue compensado por sus «provechos» manifiestos en la relativa posición de los competidores beligerantes después de la guerra. En este aspecto, el resultado de las guerras de 1793-1815 es clarísimo. A costa de un ligero retraso en una expansión económica que, a pesar de ello, siguió siendo gigantesca, Gran Bretaña eliminó definitivamente a su más cercano y peligroso competidor y se convirtió en «el taller del mundo» para dos generaciones. En términos de índices indus-

21. E. Tarlé, *Le blocus continental et le royaume d'Italie*, 1928, pp. 3-4 y 25-31; H. Sée, *Histoire économique de la France*, II, p. 52; Mulhall, *loc. cit.*

22. Gayer, Rostow y Schwartz, *Growth and Fluctuation of the British Economy, 1790-1850*, 1953, pp. 646-649; F. Crouzet, *Le blocus continental et l'économie britannique*, 1958, pp. 868 ss.

triales o comerciales, Inglaterra estaba ahora mucho más a la cabeza de todos los demás estados (con la posible excepción de los Estados Unidos) de lo que había estado en 1789. Si creemos que la eliminación temporal de sus rivales y el virtual monopolio de los mercados marítimos y coloniales era una condición esencial previa para la ulterior industrialización de Inglaterra, el precio para lograrlo fue modesto. Si se arguye que hacia 1789 su situación ya era suficiente para asegurar la supremacía de la economía británica, sin necesidad de una larga guerra, habremos de reconocer que no fue excesivo el precio pagado para defenderla contra la amenaza francesa de recobrar por medios políticos y militares el terreno perdido en la competencia económica.

5. LA PAZ

> El acuerdo existente (entre las potencias) es su única perfecta seguridad frente a las brasas revolucionarias que todavía existen más o menos en cada Estado de Europa y ... es verdadera prudencia evitar las pequeñas discrepancias y mantenerse unidos para mantener los principios establecidos del orden social.
>
> CASTLEREAGH [1]

> El emperador de Rusia es, con mucho, el único soberano en perfectas condiciones para lanzarse inmediatamente a las mayores empresas. Está al frente del único ejército verdaderamente disponible que hoy existe en Europa.
>
> GENTZ, 24 de marzo de 1818 [2]

Después de más de veinte años de casi ininterrumpida guerra y revolución, los antiguos regímenes victoriosos se enfrentaban a problemas de pacificación y conservación de la paz, particularmente difíciles y peligrosos. Había que limpiar los escombros de dos décadas y redistribuir los territorios arrasados. Y más aún: para todos los estadistas inteligentes era evidente que en adelante no se podría tolerar una gran guerra, que seguramente llevaría a una nueva revolución y, como consecuencia, a la destrucción de esos antiguos regímenes. «En la actual situación de enfermedad social de Europa —escribía el rey Leopoldo de los belgas (el sensato y algunas veces fastidioso tío de la reina Victoria de Inglaterra) a propósito de una crisis posterior— sería inaudito desencadenar ... una guerra general. Tal guerra ... traería seguramente un conflicto de principios, y por lo que conozco de Europa, creo que tal conflicto cambiaría su forma y derrumbaría toda su estructura.» [3] Los reyes y estadistas no eran ni más prudentes ni más pacíficos que antes. Pero, indudablemente, estaban mucho más asustados.

Y tuvieron un éxito desacostumbrado. Entre la derrota de Napoleón y la

---

1. Castlereagh, *Correspondence*, 3.ª serie, XI, p. 105.
2. Gentz, *Depêches inédites*, I, p. 371.
3. J. Richardson, *My Dearest Uncle, Leopold of the Belgians*, 1961, p. 165.

guerra de Crimea de 1854-1856, no hubo, en efecto, guerra general europea o conflicto armado en el que las grandes potencias se enfrentaran en el campo de batalla. En realidad, aparte de la guerra de Crimea, no hubo entre 1815 y 1914 alguna guerra en que se vieran envueltas más de dos potencias. El ciudadano del siglo xx debe apreciar la importancia de esto. Ello es tanto más impresionante cuanto que la escena internacional distaba mucho de estar tranquila y las ocasiones de conflicto abundaban. Los movimientos revolucionarios (de los que hablaremos en el capítulo 6) destruían de cuando en cuando la difícilmente ganada estabilidad internacional: entre 1820 y 1830 sobre todo en la Europa meridional, los Balcanes y en América Latina; después de 1830, en Europa occidental —Bélgica sobre todo— y, por último, en la revolución de 1848. La decadencia del Imperio turco, amenazado tanto por la disolución interna como por las ambiciones de las grandes potencias rivales —especialmente Inglaterra, Rusia y un poco menos Francia—, convirtió la llamada «cuestión de Oriente» en un constante motivo de crisis: en la década de 1820-1830 a propósito de Grecia; en la siguiente a propósito de Egipto. Y aunque se apaciguó después de un grave conflicto en 1839-1841, seguía siendo un peligro para la paz del mundo, como antes. Las relaciones entre Inglaterra y Rusia eran muy tensas a causa del Oriente Próximo y la tierra de nadie entre los dos imperios en Asia. Francia no se conformaba con su posición internacional, mucho más modesta de la que había tenido antes de 1815. A pesar de tales escollos y remolinos, los navíos diplomáticos navegaban con dificultad, pero sin entrar en colisión.

Nuestra generación, que ha fracasado de manera tan espectacular en la tarea fundamental de la diplomacia que es la de evitar las guerras, ha tendido por eso a considerar a los estadistas y los métodos de 1815-1848, con un respeto que sus inmediatos sucesores no siempre sintieron. Talleyrand, que rigió la política extranjera de Francia desde 1814 hasta 1835, sigue siendo el modelo para los diplomáticos franceses. Castlereagh, George Canning y el vizconde Palmerston, secretarios de Asuntos Exteriores británicos, respectivamente, en 1812-1822, 1822-1827 y en todos los gobiernos no *tories* desde 1830 hasta 1852,[4] han adquirido una sorprendente y retrospectiva talla de gigantes de la diplomacia. El príncipe de Metternich, primer ministro austríaco durante todo el período que va desde la caída de Napoleón hasta la suya, en 1848, es considerado hoy con menos frecuencia un mero y rígido enemigo de cualquier cambio que un prudente mantenedor de la estabilidad política y social de Europa. No obstante, nadie ha sido capaz de encontrar ministros dignos de idealizar en la Rusia de Alejandro I (1801-1825) y Nicolás I (1825-1855) o en la relativamente poco importante Prusia de aquella época.

En un sentido está justificada la fama. El reajuste de Europa después de las guerras napoleónicas no era más justo y más moral que cualquier otro, pero dado el propósito enteramente antiliberal y antinacional de sus hace-

---

4. Casi todo este período salvo unos cuantos meses en 1834-1835 y 1841-1846.

dores (es decir, antirrevolucionario), era realista y sensible. No se intentó explotar la victoria total sobre los franceses, para no incitarles a un recrudecimiento del jacobinismo. Las fronteras del país derrotado se dejaron un poco mejor de lo que estaban en 1789, las reparaciones de guerra fueron razonables, la ocupación por las tropas extranjeras fue corta y ya en 1818 Francia fue readmitida como miembro con plenitud de derechos en el «concierto de Europa». (Y de no haberse producido la fracasada vuelta de Napoleón en 1815, esos términos habrían sido todavía más moderados.) Los Borbones fueron restaurados, pero se entendía que tendrían que hacer concesiones al peligroso espíritu de sus súbditos. Se aceptaron los cambios más importantes de la revolución y se les otorgó su ardoroso anhelo, una Constitución, aunque desde luego en una forma moderadísima, con el título de Carta «libremente concedida» por el nuevo monarca absoluto, Luis XVIII.

El mapa de Europa se rehízo sin tener en cuenta las aspiraciones de los pueblos o los derechos de los numerosos príncipes despojados en una u otra época por los franceses, sino atendiendo ante todo al equilibrio de las cinco grandes potencias surgidas de las guerras: Rusia, Gran Bretaña, Francia, Austria y Prusia. En realidad, sólo las tres primeras contaban. Inglaterra no tenía ambiciones territoriales en el continente, pero quería ejercer su dominio o «protección» sobre los lugares de importancia marítima y comercial. Retuvo Malta, las islas Jónicas y Heligoland, siguió prestando una atención especial a Sicilia y se benefició evidentemente con la transferencia de Noruega a Suecia por parte de Dinamarca —con lo que evitaba que un solo Estado controlase la entrada del mar Báltico— y la unión de Holanda y Bélgica (los antiguos Países Bajos austríacos) que ponía las desembocaduras del Rin y del Escalda en las manos de un Estado inofensivo, pero lo bastante fuerte —sobre todo respaldado por la barrera de fortalezas del sur— para resistir las conocidas aspiraciones francesas respecto a Bélgica. Ambos acuerdos fueron muy mal acogidos por los noruegos y por los belgas, y el segundo sólo duró hasta la revolución de 1830, en la que fue sustituido, después de alguna fricción anglo-francesa, por un pequeño reino permanentemente neutralizado, bajo un príncipe elegido por los ingleses. Fuera de Europa, en cambio, las ambiciones territoriales inglesas eran mucho más grandes, aunque el dominio total de los mares por la escuadra británica hacía indiferente que un territorio estuviese o no bajo la bandera inglesa, excepto en las fronteras del noroeste de la India, en donde sólo unos débiles o caóticos principados y regiones separaban a los imperios británico y ruso. Pero la rivalidad entre la Gran Bretaña y Rusia apenas afectaba a la zona reorganizada en 1814-1815. Los intereses británicos en Europa consistían sencillamente en que ninguna potencia fuera demasiado fuerte.

Rusia, la decisiva potencia militar terrestre, satisfizo sus limitadas ambiciones territoriales con la adquisición de Finlandia a expensas de Suecia, la de Besarabia a expensas de Turquía, y de la mayor parte de Polonia, a la que se concedió un grado de autonomía bajo la facción local que siempre había favorecido la alianza con Rusia. Esta autonomía quedó abolida después del alzamiento de 1830-1831. El resto de Polonia se repartió entre Prusia y Austria, con la excepción de la ciudad-república de Cracovia, la cual, a su vez, no sobreviviría al alzamiento de 1846. En lo demás, Rusia se contentaba con ejercer una remota pero efectiva hegemonía sobre todos los principados absolutos situados al este de Francia, ya que su principal interés era evitar la revolución. El zar Alejandro patrocinó con ese designio una Santa Alianza, a la que se adhirieron Austria y Rusia, pero no Inglaterra. Desde el punto de vista británico, esta virtual hegemonía rusa sobre la mayor parte de Europa no era tal vez la solución ideal, pero reflejaba las realidades militares y no podía evitarse salvo permitiendo a Francia un grado mayor de poder, que ninguno de sus antiguos adversarios admitiría, o al intolerable precio de una guerra. La consideración de Francia como gran potencia quedaba claramente reconocida de hecho, aunque todavía faltaba tiempo para que lo fuera de derecho.

Austria y Prusia eran verdaderas grandes potencias sólo por cortesía. Así se creía —con razón— de Austria por su conocida debilidad en épocas de crisis internacional, y —erróneamente— de Prusia por su colapso en 1806. Su principal misión era la de actuar como estabilizadores europeos. Austria recuperó sus provincias italianas más los antiguos territorios venecianos en Italia y Dalmacia, y el protectorado sobre los pequeños principados del norte y el centro de Italia, casi todos gobernados por parientes de los Habsburgo (excepto Piamonte-Cerdeña, al que se incorporó la antigua República genovesa para actuar como eficaz amortiguador entre Austria y Francia). Si había que mantener el orden en Italia, Austria era el policía de servicio. Puesto que su único interés era la estabilidad —sin la cual se exponía a su propia desintegración—, se le confiaba actuar como salvaguardia permanente contra cualquier intento de perturbar el continente. Prusia se beneficiaba del deseo británico de tener una potencia razonablemente fuerte en la Alemania occidental —región cuyos principados siempre habían tendido a aproximarse a Francia o estaban dominados por ella— y recibió Renania, cuya inmensa potencialidad económica no alcanzaron a ver los aristócratas diplomáticos. También se benefició del conflicto entre Inglaterra y Rusia en el que los ingleses consideraban excesiva la expansión rusa en Polonia. El resultado de las complejas negociaciones interrumpidas con amenazas de guerra, fue que devolviera parte de sus antiguos territorios polacos a Rusia, recibiendo, a cambio, la mitad de la rica e industriosa Sajonia. Tanto desde el punto de vista territorial como del económico, Prusia ganó relativamente más con el reajuste de 1815 que cualquiera de las demás potencias y se convirtió de hecho, por primera vez, en una verdadera gran potencia por sus recursos, aunque ello no se haría evidente para los políticos hasta la década 1860-1870. Austria, Prusia y la grey de pequeños estados alemanes —cuya principal función internacional era proporcionar novios y buenos modales a las casas reales de Europa— se espiaban unos a otros dentro de la Confederación germánica, aunque la prioridad de Austria era reconocida. La misión más importante de la Confederación era mantener a los pequeños estados fuera de la órbita francesa dentro de la cual tendían a gravitar. A pesar de sus pujos nacionalistas, no les había ido muy mal como satélites napoleónicos.

Los estadistas de 1815 eran lo bastante inteligentes para saber que ningún reajuste, por bien ensamblado que estuviese, podría resistir a la larga la tensión de las rivalidades estatales y las circunstancias cambiantes. Por lo cual trataron de establecer un mecanismo para mantener la paz —por ejemplo, abordando los problemas en cuanto aparecían— mediante periódicos congresos. Naturalmente, las decisiones cruciales en ellos las tomaban las grandes potencias (término éste inventado en aquel período). El «concierto europeo» —otro término puesto en circulación entonces— no corresponde al de las Naciones Unidas de nuestro tiempo, sino más bien al del Consejo de Seguridad de las Naciones Unidas. No obstante, esos congresos regulares sólo se celebraron muy pocos años: desde 1818, en que Francia fue readmitida oficialmente al concierto, hasta 1822.

El sistema de congresos fracasó, porque no pudo sobrevivir a los años que siguieron inmediatamente a las guerras napoleónicas, cuando el hambre de 1816-1817 y las depresiones financieras mantuvieron un vivo pero injustificado temor a la revolución social en todas partes, incluso en Inglaterra. Después de la vuelta a la estabilidad económica hacia 1820, cada una de las perturbaciones producidas por el reajuste de 1815 servía para poner de manifiesto las divergencias entre los intereses de las potencias. Al enfrentarse con un primer chispazo de insurrección y desasosiego en 1820-1822, sólo Austria se mantuvo fiel al principio de que tales movimientos debían atajarse inmediata y automáticamente en interés del orden social (y de la integridad territorial austríaca). Sobre Alemania, Italia y España, las tres monarquías de la Santa Alianza y Francia estaban de acuerdo, aunque la última, ejerciendo con gusto el oficio de policía internacional en España (1823), estaba menos interesada en la estabilidad europea que en ensanchar el ámbito de sus actividades diplomáticas y militares, particularmente en España, Bélgica e Italia, en donde tenía la mayor parte de sus inversiones extranjeras.[5] Inglaterra se quedó al margen de la Alianza, en parte porque —sobre todo después de que el flexible Canning sustituyó al rígido reaccionario Castlereagh (1822)— estaba convencida de que las reformas políticas en la Europa absolutista eran inevitables más pronto o más tarde, y porque los políticos británicos no simpatizaban con el absolutismo, pero también porque la aplicación del principio hubiera llevado a las potencias rivales (sobre todo a Francia) a América Latina, la cual, como hemos visto, era un factor vital para la economía británica. Por tanto, los ingleses apoyaron la independencia de los estados latinoamericanos, como lo hicieron los Estados Unidos con la Declaración de Monroe de 1823, manifiesto que no tenía un valor práctico —pues si alguien protegía la independencia de aquellos países era la flota británica— aunque sí un considerable interés profético.

Con respecto a Grecia, las potencias estaban más divididas aún. Rusia, a pesar de su repugnancia por las revoluciones, no podía por menos de resul-

5. R. Cameron, *op. cit.*, p. 85.

tar beneficiada por el movimiento de un pueblo ortodoxo que debilitaba a los turcos y confiaba mucho en la ayuda rusa. (Además, existía un tratado que le concedía el derecho a intervenir en Turquía en defensa de los cristianos ortodoxos.) El temor de una intervención unilateral rusa, la presión filohelena, sus intereses económicos y la convicción general de que la desintegración de Turquía no podría evitarse, aunque sí organizarse mejor, llevó a los ingleses desde la hostilidad a través de la neutralidad hasta una intervención irregular prohelénica. De este modo, Grecia alcanzó su independencia en 1829, gracias a las ayudas de Rusia y de Inglaterra. El peligro internacional se redujo al convertir el país en un reino bajo uno de los muchos príncipes alemanes disponibles, con lo cual no sería un mero satélite ruso. Pero la permanencia del reajuste de 1815, el sistema de congresos y el principio de supresión de las revoluciones quedaron arruinados.

Las revoluciones de 1830 los destruirían por completo, pues afectaron no sólo a los estados pequeños, sino a una gran potencia: Francia. En efecto, tales revoluciones apartaron a toda la Europa del oeste del Rin de las operaciones policíacas de la Santa Alianza. Entretanto, la «cuestión de Oriente» —el problema de qué hacer ante la inevitable disgregación de Turquía— convertía a los Balcanes y a Levante en un campo de batalla de las potencias, especialmente Rusia y Gran Bretaña. La «cuestión de Oriente» alteraba el equilibrio de fuerzas, porque todo conspiraba para fortalecer a Rusia, cuyo principal objetivo diplomático entonces —como luego— era conseguir el dominio de los estrechos entre Europa y Asia Menor que controlaban su acceso al Mediterráneo. Esto no era sólo un asunto de importancia diplomática y militar, sino también de urgencia económica, dado el aumento en la exportación de cereales de Ucrania. Inglaterra, preocupada, como de costumbre, por los caminos de la India, se sentía profundamente incómoda con la marcha hacia el sur de la única gran potencia que podía amenazarlos. Su política, pues, tenía que ser apoyar a toda costa a Turquía frente a la expansión rusa. (Esto tenía, además, la ventaja de beneficiar el comercio británico en Levante, que ya había crecido mucho en aquella época.) Por desgracia, tal política era completamente impracticable. El Imperio turco no era de ningún modo un país en situación desesperada, al menos en el aspecto militar, sino que estaba en condiciones de poder enfrentarse a una rebelión interna (fácil de sofocar) y a la fuerza combinada de Rusia y de una desfavorable situación internacional. Sin embargo, ni era capaz de modernizarse ni mostraba mucho deseo de hacerlo, aunque apuntaron los comienzos de una modernización bajo Mahmud II (1809-1839) en los últimos años de su reinado. Por todo ello, sólo el apoyo militar y diplomático directo de Inglaterra (por ejemplo, la amenaza de guerra) evitaría el firme progreso de la influencia rusa y el colapso de Turquía a consecuencia de tantos disturbios. Por cuanto antecede se puede asegurar que la «cuestión de Oriente» era la situación internacional más explosiva después de las guerras napoleónicas, la única que podía conducir a una guerra general y la única que, en efecto, la provocaría en 1854-1856. No obstante, el peso inclinaba la balanza internacional en favor de

Rusia y en contra de Inglaterra; Rusia buscaba un compromiso, ya que podía lograr sus objetivos militares por dos caminos: bien por la derrota y reparto de Turquía y una eventual ocupación rusa de Constantinopla y los estrechos, bien por un virtual protectorado sobre una Turquía débil y sometida. Uno u otro camino siempre estarían abiertos. En otras palabras, para el zar no valía la pena provocar una gran guerra por Constantinopla. Así, en los años 1820 y siguientes, la guerra griega terminó aceptando la política de partición y ocupación. Rusia dejó de obtener mucho de lo que esperaba, por no querer llevar las cosas demasiado lejos. En lugar de ello, negoció un tratado muy favorable en Unkiar Skelessi (1833) con una Turquía agobiada y necesitada de un poderoso protector. Inglaterra se consideró ultrajada por ese tratado y los años sucesivos vieron el nacimiento de una fuerte rusofobia que convirtió la imagen de Rusia en la de una enemiga secular de Gran Bretaña.[6] Al enfrentarse con la presión británica, los rusos se batieron en retirada y después de 1840 resucitaron sus proyectos de reparto de Turquía.

Pero, en la realidad, la rivalidad anglo-rusa en Oriente fue mucho menos peligrosa de lo que el clamor público hacía pensar, especialmente en Inglaterra. Además, el miedo mucho mayor de Inglaterra a una resurrección del poderío francés, quitaba importancia a aquel conflicto. La frase «el gran juego», que más tarde se utilizaría para las turbias actividades de los aventureros y agentes secretos de ambas potencias que operaban en la tierra de nadie oriental entre los dos imperios, expresa bien la situación. Lo que hacía a ésta verdaderamente peligrosa era el imprevisible curso de los movimientos de liberación dentro de Turquía y la intervención de las otras potencias. Entre éstas Austria tenía un considerable interés pasivo en el problema por ser un cuarteado imperio multinacional, amenazado por los movimientos de los mismos pueblos que minaban la estabilidad turca: los eslavos balcánicos, de manera especial los serbios. Sin embargo, su amenaza no era inmediata (aunque más adelante proporcionaría la ocasión para la primera guerra mundial). Francia era más inquietante, por tener una larga historia de influencia política y diplomática en Levante, influencia que periódicamente trataba de restablecer y ampliar. Particularmente, desde la expedición de Napoleón a Egipto, la influencia francesa era grande en este país, cuyo pachá, Mohamed Alí, que gobernaba con una virtual independencia, tenía siempre en tensión al Imperio turco. En realidad, las crisis en la «cuestión de Oriente» de 1831-1833 y 1839-1841, fueron esencialmente crisis en las relaciones de Mohamed Alí con su soberano nominal, complicadas en el último caso por el apoyo prestado por Francia a Egipto. Pero si Rusia no quería una guerra por Constantinopla, tampoco Francia la deseaba. Fueron, pues, crisis diplomáticas. Aparte del episodio de Crimea, no hubo conflicto armado a propósito de Turquía en todo el siglo XIX.

6.   Las relaciones anglo-rusas, basadas sobre sus economías complementarias, habían sido tradicionalmente muy amistosas. Sólo empezaron a enfriarse después de las guerras napoleónicas.

Estudiando el curso de las disputas internacionales de aquel período, resulta evidente que el material inflamable en las relaciones internacionales no era lo bastante explosivo para desencadenar una gran guerra. De las grandes potencias, Austria y Prusia eran demasiado débiles para amenazar la paz. Inglaterra estaba satisfecha. En 1815 había obtenido la mayor victoria de toda la historia, emergiendo de los veinte años de guerra contra Francia como la *única* economía industrializada, la *única* potencia naval —la flota británica contaba en 1840 casi con tantos barcos como todas las demás escuadras juntas— y virtualmente la única potencia colonial del mundo. Ningún obstáculo parecía alzarse en el camino del máximo objetivo de la política exterior británica: la expansión de su comercio y de sus inversiones. Rusia, aunque no tan saciada, sólo tenía limitadas ambiciones territoriales y nada podía oponerse —o así lo parecía— a sus avances. Al menos nada que justificara una guerra general socialmente peligrosa. Sólo Francia era una potencia «insatisfecha» y tenía fuerzas para romper el orden internacional establecido. Pero sólo podría hacerlo con una condición: la de movilizar las revolucionarias energías del jacobinismo en el interior y del liberalismo y el nacionalismo en el exterior. Pero ya no era capaz —como en las épocas de Luis XIV o de la revolución— de luchar con una coalición de dos o más grandes potencias, sosteniéndose exclusivamente de su población y de sus recursos. En 1780 había 2,5 franceses por cada inglés, pero en 1830, menos de tres por cada dos. En 1780 había casi tantos franceses como rusos, pero en 1830 había casi la mitad más de rusos que de franceses. Y el ritmo de la evolución económica de Francia era mucho menos vivo que el de Gran Bretaña, los Estados Unidos y —muy pronto— el de Alemania.

Pero el jacobinismo era un precio demasiado caro para que un gobierno francés lo pagara para satisfacer sus ambiciones internacionales. En 1830 primero y luego en 1848, cuando Francia derribó su régimen y el absolutismo se vio conmocionado o destruido en otros sitios, las potencias temblaron cuando podían haberse evitado tantas noches de insomnio. En 1830-1831 los moderados franceses no estaban preparados ni siquiera para levantar un dedo a favor de los polacos rebeldes, con quienes toda la opinión liberal francesa (y la de toda Europa) simpatizaban. «¿Y Polonia? —escribía el anciano pero entusiasta Lafayette a Palmerston en 1831—. ¿Qué va usted a hacer, qué vamos a hacer por ella?»[7] No obtuvo respuesta. Francia hubiera podido reforzar sus recursos con los de la revolución europea. Así lo esperaban los revolucionarios. Pero las complicaciones de una guerra revolucionaria asustaban tanto a los gobernantes liberales moderados franceses como al propio Metternich. Ningún gobierno francés entre 1815 y 1848 hubiera arriesgado la paz general por los intereses peculiares de su país.

Fuera de la línea del equilibrio europeo, nada se oponía en el camino de la expansión y del belicismo. De hecho, aunque sumamente grandes, las adquisiciones territoriales de las potencias blancas eran limitadas. Los ingle-

---

7. F. Ponteil, *Lafayette et la Pologne*, 1934.

ses se daban por contentos con ocupar los puntos cruciales para el dominio naval del mundo y para sus intereses comerciales mundiales, tales como el extremo meridional de África (arrebatado a los holandeses durante las guerras napoleónicas), Ceilán, Singapur (fundada en aquel período) y Hong Kong. Las exigencias de la lucha contra la trata de esclavos —que satisfacía a la vez la opinión humanitaria en el interior y los intereses estratégicos de la flota británica, la cual la utilizaba para reforzar su monopolio global—, les llevó a establecer puntos de apoyo a lo largo de las costas africanas. Pero en conjunto, con una crucial excepción, los ingleses pensaban que un mundo abierto para el comercio británico y protegido por la escuadra británica contra cualquier intento de intrusión, era mucho más barato de explotar sin los gastos administrativos de la ocupación. La crucial excepción era la India y todo lo que afectaba a su control. La India tenía que ser conservada a todo trance, cosa que no dudaban siquiera los anticolonialistas y los partidarios de la libertad de comercio. Su mercado era de una enorme y creciente importancia y seguiría siéndolo mientras la India estuviera sometida. La India era la llave que abría las puertas del Lejano Oriente al tráfico de drogas y a otras provechosas actividades que los hombres de negocios europeos deseaban iniciar. China se abriría con la guerra del opio de 1839-1842. Como consecuencia de aquella manera de pensar, el tamaño del Imperio angloindio aumentó entre 1814 y 1849 hasta ocupar los dos tercios del subcontinente, como resultado de una serie de guerras contra mahrattas, nepaleses, birmanos, rajputs, afganos, sindis y sijs, y la red de la influencia británica se cerró más estrechamente en torno al Oriente Próximo que controlaba la ruta directa de la India, organizada desde 1840 por los vapores de las líneas P y O y que comprendía una parte del viaje por tierra sobre el istmo de Suez.

Aunque la fama expansionista de Rusia fuera muy grande (al menos entre los ingleses), sus verdaderas conquistas fueron más modestas. En aquel período, el zar sólo consiguió adquirir algunas grandes y desiertas extensiones de la estepa de los kirguises al este de los Urales y algunas zonas montañosas duramente conquistadas en el Cáucaso. Por su parte, los Estados Unidos adquirieron por entonces todo el oeste y el sur de la frontera del Oregón, por insurrecciones y guerra contra los desamparados mexicanos. A su vez, Francia tenía que limitar sus ambiciones expansionistas a Argelia, que invadió con una excusa inventada en 1830 y consiguió conquistar en los diecisiete años siguientes. En 1847 había quebrantado totalmente la resistencia argelina.

Párrafo aparte merece un acuerdo internacional de gran trascendencia conseguido en aquel período: la abolición del comercio internacional de esclavos. Las razones que lo inspiraron fueron a la vez humanitarias y económicas: la esclavitud era horrorosa y al mismo tiempo ineficaz. Además, desde el punto de vista de los ingleses, que eran los principales paladines de aquel admirable movimiento entre las potencias, la economía de 1815-1848 ya no descansaba, como la del siglo XVIII, sobre la venta de hombres y de azúcar, sino sobre la del algodón. La verdadera abolición de la esclavitud se produjo lentamente, excepto en los sitios en donde la Revolución francesa ya la había barrido. Los ingleses la abolieron en sus colonias —principalmente en las Indias Occidentales— en 1834, aunque pronto trataron de sustituirla en donde subsistían las grandes plantaciones agrícolas mediante la importación de trabajadores contratados en Asia. Los franceses no la abolieron oficialmente otra vez hasta la revolución de 1848, fecha en que todavía existía una gran demanda de esclavos y, como consecuencia, un comercio ilegal de ellos en el mundo.

6. LAS REVOLUCIONES

> La libertad, ese ruiseñor con voz de gigante, despierta a los que duermen más profundamente ... ¿Cómo es posible pensar hoy en algo, excepto en luchar por ella? Quienes no pueden amar a la humanidad todavía pueden, sin embargo, ser grandes como tiranos. Pero ¿cómo puede uno ser indiferente?
>
> LUDWIG BOERNE, 14 de febrero de 1831[1]

> Los gobiernos, al haber perdido su equilibrio, están asustados, intimidados y sumidos en confusión por los gritos de las clases intermedias de la sociedad, que, colocada entre los reyes y sus súbditos, rompen el cetro de los monarcas y usurpan la voz del pueblo.
>
> METTERNICH al zar, 1820[2]

I

Rara vez la incapacidad de los gobiernos para detener el curso de la historia se ha demostrado de modo más terminante que en los de la generación posterior a 1815. Evitar una segunda Revolución francesa, o la catástrofe todavía peor de una revolución europea general según el modelo de la francesa, era el objetivo supremo de todas las potencias que habían tardado más de veinte años en derrotar a la primera; incluso de los ingleses, que no simpatizaban con los absolutismos reaccionarios que se reinstalaron sobre toda Europa y sabían que las reformas ni pueden ni deben evitarse, pero que temían una nueva expansión franco-jacobina más que cualquier otra contingencia internacional. A pesar de lo cual, jamás en la historia europea y rarísima vez en alguna otra, el morbo revolucionario ha sido tan endémico, tan general, tan dispuesto a extenderse tanto por contagio espontáneo como por deliberada propaganda.

Tres principales olas revolucionarias hubo en el mundo occidental entre

---

1. Ludwig Boerne, *Gesammelte Schriften*, III, pp. 130-131.
2. *Memoirs of Prince Metternich*, III, p. 468.

1815 y 1848. (Asia y África permanecieron inmunes: las primeras grandes revoluciones, el «motín indio» y «la rebelión de Taiping», no ocurrieron hasta después de 1850.) La primera tuvo lugar en 1820-1824. En Europa se limitó principalmente al Mediterráneo, con España (1820), Nápoles (1820) y Grecia (1821) como epicentros. Excepto el griego, todos aquellos alzamientos fueron sofocados. La revolución española reavivó el movimiento de liberación de sus provincias suramericanas, que había sido aplastado después de un esfuerzo inicial (ocasionado por la conquista de la metrópoli por Napoleón en 1808) y reducido a unos pocos refugiados y a algunas bandas sueltas. Los tres grandes libertadores de la América del Sur española, Simón Bolívar, San Martín y Bernardo O'Higgins, establecieron respectivamente la independencia de la «Gran Colombia» (que comprendía las actuales repúblicas de Colombia, Venezuela y Ecuador), de la Argentina, menos las zonas interiores de lo que ahora son Paraguay y Bolivia y las pampas al otro lado del Río de la Plata, en donde los gauchos de la Banda Oriental (ahora el Uruguay) combatían a los argentinos y a los brasileños, y de Chile. San Martín, ayudado por la flota chilena al mando de un noble radical inglés, Cochrane (el original del capitán Hornblower de la novela de C. S. Forrester), liberó a la última fortaleza del poder hispánico: el virreinato del Perú. En 1822 toda la América del Sur española era libre y San Martín, un hombre moderado y previsor de singular abnegación, abandonó a Bolívar y al republicanismo y se retiró a Europa, en donde vivió su noble vida en la que era normalmente un refugio para los ingleses perseguidos por deudas, Boulogne-sur-Mer, con una pensión de O'Higgins. Entretanto, el general español enviado contra las guerrillas de campesinos que aún quedaban en México —Iturbide— hizo causa común con ellas bajo el impacto de la revolución española, y en 1821 declaró la independencia mexicana. En 1822 Brasil se separó tranquilamente de Portugal bajo el regente dejado por la familia real portuguesa al regresar a Europa de su destierro durante la guerra napoleónica. Los Estados Unidos reconocieron casi inmediatamente a los más importantes de los nuevos estados; los ingleses lo hicieron poco después, teniendo buen cuidado de concluir tratados comerciales con ellos. Francia los reconoció más tarde.

La segunda ola revolucionaria se produjo en 1829-1834, y afectó a toda la Europa al oeste de Rusia y al continente norteamericano. Aunque la gran era reformista del presidente Andrew Jackson (1829-1837) no estaba directamente relacionada con los trastornos europeos, debe contarse como parte de aquella ola. En Europa, la caída de los Borbones en Francia estimuló diferentes alzamientos. Bélgica (1830) se independizó de Holanda; Polonia (1830-1831) fue reprimida sólo después de considerables operaciones militares; varias partes de Italia y Alemania sufrieron convulsiones; el liberalismo triunfó en Suiza —país mucho menos pacífico entonces que ahora—; y en España y Portugal se abrió un período de guerras civiles entre liberales y clericales. Incluso Inglaterra se vio afectada, en parte por culpa de la temida erupción de su volcán local —Irlanda—, que consiguió la emancipación católica (1829) y la reaparición de la agitación reformista. El Acta de Reforma de 1832 correspondió a la revolución de julio de 1830 en Francia, y es casi seguro que recibiera un poderoso aliento de las noticias de París. Este período es probablemente el único de la historia moderna en el que los sucesos políticos de Inglaterra marchan paralelos a los del continente, hasta el punto de que algo parecido a una situación revolucionaria pudo ocurrir en 1831-1832 a no ser por la prudencia de los partidos *whig* y *tory*. Es el único período del siglo xix en el que el análisis de la política británica en tales términos no es completamente artificial.

De todo ello se infiere que la ola revolucionaria de 1830 fue mucho más grave que la de 1820. En efecto, marcó la derrota definitiva del poder aristocrático por el burgués en la Europa occidental. La clase dirigente de los próximos cincuenta años iba a ser la «gran burguesía» de banqueros, industriales y altos funcionarios civiles, aceptada por una aristocracia que se eliminaba a sí misma o accedía a una política principalmente burguesa, no perturbada todavía por el sufragio universal, aunque acosada desde fuera por las agitaciones de los hombres de negocios modestos e insatisfechos, la pequeña burguesía y los primeros movimientos laborales. Su sistema político, en Inglaterra, Francia y Bélgica, era fundamentalmente el mismo: instituciones liberales salvaguardadas de la democracia por el grado de cultura y riqueza de los votantes —sólo 168.000 al principio en Francia— bajo un monarca constitucional, es decir, algo por el estilo de las instituciones de la primera y moderada fase de la Revolución francesa, la Constitución de 1791.[3] Sin embargo, en los Estados Unidos, la democracia jacksoniana supuso un paso más allá: la derrota de los ricos oligarcas no demócratas (cuyo papel correspondía al que ahora triunfaba en la Europa occidental) por la ilimitada democracia llegada al poder por los votos de los colonizadores, los pequeños granjeros y los pobres de las ciudades. Fue una innovación portentosa que los pensadores del liberalismo moderado, lo bastante realistas para comprender las consecuencias que tarde o temprano tendría en todas partes, estudiaron de cerca y con atención. Y, sobre todos, Alexis de Tocqueville, cuyo libro *La democracia en América* (1835) sacaba lúgubres consecuencias de ella. Pero, como veremos, 1830 significó una innovación más radical aún en política: la aparición de la clase trabajadora como fuerza política independiente en Inglaterra y Francia, y la de los movimientos nacionalistas en muchos países europeos.

Detrás de estos grandes cambios en política hubo otros en el desarrollo económico y social. Cualquiera que sea el aspecto de la vida social que observemos, 1830 señala un punto decisivo en él; de todas las fechas entre 1789 y 1848, es sin duda alguna, la más memorable. Tanto en la historia de la industrialización y urbanización del continente y de los Estados Unidos, como en la de las migraciones humanas, sociales y geográficas o en la de las artes y la ideología, aparece con la misma prominencia. Y en Inglaterra y la

---

3. Sólo en la práctica, con muchos más privilegios restringidos que en 1791.

Europa occidental, en general, arranca de ella el principio de aquellas décadas de crisis en el desarrollo de la nueva sociedad que concluyeron con la derrota de las revoluciones de 1848 y el gigantesco avance económico después de 1851.

La tercera y mayor de las olas revolucionarias, la de 1848, fue el producto de aquella crisis. Casi simultáneamente la revolución estalló y triunfó (de momento) en Francia, en casi toda Italia, en los estados alemanes, en gran parte del Imperio de los Habsburgo y en Suiza (1847). En forma menos aguda, el desasosiego afectó también a España, Dinamarca y Rumania y de forma esporádica a Irlanda, Grecia e Inglaterra. Nunca se estuvo más cerca de la revolución mundial soñada por los rebeldes de la época que con ocasión de aquella conflagración espontánea y general, que puso fin a la época estudiada en este volumen. Lo que en 1789 fue el alzamiento de una sola nación era ahora, al parecer, «la primavera de los pueblos» de todo un continente.

II

A diferencia de las revoluciones de finales del siglo XVIII, las del período posnapoleónico fueron estudiadas y planeadas. La herencia más formidable de la Revolución francesa fue la creación de modelos y patrones de levantamientos políticos para uso general de los rebeldes de todas partes. Esto no quiere decir que las revoluciones de 1815-1848 fuesen obra exclusiva de unos cuantos agitadores desafectos, como los espías y los policías de la época —especies muy utilizadas— llegaban a decir a sus superiores. Se produjeron porque los sistemas políticos reinstaurados en Europa eran profundamente inadecuados —en un período de rápidos y crecientes cambios sociales— a las circunstancias políticas del continente, y porque el descontento era tan agudo que hacía inevitables los trastornos. Pero los modelos políticos creados por la revolución de 1789 sirvieron para dar un objetivo específico al descontento, para convertir el desasosiego en revolución, y, sobre todo, para unir a toda Europa en un solo movimiento —o quizá fuera mejor llamarlo corriente— subversivo.

Hubo varios modelos, aunque todos procedían de la experiencia francesa entre 1789 y 1797. Correspondían a las tres tendencias principales de la oposición pos-1815: la moderada liberal (o dicho en términos sociales, la de la aristocracia liberal y la alta clase media), la radical-democrática (o sea, la de la clase media baja, una parte de los nuevos fabricantes, los intelectuales y los descontentos) y la socialista (es decir, la del «trabajador pobre» o nueva clase social de obreros industriales). Etimológicamente, cada uno de esos tres vocablos refleja el internacionalismo del período: «liberal» es de origen franco-español; «radical», inglés; «socialista», anglo-francés. «Conservador» es también en parte de origen francés (otra prueba de la estrecha correlación de las políticas británica y continental en el período del Acta de Reforma). La inspiración de la primera fue la revolución de 1789-1791; su ideal político, una suerte de monarquía constitucional cuasi-británica con un sistema parlamentario oligárquico —basado en la capacidad económica de los electores— como el creado por la Constitución de 1791 que, como hemos visto, fue el modelo típico de las de Francia, Inglaterra y Bélgica después de 1830-1832. La inspiración de la segunda podía decirse que fue la revolución de 1792-1793, y su ideal político, una república democrática inclinada hacia un «estado de bienestar» y con cierta animosidad contra los ricos como en la Constitución jacobina de 1793. Pero, por lo mismo que los grupos sociales partidarios de la democracia radical eran una mezcolanza confusa de ideologías y mentalidades, es difícil poner una etiqueta precisa a su modelo revolucionario francés. Elementos de lo que en 1792-1793 se llamó girondismo, jacobinismo y hasta «sans-culottismo», se entremezclaban, quizá con predominio del jacobinismo de la Constitución de 1793. La inspiración de la tercera era la revolución del año II y los alzamientos postermidorianos, sobre todo la «Conspiración de los Iguales» de Babeuf, ese significativo alzamiento de los extremistas jacobinos y los primitivos comunistas que marca el nacimiento de la tradición comunista moderna en política. El comunismo fue el hijo del «sans-culottismo» y el ala izquierda del robespierrismo y heredero del fuerte odio de sus mayores a las clases medias y a los ricos. Políticamente el modelo revolucionario «babuvista» estaba en la línea de Robespierre y Saint-Just.

Desde el punto de vista de los gobiernos absolutistas, todos estos movimientos eran igualmente subversivos de la estabilidad y el buen orden, aunque algunos parecían más dedicados a la propagación del caos que los demás, y más peligrosos por más capaces de inflamar a las masas míseras e ignorantes (por eso la policía secreta de Metternich prestaba en los años 1830 una atención que nos parece desproporcionada a la circulación de las *Paroles d'un croyant* de Lamennais (1834), pues al hablar un lenguaje católico y apolítico, podía atraer a gentes no afectadas por una propaganda francamente atea).[4] Sin embargo, de hecho, los movimientos de oposición estaban unidos por poco más que su común aborrecimiento a los regímenes de 1815 y el tradicional frente común de todos cuantos por cualquier razón se oponían a la monarquía absoluta, a la Iglesia y a la aristocracia. La historia del período 1815-1848 es la de la desintegración de aquel frente unido.

III

Durante el período de la Restauración (1815-1830) el mando de la reacción cubría por igual a todos los disidentes y bajo su sombra las diferencias entre bonapartistas y republicanos, moderados y radicales apenas eran perceptibles. Todavía no existía una clase trabajadora revolucionaria o socialis-

---

4.   Vienna Verwaltungsarchiv, Polizeihofstelle H 136/1834, *passim*.

ta, salvo en Inglaterra, en donde un proletariado independiente con ideología política había surgido bajo la égida de la «cooperación» owenista hacia 1830. La mayor parte de las masas descontentas no británicas todavía apolíticas u ostensiblemente legitimistas y clericales, representaban una protesta muda contra la nueva sociedad que parecía no producir más que males y caos. Con pocas excepciones, por tanto, la oposición en el continente se limitaba a pequeños grupos de personas ricas o cultas, lo cual venía a ser lo mismo. Incluso en un bastión tan sólido de la izquierda como la Escuela Politécnica, sólo un tercio de los estudiantes —que formaban un grupo muy subversivo— procedía de la pequeña burguesía (generalmente de los más bajos escalones del ejército y la burocracia) y sólo un 0,3 por 100 de las «clases populares». Naturalmente estos estudiantes pobres eran izquierdistas, aceptaban las clásicas consignas de la revolución, más en la versión radical-democrática que en la moderada, pero todavía sin mucho más que un cierto matiz de oposición social. El clásico programa en torno al cual se agrupaban los trabajadores ingleses era el de una simple reforma parlamentaria expresada en los «seis puntos» de la Carta del Pueblo.[5] En el fondo este programa no difería mucho del «jacobinismo» de la generación de Paine, y era compatible (al menos por su asociación con una clase trabajadora cada vez más consciente) con el radicalismo político de los reformadores benthamistas de la clase media. La única diferencia en el período de la Restauración era que los trabajadores radicales ya preferían escuchar lo que decían los hombres que les hablaban en su propio lenguaje —charlatanes retóricos como J. H. Leigh Hunt (1773-1835), o estilistas enérgicos y brillantes como William Cobbett (1762-1835) y, desde luego, Tom Paine (1737-1809)— a los discursos de los reformistas de la clase media.

Como consecuencia, en este período, ni las distinciones sociales ni siquiera las nacionales dividían a la oposición europea en campos mutuamente incompatibles. Si omitimos a Inglaterra y los Estados Unidos, en donde ya existía una masa política organizada (aunque en Inglaterra se inhibió por histerismo antijacobino hasta principios de la década de 1820-1830), las perspectivas políticas de los oposicionistas eran muy parecidas en todos los países europeos, y los métodos de lograr la revolución —el frente común del absolutismo excluía virtualmente una reforma pacífica en la mayor parte de Europa— eran casi los mismos. Todos los revolucionarios se consideraban —no sin razón— como pequeñas minorías selectas de la emancipación y el progreso, trabajando en favor de una vasta e inerte masa de gentes ignorantes y despistadas que sin duda recibirían bien la liberación cuando llegase, pero de las que no podía esperarse que tomasen mucha parte en su preparación. Todos ellos (al menos, los que se encontraban al oeste de los Balcanes) se consideraban en lucha contra un solo enemigo: la unión de los monarcas

---

5. Estos «seis puntos» eran: 1) Sufragio universal. 2) Voto por papeleta. 3) Igualdad de distritos electorales. 4) Pago a los miembros del Parlamento. 5) Parlamentos anuales. 6) Abolición de la condición de propietarios para los candidatos.

absolutos bajo la jefatura del zar. Todos ellos, por tanto, concebían la revolución como algo único e indivisible: como un fenómeno europeo singular, más bien que como un conjunto de liberaciones locales o nacionales. Todos ellos tendían a adoptar el mismo tipo de organización revolucionaria o incluso la misma organización: la hermandad insurreccional secreta.

Tales hermandades, cada una con su pintoresco ritual y su jerarquía, derivadas o copiadas de los modelos masónicos, brotaron hacia finales del período napoleónico. La más conocida, por ser la más internacional, era la de los «buenos primos» o *carbonarios*, que parecían descender de logias masónicas del este de Francia por la vía de los oficiales franceses antibonapartistas en Italia. Tomó forma en la Italia meridional después de 1806 y, con otros grupos por el estilo, se extendió hacia el norte y por el mundo mediterráneo después de 1815. Los carbonarios y sus derivados o paralelos encontraron un terreno propicio en Rusia (en donde tomaron cuerpo en los *decembristas*, que harían la primera revolución de la Rusia moderna en 1825), y especialmente en Grecia. La época carbonaria alcanzó su apogeo en 1820-1821, pero muchas de sus hermandades fueron virtualmente destruidas en 1823. No obstante, el carbonarismo (en su sentido genérico) persistió como el tronco principal de la organización revolucionaria, quizá sostenido por la agradable misión de ayudar a los griegos a recobrar su libertad (filohelenismo), y después del fracaso de las revoluciones de 1830, los emigrados políticos de Polonia e Italia lo difundieron todavía más.

Ideológicamente, los carbonarios y sus afines eran grupos formados por gentes muy distintas, unidas sólo por su común aversión a la reacción. Por razones obvias, los radicales, entre ellos el ala izquierda jacobina y babuvista, al ser los revolucionarios más decididos, influyeron cada vez más sobre las hermandades. Filippo Buonarroti, viejo camarada de armas de Babeuf, fue su más diestro e infatigable conspirador, aunque sus doctrinas fueran mucho más izquierdistas que las de la mayor parte de sus «hermanos» o «primos».

Todavía se discute si los esfuerzos de los carbonarios estuvieron alguna vez lo suficientemente coordinados para producir revoluciones internacionales simultáneas, aunque es seguro que se hicieron repetidos intentos para unir a todas las sociedades secretas, al menos en sus más altos e iniciados niveles. Sea cual sea la verdad, lo cierto es que una serie de insurrecciones de tipo carbonario se produjeron en 1820-1821. Fracasaron por completo en Francia, en donde faltaban las condiciones políticas para la revolución y los conspiradores no tenían acceso a las únicas efectivas palancas de la insurrección en una situación aún no madura para ellos: el ejército desafecto. El ejército francés, entonces y durante todo el siglo XIX, formaba parte del servicio civil, es decir, cumplía las órdenes de cualquier gobierno legalmente instaurado. Si fracasaron en Francia, en cambio, triunfaron, aunque de modo pasajero, en algunos estados italianos y, sobre todo, en España, en donde la «pura» insurrección descubrió su fórmula más efectiva: el *pronunciamiento* militar. Los coroneles liberales organizados en secretas hermandades de oficiales, ordenaban a sus regimientos que les siguieran en la insurrección, cosa que hacían sin vacilar. (Los decembristas rusos trataron de hacer lo mismo con sus regimientos de la guardia, sin lograrlo por falta de coordinación.) Las hermandades de oficiales —a menudo de tendencia liberal pues los nuevos ejércitos admitían a la carrera de las armas a jóvenes no aristócratas— y el pronunciamiento también serían rasgos característicos de la política de los países de la península y de América Latina, y una de las más duraderas y dudosas adquisiciones del período carbonario. Puede señalarse, de paso, que la sociedad secreta ritualizada y jerarquizada, como la masonería, atraía fuertemente a los militares, por razones comprensibles. El nuevo régimen liberal español fue derribado por una invasión francesa apoyada por la reacción europea, en 1823.

Sólo una de las revoluciones de 1820-1822 se mantuvo, gracias en parte a su éxito al desencadenar una genuina insurrección popular, y en parte a una situación diplomática favorable: el alzamiento griego de 1821.[6] Por ello, Grecia se convirtió en la inspiradora del liberalismo internacional, y el *filohelenismo*, que incluyó una ayuda organizada a los griegos y el envío de numerosos combatientes voluntarios, representó un papel análogo para unir a las izquierdas europeas en aquel bienio al que representaría en 1936-1939 la ayuda a la República española.

Las revoluciones de 1830 cambiaron la situación enteramente. Como hemos visto, fueron los primeros productos de un período general de agudo y extendido desasosiego económico y social, y de rápidas y vivificadoras transformaciones. De aquí se siguieron dos resultados principales. El primero fue que la política y la revolución de masas sobre el modelo de 1789 se hicieron posibles otra vez, haciendo menos necesaria la exclusiva actividad de las hermandades secretas. Los Borbones fueron derribados en París por una característica combinación de crisis en la que pasaba por ser la política de la Restauración y de inquietud popular producida por la depresión económica. En esta ocasión, las masas no estuvieron inactivas. El París de julio de 1830 se erizó de barricadas, en mayor número y en más sitios que nunca, antes o después. (De hecho, 1830 hizo de la barricada el símbolo de la insurrección popular. Aunque su historia revolucionaria en París se remonta al menos al año 1588, no desempeñó un papel importante en 1789-1794.) El segundo resultado fue que, con el progreso del capitalismo, «el pueblo» y el «trabajador pobre» —es decir, los hombres que levantaban las barricadas— se identificaron cada vez más con el nuevo proletariado industrial como «la clase trabajadora». Por tanto, un movimiento revolucionario proletario-socialista empezó su existencia.

También las revoluciones de 1830 introdujeron dos modificaciones ulteriores en el ala izquierda política. Separaron a los moderados de los radicales y crearon una nueva situación internacional. Al hacerlo ayudaron a disgregar el movimiento no sólo en diferentes segmentos sociales, sino también en diferentes segmentos nacionales.

Internacionalmente, las revoluciones de 1830 dividieron a Europa en dos

6. Para Grecia, véase también el cap. 7.

grandes regiones. Al oeste del Rin rompieron la influencia de los poderes reaccionarios unidos. El liberalismo moderado triunfó en Francia, Inglaterra y Bélgica. El liberalismo (de un tipo más radical) no llegó a triunfar del todo en Suiza y en la península ibérica, en donde se enfrentaron movimientos de base popular liberal y antiliberal católica, pero ya la Santa Alianza no pudo intervenir en esas naciones como todavía lo haría en la orilla oriental del Rin. En las guerras civiles española y portuguesa de los años 1830, las potencias absolutistas y liberales moderadas prestaron apoyo a los respectivos bandos contendientes, si bien las liberales lo hicieron con algo más de energía y con la presencia de algunos voluntarios y simpatizantes radicales, que débilmente prefiguraron la hispanofilia de los de un siglo más tarde.[7] Pero la solución de los conflictos de ambos países iba a darla el equilibrio de las fuerzas locales. Es decir, permanecería indecisa y fluctuante entre períodos de victoria liberal (1833-1837, 1840-1843) y de predominio conservador.

Al este del Rin la situación seguía siendo poco más o menos como antes de 1830, ya que todas las revoluciones fueron reprimidas, los alzamientos alemanes e italianos por o con la ayuda de los austríacos, los de Polonia —mucho más serios— por los rusos. Por otra parte, en esta región el problema nacional predominaba sobre todos los demás. Todos los pueblos vivían bajo unos estados demasiado pequeños o demasiado grandes para un criterio nacional: como miembros de naciones desunidas, rotas en pequeños principados (Alemania, Italia, Polonia), o como miembros de imperios multinacionales (el de los Habsburgo, el ruso, el turco). Las únicas excepciones eran las de los holandeses y los escandinavos que, aun perteneciendo a la zona no absolutista, vivían una vida relativamente tranquila, al margen de los dramáticos acontecimientos del resto de Europa.

Muchas cosas comunes había entre los revolucionarios de ambas regiones europeas, como lo demuestra el hecho de que las revoluciones de 1848 se produjeron en ambas, aunque no en todas sus partes. Sin embargo, dentro de cada una hubo una marcada diferencia en el ardor revolucionario. En el oeste, Inglaterra y Bélgica dejaron de seguir el ritmo revolucionario general, mientras que Portugal, España y un poco menos Suiza, volvieron a verse envueltas en sus endémicas luchas civiles, cuyas crisis no siempre coincidieron con las de las demás partes, salvo por accidente (como en la guerra civil suiza de 1847). En el resto de Europa había una gran diferencia entre las naciones «revolucionariamente» activas y las pasivas o no entusiastas. Los servicios secretos de los Habsburgo se veían constantemente alarmados por los problemas de los polacos, los italianos y los alemanes no austríacos, tanto como por el de los siempre turbulentos húngaros, mientras no señalaban peli-

---

7. Los ingleses se habían interesado por España gracias a los refugiados liberales españoles, con quienes mantuvieron contacto desde los años 1820. También el anticatolicismo británico influyó bastante en dar a la afición a las cosas de España —inmortalizada en *La Biblia en España*, de George Borrow, y el famoso *Handbook of Spain*, de Murray— un carácter anticarlista.

gro alguno en las tierras alpinas o en las zonas eslavas. A los rusos sólo les preocupaban los polacos, mientras los turcos podían confiar todavía en la mayor parte de los eslavos balcánicos para seguir tranquilos.

Esas diferencias reflejaban las variaciones en el ritmo de la evolución y en las condiciones sociales de los diferentes países, variaciones que se hicieron cada vez más evidentes entre 1830 y 1848, con gran importancia para la política. Así, la avanzada industrialización de Inglaterra cambió el ritmo de la política británica: mientras la mayor parte del continente tuvo su más agudo período de crisis social en 1846-1848, Inglaterra tuvo su equivalente —una depresión puramente industrial— en 1841-1842 (véase cap. 9). Y, a la inversa, mientras en los años 1820 los grupos de jóvenes idealistas podían esperar con fundamento que un *putsch* militar asegurara la victoria de la libertad tanto en Rusia como en España y Francia, después de 1830 apenas podía pasarse por alto el hecho de que las condiciones sociales y políticas en Rusia estaban mucho menos maduras para la revolución que en España.

A pesar de todo, los problemas de la revolución eran comparables en el este y en el oeste, aunque no fuesen de la misma clase: unos y otros llevaban a aumentar la tensión entre moderados y radicales. En el oeste, los liberales moderados habían pasado del frente común de oposición a la Restauración (o de la simpatía por él) al mundo del gobierno actual o potencial. Además, habiendo ganado poder con los esfuerzos de los radicales —pues ¿quiénes más lucharon en las barricadas?— los traicionaron inmediatamente. No debía haber trato con algo tan peligroso como la democracia o la república. «Ya no hay causa legítima —decía Guizot, liberal de la oposición bajo la Restauración, y primer ministro con la monarquía de julio— ni pretextos especiosos para las máximas y las pasiones tanto tiempo colocadas bajo la bandera de la democracia. Lo que antes era democracia ahora sería anarquía; el espíritu democrático es ahora, y será en adelante, nada más que el espíritu revolucionario.»[8]

Y más todavía: después de un corto intervalo de tolerancia y celo, los liberales tendieron a moderar sus entusiasmos por ulteriores reformas y a suprimir la izquierda radical, y especialmente las clases trabajadoras revolucionarias. En Inglaterra, la «Unión General» owenista de 1834-1835 y los cartistas afrontaron la hostilidad tanto de los hombres que se opusieron al Acta de Reforma como de muchos que la defendieron. El jefe de las fuerzas armadas desplegadas contra los cartistas en 1839 simpatizaba con muchas de sus peticiones como radical de clase media y, sin embargo, los reprimió. En Francia, la represión del alzamiento republicano de 1834 marcó el punto crítico; el mismo año, el castigo de seis honrados labradores wesleyanos que intentaron formar una unión de trabajadores agrícolas (los «mártires de Tolpuddle») señaló el comienzo de una ofensiva análoga contra el movimiento de la clase trabajadora en Inglaterra. Por tanto, los movimientos radicales,

---

8. Guizot, *Of Democracy in Modern Societies*, trad. ingl., Londres, 1838, p. 32.

republicanos y los nuevos proletarios, dejaron de alinearse con los liberales; a los moderados que aún seguían en la oposición les obsesionaba la idea de «la República social y democrática», que ahora era el grito de combate de las izquierdas.

En el resto de Europa, ninguna revolución había ganado. La ruptura entre moderados y radicales y la aparición de la nueva tendencia social-revolucionaria surgieron del examen de la derrota y del análisis de las perspectivas de una victoria. Los moderados —terratenientes y clase media acomodada, liberales todos— ponían sus esperanzas de reforma en unos gobiernos suficientemente dúctiles y en el apoyo diplomático de los nuevos poderes liberales. Pero esos gobiernos suficientemente dúctiles eran muy raros. Saboya en Italia seguía simpatizando con el liberalismo y despertaba un creciente apoyo de los moderados que buscaban en ella ayuda para el caso de una unificación del país. Un grupo de católicos liberales, animado por el curioso y poco duradero fenómeno de «un papado liberal» bajo el nuevo pontífice Pío IX (1846), soñaba, casi infructuosamente, con movilizar la fuerza de la Iglesia para el mismo propósito. En Alemania ningún Estado de importancia dejaba de sentir hostilidad hacia el liberalismo. Lo que no impedía que algunos moderados —menos de lo que la propaganda histórica prusiana ha insinuado— mirasen hacia Prusia, que por lo menos había creado una unión aduanera alemana (1834), y soñaran más que en las barricadas, en los príncipes convertidos al liberalismo. En Polonia, en donde la perspectiva de una reforma moderada con el apoyo del zar ya no alentaba al grupo de magnates (los Czartoryski) que siempre pusieron sus esperanzas en ella, los liberales confiaban en una intervención diplomática de Occidente. Ninguna de estas perspectivas era realista, tal como estaban las cosas entre 1830 y 1848.

También los radicales estaban muy disgustados con el fracaso de los franceses en representar el papel de libertadores internacionales que les había atribuido la gran revolución y la teoría revolucionaria. En realidad, ese disgusto, unido al creciente nacionalismo de aquellos años y a la aparición de diferencias en las aspiraciones revolucionarias de cada país, destrozó el internacionalismo unificado al que habían aspirado los revolucionarios durante la Restauración. Las perspectivas estratégicas seguían siendo las mismas. Una Francia neojacobina y quizá (como pensaba Marx) una Inglaterra radicalmente intervencionista, seguían siendo casi indispensables para la liberación europea, a falta de la improbable perspectiva de una revolución.[9] Sin embargo, una reacción nacionalista contra el internacionalismo —centrado en Francia— del período carbonario ganó terreno, una emoción muy adecuada a la nueva moda del romanticismo (véase capítulo 14) que captó a gran parte de la izquierda después de 1830: no puede haber mayor contraste que entre el reservado racionalista y profesor de música dieciochesco Buonarroti y el confuso e ineficazmente teatral Giuseppe Mazzini (1805-1872), quien llegó

---

9. El más lúcido estudio de esta estrategia revolucionaria general está contenido en los artículos de Marx en la *Neue Rheinische Zeitung*, durante la revolución de 1848.

a ser el apóstol de aquella reacción anticarbonaria, formando varias conspiraciones nacionales (la «Joven Italia», la «Joven Alemania», la «Joven Polonia», etc.), unidas en una genérica «Joven Europa». En un sentido, esta descentralización del movimiento revolucionario fue realista, pues en 1848 las naciones se alzaron por separado, espontánea y simultáneamente. En otro sentido, no lo fue: el estímulo para su simultánea erupción procedía todavía de Francia, y la repugnancia francesa a representar el papel de libertadora ocasionó el fracaso de aquellos movimientos.

Románticos o no, los radicales rechazaban la confianza de los moderados en los príncipes y los potentados, por razones prácticas e ideológicas. Los pueblos debían prepararse para ganar su libertad por sí mismos y no por nadie que quisiera dársela —sentimiento que también adaptaron para su uso los movimientos proletario-socialistas de la misma época—. La libertad debía conseguirse por la «acción directa». Pero esta era una concepción todavía carbonaria, al menos mientras las masas permaneciesen pasivas. Por tanto, no fue muy efectiva, aunque hubiese una enorme diferencia entre los ridículos preparativos con los que Mazzini intentó la invasión de Saboya y las serias y continuas tentativas de los demócratas polacos para sostener o revivir la actividad de guerrillas en su país después de la derrota de 1831. Pero asimismo, la decisión de los radicales de tomar el poder sin o contra las fuerzas establecidas, produjo una nueva división en sus filas. ¿Estaban o no preparados para hacerlo al precio de una revolución social?

IV

El problema era incendiario en todas partes, salvo en los Estados Unidos, en donde nadie podía refrenar la decisión de movilizar al pueblo para la política, tomada ya por la democracia jacksoniana.[10] Pero, a pesar de la aparición de un Workingmen's Party (partido de los trabajadores) en los Estados Unidos en 1828-1829, la revolución social de tipo europeo no era una solución seria en aquel vasto y expansivo país, aunque hubiese sus grupos de descontentos. Tampoco era incendiario en América Latina, en donde ningún político, con la excepción quizá de los mexicanos, soñaba con movilizar a los indios (es decir, a los campesinos y labriegos), los esclavos negros o incluso a los mestizos (es decir, pequeños propietarios artesanos y pobres urbanos) para una actividad pública. Pero en la Europa occidental, en donde la revolución social llevada a cabo por los pobres de las ciudades era una posibilidad real, y en la gran zona europea de la revolución agraria, el problema de si se apelaba o no a las masas era urgente e inevitable.

El creciente descontento de los pobres —especialmente de los pobres urbanos— era evidente en toda la Europa occidental. Hasta en la Viena imperial se reflejaba en ese fiel espejo de las actitudes de la plebe y la pequeña

10. Exceptuando, claro está, a los esclavos del sur.

burguesía que era el teatro popular suburbano. En el período napoleónico, sus obras combinaban la *Gemuetlichkeit* con una ingenua lealtad a los Habsburgo. Su autor más importante en la década de 1820, Ferdinand Raimund, llenaba los escenarios con cuentos de hadas, melancolía y nostalgia de la perdida inocencia de la antigua comunidad sencilla, tradicionalista y no capitalista. Pero, desde 1835, la escena vienesa estaba dominada por una «estrella» —Johann Nestroy— que empezó siendo un satírico político y social, un talento amargo y dialéctico, un espíritu corrosivo, para acabar convertido en un entusiasta revolucionario en 1848. Hasta los emigrantes alemanes que pasaban por El Havre, daban como razón para su desplazamiento a los Estados Unidos —que por los años 1830 empezaban a ser el país soñado por los europeos pobres— la de que «allí no había rey».[11]

El descontento urbano era universal en Occidente. Un movimiento proletario y socialista se advertía claramente en los países de la doble revolución, Inglaterra y Francia (véase cap. 11). En Inglaterra surgió hacia 1830 y adquirió la madura forma de un movimiento de masas de trabajadores pobres que consideraba a los liberales y los *whigs* como probables traidores y a los capitalistas y los *tories* como seguros enemigos. El vasto movimiento en favor de la «Carta del Pueblo», que alcanzó su cima en 1839-1842, pero conservando gran influencia hasta después de 1848, fue su realización más formidable. El socialismo británico o «cooperación» fue mucho más débil. Empezó de manera impresionante en 1829-1834, reclutando un gran número de trabajadores como militantes de sus doctrinas (que habían sido propagadas principalmente entre los artesanos y los mejores trabajadores desde unos años antes) e intentando ambiciosamente establecer una «unión general» nacional de las clases trabajadoras que, bajo la influencia owenista, incluso trató de establecer una economía cooperativa general superando a la capitalista. La desilusión después del Acta de Reforma de 1832 hizo que el grueso del movimiento laborista considerase a los owenistas —cooperadores y primitivos revolucionarios sindicalistas— como sus dirigentes, pero su fracaso en desarrollar una efectiva política estratégica y directiva, así como las sistemáticas ofensivas de los patronos y el gobierno, destruyeron el movimiento en 1834-1836. Este fracaso redujo a los socialistas a grupos propagandísticos y educativos un poco al margen de la principal corriente de agitación o a precursores de una más modesta cooperación en forma de tiendas cooperativas, iniciada en Rochdale, Lancashire, en 1844. De aquí la paradoja de que la cima del movimiento revolucionario de las masas de trabajadores pobres británicos, el cartismo, fuera ideológicamente algo menos avanzado, aunque políticamente más maduro que el movimiento de 1829-1834. Pero ello no le salvó de la derrota por la incapacidad política de sus líderes, sus diferencias locales y su falta de habilidad para concertar una acción nacional aparte de la preparación de exorbitantes peticiones.

En Francia no existía un movimiento parecido de masas trabajadoras en

11. M. L. Hansen, *The Atlantic Migration*, 1945, p. 147.

la industria: los militantes franceses del «movimiento de la clase trabajadora» en 1830-1848 eran, en su mayor parte, anticuados artesanos y jornaleros urbanos, procedentes de los centros de la tradicional industria doméstica, como las sederías de Lyon. (Los archirrevolucionarios *canuts* de Lyon no eran siquiera jornaleros, sino una especie de pequeños patronos.) Por otra parte, las diferentes ramas del nuevo socialismo «utópico» —los seguidores de Saint-Simon, Fourier, Cabet, etc.— se desinteresaban de la agitación política, aunque de hecho, sus pequeños conciliábulos y grupos —sobre todo los furieristas— iban a actuar como núcleos dirigentes de las clases trabajadoras y organizadoras de la acción de las masas al alborear la revolución de 1848. Por otra parte, Francia poseía la poderosa tradición, políticamente muy desarrollada, del ala izquierda jacobina y babuvista, una gran parte de la cual se hizo comunista después de 1830. Su líder más formidable fue Louis-Auguste Blanqui (1805-1881), discípulo de Buonarroti.

En términos de análisis y teoría social, el blanquismo tenía poco con qué contribuir al socialismo, excepto con la afirmación de su necesidad y la decisiva observación de que el proletariado de los explotados jornaleros sería su arquitecto y la clase media (ya no la alta) su principal enemigo. En términos de estrategia política y organización, adaptó a la causa de los trabajadores el órgano tradicional revolucionario, la secreta hermandad conspiradora —despojándola de mucho de su ritualismo y sus disfraces de la época de la Restauración—, y el tradicional método revolucionario jacobino, insurrección y dictadura popular centralizada. De los blanquistas (que a su vez derivaban de Saint-Just, Babeuf y Buonarroti), el moderno movimiento socialista revolucionario adquirió el convencimiento de que su objetivo debía ser apoderarse del poder e instaurar «la dictadura del proletariado» (esta expresión es de cuño blanquista). La debilidad del blanquismo era en parte la debilidad de la clase trabajadora francesa. A falta de un gran movimiento de masas conservaba, como sus predecesores los carbonarios, una elite que planeaba sus insurrecciones un poco en el vacío, por lo que solían fracasar como en el frustrado levantamiento de 1839.

Por todo ello, la clase trabajadora o la revolución urbana y socialista aparecían como peligros reales en la Europa occidental, aun cuando en los países más industrializados, como Inglaterra y Bélgica, los gobiernos y las clases patronales las mirasen con relativa —y justificada— placidez: no hay pruebas de que el gobierno británico estuviera seriamente preocupado por la amenaza al orden público de los cartistas, numerosos pero divididos, mal organizados y peor dirigidos.[12] Por otra parte, la población rural no estaba en condiciones de estimular a los revolucionarios o asustar a los gobernantes. En Inglaterra, el gobierno sintió cierto pánico pasajero cuando una ola de tumultos y destrucciones de máquinas se propagó entre los hambrientos labriegos del sur y el este de la nación a finales de 1830. La influencia de la Revolución fran-

12. F. C. Mather, «The Government and the Chartists», en A. Briggs, ed., *Chartists Studies*, 1959.

cesa de julio, fue detectada en esta espontánea, amplia y rápidamente apaci-
guada «última revuelta de labradores»,[13] castigada con mucha mayor dureza
que las agitaciones cartistas, como era quizá de esperar en vista de la situación política, mucho más tensa que durante el período del Acta de Reforma.
Sin embargo, la inquietud agraria pronto recayó en formas políticas menos
temibles. En las demás zonas avanzadas económicamente, excepto en algunas de la Alemania occidental, no se esperaban serios movimientos revolucionarios agrarios y el aspecto exclusivamente urbano de la mayor parte de
los revolucionarios carecía de aliciente para los campesinos. En toda la Europa occidental (dejando aparte la península ibérica) sólo Irlanda padecía un
largo y endémico movimiento de revolución agraria, organizado en secreto y
disperso en sociedades terroristas como los *Ribbonmen* y los *Whiteboys*. Pero
social y políticamente Irlanda pertenecía a un mundo diferente del de sus
vecinos.

El principio de la revolución social dividió a los radicales de la clase
media, es decir, a los grupos de descontentos hombres de negocios, intelectuales, etc., que se oponían a los moderados gobiernos liberales de 1830. En
Inglaterra, se dividieron en los que estaban dispuestos a sostener el cartismo
o hacer causa común con él (como en Birmingham o en la Complete Suffra-
ge Union del cuáquero Joseph Sturge) y los que insistían (como los miembros de la Liga Anti-Corn Law) en combatir a la aristocracia y al cartismo.
Predominaban los intransigentes, confiados en la mayor homogeneidad de su
conciencia de clase, en su dinero, que derrochaban a manos llenas, y en la
efectividad de la organización propagandista y consultiva que constituían. En
Francia, la debilidad de la oposición oficial a Luis Felipe y la iniciativa de
las masas revolucionarias de París hicieron girar la decisión en otro sentido.
«Nos hemos convertido otra vez en republicanos —escribía el poeta radical
Béranger después de la revolución de febrero de 1848—. Quizá fue demasiado prematura y demasiado rápida ... Yo hubiera preferido un procedimiento más cauteloso, pero ni escogimos la hora, ni adiestramos a las
fuerzas, ni señalamos el camino a seguir.»[14] La ruptura de los radicales de la
clase media con la extrema izquierda sólo se produciría después de la revolución.

Para la descontenta pequeña burguesía de artesanos independientes, tenderos, granjeros y demás que (unidos a la masa de obreros especializados)
formaban probablemente el principal núcleo de radicalismo en Europa occidental, el problema era menos abrumador. Por su origen modesto simpatizaban con el pobre contra el rico; como hombres de pequeño caudal simpatizaban con el rico contra el pobre. Pero la división de sus simpatías los
llenaba de dudas y vacilaciones acerca de la conveniencia de un gran cambio

13. Cf. *Parliamentary Papers*, XXXIV, de 1834; respuestas a la pregunta 53 («Causas y
consecuencias de los tumultos e incendios agrícolas de 1830 y 1831»), por ejemplo, Lambourn,
Speen (Berks), Steeple Claydon (Bucks), Bonington (Glos), Evenley (Northants).

14. R. Dautry, *1848 et la Deuxième République*, 1848, p. 80.

político. Llegado el momento se mostrarían, aunque débilmente, jacobinos, republicanos y demócratas. Vacilantes componentes de todos los frentes populares, eran, sin embargo, un componente indispensable, hasta que los expropiadores potenciales estuvieran realmente en el poder.

V

En el resto de la Europa revolucionaria, en donde el descontento de las clases bajas del país y los intelectuales formaba el núcleo central del radicalismo, el problema era mucho más grave, pues las masas las constituían los campesinos; muchas veces unos campesinos pertenecientes a diferentes naciones que sus terratenientes y sus hombres de la ciudad: eslavos y rumanos en Hungría, ucranianos en la Polonia oriental, eslavos en distintas regiones de Austria. Y los más pobres y menos eficientes propietarios, los que carecían de medios para abandonar el estatus legal que les proporcionaban sus medios de vida, eran a menudo los más radicalmente nacionalistas. Desde luego, mientras la masa campesina permaneciera sumida en la ignorancia y en la pasividad política, el problema de su ayuda a la revolución era menos inmediato de lo que podía haber sido, pero no menos explosivo. Y ya en los años 1840 y siguientes, esta pasividad no se podía dar por supuesta. La rebelión de los siervos en Galitzia, en 1846, fue el mayor alzamiento campesino desde los días de la Revolución francesa de 1789.

Aunque el problema fuera candente, también era, hasta cierto punto, retórico. Económicamente, la modernización de zonas atrasadas, como las de la Europa oriental, exigía una reforma agraria, o cuando menos la abolición de la servidumbre que todavía subsistía en los imperios austríaco, ruso y turco. Políticamente, una vez que el campesinado llegase al umbral de una actividad, era seguro que habría que hacer algo para satisfacer sus peticiones, en todo caso en los países en que los revolucionarios luchaban contra un gobierno extranjero. Si los revolucionarios no atraían a su lado a los campesinos, lo harían los reaccionarios; en todo caso, los reyes legítimos, los emperadores y las iglesias tenían la ventaja táctica de que los campesinos tradicionalistas confiaban en ellos más que en los señores y todavía estaban dispuestos, en principio, a esperar justicia de ellos. Y los monarcas, a su vez, estaban dispuestos a utilizar a los campesinos contra la clase media si lo creyeran necesario o conveniente: los Borbones de Nápoles lo hicieron sin dudarlo, en 1799, contra los jacobinos napolitanos. «¡Viva Radetzky! ¡Mueran los señores!», gritarían los campesinos lombardos, en 1848, aclamando al general austríaco que aplastó el alzamiento nacionalista.[15] El problema para los radicales en los países subdesarrollados no era el de buscar la alianza con los campesinos, sino el de saber si lograrían conseguirla.

15. St. Kiniewicz, «La Pologne et l'Italie à l'époque du printemps des peuples», en *La Pologne au Xe Congrès International Historique*, 1955, p. 245.

Por eso, en tales países, los radicales se dividieron en dos grupos: los demócratas y la extrema izquierda. Los primeros (representados en Polonia por la Sociedad Democrática Polaca, en Hungría por los partidarios de Kossuth, en Italia por los mazzinianos), reconocían la necesidad de atraer a los campesinos a la causa revolucionaria, donde fuera necesario con la abolición de la servidumbre y la concesión de derechos de propiedad a los pequeños cultivadores, pero esperaban una especie de coexistencia pacífica entre una nobleza que renunciara voluntariamente a sus derechos feudales —no sin compensación— y un campesinado nacional. Sin embargo, en donde el viento de la rebelión campesina no sopló demasiado fuerte o el miedo de su explotación por los príncipes no era grande (como en gran parte de Italia), los demócratas descuidaron en la práctica el proveerse de un programa social y agrario, prefiriendo predicar las generalidades de la democracia política y la liberación nacional.

La extrema izquierda concebía la lucha revolucionaria como una lucha de las masas simultáneamente contra los gobiernos extranjeros y los explotadores domésticos. Anticipándose a los revolucionarios nacionalsociales de nuestro siglo, dudaban de la capacidad de la nobleza y de la débil clase media, con sus intereses frecuentemente ligados a los del gobierno, para guiar a la nueva nación hacia su independencia y modernización. Su programa estaba fuertemente influido por el naciente socialismo occidental, aunque, a diferencia de la mayor parte de los socialistas «utópicos» premarxistas, eran revolucionarios políticos y críticos sociales. Así, la efímera República de Cracovia, en 1846, abolió todas las cargas de los campesinos y prometió a sus pobres urbanos «talleres nacionales». Los carbonarios más avanzados del sur de Italia adoptaron el programa babuvista-blanquista. Quizá, excepto en Polonia, esta corriente de pensamiento fue relativamente débil, y su influencia disminuyó mucho por el fracaso de los movimientos compuestos sustancialmente de escolares, estudiantes, intelectuales de origen mesocrático o plebeyo y unos cuantos idealistas en su intento de movilizar a los campesinos que con tanto afán querían reclutar.[16]

Por tanto, los radicales de la Europa subdesarrollada nunca resolvieron efectivamente su problema, en parte por la repugnancia de sus miembros a hacer concesiones adecuadas u oportunas a los campesinos y, en parte, por la falta de madurez política de esos mismos campesinos. En Italia, las revoluciones de 1848 fueron conducidas sustancialmente sobre las cabezas de una población rural inactiva; en Polonia (en donde el alzamiento de 1846 se transformó rápidamente en una rebelión campesina contra la burguesía polaca, estimulada por el gobierno austríaco), ninguna revolución tuvo lugar en 1848, salvo en la Posnania prusiana. Incluso en la más avanzada de las naciones revolucionarias —Hungría— las reformas iniciadas por el gobierno

16. Sin embargo, en algunas zonas de pequeña propiedad campesina, arrendamientos o aparcerías, como la Romaña o partes del suroeste de Alemania, el radicalismo de tipo mazziniano consiguió obtener bastante apoyo de las masas en 1848 y más tarde.

respondían al designio de impedir la movilización de los campesinos para una guerra de liberación nacional. Y sobre una gran parte de la Europa oriental, los campesinos eslavos, vistiendo uniformes de soldados imperiales, fueron los que efectivamente reprimieron a los revolucionarios germanos y magiares.

VI

A pesar de estar ahora divididos por las diferencias de condiciones locales, por la nacionalidad y por las clases, los movimientos revolucionarios de 1830-1848 conservaban muchas cosas en común. En primer lugar, como hemos visto, seguían siendo en su mayor parte organizaciones de conspiradores de clase media e intelectuales, con frecuencia exiliados, o limitadas al relativamente pequeño mundo de la cultura. (Cuando las revoluciones estallaban, el pueblo, naturalmente, se sumaba a ellas. De los 350 muertos en la insurrección de Milán de 1848, sólo muy pocos más de una docena fueron estudiantes, empleados o miembros de familias acomodadas. Setenta y cuatro fueron mujeres y niños, y el resto artesanos y obreros.)[17] En segundo lugar, conservaban un patrón común de conducta política, ideas estratégicas y tácticas, etc., derivado de la experiencia heredada de la revolución de 1789, y un fuerte sentido de unidad internacional.

El primer factor se explica fácilmente. Una tradición de agitación y organización de masas sólidamente establecida como parte de la normal (y no inmediatamente pre o posrevolucionaria) vida social, apenas existía, a no ser en los Estados Unidos e Inglaterra y quizá Suiza, Holanda y Escandinavia. Las condiciones para ello no se daban fuera de Inglaterra y los Estados Unidos. El que un periódico alcanzara una tirada semanal de más de 60.000 ejemplares y un número mucho mayor de lectores, como el cartista *Northern Star*, en abril de 1839,[18] era inconcebible en otro país. El número corriente de ejemplares tirados por un periódico era el de 5.000, aunque los oficiosos o —desde los años 1830— de puro entretenimiento probablemente pasaran de 20.000, en un país como Francia.[19] Incluso en países constitucionales como Bélgica y Francia, la agitación legal de la extrema izquierda sólo era permitida intermitentemente, y con frecuencia sus organizadores se consideraban ilegales. En consecuencia, mientras existía un simulacro de política democrática entre las restringidas clases que formaban el *país legal*, con alguna repercusión entre las no privilegiadas, las actividades fundamentales de una política de masas —campañas públicas para presionar a los gobiernos, organización de masas políticas, peticiones, oratoria ambulante dirigida al pueblo, etc.— apenas eran posibles. Fuera de Inglaterra, nadie habría pen-

17. D. Cantimori, en F. Fejtö, ed., *The Opening of an Era: 1848*, 1948, p. 119.
18. D. Read, *Press and People*, 1961, p. 216.
19. Irene Collins, *Government and Newspaper Press in France, 1814-1881*, 1959.

sado seriamente en conseguir una ampliación del fuero parlamentario mediante una campaña de recogida de firmas y manifestaciones públicas, o tratar de abolir una ley impopular por medio de una presión de las masas, como respectivamente trataron de hacer el cartismo y la Liga Anti-Corn Law. Los grandes cambios constitucionales significan una ruptura con la legalidad, y lo mismo pasa con los grandes cambios sociales.

Las organizaciones ilegales son naturalmente más reducidas que las legales, y su composición social dista mucho de ser representativa. Desde luego la evolución de las sociedades secretas carbonarias generales en proletario-revolucionarias como las blanquistas, produjo una relativa disminución en sus miembros de la clase media y un aumento en los de la clase trabajadora, por ejemplo, en el número de artesanos y obreros especializados. Las organizaciones blanquistas entre 1830 y 1848 se decía que estaban constituidas casi exclusivamente por hombres de la clase más baja.[20] Así, la Liga alemana de los Proscritos (que más adelante se convertiría en la Liga de los Justos y en la Liga Comunista de Marx y Engels), cuya médula la formaban jornaleros alemanes expatriados. Pero este era un caso más bien excepcional. El grueso de los conspiradores seguía formado, como antes, por hombres de las clases profesionales o de la pequeña burguesía, estudiantes y escolares, periodistas, etc., aunque quizá con una proporción menor (fuera de los países ibéricos) de jóvenes oficiales que en los momentos culminantes del carbonarismo.

Además, hasta cierto punto toda la izquierda europea y americana continuaba combatiendo a los mismos enemigos y compartiendo las mismas aspiraciones y el mismo programa. «Renunciamos, repudiamos y condenamos todas las desigualdades hereditarias y las distinciones de "casta" —se escribía en la declaración de principios de los "Fraternales Demócratas" (sociedad compuesta de «nativos de Gran Bretaña, Francia, Alemania, Escandinavia, Polonia, Italia, Suiza, Hungría y otros países»)— y, por tanto, consideramos a los reyes, las aristocracias y las clases monopolizadoras de privilegios en virtud de sus propiedades o posesiones, como usurpadores. Nuestro credo político es el gobierno elegido por el pueblo y responsable ante él.»[21] ¿Qué radical o revolucionario habría discrepado de ellos? Si era burgués, favorecería un Estado en el cual la propiedad, siempre que no supusiera privilegios políticos como tal (como en las Constituciones de 1830-1832, que hacían depender el voto de una determinada cantidad de riqueza), tendría cierta holgura económica; si era socialista o comunista, pretendería que la propiedad fuera socializada. Sin duda, el punto crítico se alcanzaría —en Inglaterra ya se había alcanzado en el tiempo del cartismo— cuando los antiguos aliados contra reyes, aristócratas y privilegiados se volvieran unos contra otros y el

---

20.   Cf. E. J. Hobsbawm, *Primitive Rebels*, 1959, pp. 171-172; V. Volguine, «Les ideés socialistes et communistes dans les sociétés secrètes», *Questions d'Histoire*, II (1954), pp. 10-37; A. B. Spitzer, *The Revolutionary Theories of Auguste Blanqui*, 1957, pp. 165-166.

21.   G. D. H. Cole y A. W. Filson, *British Working Class Movements. Select Documents*, 1951, p. 402.

conflicto fundamental quedara reducido a la lucha entre burgueses y trabajadores. Pero antes de 1848, en ninguna otra parte se había llegado a ello. Sólo
la gran burguesía de unos pocos países figuraba hasta ahora de manera oficial en el campo gubernamental. E incluso los proletarios comunistas más
conscientes se consideraban y actuaban como la más extrema izquierda del
movimiento radical y democrático general, y miraban el establecimiento de
la república demoburguesa como un preliminar indispensable para el ulterior
avance del socialismo. El *Manifiesto comunista* de Marx y Engels es una
declaración de futura guerra contra la burguesía, pero —en Alemania al
menos— de alianza con ella en el presente. La clase media alemana más
avanzada, los industriales de Renania, no sólo pidieron a Marx que editara su
órgano radical, la *Neue Rheinische Zeitung*, en 1848; Marx aceptó y lo editó
no simplemente como un órgano comunista, sino también como portavoz y
conductor del radicalismo alemán.

Más que una perspectiva común, las izquierdas europeas compartían un
cuadro de lo que sería la revolución, derivado de la de 1789, con pinceladas
de la de 1830. Habría una crisis en los asuntos políticos del Estado, que con-
duciría a una insurrección. (La idea carbonaria de un golpe de una minoría
selecta o un alzamiento organizado, sin referencias al clima general político
o económico estaba cada vez más desacreditada, salvo en los países ibéricos,
sobre todo, por el ruidoso fracaso de varios intentos de esa clase en Italia
—por ejemplo, en 1833-1834 y 1841-1845— y de *putsches* como los preparados en 1836 por Luis Bonaparte, sobrino del emperador.) Se alzarían
barricadas en la capital; los revolucionarios se apoderarían del palacio real,
el Parlamento o (como querían los extremistas, que se acordaban de 1792) el
ayuntamiento, izarían en ellos la bandera tricolor y proclamarían la república y un gobierno provisional. El país, entonces, aceptaría el nuevo régimen.
La importancia decisiva de las capitales era reconocida universalmente, pero,
sólo después de 1848, los gobiernos empezaron a modificarlas para facilitar
los movimientos de las tropas contra los revolucionarios.

Se organizaría una guardia nacional, constituida por ciudadanos armados,
se convocarían elecciones democráticas para una Asamblea Constituyente, el
gobierno provisional se convertiría en definitivo cuando la nueva Constitución
entrara en vigor. El nuevo régimen prestaría una ayuda fraternal a las demás
revoluciones que, casi seguramente, se producirían. Lo que ocurriera después,
pertenecía a la era posrevolucionaria, para la cual, también los acontecimientos de Francia, en 1792-1799, proporcionaban abundantes y concretos
modelos de lo que había que hacer y lo que había que evitar. Las inteligencias de los más jacobinos entre los revolucionarios se inclinaban, naturalmente, hacia los problemas de la salvaguardia de la revolución contra los
intentos de los contrarrevolucionarios nacionales o extranjeros para aniqui-
larla. En resumen, puede decirse que la extrema izquierda política estaba decididamente a favor del principio (jacobino) de centralización y de un fuerte
poder ejecutivo, frente a los principios (girondinos) de federalismo, descentralización y división de poderes.

Esta perspectiva común estaba muy reforzada por la fuerte tradición del internacionalismo, que sobrevivía incluso entre los separatistas nacionalistas que se negaban a aceptar la jefatura automática de cualquier país, por ejemplo, Francia, o mejor dicho París. La causa de todas las naciones era la misma, aun sin considerar el hecho evidente de que la liberación de la mayor parte de los europeos parecía implicar la derrota del zarismo. Los prejuicios nacionales (que, como decían los «fraternales demócratas», «habían beneficiado siempre a los opresores de los pueblos») desaparecerían en el mundo de la fraternidad. Las tentativas de crear organismos revolucionarios internacionales nunca cesaron, desde la «Joven Europa» de Mazzini —concebida como lo contrario de las antiguas internacionales masónico-carbonarias— hasta la Asociación Democrática para la Unificación de Todos los Países, de 1847. Entre los movimientos nacionalistas, tal internacionalismo tendía a perder importancia, pues los países que ganaban su independencia y entablaban relaciones con los demás pueblos veían que éstas eran mucho menos fraternales de lo que habían supuesto. En cambio, entre los social-revolucionarios que cada vez aceptaban más la orientación proletaria, ese internacionalismo ganaba fuerza. La *Internacional*, como organización y como himno, iba a ser parte integrante de los posteriores movimientos socialistas del siglo.

Un factor accidental que reforzaría el internacionalismo de 1830-1848, fue el exilio. La mayor parte de los militantes de las izquierdas continentales estuvieron expatriados durante algún tiempo, muchos durante décadas, reunidos en las relativamente escasas zonas de refugio o asilo: Francia, Suiza y bastante menos Inglaterra y Bélgica. (El continente americano estaba demasiado lejos para una emigración política temporal, aunque atrajera a algunos.) El mayor contingente de exiliados lo proporcionó la gran emigración polaca —entre cinco y seis mil personas [22] fugitivas de su país a causa de la derrota de 1831—, seguido del de la italiana y alemana (ambas reforzadas por importantes grupos de emigrados no políticos o comunidades de sus nacionalidades instaladas en otros países). En la década de 1840, una pequeña colonia de acaudalados intelectuales rusos habían asimilado las ideas revolucionarias occidentales en viajes de estudio por el extranjero o buscaban una atmósfera más cordial que la de las mazmorras o los trabajos forzados de Nicolás I. También se encontraban estudiantes y residentes acomodados de países pequeños o atrasados en las dos ciudades que formaban los soles culturales de la Europa oriental, América Latina y Levante: París primero y más tarde Viena.

En los centros de refugio los emigrados se organizaban, discutían, disputaban, se trataban y se denunciaban unos a otros, y planeaban la liberación de sus países o, entre tanto sonaba esa hora, la de otros pueblos. Los polacos y algo menos los italianos (el desterrado Garibaldi luchó por la libertad de diferentes países latinoamericanos) llegaron a formar unidades internacionales de revolucionarios militantes. Ningún alzamiento o guerra de liberación

---

22.   J. Zubrzycki, «Emigration from Poland», *Population Studies*, IV (1952-1953), p. 248.

en cualquier lugar de Europa, entre 1831 y 1871, estaría completo sin la presencia de su correspondiente contingente de técnicos o combatientes polacos; ni siquiera (se ha sostenido) el único alzamiento en armas durante el período cartista, en 1839. Pero no fueron los únicos. Un expatriado liberador de pueblos verdaderamente típico, Harro Harring —danés, según decía— combatió sucesivamente por Grecia, en 1821, por Polonia, en 1830-1831, como miembro de la «Joven Alemania», la «Joven Italia», de Mazzini, y la más difusa «Joven Escandinavia»; al otro lado del océano, en la lucha por unos proyectados Estados Unidos de América Latina, y en Nueva York, antes de regresar a Europa para participar en la revolución de 1848; a pesar de lo cual, le quedó tiempo para escribir y publicar libros titulados *Los pueblos, Gotas de sangre, Palabras de un hombre* y *Poesía de un escandinavo.*[23]

Un destino común y un común ideal ligaba a aquellos expatriados y viajeros. La mayor parte de ellos se enfrentaban con los mismos problemas de pobreza y vigilancia policíaca, de correspondencia clandestina, espionaje y asechanzas de agentes provocadores. Como el fascismo en la década de 1930, el absolutismo en las de 1830 y 1840 confinaba a sus enemigos. Entonces, como un siglo después, el comunismo que trataba de explicar y hallar soluciones a la crisis social del mundo, atraía a los militantes y a los intelectuales meramente curiosos a su capital —París—, añadiendo una nueva y grave fascinación a los encantos más ligeros de la ciudad («Si no fuera por las mujeres francesas, la vida no valdría la pena de vivirse. *Mais tant qu'il y a des grisettes, va!*»).[24] En aquellos centros de refugio los emigrados formaban esa provisional —pero con frecuencia permanente— comunidad del exilio, mientras planeaban la liberación de la humanidad. No siempre les gustaba o aprobaban lo que hacían los demás, pero los conocían y sabían que su destino era el mismo. Juntos preparaban la revolución europea, que se produciría —y fracasaría— en 1848.

23. Harro Harring tuvo la mala suerte de suscitar la hostilidad de Marx, quien empleó algunas de sus formidables dotes para la invectiva satírica en inmortalizarlo ante la posteridad en su *Die Grossen Maenner des Exils* (Marx-Engels, *Werke*, Berlín, 1960, vol. 8, pp. 292-298).
24. Engels a Marx, 9 de marzo de 1847.

7. EL NACIONALISMO

> Cada pueblo tiene su misión especial con la que cooperará al cumplimiento de la misión general de la humanidad. Esa misión constituye su nacionalidad. La nacionalidad es sagrada.
>
> Acta de Hermandad de la «Joven Europa», 1834

> Día llegará ... en el que la sublime Germania se alzará sobre el pedestal de bronce de la libertad y la justicia, llevando en una mano la antorcha de la ilustración, que difundirá los destellos de la civilización por los más remotos rincones del mundo, y en la otra la balanza del árbitro. Los pueblos le suplicarán que resuelva sus querellas; esos pueblos que ahora nos muestran que la fuerza es el derecho y nos tratan a patadas con la bota de su desprecio.
>
> Del discurso de SIEBENPFEIFFER
> en el Festival de Hambach, 1832

I

Como hemos visto, después de 1830 el movimiento general en favor de la revolución se escindió. Un producto de esa escisión merece especial atención: los movimientos nacionalistas.

Los movimientos que simbolizan mejor estas actividades fueron los llamados «Jóvenes», fundados o inspirados por Giuseppe Mazzini inmediatamente después de la revolución de 1830: la «Joven Italia», la «Joven Polonia», la «Joven Suiza», la «Joven Alemania» y la «Joven Francia» (1831-1836) y la similar «Joven Irlanda» de la década de 1840, antecesora de la única organización duradera y triunfante inspirada en el modelo de las fraternidades conspiradoras de principios de siglo, los fenianos o Fraternidad Republicana Irlandesa, más conocida por su arma ejecutiva: el ejército republicano irlandés. En sí, dichos movimientos carecían de una gran importancia; sólo la presencia de Mazzini habría bastado para garantizar su total ineficacia. Simbólicamente son de extrema importancia, como lo indica la adopción por los sucesivos movimientos nacionalistas de etiquetas tales como «Jóvenes checos» o «Jóvenes turcos». Señalan la desintegración del movimiento revolucionario europeo en segmentos nacionales. Sin duda, cada uno de esos segmentos nacionales tenía los mismos programas políticos, estrategia y táctica que los otros, e incluso la misma bandera —casi invariablemente tricolor—. Sus miembros no veían contradicción entre sus propias peticiones y las de otras naciones, y en realidad aspiraban a la hermandad de todas, simultaneada con la propia liberación. Por otra parte, todos tendían a justificar su primordial interés por su nación adoptando el papel de un mesías para todas. A través de Italia, según Mazzini, y de Polonia, según Mickiewicz, los dolientes pueblos del mundo alcanzarían la libertad; una actitud perfectamente adaptable a las políticas conservadoras e incluso imperialistas, como lo atestiguan los eslavófilos rusos con sus pretensiones de hacer de la Santa Rusia una Tercera Roma, y los alemanes, que llegaron a decir que el mundo pronto sería salvado por el espíritu germánico. Desde luego, esta ambigüedad del nacionalismo procedía de la Revolución francesa. Pero en aquellos días sólo había *una* gran nación revolucionaria, lo que hacía considerarla como el cuartel general de todas las revoluciones y la fuerza motriz indispensable para la liberación del mundo. Mirar hacia París era razonable; mirar hacia una vaga «Italia», «Polonia» o «Alemania» (representadas en la práctica por un puñado de emigrados y conspiradores) sólo tenía sentido para los italianos, los polacos y los alemanes.

Si el nuevo nacionalismo hubiera quedado limitado a los miembros de las hermandades nacional-revolucionarias, no merecería mucha más atención. Sin embargo, reflejaba también fuerzas mucho más poderosas que emergían en sentido político en la década 1830-1840, como resultado de la doble revolución. Las más poderosas de todas eran el descontento de los pequeños terratenientes y campesinos y la aparición en muchos países de una clase media y hasta de una baja clase media nacional, cuyos portavoces eran casi siempre los intelectuales.

El papel revolucionario de esa clase quizá lo ilustren mejor que nadie Polonia y Hungría. En ambos países los grandes magnates y terratenientes encontraban posible y deseable el entendimiento con el absolutismo y los gobernantes extranjeros. Los magnates húngaros eran en general católicos y estaban considerados como pilares de la sociedad y la corte de Viena; sólo muy pocos se unirían a la revolución de 1848. El recuerdo de la vieja *Rzeczpospolita* hacía pensar a los nobles polacos, pero las más influyentes de sus facciones casi nacionales —el grupo de los Czartoryski que ahora operaba desde la lujosa emigración del Hotel Lambert en París— siempre habían favorecido la alianza con Rusia y seguían prefiriendo la diplomacia a la revuelta. Económicamente eran lo bastante ricos para gastar a manos llenas e incluso para invertir mucho dinero en la mejora de sus posesiones y beneficiarse de la expansión económica de la época. El conde Széchenyi, uno de los pocos liberales moderados de su clase y paladín del progreso económico, dio su renta de un año para la nueva Academia de Ciencias húngara —unos 60.000 florines—, sin que tal donación influyera poco ni mucho en su tren de vida. Por otra parte, los numerosos pequeños nobles pobres a quienes su nacimiento distinguía de los campesinos —de cada ocho húngaros, uno tenía la condición de hidalgo— carecían de dinero para hacer provechosas sus propiedades y de inclinación a hacer la competencia a los alemanes y los judíos de la clase media. Si no podían vivir decorosamente de sus rentas o la edad les impedía las oportunidades de las armas, optaban —si no eran muy ignorantes— por las leyes, la administración u otro oficio intelectual, pero nunca por una actividad burguesa. Tales nobles habían sido durante mucho tiempo la ciudadela de la oposición al absolutismo y al gobierno de los magnates y los extranjeros en sus respectivos países, resguardados (como en Hungría) tras la doble muralla del calvinismo y de la organización territorial. Era natural que su oposición, su descontento y sus aspiraciones a más ventajas para su clase, se fusionaran ahora con el nacionalismo.

Las clases negociantes que surgieron en aquel período eran, paradójicamente, un elemento un poco menos nacionalista. Desde luego, en las desunidas Alemania e Italia, las ventajas de un gran mercado nacional unificado eran evidentes. El autor de *Deutschland über Alles* cantaba al

> jamón y las tijeras, las botas y las ligas,
> la lana y el jabón, los hilados y la cerveza,[1]

por haber logrado lo que el espíritu de nacionalidad no había sido capaz de lograr: un genuino sentido de unidad nacional a través de la unión aduanera. Sin embargo, no es probable, dice, que los navieros de Génova (que más tarde prestarían un gran apoyo financiero a Garibaldi) prefirieran las posibilidades de un mercado nacional italiano a la vasta prosperidad de su comercio por todo el Mediterráneo. Y en los grandes imperios multinacionales, los núcleos industriales o mercantiles que crecían en las diferentes provincias podían protestar contra la discriminación, pero en el fondo preferían los grandes mercados que ahora se les abrían a los pequeños de la futura independencia nacional. Los industriales polacos, con toda Rusia a sus pies, participaban poco en el nacionalismo de su país. Cuando Palacky proclamaba en nombre de los checos que «si Austria no existiese habría que inventarla», no se refería sólo al apoyo de la monarquía contra los alemanes, sino que expresaba también el sano razonamiento económico del sector más avanzado económicamente de un grande y de otra forma retrógrado imperio. A veces, los intereses de los negocios se ponían a la cabeza del nacionalismo, como en Bélgica, donde una fuerte comunidad industrial, recientemente formada, se consideraba, aunque no está muy claro que tuviesen razones para ello, en situación poco ventajosa bajo el dominio de la poderosa comunidad mercantil holandesa, a la cual había sido sometida en 1815. Pero este era un caso excepcional.

Los grandes partidarios del nacionalismo mesocrático en aquella etapa eran los componentes de los estratos medio y bajo de los profesionales,

---

1. Hoffmann von Fallersleben, «Der Deutsche Zollverein», en *Unpolitische Lieder*.

administrativos e intelectuales, es decir, las clases *educadas*. (Estas clases, naturalmente, no eran distintas de las clases de negociantes, especialmente en los países retrógrados en donde los administradores de fincas, notarios, abogados, etc., figuraban entre los acumuladores de riqueza rural.) Para precisar: la vanguardia de la clase media nacionalista libraba su batalla a lo largo de la línea que señalaba el progreso educativo de gran número de «hombres nuevos» dentro de zonas ocupadas antaño por una pequeña elite. El progreso de escuelas y universidades da la medida del nacionalismo, pues las escuelas y, sobre todo, las universidades se convirtieron en sus más firmes paladines. El conflicto entre Alemania y Dinamarca sobre Schleswig-Holstein en 1848 y luego en 1864 fue precedido por el conflicto de las universidades de Kiel y de Copenhague sobre el asunto a mediados de los años 1840.

Este progreso era sorprendente, aunque el número total de «educados» siguiera siendo escaso. El número de alumnos en los liceos estatales franceses se duplicó entre 1809 y 1842, aumentando con particular rapidez bajo la monarquía de julio, pero todavía en 1842 no llegaba a los 19.000. (El total de muchachos que recibían la segunda enseñanza [2] entonces era de unos 70.000.) Hacia 1850, Rusia tenía unos 20.000 alumnos de segunda enseñanza para una población total de 68 millones de almas.[3] El número de estudiantes universitarios era, naturalmente, más pequeño, aunque tendía a aumentar. Es difícil comprender que la juventud académica prusiana, tan agitada por la idea de la liberación después de 1806, consistiera en 1805 en poco más de 1.500 muchachos; que el Politécnico, la ruina de los Borbones restaurados en 1815, enseñara a un total de 1.581 jóvenes entre 1815 y 1830, es decir, a poco más de cien por año. La importancia revolucionaria de los estudiantes en 1848 nos hace olvidar que en todo el continente europeo, incluidas las antirrevolucionarias islas británicas, no había probablemente más de 40.000.[4] Como es natural, este número aumentó. En Rusia, el número de estudiantes creció de 1.700 en 1825 a 4.600 en 1848. Pero aunque no hubiese aumentado, la transformación de la sociedad y las universidades les daba una nueva conciencia de sí mismos como grupo social. Nadie se acuerda de que en 1789 había unos 6.000 estudiantes en la Universidad de París, porque no tomaron parte como tales en la revolución.[5] Pero en 1830 posiblemente nadie habría pasado por alto semejante número de estudiantes.

Las pequeñas elites pueden operar con idiomas extranjeros, pero cuando el cuadro de alumnos aumenta, el idioma nacional se impone, como lo demuestra la lucha por el reconocimiento lingüístico en los estados indios

---

2. G. Weill, *L'enseignement secondaire en France 1802-1920*, 1921, p. 72.

3. E. de Laveleye, *L'instruction du peuple*, 1872, p. 278.

4. F. Paulsen, *Geschichte des Gelehrten Unterrichts*, 1897, II, p. 703; A. Daumard, «Les élèves de l'École polytechnique 1815-1848», *Revue d'Histoire Moderne et Contemporaine*, V. 1958. El número total de estudiantes alemanes y belgas en un semestre de los primeros años de la década 1840-1850 era de unos 14.000. J. Conrad, «Die Frequenzverhältnisse der Universitäten der hauptsächlichen Kulturländer», *Jb. F. Nationalök. und Statistik*, LVI (1895), pp. 376 ss.

5. L. Liard, *L'énseignement supérieur en France 1789-1889*, 1888, pp. 11 ss.

desde 1940. Por eso, el momento en que se escriben en la lengua nacional los primeros libros de texto o los primeros periódicos o cuando esa lengua se utiliza por primera vez para fines oficiales, supone un paso importantísimo en la evolución nacional. En la década 1830-1840 este paso se dio en muchas grandes zonas europeas. Las principales obras de astronomía, química, antropología, mineralogía y botánica checas se escribieron o terminaron en esa década. En Rumania fueron los libros de textos escolares los primeros en sustituir el griego vulgar por el rumano. El húngaro fue adoptado como idioma oficial de la Dieta húngara en vez del latín en 1840, aunque la Universidad de Budapest, controlada desde Viena, no abandonaría las lecciones en latín hasta 1844. (La batalla por el uso del húngaro como idioma oficial se libraba intermitentemente desde 1790.) En Zagreb, Gai publicaba su *Gaceta Croata* (más tarde *Gaceta Nacional Iliria*) desde 1835, en la primera versión literaria de lo que antes había sido un mero complejo de dialectos. En países que llevaban mucho tiempo poseyendo un idioma nacional oficial, el cambio no pudo ser apreciado tan fácilmente, aunque es interesante que después de 1830, el número de libros alemanes publicados en Alemania fue por primera vez superior al 90 por 100 sobre los latinos y franceses; el de libros franceses después de 1820 había quedado reducido[6] a menos del 4 por 100.[7] Por lo general, la expansión de las publicaciones nos da un índice comparativo. Así, en Alemania, el número de libros publicados en 1821 fue casi el mismo que en 1800 —unos 4.000 al año—; pero en 1841 había llegado a los 12.000 títulos.[8]

Desde luego, la gran masa de europeos y de no europeos permanecía sin instruir. En realidad, excepto los alemanes, los holandeses, los escandinavos, los suizos y los ciudadanos de los Estados Unidos, ningún pueblo podía considerarse alfabetizado en 1840. Varios pueden considerarse totalmente analfabetos, como los eslavos meridionales, que tenían menos de un 0,50 por 100 letrado en 1827 (incluso mucho más tarde sólo el 1 por 100 de los reclutas dálmatas del ejército austríaco sabía leer y escribir), o los rusos que tenían un 2 por 100 en 1840, mientras otros muchos eran casi analfabetos, como los españoles, los portugueses (que al parecer tenían escasamente 8.000 niños en las escuelas después de la guerra peninsular) y los italianos, salvo los lombardos y piamonteses. Incluso en Inglaterra, Francia y Bélgica, había de un 40 a un 50 por 100 de analfabetos en 1840-1850.[9] El analfabetismo no impedía la existencia de una conciencia política, pero a pesar de ello no se puede decir que el nacionalismo de nuevo cuño fuese una masa poderosa, excepto en países ya transformados por la doble revolución: en Francia, en Inglaterra, en los Estados Unidos y en Irlanda, que dependía política y económicamente de Inglaterra.

6. A principios del siglo XVIII sólo un 60 por 100 de los títulos publicados en Alemania estaban en alemán; desde entonces la proporción había aumentado considerablemente.
7. Paulsen, *op. cit.*, II, pp. 690-691.
8. *Handwörterbuch d. Staatswissenschaften*, 2.ª ed., artículo *Buchhandel*.
9. Laveleye, *op. cit.*, p. 264.

Identificar el nacionalismo con la clase letrada no es decir que las masas, por ejemplo rusas, no se consideraran «rusas» cuando se enfrentaban con algo o alguien que no lo fuera. Sin embargo, para las masas, en general, la prueba de la nacionalidad era todavía la religión: los españoles se definían por ser católicos, los rusos por ser ortodoxos. Pero aunque tales confrontaciones se hacían cada vez más frecuentes, seguían siendo raras, y ciertos géneros de sentimiento nacional, como el italiano, eran más bien totalmente ajenos a la gran masa del pueblo, que ni siquiera hablaba el idioma nacional literario, sino muchas veces un *patois* casi ininteligible. Incluso en Alemania, la mitología patriótica había exagerado mucho el grado de sentimiento nacional contra Napoleón, pues Francia era muy popular en la Alemania occidental, sobre todo entre los soldados a los que utilizaba libremente.[10] Las poblaciones ligadas al papa o al emperador podían manifestar resentimientos contra sus enemigos, que bien podían ser los franceses, pero esto no suponía sentimiento alguno de conciencia nacional ni respondía a un deseo de Estado nacional. Además, el hecho de que el nacionalismo estuviera representado por las clases medias y acomodadas, era suficiente para hacerlo sospechoso a los hombres pobres. Los revolucionarios radical-democráticos polacos trataban insistentemente —como los carbonarios del sur de Italia y otros conspiradores— de atraer a sus filas a los campesinos, con el señuelo de una reforma agraria. Su fracaso fue casi total. Los aldeanos de Galitzia se opusieron en 1846 a los revolucionarios polacos, aun cuando éstos proclamaran la abolición de la servidumbre, prefiriendo asesinar a los conspiradores y confiar en los funcionarios del emperador.

El desarraigo de los pueblos, tal vez el fenómeno más importante del siglo XIX, iba a romper este viejo, profundo y localizado tradicionalismo. No obstante, sobre la mayor parte del mundo, hasta 1820-1830, apenas se producían movimientos migratorios, salvo por motivos de movilización militar o hambre, o en los grupos tradicionalmente migratorios como los de los campesinos del centro de Francia, que se desplazaban para trabajos estacionales al norte, o los artesanos viajeros alemanes. El desarraigo significa, por eso, no la forma apacible de nostalgia que sería la enfermedad psicológica característica del siglo XIX (reflejada en innumerables canciones populares), sino el agudo y lacerante *mal du pays* o *mal de coeur* explicado clínicamente por primera vez por los médicos a propósito de los viejos mercenarios suizos en países extranjeros. Las quintas de las guerras revolucionarias lo revelaron, sobre todo, entre los bretones. La atracción de los lejanos bosques nórdicos era tan fuerte, que hizo a una joven sierva estoniana abandonar a sus excelentes patronos, los Kuegelgen, en Sajonia, con lo que era libre, para volver a la servidumbre en su país natal. Los movimientos migratorios, de los cuales la emigración a los Estados Unidos supone el índice más alto, crecieron mucho desde 1820, aunque no alcanzarían grandes proporciones hasta la década 1840-1850, en la que tres cuartos de millón de personas cruzaron el

---

10. W. Wachsmuth, *Europäische Sittengeschichte*, V, 2 (1839), pp. 807-808.

Atlántico Norte (casi tres veces más que en la década anterior). Aun así, la única gran nación migratoria aparte de las islas británicas, era Alemania, que solía enviar a sus hijos como colonos campesinos a Europa oriental y a América, como artesanos móviles por todo el continente y como mercenarios a todas partes.

De hecho, sólo se puede hablar de un movimiento nacional occidental organizado de forma coherente antes de 1848, basado auténticamente sobre las masas y que incluso gozaba de la inmensa ventaja de su identificación con la portadora más fuerte de tradición: la Iglesia. Este movimiento fue el movimiento irlandés de revocación dirigido por Daniel O'Connell (1785-1847), un abogado demagogo de origen campesino y pico de oro, el primero —y hasta 1848 el único— de esos carismáticos líderes populares que marcan el despertar de la conciencia política en las masas antes retrógradas. (Las únicas figuras que se le pueden comparar antes de 1848 fueron Feargus O'Connor [1794-1855], otro irlandés que simbolizó el cartismo en la Gran Bretaña, y quizá Louis Kossuth [1802-1894], quien pudo haber adquirido algo de su posterior prestigio entre las masas antes de la revolución de 1848, aunque su reputación en ese decenio como paladín de la pequeña aristocracia y más tarde su canonización por los historiadores nacionalistas, hagan difícil ver con claridad los comienzos de su carrera.) La Asociación Católica de O'Connell, que ganó el apoyo de las masas y la confianza (no del todo justificada) del clero en la victoriosa lucha por la emancipación católica (1829) no se relacionaba en ningún sentido con la clase media, que era, en general, protestante y anglo-irlandesa. Fue un movimiento de campesinos y de la más modesta clase media existente en la depauperada isla. «El Libertador» llegó a su liderazgo por las sucesivas oleadas de un movimiento masivo de revolución agraria, la principal fuerza motriz de los políticos irlandeses a lo largo del tremendo siglo. Este movimiento estaba organizado en sociedades secretas terroristas que ayudaron a romper el provincialismo de la vida irlandesa. Sin embargo, su propósito no era ni la revolución ni la independencia nacional, sino el establecimiento de una moderada autonomía de la clase media irlandesa por acuerdo o por negociación con los *whigs* ingleses. En realidad, no se trataba de un nacionalismo, y menos aún de una revolución campesina, sino de un tibio autonomismo mesocrático. La crítica principal —y no sin fundamento— que han hecho a O'Connell los nacionalistas irlandeses posteriores (lo mismo que los más radicales nacionalistas indios criticaron a Gandhi, que ocupó una posición análoga en la historia de su país) es la de que pudo haber sublevado a toda Irlanda contra Inglaterra y deliberadamente se negó a hacerlo. Pero esto no modifica el hecho de que el movimiento que lideraba fuera un movimiento de masas de la nación irlandesa.

II

Fuera del área del moderno mundo burgués existían también algunos movimientos de rebelión popular contra los gobiernos extranjeros (entendiendo por éstos más bien los de diferente religión que los de nacionalidad diferente) que algunas veces parecen anticiparse a otros posteriores de índole nacional. Tales fueron las rebeliones contra el Imperio turco, contra los rusos en el Cáucaso y la lucha contra la usurpadora soberanía británica en y por los confines de la India. No conviene considerarlos del todo como nacionalismo moderno, aunque en ciertas zonas pobladas por campesinos y pastores armados y combativos, organizados en clanes e inspirados por caciques tribales, bandidos-héroes y profetas, la resistencia al gobernante extranjero (o mejor al no creyente) pudo tomar la forma de verdaderas guerras populares, a diferencia de los movimientos nacionalistas de minorías selectas en países menos homéricos. Ahora bien, la resistencia de los mahrattas (un grupo feudal y militar hindú) y la de los sijs (una secta religiosa militante) frente a los ingleses en 1803-1818 y 1845-1849, respectivamente, tenían poco que ver con el subsiguiente nacionalismo indio y produjeron distintos efectos.[11] Las tribus caucásicas, salvajes, heroicas y violentísimas, encontraron en la puritana secta islámica de los muridistas un lazo de unión temporal contra los invasores rusos, y en Shamyl (1797-1871) un jefe de gran talla; pero hasta la fecha no existe una nación caucasiana, sino sólo un cúmulo de pequeñas poblaciones montañesas en pequeñas repúblicas soviéticas. (Los georgianos y los armenios, que han formado naciones en sentido moderno, no estuvieron incluidos en el movimiento de Shamyl.) Los beduinos, barridos por sectas religiosas puritanas como la wahhabi en Arabia y la senussi en lo que hoy es Libia, luchaban por la simple fe de Alá y la vida sencilla de los pastores, alzándose contra la corrupción de los pachás y las ciudades, así como contra los impuestos. Pero lo que ahora conocemos como nacionalismo árabe —un producto del siglo xx— procede de las ciudades y no de los campamentos nómadas.

Incluso las rebeliones contra los turcos en los Balcanes, especialmente entre las apenas sojuzgadas poblaciones montañesas del sur y del oeste, no pueden ser interpretadas en modernos términos nacionalistas, aunque los poetas y los combatientes —como a menudo eran los mismos, como los obispos poetas y guerreros de Montenegro— recordaban las glorias de héroes casi nacionales como el albanés Skanderberg y tragedias como la derrota serbia

---

11. El movimiento sij sigue siendo *sui generis* hasta la fecha. La tradición de combativa resistencia hindú en Maharashtra hizo de esta región un primitivo centro de nacionalismo indio y suministró algunos de sus primeros —y muy tradicionalistas— líderes, de los que el más importante fue B. G. Tilak; pero esto era un matiz regional y no predominante en el movimiento. Algo como el nacionalismo mahratta puede existir hoy todavía, pero su base social es la resistencia de la gran masa de trabajadores y de la más modesta clase media a los gujaratis, hasta hace muy poco dominantes económica y lingüísticamente.

en Kossovo en las remotas luchas contra los turcos. Nada era más natural que rebelarse, donde era necesario o deseable, contra una administración local o un debilitado Imperio turco. Pero nada como el común atraso económico unió a los que ahora conocemos por yugoslavos, todavía sometidos al Imperio turco, aunque el concepto de Yugoslavia más que a los que combatían por la libertad se debiera a los intelectuales de Austria-Hungría.[12] Los montenegrinos ortodoxos, nunca sometidos, combatían a los turcos; pero con igual celo luchaban contra los infieles católicos albaneses y los infieles, pero firmemente eslavos, bosnios musulmanes. Los bosnios se sublevaron contra los turcos, cuya religión compartían en su mayoría, con tanta energía como los ortodoxos serbios de la boscosa llanura danubiana, y con más violencia que los «viejos serbios» de la zona fronteriza albanesa. El primero de los pueblos balcánicos que se alzó en el siglo XIX fue el serbio, dirigido por un heroico tratante de cerdos y bandolero llamado Jorge el Negro (1760-1817), pero la fase inicial de ese alzamiento (1804-1807) no protestaba contra el gobierno turco, sino, por el contrario, en favor del sultán contra los abusos de los gobernantes locales. En la primitiva historia de la rebelión montañesa en los Balcanes occidentales, pocas cosas indican que los servios, albaneses, griegos, etc., no se hubieran conformado con aquella especie de principado autónomo no nacional que implantó algún tiempo en el Epiro el poderoso sátrapa Alí Pachá, llamado «el León de Janina» (1741-1822).

Única y exclusivamente en un caso, el constante combate de los clanes de pastores de ovejas y héroes-bandidos contra un gobierno real se fundió con las ideas nacionalistas de la clase media y de la Revolución francesa: en la lucha de los griegos por su independencia (1821-1830). No sin razón, Grecia sería en adelante el mito y la inspiración en todas partes de nacionalistas y liberales. Pues sólo en Grecia todo un pueblo se alzó contra el opresor en una forma que podía identificarse con la causa de la izquierda europea. Y, a su vez, el apoyo de esa izquierda europea, encabezada por el poeta Byron, que moriría allí, sería una considerable ayuda para el triunfo de la independencia griega.

La mayoría de los griegos eran semejantes a los demás clanes y campesinos-guerreros de la península balcánica. Pero una parte de ellos constituía una clase mercantil y administrativa internacional, establecida en colonias o comunidades minoritarias por todo el Imperio turco y hasta fuera de él, y la lengua y las altas jerarquías de la Iglesia ortodoxa, a la que la mayor parte de los pueblos balcánicos pertenecían, eran griegas, encabezadas por el patriarca griego de Constantinopla. Funcionarios griegos, convertidos en príncipes vasallos, gobernaban los principados danubianos (la actual Rumania).

---

12. Es significativo que el actual régimen yugoslavo haya fraccionado la que acostumbraba a llamarse nación serbia en las repúblicas subnacionales y unidades —mucho más realistas—de Serbia, Montenegro, Macedonia y Kossovo Metohidja. Para los patrones lingüísticos del nacionalismo decimonónico, la mayor parte de estos territorios pertenecían a un solo pueblo «serbio», salvo los macedonios, que estaban más cerca de los búlgaros, y la minoría albanesa en Kosmet. Pero, de hecho, nunca constituyeron un solo nacionalismo serbio.

En un sentido, todas las clases educadas y mercantiles de los Balcanes y el área del mar Negro y Levante, estaban helenizadas por la naturaleza de sus actividades. Durante el siglo XVIII esta helenización prosiguió con más fuerza que antes, debiéndose, en gran parte, a la expansión económica, que también amplió la esfera de actividades y los contactos de los griegos del exterior. El nuevo y floreciente comercio de cereales del mar Negro se relacionaba con los centros mercantiles italianos, franceses e ingleses y fortalecía sus lazos con Rusia; la expansión del comercio balcánico llevaba a los comerciantes griegos o helenizados a la Europa central. Los primeros periódicos en lengua griega se publicaron en Viena (1784-1812). La periódica emigración y asentamiento de campesinos rebeldes reforzaba las comunidades exiliadas. Fue entre esta dispersión cosmopolita en donde las ideas de la Revolución francesa —liberalismo, nacionalismo y los métodos de organización política por sociedades secretas masónicas— enraizaron. Rhigas (1760-1798), jefe de un primitivo y oscuro movimiento revolucionario, posiblemente panbalcánico, hablaba francés y adaptó *La Marsellesa* a las circunstancias helénicas. La Philiké Hetairía —sociedad secreta y patriótica principal responsable de la revuelta de 1821— fue fundada en 1814 en el nuevo gran puerto cerealista ruso de Odesa.

Su nacionalismo era, en cierto modo, comparable a los movimientos de elites de Occidente. Esto explica el proyecto de promover una rebelión por la independencia griega en los principados danubianos bajo el mando de magnates locales griegos; las únicas personas que podían llamarse griegas en aquellas miserables tierras de siervos eran los señores, los obispos, los mercaderes y los intelectuales, por lo que, naturalmente, el alzamiento fracasó por completo (1821). Sin embargo, por fortuna, la Hetairía había conseguido también la afiliación de los bandoleros-héroes, los proscritos y los jefes de clan de las montañas griegas (especialmente en el Peloponeso), con mucho más éxito —después de 1818— que los carbonarios del Mediodía de Italia que intentaron una proselitización similar de sus bandidos locales. Es dudoso que cualquier cosa parecida a nacionalismo moderno significara mucho para aquellos *klephts*, aunque muchos de ellos tenían sus «escribientes» —el respeto y el interés por las personas cultas era una reliquia del antiguo helenismo— que redactaban manifiestos con fraseología jacobina. Si defendían algo era el viejo carácter de una península en la que el papel del hombre había sido convertirse en héroe, y la proscripción en las montañas para resistir a cualquier gobierno y enderezar la suerte de los campesinos era el ideal político universal. Para las rebeliones de hombres como Kolokotrones, bandido y traficante de ganado, los nacionalistas de tipo occidental daban una dirección panhelénica, más bien que de escala puramente local. A su vez, ellos les proporcionaban esa cosa única y terrible: el alzamiento en masa de un pueblo armado.

El nuevo nacionalismo griego se bastaba para ganar la independencia, aunque la combinación de la dirección de la clase media, la desorganización «kléphtica» y la intervención de las grandes potencias produjera una de esas caricaturas del ideal liberal occidental que llegarían a ser tan frecuentes en América Latina. Pero también daría el paradójico resultado de reducir el helenismo a la Hélade, creando o intensificando con ello el nacionalismo latente de los demás pueblos balcánicos. Mientras ser griego había sido poco más que la exigencia profesional del ortodoxo balcánico culto, la helenización hizo progresos. Pero cuando significó el apoyo político a la Hélade, retrocedió incluso entre las asimiladas clases letradas balcánicas. En este sentido, la independencia griega fue la condición esencial preliminar para la evolución de otros nacionalismos balcánicos.

Fuera de Europa es difícil hablar de nacionalismo. Las numerosas repúblicas suramericanas que sustituyeron a los desgarrados imperios español y portugués (para ser exactos, el Brasil se convirtió en Imperio independiente que duró desde 1816 hasta 1889), y cuyas fronteras reflejaban con frecuencia muy poco más que la distribución de las haciendas de los grandes que habían respaldado más o menos las rebeliones locales, empezaron a adquirir intereses políticos y aspiraciones territoriales. El primitivo ideal panamericano de Simón Bolívar (1783-1830), de Venezuela y de San Martín (1778-1850), de la Argentina, era imposible de realizar, aunque haya persistido como poderosa corriente revolucionaria a lo largo de todas las zonas unidas por el idioma español, lo mismo que el panbalcanismo, heredero de la unidad ortodoxa frente al Islam, persistió y persiste todavía hoy. La vasta extensión y variedad del continente, la existencia de focos independientes de rebelión en México (que dieron origen a la América Central), Venezuela y Buenos Aires, y el especial problema del centro del colonialismo español en el Perú, que fue liberado desde fuera, impusieron una automática fragmentación. Pero las revoluciones latinoamericanas fueron obra de pequeños grupos de patricios, soldados y afrancesados, dejando pasiva a la masa de la población blanca, pobre y católica, y a la india, indiferente y hostil. Tan sólo en México se consiguió la independencia por iniciativa de un movimiento popular agrario, es decir, indio, en marcha bajo la bandera de la Virgen de Guadalupe, por lo que seguiría desde entonces un camino diferente y políticamente más avanzado que el resto de la América Latina. Sin embargo, incluso en las capas latinoamericanas más decisivas políticamente, sería anacrónico en nuestro período hablar de algo más que del embrión —colombiano, venezolano, ecuatoriano, etc.— de una «conciencia nacional».

Algo semejante a un protonacionalismo existía en varios países de la Europa oriental, pero, paradójicamente, tomó el rumbo del conservadurismo más bien que el de una rebelión nacional. Los eslavos estaban oprimidos en todas partes, excepto en Rusia y en algunas pocas plazas fuertes balcánicas; pero, como hemos visto, a sus ojos los opresores no eran los monarcas absolutos, sino los terratenientes germanos o magiares y los explotadores urbanos. Ni el nacionalismo de éstos permitía un puesto para la existencia nacional eslava: incluso un programa tan radical como el de los estados unidos germánicos propuesto por los republicanos y demócratas de Baden (en el suroeste de Alemania) acariciaba la inclusión de una República ilírica (compuesta por Croacia y Eslovenia) con capital en la italiana Trieste, una morava con su capital en Olomouc, y una bohemia con sede en Praga.[13] De aquí que la inmediata esperanza de los nacionalistas eslavos residiera en los emperadores de Austria y Rusia. Varias versiones de solidaridad eslava expresaban la orientación rusa y atraían a los eslavos rebeldes —hasta a los polacos antirrusos— especialmente en tiempos de derrota y desesperación como después del fracaso de los levantamientos de 1846. El «ilirianismo» en Croacia y el moderado nacionalismo checo expresaban la tendencia austríaca, por lo que recibían el deliberado apoyo de los Habsburgo, dos de cuyos principales ministros —Kolowrat y el jefe de policía Sedlnitzky— eran checos. Las aspiraciones culturales croatas fueron protegidas desde 1830, y en 1840 Kolowrat propuso lo que más adelante resultaría tan práctico en la revolución de 1848: el nombramiento de un militar croata como jefe de Croacia, con facultades para controlar las fronteras con Hungría, para contrarrestar a los turbulentos magiares.[14] Por eso, ser un revolucionario en 1848 equivalía a oponerse a las aspiraciones nacionales eslavas; y el tácito conflicto entre las naciones «progresivas» y «reaccionarias» influiría mucho en el fracaso de las revoluciones de 1848.

En ninguna parte se descubre nada que semeje nacionalismo, pues las condiciones sociales para ello no existen. De hecho, algunas de las fuerzas que habían de producir más tarde el nacionalismo se oponían en aquella época a la alianza de tradición, religión y pobreza de las masas, alianza que ofrecería la más potente resistencia a la usurpación de los conquistadores y explotadores occidentales. Los elementos de una burguesía local que aumentaban en los países asiáticos lo hacían al amparo de los explotadores extranjeros, de los que muchos eran agentes, intermediarios o dependientes. Un ejemplo de esto es la comunidad Parsee de Bombay. Incluso cuando el educado e «ilustrado» asiático no era un comprador o un insignificante servidor de un gobernante o de una firma extranjera (situación no muy diferente a la de los griegos residentes en Turquía), su primera obligación política era *occidentalizar*, es decir, introducir las ideas de la Revolución francesa y de la modernización científica y técnica en su pueblo frente a la resistencia unida de los gobernantes tradicionales y los tradicionales gobernados (situación no muy diferente a la de los señores jacobinos de Italia meridional). Por ello, se veía doblemente separado de su pueblo. La mitología nacionalista ha ocultado a menudo este divorcio, en parte suprimiendo los vínculos entre el colonialismo y la clase media autóctona, en parte prestando a una resistencia antiextranjera prematura los colores de un movimiento nacionalista posterior. Pero en Asia, en los países islámicos e incluso en África, la unión entre intelectuales y nacionalismo, y entre ambos y las masas, no se efectuaría hasta el siglo xx.

13. J. Sigmann, «Les radicaux badois et l'idée nationale allemande en 1848», *Études d'Histoire Moderne et Contemporaine*, II, 1943, pp. 213-214.

14. J. Miskolczy, *Ungarn und die Habsburger-Monarchie*, 1959, p. 85.

Así pues, el nacionalismo en el este fue el producto de la conquista y la influencia occidentales. Este lazo es, quizá, más evidente en el único país plenamente oriental en el que se pusieron los cimientos del que —además del irlandés— iba a ser el primer movimiento nacionalista colonial moderno: en Egipto. La conquista de Napoleón introdujo ideas, métodos y técnicas occidentales, cuyo valor reconocería muy pronto un hábil y ambicioso soldado local, Mohamed Alí. Habiendo adquirido poder y virtual independencia de Turquía en el confuso período que siguió a la retirada de los franceses, y con el apoyo de éstos, Mohamed Alí logró establecer un eficaz y occidentalizado despotismo con la ayuda técnica extranjera, francesa principalmente. Entre 1820 y 1830, muchos europeos izquierdistas ensalzaron al autócrata ilustrado, y le ofrecieron sus servicios, cuando la reacción en sus países parecía demasiado desalentadora. La extraordinaria secta de los sansimonianos, fluctuante entre la defensa del socialismo y el desarrollo industrial por obra de banqueros e ingenieros, le dio temporalmente su ayuda colectiva y preparó sus planes de desarrollo económico (véase p. 245). También pusieron los cimientos del canal de Suez (obra del sansimoniano Lesseps) y de la fatal dependencia de los gobernantes egipcios de grandes empréstitos negociados por grupos de estafadores europeos en competencia, que convirtieron a Egipto primero en un centro de rivalidad imperialista y después de rebelión antiimperialista. Pero Mohamed Alí no era más nacionalista que cualquier otro déspota oriental. Su occidentalización, no sus aspiraciones o las de su pueblo, puso los cimientos para un ulterior nacionalismo. Si Egipto conoció el primer movimiento nacionalista en el mundo islámico y Marruecos uno de los últimos, fue porque Mohamed Alí (por razones geopolíticas perfectamente comprensibles) estaba en los principales caminos de la occidentalización, y el aislado y autosellado Imperio jerifiano del extremo occidental del Islam ni lo estaba ni intentó estarlo. El nacionalismo, como tantas otras características del mundo moderno, es hijo de la doble revolución.

Segunda parte

CONSECUENCIAS

8. LA TIERRA

Yo soy vuestro señor y mi señor es el zar. El zar tiene derecho a darme órdenes y yo debo obedecerle, pero no a dároslas a vosotros. En mis propiedades yo soy el zar, yo soy vuestro dios en la tierra y debo responder a Dios por vosotros en el cielo … Un caballo debe ser frotado primero con la almohaza de hierro y luego se le cepillará con el cepillo blando. Yo tendré también que frotaros con aspereza, y quién sabe si llegaré al cepillo. Dios limpia el ambiente con el trueno y el relámpago, y en mi aldea yo limpiaré con el trueno y el fuego siempre que lo considere necesario.

Un terrateniente ruso a sus siervos [1]

La posesión de una o dos vacas, un cerdo y unos cuantos gansos, eleva en su concepto al campesino sobre sus hermanos de igual condición social … Vagando tras su ganado, adquiere el hábito de la indolencia … El trabajo diario se le hace desagradable; la aversión aumenta con el abandono; y al final, la venta de un ternero o un cochinillo, le proporciona ocasión de añadir intemperancia a la holgazanería. La venta de la vaca se produce muy a menudo, y su miserable y ocioso poseedor, mal dispuesto a reanudar el ritmo diario y regular del trabajo, del que antes obtenía sus medios de subsistencia … obtiene del comprador pobre un beneficio para el cual carecía de títulos.

Survey of the Board of Agriculture for Somerset, 1798
(Informe de la Junta de Agricultura para Somerset) [2]

I

Lo que sucediera a la tierra determinaba la vida y la muerte de la mayoría de los seres humanos entre los años 1789 y 1848. Como consecuencia, el impacto de la doble revolución sobre la propiedad, la posesión y el cultivo de la tierra, fue el fenómeno más catastrófico de nuestro período. Ni la revo-

---

1. Haxthausen, *Studien... ueber Russland*, 1847, II, p. 3
2. J. Billingsley, *Survey of the Board of Agriculture for Somerset*, 1798, p. 52.

lución política ni la económica pudieron menospreciar la tierra, a la que la primera escuela de economistas —la de los fisiócratas— consideraba como única fuente de riqueza, y cuya transformación revolucionaria todos juzgaban la necesaria precondición y consecuencia de la sociedad burguesa, si no de todo el rápido desarrollo económico. La gran capa helada de los tradicionales sistemas agrarios del mundo y las relaciones sociales rurales cubría el fértil suelo del progreso económico. A toda costa tenía que ser derretida para que aquel suelo pudiera ser arado por las fuerzas de la iniciativa privada buscadoras de mejor provecho. Esto implicaba tres géneros de cambios. En primer lugar, la tierra tenía que convertirse en objeto de comercio, ser poseída por propietarios privados con plena libertad para comprarla y venderla. En segundo lugar, tenía que pasar a ser propiedad de una clase de hombres dispuestos a desarrollar los productivos recursos de la tierra para el mercado guiados por la razón, es decir, conocedores de sus intereses y de su provecho. En tercer lugar, la gran masa de la población rural tenía que transformarse, al menos en parte, en jornaleros libres y móviles que sirvieran al creciente sector no agrícola de la economía. Algunos de los economistas más previsores y radicales preconizaban también un cuarto y deseable cambio, difícil si no imposible de lograr. Pues en una economía que suponía la perfecta movilización de todos los factores de la producción de la tierra, no resultaba conveniente un «monopolio natural». Puesto que el tamaño de la tierra era limitado, y sus diversas parcelas diferían en fertilidad y accesibilidad, los propietarios de las áreas más fértiles gozaban inevitablemente de unos beneficios especiales y arrendaban el resto. Cómo extirpar o atenuar esta carga —por ejemplo, por una tasación adecuada, por leyes contra la concentración de la propiedad rural e incluso por la nacionalización— fue objeto de vivos debates, especialmente en la industrial Inglaterra. (Tales argumentos afectaban también a otros «monopolios naturales» como los ferrocarriles, cuya nacionalización nunca se consideró incompatible, por esta razón, con una economía de iniciativa privada, ampliamente practicada.)[3] Sin embargo, estos eran problemas de la tierra en una sociedad burguesa. La inmediata tarea era instalar esa sociedad burguesa.

Dos grandes obstáculos aparecían en el camino de la reforma, y ambos requerían una acción combinada política y económica: los terratenientes precapitalistas y el campesinado tradicional. Frente a ellos los más radicales fueron los ingleses y los norteamericanos, que eliminaron al mismo tiempo a ambos. La clásica solución británica produjo un campo en el que unos 4.000 propietarios eran dueños de cuatro séptimas partes de la tierra[4] cultivada —los datos son de 1851— por un cuarto de millón de granjeros (tres cuartas partes de la extensión estaban divididas en granjas de 200 a 2.000 hectáreas) que empleaban a casi un millón y cuarto de labradores y criados

---

3. Incluso en Inglaterra se propuso muy en serio hacia 1840.

4. Los datos están basados en el *New Domesday Book* de 1871-1873, pero no hay razón para creer que no representen la situación en 1848.

jornaleros. Subsistían algunas bolsas de pequeños propietarios, pero fuera de las tierras altas escocesas y algunas partes de Gales sería pedante hablar de un campesinado británico en el sentido continental. La clásica solución norteamericana fue hacer de los propietarios granjeros comerciales, lo que compensó la disminución del trabajo de los braceros alquilados con una mecanización intensiva. Las segadoras mecánicas de Obed Hussey (1833) y Cyrus McCormick (1834) fueron el complemento para los granjeros puramente comerciales y los especuladores de la tierra que extendieron las fórmulas norteamericanas de vida desde los estados de Nueva Inglaterra hacia el oeste, tomando posesión de sus tierras y más tarde comprándoselas al gobierno a precios ventajosos. La clásica solución prusiana fue la menos revolucionaria. Consistió en convertir a los terratenientes feudales en granjeros capitalistas y a los siervos en labradores asalariados. Los *junkers* conservaron el dominio de sus pobres haciendas, que habían cultivado mucho tiempo para el mercado de exportación con un trabajo servil; pero ahora lo hacían con campesinos «liberados» de la servidumbre y de la tierra. El ejemplo de Pomerania —en donde, más avanzado el siglo, unas 2.000 grandes propiedades cubrían el 61 por 100 de la tierra, y unas 60.000 medianas y pequeñas el 39 por 100, mientras el resto de la población no poseía nada— es sin duda extremado;[5] pero es un hecho que la clase trabajadora rural carecía de importancia, pues la palabra «labrador» ni siquiera se mencionaba en la *Enciclopedia de economía doméstica y agrícola* de Krüniz (1773), mientras que en 1849 el número de jornaleros rurales en Prusia se calculaba en casi dos millones.[6] La otra solución sistemática del problema agrario en un sentido capitalista fue la danesa, que también creó un gran cuerpo de granjeros comerciales medios y pequeños. Ello se debía en gran parte a las reformas del período del despotismo ilustrado en 1780-1790, por lo que queda un poco al margen de este volumen.

La solución norteamericana dependía del hecho insólito de un aumento de tierras libres virtualmente ilimitado y también de la falta de todo antecedente de relaciones feudales o de tradicional colectivismo campesino. El único obstáculo para la extensión del cultivo puramente individual era el de las tribus de pieles rojas, cuyas tierras —normalmente garantizadas por tratados con los gobiernos francés, inglés y norteamericano— pertenecían a la colectividad, a menudo como cotos de caza. El conflicto entre una perspectiva social que consideraba la propiedad individual perfectamente enajenable como el único orden no sólo racional sino *natural*, y otra que no lo consideraba así, es quizá más evidente en el enfrentamiento de los yanquis y los indios. «Entre las más perjudiciales y fatales [de las causas que impedían a los indios captar los beneficios de la civilización] —decía el comisario de Asuntos Indios—[7] figuran su *posesión en común de territorios demasiado*

---

5. *Handwörterbuch d. Staatswissenschaften*, 2.ª ed., artículo *Grundbesitz*.

6. T. von der Goltz, *Gesch. d. Deutschen Landwirtschaft*, 1903, II; Sartorius von Waltershausen, *Deutsche Wirtschaftgeschichte 1815-1914*, 1923, p. 132.

7. Citado en L. A. White, ed., *The Indian Journals of Lewis Henry Morgan*, 1959, p. 15.

grandes, y el derecho a grandes rentas en dinero; la primera les proporciona un amplio campo para abandonarse a sus costumbres nómadas y evita *que adquieran el conocimiento de la propiedad individual* y las ventajas de una residencia fija; la segunda favorece la ociosidad y el afán de lucro, proporcionándoles los medios para satisfacer sus depravados gustos y apetitos.» Por tanto, resultaba tan moral como provechoso despojarles de sus tierras mediante el fraude, el robo o cualquier otro procedimiento por el estilo.

Los indios nómadas y primitivos no eran el único pueblo que no comprendía el racionalismo burgués e individualista a propósito de la tierra ni lo deseaba. De hecho, y con la excepción de minorías ilustradas y los campesinos fuertes y sensatos, la gran masa de la población rural, desde el gran señor feudal hasta el más humilde pastor, coincidían en abominar de él. Sólo una revolución político-legal dirigida contra los señores y los campesinos tradicionalistas, podía establecer las condiciones para que la minoría racionalista se convirtiera en mayoría. La historia de las relaciones agrarias en la mayor parte de la Europa occidental y sus colonias en nuestro período es la historia de tal revolución, aun cuando sus plenas consecuencias no se apreciaran hasta la segunda mitad del siglo.

Como hemos visto, su primer objetivo era hacer de la tierra una mercancía. Había que abolir los mayorazgos y demás prohibiciones de venta o dispersión que afectaban a las grandes propiedades de la nobleza y someter a los terratenientes al saludable castigo de la bancarrota por incompetencia económica, lo que permitiría a otros compradores más competentes apoderarse de ellas. Sobre todo en los países católicos y musulmanes (los protestantes lo habían hecho ya tiempo atrás), había que arrancar la gran extensión de tierras eclesiásticas del reino gótico de una superstición antieconómica y abrirlas al mercado y a la explotación racional. Les esperaba la secularización y venta. Otras grandes extensiones de propiedad comunal —y por ello mal utilizadas—, como pastos, tierras y bosques, tenían que hacerse accesibles a la actividad individual. Les esperaba la división en lotes individuales y «cercados». No era dudoso que los nuevos adquirentes tuvieran el espíritu de iniciativa y laboriosidad necesarios para lograr el segundo objetivo de la revolución agraria.

Pero esto sólo se conseguiría si los campesinos, desde cuyas filas muchos de ellos se elevarían, llegaban a convertirse en una clase libre capaz de disponer de todos sus recursos; un paso que también realizaría automáticamente el tercer objetivo, la creación de una vasta fuerza laboral «libre», compuesta por todos los que no habían podido convertirse en burgueses. La liberación del campesino de vínculos y deberes no económicos (villanaje, servidumbre, pagos a los señores, trabajo forzado, esclavitud, etc.), era, por tanto, esencial también. Esto tendría una ventaja adicional y crucial. Pues el jornalero libre, abierto al incentivo de mayores ganancias, demostraría ser un trabajador más eficiente que el labrador forzado, fuera siervo, peón o esclavo. Sólo una condición ulterior tenía que cumplirse. El grandísimo número de los que ahora vegetaban sobre la tierra a la que toda la historia humana les ligaba, pero que, si eran explotados productivamente, resultarían un exceso de población,[8] tenían que ser arrancados de sus raíces y autorizados a trasladarse libremente. Sólo así emigrarían a las ciudades y fábricas en las que sus músculos eran cada vez más necesarios. En otras palabras: los campesinos tenían que perder su tierra a la vez que los demás vínculos.

En la mayor parte de Europa esto significa que el complejo de tradicionales relaciones legales y políticas conocidas generalmente por «feudalismo» tenía que abolirse en donde aún no había desaparecido. Puede afirmarse que esto se logró en el período entre 1789 y 1848 —casi siempre como consecuencia directa o indirecta de la Revolución francesa— desde Gibraltar a Prusia oriental, y desde el Báltico a Sicilia. Los cambios equivalentes en la Europa central sólo se produjeron en 1848, y en Rumania y Rusia después de 1860. Fuera de Europa ocurrió algo parecido en América, con las excepciones de Brasil, Cuba o los estados del Sur de los Estados Unidos, en donde la esclavitud subsistió hasta 1862-1888. En algunas zonas coloniales directamente administradas por estados europeos, sobre todo en zonas de la India y Argelia, se produjeron revoluciones legales similares. Y también en Turquía y, durante un breve período, en Egipto.[9]

Salvo en Inglaterra y en algún otro país en donde el feudalismo en este sentido ya había sido abolido o nunca había existido realmente (aunque tuvieran tradicionales colectividades campesinas), los métodos para lograr dicha revolución fueron muy parecidos. En Inglaterra no fue necesaria o políticamente factible una legislación para expropiar grandes propiedades, dado que los grandes terratenientes o sus colonos ya estaban armonizados con una sociedad burguesa. Su resistencia al triunfo final de las relaciones burguesas en el campo —entre 1795 y 1846— fue enconada. A pesar de que contenía, de forma inarticulada, una especie de protesta tradicionalista contra el destructor barrido del puro principio del provecho individual, la causa del descontento era mucho más sencilla: el deseo de mantener los precios altos y las rentas altas de las guerras revolucionarias y napoleónicas en el período de depresión de la posguerra. Pero más que de una reacción feudal se trataba de la presión de un grupo agrario. Por eso, el filo más cortante de la ley se volvió contra los vestigios del campesinado, los labradores y los habitantes de las chozas. Como consecuencia de las actas privadas y generales de cercados, unas 5.000 cercas dividieron más de seis millones de hectáreas de tierras y campos comunales desde 1760, transformándolos en arrendamientos privados, con muchas menos formalidades legales que antes. La ley de pobres de 1834 se dictó para hacer la vida tan insoportable a los pobres rurales que les obligase a emigrar y aceptar los empleos que se les

8.   Hacia 1830 se estimaba que el exceso de trabajo utilizable era el 1 por 6 de la población total en la urbana e industrial Inglaterra; el 1 por 20, en Francia y Alemania; el I por 25, en Austria e Italia; el 1 por 30, en España, y el 1 por 100, en Rusia (L. V. A. de Villeneuve Bargemont, *Économie politique chrétienne*, 1834, vol. II, pp. 3 ss.)

9.   C. Issawi, «Egypt since 1800», *Journal of Economic History*, XXI, 1 (1961), p. 5.

ofrecían, cosa que empezaron a hacer pronto. En la década 1840-1850 varios condados se encontraban ya al borde de una *absoluta* pérdida de población, y desde 1850 el éxodo del campo se hizo general.

Las reformas de 1780-1790 abolieron el feudalismo en Dinamarca, pero sus principales beneficiarios no fueron los terratenientes, sino los propietarios y arrendatarios campesinos, estimulados después de la abolición de los campos abiertos a consolidar sus franjas de terreno en propiedades individuales; un proceso análogo al de delimitar los campos se llevó a cabo, en su mayor parte, en 1800. Las haciendas tendían a parcelarse y a ser vendidas a sus arrendatarios, aunque la depresión posnapoleónica, que los pequeños propietarios encontraron más difícil de superar que los grandes terratenientes, retrasó este proceso entre 1816 y 1830. En 1865, Dinamarca era principalmente un país de propietarios rurales independientes. En Suecia, unas reformas similares, aunque menos drásticas, tuvieron idénticos efectos, hasta el punto de que en la segunda mitad del siglo XIX, el tradicional sistema de cultivo comunal había desaparecido casi por completo. Las antiguas zonas feudales fueron asimiladas al resto del campo, en el que siempre había predominado el campesinado libre, lo mismo que en Noruega (que antaño formara parte de Dinamarca, y desde 1815 de Suecia). En algunas regiones se hizo sentir una tendencia a subdividir las grandes empresas, tendencia puesta de relieve por la de consolidar posesiones. El resultado fue que la agricultura aumentó rápidamente su productividad —en Dinamarca el número de cabezas de ganado se duplicó en el último cuarto del siglo XVIII—,[10] pero con el rápido crecimiento de la población, un número cada vez mayor de campesinos pobres no encontraba trabajo. Desde mediados del siglo XIX, sus penalidades les impulsaron al que sería —proporcionalmente— el movimiento emigratorio más masivo del siglo (encaminado en su mayor parte al Medio Oeste norteamericano) desde la infértil Noruega, un poco más tarde desde Suecia, y algo menos desde Dinamarca.

II

En Francia, como ya hemos visto, la abolición del feudalismo fue obra de la revolución. La presión de los campesinos y el jacobinismo impulsaron la reforma agraria hasta más allá del punto en el que los paladines del desarrollo capitalista hubieran deseado que se detuviera (véanse pp. 56, 77 ss). Por eso Francia, en conjunto, no llegó a ser ni un país de terratenientes y cultivadores ni de granjeros comerciales, sino sobre todo de varios tipos de propietarios, que serían el principal sostén de todos los subsiguientes regímenes políticos que no les amenazasen con quitarles las tierras. Que el número de

10. B. J. Hovde, *The Scandinavian Countries 1720-1860*, 1943, vol I, p. 279. Para el aumento de la cosecha desde seis millones de toneladas en 1770, a diez millones, véase *Hwb. d. StaatsWissenschaften*, art. *Bauernbefreiung*.

propietarios aumentase cerca del 50 por 100 —desde cuatro hasta seis millones y medio— es una conjetura antigua y plausible, pero no fácilmente comprobable. Todo lo que podemos asegurar es que el número de esos propietarios no disminuyó y que en algunas zonas aumentó más que en otras; pero dilucidar si el departamento del Mosela, en donde aumentó en un 40 por 100 entre 1789 y 1801, es más típico que el normando del Eure, en donde permaneció inalterado,[11] merece un estudio ulterior. Las condiciones de vida en el campo eran buenas, en general. Ni siquiera en 1847-1848 hubo dificultades salvo para una parte de los jornaleros.[12] Razón por la cual, la corriente de trabajo excedente desde la aldea a la ciudad era pequeña, hecho que contribuyó a retrasar el desarrollo industrial francés.

En la mayor parte de la Europa latina, en los Países Bajos, Suiza y Alemania occidental, la abolición del feudalismo fue obra de los ejércitos franceses de ocupación, decididos a «proclamar inmediatamente en nombre de la nación francesa ... la abolición de los diezmos, el feudalismo y los derechos señoriales»,[13] o de los nacionales liberales que colaboraron con ellos o se inspiraron en ellos. En 1799, la revolución legal había conquistado los países limítrofes con la Francia oriental y del norte y el centro de Italia, limitándose muchas veces a completar una evolución ya avanzada. La vuelta de los Borbones después de la abortada revolución napolitana de 1798-1799 la retrasó hasta 1808 en la Italia continental del sur; la ocupación británica la impidió en Sicilia, aunque el feudalismo fue oficialmente abolido en esta isla entre 1812 y 1843. En España, las liberales y antifrancesas Cortes de Cádiz abolieron en 1811 el feudalismo y en 1813 ciertos mayorazgos. Pero, por lo general, fuera de las zonas profundamente transformadas por su larga incorporación a Francia, la vuelta de los antiguos regímenes aplazó la aplicación práctica de esos principios. Por tanto, las reformas francesas empezaron o continuaron, más bien que completaron, la revolución legal en regiones como las de la Alemania noroccidental al este del Rin y en las «provincias ilirias» (Istria, Dalmacia, Ragusa y más tarde también Eslovenia y parte de Croacia) que no cayeron bajo el gobierno o la dominación de Francia hasta después de 1805.

Sin embargo, la Revolución francesa no fue la única fuerza que contribuyó a una completa reforma de las relaciones agrarias. El puro argumento económico en favor de una utilización racional de la tierra había impresionado mucho a los déspotas ilustrados del período prerrevolucionario, y produjo soluciones muy semejantes. En el Imperio de los Habsburgo, José II abolió la servidumbre y secularizó muchas propiedades rústicas de la Iglesia entre 1780 y 1790. Por parecidas razones, y también por sus constantes rebe-

11. A Chabert, *Essai sur les mouvements des prix et des revenus 1798-1820*, 1949, II pp. 27 ss.; F. l'Huillier, *Recherches sur l'Alsace napoléonienne*, 1945, p. 470.
12. Por ejemplo, G. Desert, en E. Labrousse, ed., *Aspects de la crise... 1846-1851*, 1956, p. 58.
13. J. Godechot, *La Grande Nation*, 1956, II, p. 584.

liones, los siervos de la Livonia rusa recuperaron formalmente su condición de campesinos propietarios que habían disfrutado antes bajo la administración sueca. Ello no les favoreció lo más mínimo, pues la codicia de los todopoderosos pronto convirtió la emancipación en un mero instrumento de expropiación de los campesinos. Después de las guerras napoleónicas, las pocas garantías legales de los campesinos desaparecieron y entre 1819 y 1850 éstos perdieron, por lo menos, una quinta parte de sus tierras, mientras las heredades de la nobleza aumentaban entre un 60 y un 180 por 100.[14] Una clase de labradores sin tierra las cultivaba ahora.

Aquellos tres factores —influencia de la Revolución francesa, argumento económico racional de los trabajadores libres y codicia de la nobleza— determinaron la emancipación de los campesinos de Prusia entre 1807 y 1816. La influencia de la revolución fue decisiva: sus ejércitos habían pulverizado a Prusia, lo que demostraba con dramática fuerza la impotencia de los viejos regímenes que no adoptaban los métodos modernos, es decir, los seguidos por los franceses. Como en Livonia, la emancipación se combinó con la abolición de la modesta protección legal que los campesinos disfrutaban antes. A cambio de la abolición del trabajo forzoso y los tributos feudales y por sus nuevos derechos de propiedad, el campesino estaba obligado, entre otras cosas, a dar a su anterior señor un tercio o la mitad de su posesión o una suma equivalente de dinero. El largo y complejo proceso de transición no había terminado en 1848, pero ya era evidente que mientras los grandes terratenientes habían obtenido notables beneficios, y un pequeño número de campesinos acomodados lo mismo gracias a sus nuevos derechos de propiedad, el grueso del campesinado estaba mucho peor y los labradores sin tierra aumentaban rápidamente.[15]

Económicamente el resultado fue beneficioso a la larga, aunque en un principio las pérdidas fueron —como es frecuente en los grandes cambios agrarios— considerables. En 1830-1831 Prusia había recuperado el número de cabezas de ganado de principios de siglo, que los grandes terratenientes poseían en su mayor parte. En cambio, la extensión cultivada había aumentado en un tercio y la productividad en un medio en la primera mitad de siglo.[16] El excedente de población rural aumentó rápidamente, y como las condiciones rurales eran muy malas —el hambre de 1846-1848 fue quizá peor

---

14. A. Agthe, *Ursprung u. Lage d. Landarbeiter in Livland*, 1909, pp. 122-128.

15. La creación de grandes fincas y de labradores sin tierra aumentó por la falta de desarrollo industrial local y la producción de uno o dos principales productos exportables (especialmente cereales) a lo que ayudaba aquella organización. (Por aquel tiempo, en Rusia, el 90 por 100 de los cereales vendidos procedía de las grandes fincas, y sólo un 10 por 100 de las pequeñas.) Por otra parte, donde el desarrollo industrial creaba un creciente y variado mercado en las ciudades próximas, el aldeano o pequeño granjero tenía ventajas. De aquí que mientras en Prusia la emancipación campesina expropiaba a los siervos, en Bohemia el campesino surgió independientemente de la liberación después de 1848. Cf., para Prusia, Lyashchenko, *op. cit.*, p. 360; para la comparación entre Prusia y Bohemia, W. Stark, «Niedergang und Ende d. Landwirtsch. Grossbetriebs in d. Boehm. Laendern», *Jb. f. Nat. Oek.*, 146 (1937), pp. 434 ss.

16. F. Luetge, «Auswirkung der Bauernbefreiung», *Jb. f. Nat. Oek.*, 157 (1943), pp. 353 ss.

en Alemania que en los demás países, excepto Irlanda y Bélgica— se buscaba la solución en la emigración. Antes del hambre irlandesa fue el alemán el pueblo que proporcionó mayor número de emigrantes.

Por todo lo dicho se puede afirmar que la mayor parte de las disposiciones legales para establecer unos sistemas burgueses de propiedad rural se dictaron entre 1789 y 1812. Sus consecuencias, fuera de Francia y algunas regiones contiguas a ella, fueron mucho más lentas, debido principalmente a la fuerza de la reacción económica y social después de la derrota de Napoleón. En general, cada posterior avance del liberalismo impulsaba a la revolución legal a dar un paso más para pasar de la teoría a la práctica y cada restauración de los antiguos regímenes lo aplazaba, sobre todo en los países católicos, en donde la secularización y venta de las tierras de la Iglesia era una de las más apremiantes exigencias liberales. Así, en España, el efímero triunfo de una revolución liberal en 1820 trajo una nueva ley de «desvinculación» que permitía a los nobles enajenar sus tierras libremente; la vuelta al absolutismo la derogó en 1823; la renovada victoria liberal de 1836 la reafirmó, y así sucesivamente. El volumen de tierras transferidas en nuestro período era por eso muy modesto todavía, salvo en zonas en donde un activo cuerpo de compradores y especuladores de clase media estuvo dispuesto a aprovechar sus oportunidades: en la llanura de Bolonia (norte de Italia), las tierras nobles descendieron del 78 por 100 del valor total en 1789 al 66 por 100 en 1804 y al 51 en 1835.[17] En cambio, en Sicilia, el 90 por 100 de toda la tierra continuó en manos de los nobles hasta mucho después.[18]

Había una excepción: la de las tierras de la Iglesia. Estas vastas y casi invariablemente mal utilizadas y destartaladas posesiones —se ha dicho que dos terceras partes de la tierra en el reino de Nápoles eran eclesiásticas hacia 1760—[19] tenían muy pocos defensores y demasiados lobos rondándolas. Incluso en la reacción absolutista en la católica Austria después del colapso del despotismo ilustrado de José II, a nadie se le ocurrió la devolución de las tierras de los monasterios secularizadas y dispersas. Así, en una comarca de la Romaña (Italia), las tierras de la Iglesia bajaron desde el 42,5 por 100 del total en 1783 al 11,5 por 100 en 1812; pero esas tierras perdidas para la Iglesia pasaron no sólo a manos de propietarios burgueses (que subieron desde el 24 al 47 por 100), sino también de los nobles (que aumentaron desde el 34 hasta el 41 por 100).[20] Por tanto no es sorprendente que incluso en la católi-

---

17. R. Zangheri, *Prime ricerche sulla distribuzione della proprietà fondiaria*, 1957.
18. E. Sereni, *Il capitalismo nelle campagne*, 1948, pp. 175-176. Se ha sugerido que esta poderosa burguesía rural, que «es en sustancia la clave social que guía y regula la marcha hacia la unidad italiana» por su orientación agraria, tendía hacia la doctrinal libertad de comercio, lo cual ganó la buena voluntad de Inglaterra para la causa de la unidad italiana, pero también detuvo la industrialización de este país. Cf. G. Mori, «La storia dell'industria italiana contemporanea», *Annali dell'Instituto Giangiacomo Feltrinelli*, II (1959), pp. 278-279; *íd.*, «Osservazioni sut libero-scambismo dei moderati nel Risorgimento», *Rivista Storica del Socialismo*, III, 9 (1960).
19. Dal Pane, *Storia del lavoro in Itatia dagli inizi del secolo XVIII al 1815*, 1958 p. 119.
20. R. Zangheri, ed., *Le campagne emiliane nell'epoca moderna*, 1957, p. 73.

ca España, los intermitentes gobiernos liberales consiguieran en 1845 vender la mitad de las fincas de la Iglesia, sobre todo en las provincias en donde la propiedad eclesiástica estaba más concentrada o el desarrollo económico más avanzado (en quince provincias fueron vendidas más de tres cuartas partes del total de tierras de la Iglesia).[21]

Desgraciadamente para la teoría económica liberal, esta redistribución de tierra en gran escala no produjo la clase de propietarios o granjeros emprendedores y progresistas que se esperaba. ¿Por qué un adquirente de la clase media —abogado, comerciante o especulador urbano— iba a aceptar en zonas inaccesibles o económicamente atrasadas el trabajo de transformar su nueva propiedad rural en una próspera empresa, en vez de limitarse a ocupar el puesto, del que antaño estaba excluido, del antiguo señor, noble o clerical, cuyos poderes podía ejercer ahora, con más apego al dinero y menos a la tradición y a la costumbre? En todas partes de la Europa meridional surgió un nuevo y más riguroso grupo de «barones» que reforzaba al antiguo. Las grandes concentraciones latifundistas habían disminuido ligeramente, como en la Italia meridional, permanecían intactas, como en Sicilia, o se habían reforzado, como en España. En esos regímenes la revolución legal había venido a reforzar el viejo feudalismo con uno nuevo que en poco o nada beneficiaba a los pequeños adquirentes y a los campesinos. En la mayor parte de la Europa meridional, la vieja estructura social conservaba todavía fuerza suficiente para hacer imposible hasta el pensamiento de una emigración en masa. Los hombres y las mujeres vivían como y donde sus antepasados, y, si era menester, morían de hambre allí. El éxodo masivo no comenzó en la Italia meridional, por ejemplo, hasta medio siglo después.

Aun en donde los campesinos recibieron realmente la tierra o fueron confirmados en su posesión, como en Francia, parte de Alemania y Escandinavia, no se convirtieron automáticamente, como se esperaba, en una clase emprendedora de pequeños granjeros. Y esto por la sencilla razón de que, si los campesinos deseaban tierras, rara vez deseaban una economía agraria burguesa.

III

Por muy ineficaz y opresivo que el viejo sistema tradicional hubiera sido, también era un sistema de considerable seguridad económica y social en el más bajo nivel; sin mencionar que estaba consagrado por la costumbre y la tradición. Las hambres periódicas, el exceso de trabajo que hacía a los hombres viejos a los cuarenta años y a las mujeres a los treinta, eran obra de Dios; sólo se convertían en obras de las que pudiera considerarse responsables a los hombres en épocas de dureza anormal o de revolución. Desde el

21.   J. Vicens Vives, ed., *Historia social y económica de España y América*, 1959, IV, II, pp. 92 y 95.

punto de vista del campesino, la revolución legal no le daba más que derechos legales, pero le tomaba mucho. Así, la emancipación en Prusia le concedía los dos tercios o la mitad de la tierra que ya habían cultivado y le liberaba del trabajo forzoso y otros tributos, pero le privaba en cambio del derecho a la ayuda del señor en tiempos de mala cosecha o plagas del ganado; del derecho a cortar o comprar barata la leña en el bosque del señor; del derecho a la ayuda del señor para reparar o reconstruir su casa; del derecho, en caso de extrema pobreza, a pedir la ayuda del señor para pagar los impuestos; del derecho a que sus animales pastaran en el bosque del señor. Para el campesino pobre, esto parecía un contrato casi leonino. La propiedad de la Iglesia podía haber sido ineficiente, pero este hecho favorecía a los campesinos, ya que así su costumbre tendía a convertirse en derecho de prescripción. La división y cercado de los campos, pastos y bosques comunales, privaba a los campesinos pobres de recursos y reservas a los que creían tener derecho, como parte de la comunidad que eran. El mercado libre de la tierra significaba que, probablemente, tendrían que vender las suyas; la creación de una clase de empresarios rurales suponía que los más audaces y más listos los explotarían en vez —o además— de los antiguos señores. Al mismo tiempo, la introducción del liberalismo en la tierra era como una especie de bombardeo silencioso que conmovía la estructura social en la que siempre habían vivido y no dejaba en su sitio más que a los ricos: una soledad llamada libertad.

Nada más natural, pues, que el campesino pobre o toda la población rural resistieron como podían, y nada más natural que esa resistencia se hiciera en nombre del viejo y tradicional ideal de una sociedad justa y estable, es decir, en nombre de la Iglesia y del rey legítimo. Si exceptuamos la revolución campesina de Francia (y ni siquiera ésta, en 1789, era anticlerical ni antimonárquica), puede decirse que prácticamente en nuestro período todos los importantes movimientos campesinos que no se dirigieron contra el rey o la Iglesia *extranjeros*, fueron emprendidos ostensiblemente a favor de sacerdotes y gobernantes. Los campesinos de la Italia meridional se unieron al subproletariado urbano para hacer en 1799 una contrarrevolución frente a los jacobinos napolitanos y a los franceses, en nombre de la santa fe y de los Borbones; y esos mismos fueron también los lemas de las guerrillas de calabreses y apulianos contra la ocupación francesa y luego contra la unidad italiana. Clérigos y aventureros mandaban a los campesinos españoles en la guerra de guerrillas contra Napoleón. La Iglesia, el rey y un tradicionalismo tan extremado que ya resultaba extraordinario a principios del siglo XIX, inspiraron las guerrillas carlistas del país vasco, Navarra, Castilla, León y Aragón en su implacable lucha contra los liberales españoles en sucesivas guerras civiles. En 1810 los campesinos mexicanos iban guiados por la Virgen de Guadalupe. La Iglesia y el emperador combatieron a los bávaros y a los franceses bajo el mando del recaudador Andreas Hofer en el Tirol en 1809. Los rusos combatían en 1812-1813 por el zar y la santa ortodoxia. Los revolucionarios polacos en Galitzia sabían que su única posibilidad de

captarse a los campesinos ucranianos era a través de los sacerdotes ortodoxos griegos o uniatas, y fracasaron porque los campesinos prefirieron el
emperador a los caballeros. Fuera de Francia, en donde el republicanismo y
el bonapartismo captaron a una parte importante del campesinado entre 1791
y 1815 y en donde en muchas regiones la Iglesia se había debilitado mucho
ya antes de la revolución, había pocas zonas —éstas estaban constituidas
obviamente por regiones en las que la Iglesia era un gobernante extraño y
enojoso, como en la Romaña papal y Emilia— de lo que hoy llamaríamos el
«ala izquierda» de la agitación campesina. E incluso en Francia, la Bretaña
y la Vendée seguían siendo fortalezas populares del borbonismo. El hecho de
que los campesinados europeos no se alzaran con los jacobinos o liberales
—es decir, con los abogados, los tenderos, los administradores de fincas, los
empleados modestos, etc.— sentenció al fracaso la revolución de 1848 en
aquellos países en los que la Revolución francesa no les había dado la tierra
y en donde, poseyéndola, su miedo conservador a perderlo todo o su conformidad los mantuvo inactivos.

Desde luego, los campesinos no luchaban por el rey «real», a quien apenas conocían, sino por el ideal de un rey justo que, si las conociera, castiga-
ría las transgresiones de sus subordinados y señores; pero con frecuencia se
levantaban por la iglesia «real», pues el sacerdote rural era uno de ellos, los
santos eran ciertamente suyos y de nadie más, e incluso los representantes de
las decaídas propiedades eclesiásticas eran señores más tolerables que los
avaros seglares. En donde los campesinos tenían tierras y libertad, como en
el Tirol, en Navarra o (sin un rey) en los cantones católicos de la patria suiza de Guillermo Tell, su tradicionalismo era una defensa de su relativa libertad contra las intrusiones del liberalismo. Donde carecían de tierras o libertad
eran más revolucionarios. Cualquier llamamiento a resistir la conquista del
extranjero y el burgués, aunque fuese lanzado por el sacerdote o el rey, producía fácilmente no sólo el saqueo de las casas de los comerciantes y los
abogados de la ciudad, sino la marcha ceremoniosa con tambores, santos y
banderas, para ocupar y dividir la tierra, asesinar a los propietarios, raptar a
sus mujeres y arrojar a la hoguera los documentos legales. Pues, seguramente, el campesino era pobre y carecía de tierras contra el deseo de Cristo y del
rey. Este sólido cimiento de inquietud social revolucionaria era el que hacía
tan inseguro aliado de la reacción a los movimientos campesinos en las zonas
de servidumbre y vastas fincas, o en las zonas de propiedad excesivamente
pequeña y subdividida. Todo lo que necesitaban para pasar de un revolucionarismo legitimista a una verdadera ala izquierda era adquirir la certidumbre
de que el rey y la Iglesia se habían puesto al lado de los ricos locales, y que
un movimiento revolucionario de hombres como ellos mismos les hablara
con sus mismas palabras. El radicalismo populista de Garibaldi fue tal vez el
primero de esos movimientos, y los bandidos napolitanos lo aclamaron con
entusiasmo, al mismo tiempo que vitoreaban a la Santa Iglesia y a los Borbones. El marxismo y el bakuninismo iban a ser más efectivos. Pero el paso
de la rebelión campesina desde el ala derecha política al ala izquierda apenas

había empezado a producirse antes de 1848, pues el tremendo impacto de la economía burguesa sobre la tierra, que iba a convertir en epidémica la endémica rebeldía campesina, sólo empezaría a hacerse sentir pasada la primera mitad del siglo, y especialmente durante y después de la gran depresión agraria de 1880-1890.

IV

En muchos sitios de Europa, como hemos visto, la revolución legal vino como algo impuesto desde fuera y desde arriba, como una especie de terremoto artificial más bien que como el desmoronamiento de una tierra hacía tiempo reblandecida. Esto fue más evidente todavía donde se impuso a una economía enteramente no burguesa conquistada por burgueses, como en África y en Asia.

De este modo en Argelia, el conquistador francés cayó sobre una sociedad característicamente medieval con un sistema firmemente establecido y bastante floreciente de escuelas religiosas —se ha dicho que los soldados campesinos franceses eran mucho menos cultos que el pueblo que conquistaban—[22] financiadas por numerosas fundaciones piadosas.[23] Las escuelas, consideradas simplemente como semilleros de superstición, fueron cerradas; las tierras religiosas que las sostenían, vendidas por los europeos, que no comprendían ni su finalidad ni su inalterabilidad legal; y los maestros, normalmente miembros de las poderosas cofradías religiosas, emigraron a las zonas no conquistadas para fortalecer las fuerzas de la rebeldía mandadas por Abd-el-Kader. Empezó la sistemática conversión de la tierra en propiedad privada enajenable, aunque sus efectos no se harían sentir hasta mucho después. ¿Cómo iba a comprender el liberal europeo el complejo tejido de derechos y obligaciones públicos y privados que evitaba, en una región como la Cabilia, que la tierra cayera en una anarquía de propietarios de minúsculos terrenos y fragmentos de higueras?

Argelia apenas había sido conquistada en 1848. Vastas zonas de la India llevaban siendo administradas directamente por los ingleses durante más de una generación. Pero como ningún colono europeo deseaba adquirir tierra india, no se planteó problema alguno de expropiación. El impacto del liberalismo sobre la vida agraria de la India fue, en primer lugar, una consecuencia de la búsqueda por los gobernantes británicos de un método conveniente y efectivo de tributación rural. Fue su combinación de codicia e individualismo legal lo que produjo la catástrofe. La propiedad de la tierra en la India prebritánica era tan compleja como suele serlo en sociedades tradiciona-

22. M. Emerit, «L'état intellectuel et moral de l'Algérie en 1830», *Revue d'Histoire Moderne et Contemporaine*, I (1954), p. 207.
23. Estas tierras correspondían a las dadas a la Iglesia por razones caritativas o rituales en los países cristianos en la Edad Media.

les, pero no incambiables, sometidas periódicamente a conquistas extranjeras, pero apoyadas siempre sobre dos firmes pilares: la tierra pertenecía —*de jure* o *de facto*— a colectividades autónomas (tribus, clanes, aldeas, cofradías, etc.), y el gobierno percibía una parte proporcional de sus productos. Aunque algunas tierras eran en cierto sentido enajenables, algunas relaciones agrarias podían ser interpretadas como arrendamientos y algunos pagos rurales como alquileres, no existían de hecho ni terratenientes ni arrendatarios, ni tierras de propiedad individual ni alquiladas en sentido europeo. Era una situación enojosa e incomprensible para los administradores y gobernantes británicos que trataban de implantar el orden rural al que estaban acostumbrados. En Bengala, la primera gran zona bajo el gobierno directo de los ingleses, el tributo sobre la tierra del Imperio mogol se cobraba por una especie de agente o comisionista, el «zemindar». Seguramente —para los ingleses— éste debía de ser el equivalente al terrateniente británico que paga un impuesto fijo por el total de sus fincas, la clase a través de la cual debía de organizarse la recaudación, cuyo benéfico interés en la tierra debía de mejorarla y cuyo apoyo político a un régimen extranjero debía darle estabilidad. «Yo considero —escribía lord Teignmouth en la minuta de 18 de junio de 1789 que bosquejaba el "establecimiento permanente" de la renta de la tierra en Bengala— a los zemindares como los propietarios del suelo, a la propiedad del cual acceden por derecho de herencia ... El privilegio de disponer de la tierra por venta o hipoteca se deriva de este derecho fundamental...»[24] Variaciones de este llamado sistema zemindar se aplicaron a un 19 por 100 de las conquistas británicas posteriores en la India.

La codicia más que las conveniencias dictó el segundo tipo de sistema fiscal, que eventualmente cubrió más de la mitad de la India inglesa: el *ryotwari*. Aquí los gobernantes ingleses, considerándose los sucesores de un despotismo oriental que en su no del todo ingenuo concepto era el supremo señor de *toda* la tierra, intentaron la hercúlea tarea de hacer individual la tasa de tributación de cada campesino, considerándolo como un pequeño propietario rural o más bien un arrendatario. El principio que se ocultaba tras esto, expresado con la claridad habitual de un diestro funcionario, era el del liberalismo agrario en toda su pureza. En las palabras de Goldsmid y Wingate, pedía: «limitación de la responsabilidad conjunta a los pocos casos en que los campos se posean en común o hayan sido subdivididos por los coherederos; reconocimiento de la propiedad del suelo; perfecta libertad de acción con relación a los arriendos, subarriendos y ventas, garantizada a sus propietarios; facilidades para efectuar ventas o transferencias de tierras por el prorrateo del tributo sobre los campos».[25] La comunidad aldeana quedó completamente olvidada, a pesar de las fuertes objeciones de la Administración de Rentas de Madrás (1808-1818) que consideraba con razón que los convenios de impuestos colectivos con las comunidades aldeanas eran mucho más realis-

24. R. Dutt, *The Economic History of India under Early British Rule*, 4.ª ed., s. f., p. 88.
25. R. Dutt, *India and the Victorian Age*, 1904, pp. 56-57.

tas, aunque también (y muy típicamente) los defendía como la mejor garantía de la propiedad privada. El doctrinarismo y el afán de lucro ganaron, y «la merced de la propiedad privada» fue acordada al campesinado indio.

Sus desventajas fueron tan notorias que los colonos de las partes conquistadas u ocupadas con posterioridad en el norte de la India (que representaban cerca del 30 por 100 de la superficie de la India inglesa) volvieron a un sistema zemindar modificado, pero con algunas tentativas de reconocer las colectividades existentes, sobre todo en el Punjab.

La doctrina liberal se combinó con la rapacidad para dar otra vuelta al torno que oprimía a los campesinos, aumentando terriblemente la cuantía de la contribución. (La renta de la tierra de Bombay se duplicó a los cuatro años de la conquista de esta provincia en 1817-1818.) Las doctrinas de Malthus y de Ricardo sobre la renta sirvieron de base a las teorías para la India a través de la influencia del líder del utilitarismo James Mill. Esta doctrina consideraba los beneficios de la propiedad rural como un puro excedente que no tenía nada que ver con el valor. Aumentaban sencillamente, porque algunas tierras eran más fértiles que otras y estaban en poder —con cada vez más ruinosos resultados para la economía total— de los terratenientes. Por tanto, su confiscación no surtiría efectos para la riqueza de un país. Salvo quizá el de evitar el aumento de una aristocracia territorial capaz de arrendarlas a algunos negociantes para su explotación. En un país como Inglaterra, la fuerza política de los intereses agrarios habría hecho imposible una solución tan radical —que supondría una virtual nacionalización de la tierra—, pero en la India el despótico poder de un conquistador ideológico la impondría. Claro que en este punto se cruzaban dos líneas de argumentación liberal. Los administradores *whigs* del siglo XVIII y los más antiguos hombres de negocios opinaban con gran sentido común que los pequeños propietarios ignorantes nunca acumularían un capital agrícola, con el que hacer progresar la economía. Por tanto, eran partidarios de los convenios permanentes del tipo de los de Bengala, que estimulaban a una clase de terratenientes, fijaban para siempre el tipo de impuesto y favorecían el ahorro y el progreso. Los administradores utilitarios, acaudillados por el temible Mill, preferían la nacionalización de la tierra y una gran masa de pequeños propietarios campesinos al peligro de otra aristocracia de hacendados. Si la India hubiera sido como Inglaterra, la postura *whig* habría sido seguramente mucho más persuasiva, y después de la sublevación india de 1857 lo fue por razones políticas. Siendo la India como era, ambos puntos de vista eran igualmente irrelevantes para su agricultura. Además, con el desarrollo de la Revolución industrial en la metrópoli, los intereses regionales de la vieja Compañía de las Indias Orientales (que eran entre otros tener una floreciente colonia para explotar) estaban cada vez más subordinados a los intereses generales de la industria británica (los cuales eran, ante todo, tener a la India como mercado y fuente de ingresos, pero no como competidora). Por todo ello, la política utilitaria, que aseguraba un estricto control británico y unos impuestos mayores, fue preferida. El tradicional límite prebritánico de tributación era un tercio de los ingresos; el tipo básico para los impuestos británicos era la mitad. Sólo después de que el doctrinarismo utilitario llevó a un absoluto empobrecimiento y a la rebelión de 1857, la tributación se redujo a un tipo menos riguroso.

La aplicación del liberalismo económico a la tierra india ni creó un cuerpo de propietarios ilustrados ni un modesto campesinado vigoroso. Se limitó a introducir otro elemento de incertidumbre, otra compleja red de parásitos y explotadores de las aldeas (por ejemplo, los nuevos funcionarios del señorío británico),[26] un considerable cambio y concentración de propiedades, y un aumento de deudas y pobreza en los campesinos. En el distrito de Cawnpore (Uttar Pradesh) un 84 por 100 de las fincas pertenecían por herencia a sus propietarios en la época en que llegó la Compañía de las Indias. En 1840, el 40 por 100 de las fincas habían sido compradas por sus propietarios, y en 1872, el 62,6 por 100. Además, sobre unas 3.000 fincas o aldeas —aproximadamente unas tres quintas partes del total— que cambiaron de propietario en tres distritos de las provincias del noroeste (Uttar Pradesh) en 1846-1847, más de 750 habían sido adquiridas por los usureros.[27]

Habría mucho que decir del despotismo ilustrado y sistemático de los burócratas utilitarios que construyeron el Imperio británico en este período. Llevaron la paz, un gran incremento de los servicios públicos, eficacia administrativa, leyes excelentes, y un gobierno incorruptible en las altas jerarquías. Pero en el aspecto económico fracasaron de la manera más sensacional. De todos los territorios bajo la administración de gobiernos europeos o de tipo europeo —incluyendo la Rusia zarista— la India siguió siendo el más azotado por gigantescas y mortíferas hambres. Quizá —aunque faltan estadísticas del período primitivo— cada vez mayores a medida que el siglo avanzaba.

La única otra gran zona colonial (o ex colonial) en donde se intentó aplicar una legislación agraria liberal fue en América Latina, en donde la antigua colonización feudal de los españoles nunca había tenido prejuicios contra las pertenencias colectivas y comunales de los indios, mientras los colonos blancos dispusieran de toda la tierra que deseaban. Sin embargo, los gobiernos independientes procedieron a la liberación inspirada en la Revolución francesa y en las doctrinas de Bentham. Bolívar, por ejemplo, decretó la individualización de las tierras comunales en el Perú (1824), y la mayor parte de las nuevas repúblicas abolieron los mayorazgos al estilo de los liberales espa-

26. B. S. Cohn, «The Initial British Impact on India», *Journal of Asian Studies*, 19 (1959-1960), pp. 418-431, demuestra que los funcionarios del distrito de Benarés (Uttar Pradesh) aprovecharon su posición para adquirir grandes terrenos. De 74 propietarios de grandes fincas a finales de siglo, 23 debían el título de propiedad a sus conexiones con funcionarios civiles (p. 430).

27. Sulekh Chandra Gupta, «Land Market in the North Western Provinces (Uttar Pradesh) in the First Half of the Nineteenth Century», *Indian Economic Review*, IV (2 de agosto de 1958). Véase del mismo autor su trabajo iluminador y pionero titulado «Agrarian Background of 1857 Rebellion in the Northwestern Provinces», *Enquiry* (febrero de 1959), Nueva Delhi.

ñoles. La liberación de las tierras de la nobleza pudo llevar algunos cambios y dispersión de propiedades, aunque la vasta hacienda (estancia, finca, fundo) siguió siendo la unidad de propiedad territorial en casi todas las repúblicas. El ataque a la propiedad comunal fue del todo inefectivo. Ciertamente, no fue lanzado en serio hasta después de 1850. En realidad, la liberación de la política económica en los estados latinoamericanos seguía siendo tan artificial como la liberación de su sistema. En resumen, y a pesar del Parlamento, las elecciones, las leyes agrarias, etc., el contenido seguía siendo el mismo que antes.

V

La revolución en la propiedad rural fue el aspecto político de la disolución de la tradicional sociedad agraria; su invasión por la nueva economía rural y el mercado mundial, su aspecto económico. En el período 1787-1848 esta transformación económica era imperfecta todavía, como puede advertirse por las modestas cifras de emigración. Los ferrocarriles y buques de vapor apenas habían empezado a crear un único mercado agrícola mundial hasta la gran depresión agrícola de finales del siglo XIX. Por tanto, la agricultura local estaba muy al margen de las competencias internacionales y hasta de las interprovinciales. La competencia industrial apenas había chocado hasta ahora con el artesanado aldeano y los talleres domésticos, salvo quizá para obligar a algunos a que produjeran para mercados más amplios. Fuera de las comarcas en que triunfaba la agricultura capitalista, los nuevos métodos agrarios penetraban lentamente en las aldeas, aunque las nuevas cosechas industriales, sobre todo la del azúcar de remolacha —cuyo cultivo se extendió enormemente a causa de la discriminación napoleónica contra el azúcar de caña (británico)— y las de otros productos alimenticios nuevos, especialmente el maíz y la patata, hicieron sorprendentes avances. Hizo falta una extraordinaria coyuntura económica —la proximidad de una economía altamente industrial y el impedimento del desarrollo normal— para producir un verdadero cataclismo en una sociedad agraria por medios puramente económicos.

Tal coyuntura existió, y tal cataclismo ocurrió en Irlanda y en menor escala en la India. Lo que sucedió en la India fue sencillamente la virtual destrucción, en pocas décadas, de lo que había sido una floreciente industria doméstica y aldeana que aumentaba los ingresos rurales; en otras palabras, la desindustrialización de la India. Entre 1815 y 1832, el valor de los géneros de algodón indios exportados desde el país pasó de 1.300.000 libras esterlinas a menos de 100.000, mientras la importación de los géneros de algodón ingleses aumentó más de dieciséis veces. Ya en 1840 un observador prevenía contra los desastrosos efectos de convertir a la India «en el granero de Inglaterra, pues es un país fabril, cuyos diversos géneros de manufacturas existen desde hace mucho tiempo, sin que con ellos hayan podido competir en juego limpio los de otras naciones ... Reducirla a país agrícola sería una injusticia para la India».[28] La descripción era errónea; pues una manufactura incipiente había sido en la India, como en otros muchos países, una parte integrante de la economía agrícola en muchas regiones. Como consecuencia, la desindustrialización hacía al campesino más dependiente de la indecisa suerte de las cosechas.

La situación en Irlanda era más dramática. Aquí, una población de pequeños arrendatarios, económicamente atrasados e inseguros, vivía de los productos de la tierra y pagaba el máximo alquiler a un pequeño grupo de grandes terratenientes extranjeros y generalmente ausentes. Excepto en el noreste (Ulster), el país había sido desindustrializado hacía tiempo por la política mercantilista del gobierno británico que lo trataba como a una colonia, y más recientemente por la competencia de la industria británica. Una sola innovación técnica —la sustitución de ciertos tipos de cultivo por la patata—había hecho posible un aumento de población, pues una hectárea de tierra dedicada a la patata podía alimentar a muchas más personas que otra dedicada a pastos u otros productos. El hecho de que los terratenientes exigieran el máximo número de arrendatarios y luego también trabajo forzoso para cultivar las nuevas granjas que exportaban alimentos al mercado británico, estimuló la proliferación de pequeñas fincas: en 1841, en Connacht, el 64 por 100 de las fincas mayores tenían menos de tres hectáreas, sin contar el número desconocido de minúsculas fincas de menos de media hectárea. Así, durante el siglo XVIII y principios del XIX, los habitantes del país vivían con unas 10 o 12 libras de patatas diarias y —al menos hasta 1820— un poco de leche y de vez en cuando un arenque; la pobreza de la población irlandesa no tenía igual en toda la Europa occidental.[29]

Puesto que no había posibilidad de otro trabajo, por estar excluida la industrialización, el final de aquella evolución podía predecirse matemáticamente. Tan pronto como la población creciera más allá del límite de producción de patatas, se produciría una catástrofe. Los primeros síntomas aparecieron poco después de terminar las guerras con Francia. La disminución de alimentos y las epidemias empezaron otra vez a diezmar a un pueblo en el que el descontento de la masa agraria era perfectamente explicable. Las malas cosechas y las plagas de los años 1840 sólo proporcionaron el pelotón de ejecución a un pueblo ya condenado. Nadie sabe con exactitud las vidas humanas que costó la Gran Hambre Irlandesa de 1847, sin duda la mayor catástrofe humana de la historia europea durante nuestro período. Cálculos aproximados estiman que un millón de personas murió de hambre o a consecuencia del hambre y otro millón emigró de la atormentada isla entre 1846 y 1851. En 1820 Irlanda tenía unos siete millones de habitantes. En 1846 había llegado casi a los ocho y medio. En 1851 había quedado reducida a seis

28. R. P. Dutt, *India Today*, 1940, pp. 129-130.

29. K. H. Connell, «Land and Population in Ireland», *Economic History Review*, II, 3 (1950), pp. 285 y 288.

y medio y su población continuaba decreciendo a causa de la emigración. «Heu dira fames! —escribía un cura párroco, empleando el tono de los cronistas de remotos tiempos— Heu saeva hujus memorabilis anni pestilentia!»[30] en aquellos meses en que no se bautizó ningún niño en las parroquias de Galway y Mayo, porque no había nacido ninguno.

La India e Irlanda fueron quizá los países peores para los campesinos entre 1789 y 1848; pero nadie que hubiera tenido ocasión de escoger habría querido tampoco ser labrador en Inglaterra. Se reconoce por lo general que la situación de aquella clase infeliz empeoró notablemente en la década 1790-1800, en parte por la presión de las fuerzas económicas, en parte por el «sistema Speenhamland» (1795), un bienintencionado, pero equivocado intento de garantizar al labrador un jornal mínimo, mediante subsidios a los jornales bajos. Su principal efecto fue incitar a los granjeros a disminuir los jornales, y desmoralizar a los labradores. Sus débiles e ignorantes instintos de rebeldía pueden medirse por el aumento de transgresiones a las leyes de caza entre 1820 y 1830, por los incendios y daños contra la propiedad entre 1830 y 1840, pero sobre todo por el desesperado movimiento de «los últimos labradores», epidemia de motines que se extendió espontáneamente desde Kent por numerosos condados a finales de 1830 y fue reprimida con dureza feroz. El liberalismo económico proponía resolver el problema de los campesinos con su habitual manera expeditiva y cruel obligándoles a aceptar trabajo con jornales bajísimos o a emigrar. La nueva ley de pobres de 1834, un estatuto de insólita dureza, les proporcionaba el miserable consuelo de las nuevas «casas de trabajo» (en donde tenían que vivir separados de sus mujeres y sus hijos para apartarles de la costumbre sentimental y antimalthusiana de la procreación irreflexiva), privándoles de la garantía parroquial de un mínimo nivel de vida. El coste de la ley de pobres bajó drásticamente (aunque al menos un millón de ingleses permanecieron en la pobreza hasta el fin de nuestro período), y los labradores empezaron lentamente a entrar en acción. Como la agricultura estaba en decadencia, la situación de aquéllos continuaba siendo mísera y no mejoraría hasta después de 1850.

Los labradores jornaleros estaban muy mal en todas partes, aunque quizá no peor en las regiones más atrasadas y aisladas. El infortunado descubrimiento de la patata facilitó la caída de su nivel de vida en muchas zonas del norte de Europa, sin que se produjera una mejoría sustancial en su situación —en Prusia, por ejemplo— hasta 1850 o 1860. La situación del campesino autosuficiente era probablemente algo mejor, aunque la de los pequeños arrendatarios resultaba bastante desesperada también en épocas de hambre. Un país de campesinos como Francia fue probablemente menos afectado que los demás por la depresión agraria general que siguió a las guerras napoleónicas. Desde luego, un campesino francés que en 1840 mirara al otro lado del

---

30. S. H. Cousens, «Regional Death Rates in Ireland during the Great Famine», *Population Studies*, XIV, I (1960), p. 65.

Canal y comparase su situación y la del labrador inglés con el estado de cosas en 1788, no podría dudar de cuál de los dos había hecho el mejor negocio.[31] Entretanto desde la otra orilla del Atlántico, los granjeros americanos observaban a los campesinos del viejo mundo y se felicitaban de su buena fortuna de no pertenecer a ellos.

31. «Habiendo vivido mucho entre la clase campesina y labradora, tanto en mi patria como en el extranjero, debo decir que nunca he conocido una gente más educada, limpia, industriosa, frugal, sobria y mejor vestida que los campesinos franceses ... En este aspecto presentan un vivo contraste con una gran parte de los trabajadores agrícolas escoceses, que son excesivamente sucios y escuálidos; con muchos de los ingleses, que son serviles, tienen el ánimo quebrantado y escasos medios de vida; con los pobres irlandeses, semidesnudos y de condición salvaje...» (H. Colman, *The Agricultural and Rural Economy of France, Belgium, Holland and Switzerland*, 1948, pp. 25-26).

9. HACIA UN MUNDO INDUSTRIAL

Estos son verdaderos tiempos de gloria para los ingenieros.

JAMES NASMYTH, inventor del martinete de vapor [1]

Devant de tels témoins, o secte progressive,
Vantez-vous le pouvoir de la locomotive,
Vantez-vous le vapeur et les chemins de fer.

A. POMMIER [2]

I

Sólo una economía estaba industrializada efectivamente en 1848, la británica, y, como consecuencia, dominaba al mundo. Probablemente entre 1840 y 1850, los Estados Unidos y una gran parte de la Europa central habían cruzado o estaban ya en el umbral de la Revolución industrial. Ya era casi seguro que —como pensaba Richard Cobden hacia 1835—[3] en veinte años los Estados Unidos serían considerados como el más serio competidor de los ingleses, y que los alemanes apuntaban también a un rápido avance industrial. Pero los pronósticos no son realizaciones, por lo que en la década 1840-1850 la transformación industrial del mundo que no hablaba inglés era muy modesta todavía. Por ejemplo, en 1850 había un total de poco más de doscientos kilómetros de vías férreas en España, Portugal, Escandinavia, Suiza y toda la península balcánica, y menos todavía en todos los continentes no europeos juntos, con excepción de los Estados Unidos. Salvo Inglaterra y algunos pocos territorios fuera de ella, el mundo económico y social de 1840 no parecía muy diferente del de 1788. La mayor parte de la población del mundo seguía siendo campesina. En 1830 sólo había una ciudad industrial de más de un millón de habitantes (Londres), una de más de medio millón (París) y, fuera de Inglaterra, sólo diecinueve ciudades europeas de más de cien mil.

1. Citado en W. Armytage, *A Social History of Engineering*, 1961, p. 126.
2. Citado en R. Picard, *Le romantisme social*, 1944, segunda parte, cap. 6.
3. J. Morley, *Life of Richard Cobden*, edición de 1903, p. 108.

La lentitud del cambio en el mundo no británico significa que sus movimientos económicos continuaron, hasta el final de nuestro período, sometidos al antiguo ritmo de buenas y malas cosechas, más bien que al nuevo de alzas y bajas industriales. La crisis de 1857 fue probablemente la primera que tuvo trascendencia mundial y que debió su origen a otros acontecimientos, distintos de una catástrofe agraria. Este hecho tuvo las más importantes consecuencias políticas. El ritmo del cambio en zonas industriales y no industriales divergía entre 1780 y 1848.[4]

La crisis económica que incendió a una gran parte de Europa en 1846-1848 fue una depresión predominantemente agraria de estilo antiguo. En cierto sentido fue la última y quizá la peor catástrofe económica del *ancien régime*. No pasó lo mismo en Inglaterra, en donde la mayor catástrofe del período inicial del industrialismo ocurrió entre 1839 y 1842 por razones puramente «modernas», coincidentes con una caída de los precios de los cereales. El vértice de espontánea combustión social en Inglaterra se alcanzó en la huelga general, no planeada, de los cartistas, que estalló en el verano de 1842 (la llamada «conspiración de los tapones»). En la época en que se alcanzó dicho punto en los países continentales (1848), Inglaterra estaba sufriendo la primera depresión cíclica de la larga era de la expansión victoriana, y lo mismo pasaba en Bélgica, la otra economía más o menos industrial de Europa. Una revolución continental sin un correspondiente movimiento británico estaba condenada al fracaso, como preveía Marx. Lo que no pudo prever, en cambio, fue que el desnivel del desarrollo industrial entre la Gran Bretaña y el continente hacía inevitable que éste se alzara solo.

Sin embargo, lo que realmente cuenta en el período 1789-1848 no es que en muchos aspectos sus cambios económicos fueran pequeños, sino que en él se produjeran algunos fundamentales. El primero de éstos fue el demográfico. La población del mundo —y en especial la población del mundo inserto en la órbita de la doble revolución— había empezado aquella «explosión» sin precedentes que en el curso de 150 años multiplicaría su número. Como muy pocos países llevaban a cabo antes del siglo XIX el censo de sus habitantes, y los que lo hacían distaban de alcanzar la exactitud,[5] no podemos saber puntualmente con qué rapidez aumentó la población en este período, aunque es seguro que lo haría mucho más deprisa (salvo quizá en los países subpoblados, casi vacíos y con grandes zonas sin utilizar como Rusia) en las regiones más avanzadas económicamente. La población de los Estados Unidos (acrecida por la inmigración que estimulaban los ilimitados espacios y recursos de un continente) aumentó casi seis veces desde 1790 hasta 1850, pasando de cuatro a veintitrés millones de almas. La población del Reino Unido casi se duplicó entre 1800 y 1850, y casi se triplicó entre 1750 y 1850.

4. El triunfo mundial del sector industrial tendía una vez más a hacerlo converger, aunque de manera diferente.

5. El primer censo británico se hizo en 1801, pero el primero verdaderamente bien hecho fue el de 1831.

La de Prusia (fronteras de 1846) casi se duplicó entre 1800 y 1846, como la de la Rusia europea (sin Finlandia). Las poblaciones de Suecia, Noruega, Dinamarca, Holanda y gran parte de Italia, casi se duplicaron entre 1750 y 1850, aunque aumentaron a un ritmo menos extraordinario durante nuestro período; las de España y Portugal aumentaron en un tercio.

Fuera de Europa estamos peor informados, aunque parece que la población de China aumentó con rapidez en el siglo XVIII y principios del XIX, hasta que la intervención europea y el tradicional movimiento cíclico de la historia política china produjo la quiebra de la floreciente administración de la dinastía manchú que alcanzó la cumbre de su efectividad en este período.[6] En América Latina probablemente aumentó con un ritmo comparable al de España.[7] No hay indicios del aumento de población en otras partes de Asia. En África probablemente permaneció estable. Sólo algunos espacios vacíos, poblados por colonos blancos, aumentaron de población de manera extraordinaria, como por ejemplo Australia, que en 1790 no tenía apenas habitantes blancos y en 1851 contaba con medio millón.

Este notable aumento de población estimulaba mucho, como es natural, la economía, aunque debemos considerar esto como una consecuencia, más que como una causa exógena de la revolución económica, pues sin ella no se hubiera mantenido un ritmo tan rápido de crecimiento de población más que durante un período limitado. (En efecto, en Irlanda, donde no lo favorecía una constante revolución económica, no se mantuvo.) También producía más trabajo, sobre todo más trabajo joven, y más consumidores. El mundo de nuestro período era mucho más joven que el de otras épocas: estaba lleno de niños y de parejas jóvenes o gentes en la primavera de la vida.

El segundo gran cambio fue el de las comunicaciones. En 1848 los ferrocarriles estaban todavía en su infancia, aunque ya tenían una considerable importancia práctica en Inglaterra, los Estados Unidos, Bélgica, Francia y Alemania, pero aun antes de su introducción, el mejoramiento de las vías de comunicación antiguas era sorprendente. El Imperio austríaco, por ejemplo (sin contar a Hungría), abrió unos 50.000 kilómetros de carreteras y caminos entre 1830 y 1847, lo que suponía un incremento de dos y un tercio sobre los ya existentes.[8] Bélgica casi duplicó los suyos entre 1830 y 1850, e incluso España, gracias principalmente a la ocupación francesa, casi duplicó su diminuta red de carreteras. Los Estados Unidos, como siempre más gigantescos en todas sus actividades que ningún otro país, multiplicaron su red de caminos para diligencias más de ocho veces, aumentando de 21.000 millas en 1800 a 170.000 en 1850.[9] Mientras Inglaterra creaba su sistema de canales,

6. El habitual ciclo dinástico en China duraba 300 años. La dinastía manchú llegó al poder a mediados del siglo XVII.

7. R. Barón Castro, «La población hispanoamericana», *Journal of World History*, V (1959-1960), pp. 339-340.

8. J. Blum, «Transportation and Industry in Austria 1815-1848», *Journal of Modern History*, XV (1943), p. 27.

9. Mulhall, *op. cit.*, *Correos*.

Francia construía 2.000 millas de ellos (1800-1847) y los Estados Unidos abrían vías navegables tan cruciales como el Erie, el Chesapeake y Ohio. El total de tonelaje de navegación del mundo occidental se duplicó entre 1800 y 1840, y ya los barcos de vapor unían a Inglaterra y Francia desde 1822 y subían y bajaban por el Danubio. (En 1840 había sólo unas 370.000 toneladas de barcos de vapor por nueve millones de veleros, pero de hecho estos últimos sólo representaban una sexta parte de la capacidad de transporte.) También en este aspecto los Estados Unidos superaban al resto del mundo, disputando incluso a Inglaterra la posesión de la mayor flota mercante.[10]

No se debe subestimar el gran aumento de velocidad y capacidad de transporte conseguido. Sin duda, el servicio de carruajes que llevó al zar de todas las Rusias desde San Petersburgo hasta Berlín en cuatro días (1834) no podía ser utilizado por los demás mortales, pero sí el nuevo y veloz sistema de postas (copiado de los franceses y los ingleses) que desde 1824 llevaba de Berlín a Magdeburgo en quince horas en vez de en dos días y medio. El ferrocarril y el brillante invento de Rowland Hill de las tarifas postales en 1839 (perfeccionado con la invención de los sellos adhesivos en 1841) multiplicó los correos; pero incluso antes de ambos inventos, y en países menos adelantados que Inglaterra habían aumentado mucho: entre 1830 y 1840 el número de cartas enviadas anualmente en Francia aumentó de 64 a 94 millones. Los barcos no sólo eran más veloces y seguros, sino que también su capacidad de carga era mayor.[11]

Sin duda, todas estas mejoras técnicas no fueron tan profundamente eficaces como los ferrocarriles, aunque los magníficos puentes tendidos sobre los ríos, las grandes vías navegables y los muelles, los espléndidos vapores que se deslizaban como cisnes por el agua, y las nuevas y elegantes diligencias fueron y siguen siendo algunos de los más hermosos productos de la industria. Y al mismo tiempo, como medio de facilitar el viaje y el transporte, de unir las ciudades y los campos, y las regiones pobres y ricas, resultaron de gran eficacia. El aumento de población les debió mucho, pues lo que en los tiempos preindustriales la mantenía baja no era tanto la alta mortalidad, sino las periódicas catástrofes —a menudo muy localizadas— de escasez y hambre. Si el hambre se hizo menos amenazadora en el mundo occidental durante aquel período (salvo años de casi universal pérdida de cosecha como en 1816-1817 y en 1846-1848) se debió, en gran parte, a las mejoras en los transportes y también, desde luego, a la mejoría general en la eficacia del gobierno y la administración (véase cap. 10).

El tercer gran cambio fue, bastante naturalmente, el gran aumento de comercio y migración, aunque no en todas partes. Por ejemplo, no hay pruebas de que los campesinos de la Calabria o la Apulia estuvieran preparados para emigrar, ni que el conjunto de productos llevados anualmente a la gran

10. Los Estados Unidos casi lograron su objetivo en 1860, antes de que los barcos de hierro volvieran a dar la supremacía a Inglaterra.
11. Mulhall, *op. cit.*

feria de Nijni Novgorod aumentara excesivamente.[12] Pero tomando al mundo de la doble revolución como un todo, el movimiento de hombres y productos tenía el ímpetu de un terremoto. Entre 1816 y 1850, unos cinco millones de europeos abandonaron sus países natales (casi cuatro quintas partes de ellos para trasladarse a las Américas), y dentro de los propios países las corrientes de migración interna eran mayores aún. Entre 1780 y 1840 el comercio internacional del mundo occidental en su conjunto se triplicó; entre 1780 y 1850 se multiplicó por más de cuatro veces. En comparación con épocas posteriores, todo esto era, sin duda, muy modesto,[13] pero por entonces debía de parecer a los contemporáneos algo muy superior a sus más fantásticos sueños.

II

A partir de 1830 —el momento crítico que el historiador de nuestro período no debe perder de vista cualquiera que sea su particular campo de estudio— los cambios económicos y sociales se aceleran visible y rápidamente. Fuera de Inglaterra, el período de la Revolución francesa y de sus guerras trajo relativamente pocos adelantos inmediatos, excepto en los Estados Unidos que siguieron adelante después de su guerra de independencia, duplicando sus áreas cultivadas en 1810, multiplicando por siete su flota mercante y demostrando, en general, sus futuras capacidades. (No sólo el almarrá, sino el barco de vapor, el temprano desarrollo de una producción mecanizada —el molino harinero de correas de transmisión de Oliver Evans— son avances norteamericanos de aquella época.) Los cimientos de una gran parte de la futura industria (sobre todo de la industria pesada) se habían puesto en la Europa napoleónica, pero no sobrevivieron mucho al fin de las guerras, que produjo una gran crisis en todas partes. Todo el período 1815-1830 fue de retroceso o al menos de lenta recuperación. Los estados pusieron en orden sus finanzas, generalmente por una rigurosa deflación. (Los rusos fueron los últimos en efectuarla en 1841.) Las industrias se tambalearon bajo los soplos de la crisis y la competencia extranjera; la industria norteamericana del algodón sufrió un rudo golpe. La urbanización era lenta: hasta 1828 la población rural francesa aumentaba más deprisa que la de las ciudades. La agricultura languidecía, especialmente en Alemania. Nadie que observe el crecimiento económico de este período, aun fuera de la formidablemente expansiva economía británica, se inclinaría al pesimismo; pero pocos juzgarían que cualquier otro país, aparte de Inglaterra y quizá de los

12. P. A. Khromov, *Ekonomicheskoe Razvitie Rossii v XIX-XX Vekakh*, 1950, cuadro 19, pp. 482-483. Pero el conjunto de las ventas subió mucho más deprisa. Cf. también J. Blum, *Lord and Peasant in Russia*, p. 287.

13. Así, entre 1850 y 1888 emigraron veintidós millones de europeos, y en 1889 el comercio internacional total aumentó hasta cerca de 3.400 millones de libras esterlinas. En 1840 había sido menos de 600.

Estados Unidos, estaba en el umbral de la Revolución industrial. Para dar una idea de la nueva industria, diremos que fuera de Inglaterra, los Estados Unidos y Francia, el número de máquinas de vapor y el conjunto de su potencia en el resto del mundo apenas merecía en la década 1820-1830 la atención de los estadísticos.

Después de 1830, la situación cambió rápida y drásticamente; tanto que hacia 1840 los problemas característicos del industrialismo —el nuevo proletariado, los horrores de una vertiginosa emigración del campo a la ciudad, etc.— eran objeto de serias discusiones en Europa occidental y constituían la pesadilla de todos los gobernantes y economistas. El número de máquinas de vapor en Bélgica se duplicó y sus caballos de fuerza se triplicaron, entre 1830 y 1838: de 354 (con 11.000 HP) a 712 (con 30.000). En 1850 el pequeño, pero para entonces muy pesadamente industrializado país, tenía casi 2.300 máquinas y 66.000 caballos de fuerza,[14] y casi seis millones de toneladas de producción de carbón (cerca de tres veces más que en 1830). En 1830 no había compañías mineras en Bélgica; en 1841 casi la mitad del carbón extraído pertenecía a tales empresas.

Sería monótono citar datos análogos en Francia, los estados germánicos, Austria y los otros países o zonas en los que se habían echado los cimientos de la industria moderna en aquellos veinte años: por ejemplo, en Alemania, los Krupp instalaron su primera máquina de vapor en 1835, las primeras chimeneas de los grandes campos carboníferos del Rur se levantaron en 1837, el primer horno de cok se instaló en el gran centro siderúrgico checo de Vitkovice en 1836, y el primer laminador de Falck en Lombardía en 1839-1840. Con la excepción de Bélgica y quizá Francia, el monótono período de verdadera industrialización en masa no se produjo hasta después de 1848. El período 1830-1848 señala el nacimiento de las zonas industriales, de los famosos centros y firmas cuyos nombres se han hecho familiares al mundo desde entonces, aunque sólo más tarde alcanzarían su adolescencia y su madurez. Mirando a aquellos años, comprendemos lo que significó aquella atmósfera de excitantes experimentos técnicos, de inquietantes empresas innovadoras. Significó la apertura del Medio Oeste norteamericano, aunque la primera segadora mecánica de Cyrus McCormick (1834) y los primeros dos mil quinientos litros de trigo enviados hacia el este desde Chicago en 1838 sólo tendrían sitio en la historia a causa de lo que significaron después de 1850. En 1846 la factoría que se arriesgó a fabricar cien segadoras mecánicas fue muy felicitada por su audacia: «Era realmente difícil encontrar socios con suficiente arrojo, decisión y energía para emprender la peligrosa hazaña de construir segadoras mecánicas, y quizá más difícil aún convencer a los granjeros de la conveniencia de segar con ellas sus mieses o, por lo menos, de que mirasen con buenos ojos la novedad».[15] Significó la sistemática creación de los ferrocarriles y las industrias pesadas de Europa, e incidentalmente, una

14.   R. E. Cameron, *op. cit.*, p. 347.
15.   Citado en S. Giedion, *Mechanisation Takes Command*, 1948, p. 152.

revolución en las técnicas de las inversiones; pero si los hermanos Pereire no se hubieran convertido en los grandes aventureros de las finanzas industriales después de 1851, prestaríamos poca atención al proyecto de «*una oficina de préstamos e hipotecas* en la que la industria recibiría préstamos de todos los capitalistas en las condiciones más favorables por mediación de los más ricos banqueros que actuarían como fiadores», proyecto que inútilmente sometieron al nuevo gobierno francés en 1830.[16]

Como en Inglaterra, los artículos de consumo —generalmente los textiles, pero también algunas veces los alimenticios— guiaban aquellos brotes de industrialización; pero los productos principales —hierro, acero, carbón, etc.— eran ya más importantes que en la primitiva Revolución industrial inglesa: en 1846, el 17 por 100 de los empleos industriales en Bélgica estaban en esas grandes industrias, contra un 8,5 por 100 en Inglaterra. En 1850 tres cuartas partes de toda la fuerza de vapor industrial de Bélgica se utilizaban en la minería y en la metalurgia.[17] En cambio, en Inglaterra, la proporción de nuevos establecimientos industriales —fábrica, fragua o mina— era más bien pequeña, rodeada por una maleza de trabajo subcontratado barato y no revolucionado técnicamente, que aumentaba con las demandas de las fábricas y los mercados y que acabaría siendo destruido por los ulteriores avances de unas y otros. En Bélgica (1846) el término medio de obreros en una fábrica de tejidos de lana y algodón era de 30, 35 y 43, mientras en Suecia (1838) el promedio por factoría textil era de 6 o 7.[18] Por otra parte, hay indicios de una mayor concentración que en Inglaterra, como era de esperar en donde la industria se desarrolló después, a veces como un enclave en ambientes agrarios, utilizando la experiencia de los primeros explotadores, basada en una técnica mucho más depurada, y con frecuencia gozando de una gran ayuda por parte de los gobiernos. En Bohemia (1841), tres cuartas partes de las máquinas de hilar algodón fueron colocadas en fábricas de tejidos con cien obreros, y casi la mitad en quince fábricas con más de doscientos trabajadores cada una.[19] (Por lo demás, hasta después de 1850, casi todo el tejido se hacía en telares manuales.) En cuanto a la industria pesada el promedio de obreros en las fundiciones belgas (1838) era de ochenta, en las minas de carbón (1846) de unos ciento cincuenta;[20] sin mencionar a los gigantes industriales como la Cockerill de Seraing, que empleaba a dos mil hombres.

El paisaje industrial parecía una serie de lagos salpicados de islas. Si tomamos el país, en general, como el lago, las islas representan ciudades industriales, complejos rurales (como las redes de aldeas artesanas tan fre-

16. R. E. Cameron, *op. cit.*, pp. 115 ss.
17. R. E. Cameron, *op. cit.*, p. 347; W. Hoffmann, *The Growth of Industrial Economies*, 1958, p. 71.
18. W. Hoffmann, *op. cit.*, p. 48; Mulhall, *op. cit.*, p. 377.
19. J. Purs, «The Industrial Revolution in the Czech Lands», *Historica*, II (1960), pp. 199-200.
20. R. E. Cameron, *op. cit.*, p. 347; Mulhall, *op. cit.*, p. 377.

cuentes en la Alemania central y en las montañas de Bohemia) o zonas industriales: ciudades textiles como Mulhouse, Lille o Ruán en Francia, Elberfeld-Barmen (la patria chica de la piadosa familia algodonera de Friedrich Engels) o Krefeld en Prusia y las del sur de Bélgica o Sajonia. Si tomamos la amplia masa de artesanos independientes, aldeanos que preparan sus productos durante el invierno, y trabajadores a domicilio o fuera, como un lago, las islas representan hilanderías, fábricas, minas y talleres de fundición de diferentes tamaños. El conjunto del paisaje tenía todavía mucha agua, o —para adaptar más la metáfora a la realidad— seguían existiendo pantanos de producción dependiente o que rodeaban a los centros comerciales e industriales, las industrias domésticas fundadas antaño como dependencias feudales en pequeña escala. En su mayor parte —como por ejemplo, la industria del lino en Silesia— estaban en rápido y trágico declive.[21] Las grandes ciudades apenas estaban industrializadas, aunque mantenían una gran población de trabajadores y artesanos, que servían a las necesidades de consumo, transportes y otros servicios generales. De las ciudades del mundo con más de cien mil habitantes, aparte de Lyon, sólo las inglesas y americanas tenían verdaderos centros industriales: Milán, por ejemplo, tenía sólo dos pequeñas máquinas de vapor en 1841. En realidad, tanto en Inglaterra como en el continente, el centro industrial típico era una ciudad pequeña o mediana o un complejo de pueblos.

Sin embargo, en un aspecto importante la industrialización continental —y también en cierto modo la norteamericana— difería de la británica. Las condiciones previas para su espontáneo desarrollo por empresas privadas no eran muy favorables. Como hemos visto, en Inglaterra no había, después de unos doscientos años de lenta preparación, una escasez real de ninguno de los factores de producción ni obstáculos institucionales para el desarrollo del capitalismo. En otros sitios no pasaba igual. En Alemania, por ejemplo, existía una falta manifiesta de capital: la gran modestia del nivel de vida de las clases medias (hermosamente transformado en la encantadora austeridad de la decoración interior de Biedermayer) lo demuestra. Se suele olvidar que, para el nivel de vida de sus contemporáneos alemanes, la casa de Goethe en Weimar —que correspondía o quizá superaba un poco el nivel de bienestar de la de los modestos banqueros de la secta británica Clapham— era la de un hombre acaudalado. En 1820 las damas de la corte, e incluso las princesas, llevaban en Berlín sencillos vestidos de percal durante todo el año; si tenían alguno de seda lo reservaban para las grandes ocasiones.[22] El tradicional sistema gremial de maestro, oficial y aprendiz, se alzaba todavía en el camino de las empresas importantes, de la movilidad y perfección del trabajo y de todo cambio económico: la obligación para el trabajador de pertenecer a un gremio o corporación se abolió en Prusia en 1811, aunque no las

21. H. Kisch, «The Textile Industries in Silesia and the Rhineland», *Journal of Economic History*, XIX (diciembre de 1959).
22. O. Fischel y M. V. Boehn, *Die Mode, 1818-1842*, Munich, 1924, p. 136.

corporaciones, cuyos miembros estaban, además, políticamente reforzados por la legislación municipal de la época. La producción corporativa permaneció casi intacta hasta 1830-1840. La plena aplicación del *Gewerbefreiheit* tendría que aguardar hasta después de 1850.

La multiplicidad de pequeños estados, cada uno con sus peculiares intereses y sus controles, contribuía a impedir el desenvolvimiento racional. Sólo la creación de una unión aduanera (con la exclusión de Austria) lograda por Prusia en beneficio de sus intereses y bajo la presión de su posición estratégica entre 1818 y 1834, constituyó un triunfo. Cada gobierno, mercantilista y paternal, abrumaba con su vigilancia y supervisión administrativa a los humildes súbditos, para beneficio de la estabilidad social, pero también para desesperación de los empresarios privados. El Estado prusiano controlaba la calidad y el precio de la mano de obra, las actividades de la industria doméstica de tejidos de lino en Silesia, y las operaciones de los propietarios de minas en la orilla derecha del Rin. Se requería un permiso gubernamental para poder abrir una mina, permiso que podía anularse una vez comenzada la explotación.

Es natural que en tales circunstancias (y otras por el estilo en los demás países) el desarrollo industrial se verificara de manera muy distinta que en Inglaterra. En todo el continente los gobiernos tuvieron mucha mayor parte en él, no sólo por costumbre, sino también por necesidad. Guillermo I, rey de los Países Bajos, fundó en 1822 la Sociedad General para favorecer la Industria Nacional de los Países Bajos, dotada con tierras del Estado; un 40 por 100 de sus acciones fueron adquiridas por el rey y un 5 por 100 se garantizó para todos los demás suscriptores. El Estado prusiano continuaba explotando una gran proporción de las minas del país. Sin excepción alguna, los nuevos sistemas ferroviarios eran planeados por los gobiernos, y si no construidos por ellos, sí estimulados por el otorgamiento de condiciones favorables y la garantía de las inversiones. En realidad, Inglaterra es, hasta la fecha, el único país cuya red ferroviaria se construyó totalmente por la iniciativa privada, que corrió todos los riesgos —y obtuvo todos los beneficios— sin el estímulo de bonificaciones ni garantías para los inversionistas y empresarios. La primera y mejor planeada de estas redes fue la belga, proyectada en el primer tercio del siglo para separar al nuevo país independiente del sistema de comunicaciones (principalmente navegables) de Holanda. Las dificultades políticas y la resistencia de la *grande bourgeoisie* conservadora a cambiar su seguridad por inversiones especulativas, aplazó la construcción sistemática de la red ferroviaria francesa, aprobada por la Cámara en 1833; la escasez de recursos demoró la de Austria, que el Estado decidió construir en 1842, y los proyectos prusianos.

Por razones parecidas, las empresas continentales dependían mucho más que las inglesas de una moderna legislación comercial y bancaria y de un aparato financiero. La Revolución francesa había proporcionado una y otro: los códigos napoleónicos, con su fuerte garantía legal para la libertad contractual, su reconocimiento de las letras de cambio y otros documentos mercantiles, y sus medidas para fortalecer las empresas (como la sociedad anónima y la comanditaria, adoptadas por toda Europa, salvo Inglaterra y Escandinavia) se habían convertido en modelos para todo el mundo. Además, los proyectos de financiación industrial surgidos del fértil cerebro de aquellos jóvenes revolucionarios sansimonianos, los hermanos Pereire, fueron muy bien recibidos en el extranjero. Su mayor triunfo tendría que esperar a la era de prosperidad mundial de la década 1850-1860; pero ya hacia 1830 la Sociedad General belga empezó a practicar inversiones bancarias del tipo preconizado por los Pereire, y los financieros holandeses (aunque no escuchados por la mayor parte de los hombres de negocios) adoptaron las ideas sansimonianas. En esencia, estas ideas apuntaban a movilizar una variedad de recursos de capital doméstico que no hubieran ido espontáneamente al desarrollo industrial, y cuyos dueños no habrían sabido cómo y en qué invertir de haber deseado hacerlo, a través de bancos y trusts de inversiones. A partir de 1850 ello produjo el característico fenómeno continental (especialmente alemán) de la gran actividad de los bancos, más como inversionistas que como banqueros, con lo que dominaron la industria y facilitaron su concentración.

III

No obstante, en el desarrollo económico de este período hay una gigantesca paradoja: Francia. Sobre el papel, ningún país debería haber avanzado más velozmente. Como acabamos de ver, poseía unas instituciones idealmente aptas para el desarrollo capitalista. El ingenio y la inventiva de sus hombres de negocios no tenían igual en Europa. Los franceses inventaron o aplicaron por primera vez el sistema de grandes almacenes, la publicidad y, guiados por la supremacía de la ciencia francesa, cualquier clase de innovaciones y descubrimientos técnicos, como la fotografía (con Nicephore Nièpce y Daguerre), la fabricación de soda de Leblanc, el blanqueado con cloro de Berthollet, la galvanoplastia, la galvanización, etc. Los financieros franceses eran los más imaginativos del mundo. El país poseía grandes reservas de capital que exportaba, ayudado por su experiencia técnica, a todo el continente, e incluso, después de 1850, a Inglaterra, para negocios como el de la London General Omnibus Company de Londres. En 1847 unos 2.250 millones de francos habían salido al extranjero,[23] cantidad sólo superada por Inglaterra, y astronómicamente superior a las de otros países. París era un centro financiero internacional casi tan importante como Londres, y en épocas de crisis, como la de 1847, más importante todavía. Una empresa francesa fundó las compañías de gas en Europa en la década 1840-1850 —entre otras las de Florencia, Venecia, Padua y Verona— y consiguió autorización para fundarlas en toda España, en Argelia, en El Cairo y en Alejandría. El capital francés estaba a punto de financiar los ferroca-

23. R. E. Cameron, *op. cit.*, pp. 79 y 85.

rriles de todo el continente europeo, menos los de Alemania y Escandinavia.

A pesar de todo ello, el desarrollo económico de Francia era de hecho mucho más lento que el de otros países. Su población crecía despacio, sin grandes saltos. Sus ciudades —excepto París— se extendían modestamente e incluso algunas parecieron achicarse en 1830-1840. Su potencia industrial a finales de la década 1840-1850 era, sin duda, mayor que la de todos los demás países continentales —poseía muchos más caballos de vapor que todos ellos juntos—, pero había perdido terreno en relación con Inglaterra y estaba a punto de perderlo también con relación a Alemania. En realidad, y a pesar de su preponderancia y su temprana puesta en marcha, Francia nunca fue una gran potencia industrial comparable a Inglaterra, Alemania y los Estados Unidos.

La explicación de esta paradoja está, como ya hemos visto (véanse páginas 77-78), en la misma Revolución francesa, que perdió con Robespierre mucho de lo que ganara con la Asamblea Constituyente. La parte capitalista de la economía francesa era una superestructura alzada sobre la inconmovible base del campesino y la pequeña burguesía. Los labriegos libres, pero sin tierras, merodeaban por las ciudades; los productos baratos que hacían la fortuna de los industriales progresivos en todas partes, carecían de un mercado lo suficientemente amplio. Había mucho capital ahorrado, ¿pero por qué iba a invertirse en la industria nacional?[24] El prudente empresario francés preferÍa fabricar productos de lujo a productos para ser consumidos por las masas; el financiero prudente prefería promover industrias en el extranjero que en su país. La iniciativa privada y el progreso económico sólo van juntos cuando éste proporciona a aquélla beneficios más altos que otras formas de negocio. En Francia no ocurría así, aunque a través de Francia se fertilizaba el crecimiento económico de otros países.

Completamente opuesta a la de Francia era la actitud de los Estados Unidos. El país sufría una escasez de capital, pero estaba dispuesto a importar en grandes cantidades, e Inglaterra dispuesta a exportarlas. También padecía gran escasez de mano de obra, pero las islas británicas y Alemania exportaron el excedente de su población —millones de seres— después de la gran hambre de los años 1840. Faltaban hombres técnicamente expertos; pero hasta ellos —algodoneros de Lancashire, mineros de Gales y metalúrgicos— podían importarse del sector industrializado del mundo, y ya la característica destreza norteamericana para inventar máquinas que ahorrasen y simplificasen el trabajo había dado abundantes señales de vida. En los Estados Unidos faltaban simplemente colonos y transportes para abrir territorios y alumbrar sus recursos, al parecer interminables. El simple proceso de expansión interna fue suficiente para dar a su economía un crecimiento casi ilimitado, aunque los colonos americanos, los gobiernos, los misioneros y los mercaderes ya se habían expandido hacia el Pacífico o impulsaban su comer-

---

24. El clásico estudio es G. Lefebvre, *La Révolution française et les paysans*, 1932, reimpreso en *Études sur la Révolution française*.

cio —respaldado por la dinámica segunda flota mercante del mundo— a través de los océanos, desde Zanzíbar hasta Hawai. Ya el Pacífico y el Caribe habían sido elegidos como zonas de influencia económica norteamericana. Todas las instituciones de la nueva república estimulaban la decisión, el talento y la iniciativa privada. Una vasta población nueva, instalada en las ciudades del litoral y en los recién ocupados estados del interior, exigía a su vez personal apto para el trabajo, ajuar de casa, herramientas y máquinas, constituyendo un mercado de homogeneidad ideal. Las necesidades de invención e iniciativa eran grandes y sucesivamente acudieron a servirlas los inventores del barco de vapor (1807-1813), de la humilde tachuela (1807), la máquina atornilladora (1809), la dentadura artificial (1822), el alambre aislante (1827-1831), el revólver (1835), la idea de las máquinas de escribir y de coser (1843-1846), la rotativa (1846) y una serie de piezas de maquinaria agrícola. Ninguna economía progresó más rápidamente que la norteamericana en aquel período, aunque su insólito crecimiento se produciría después de 1860.

Sólo un gran obstáculo surgió en el camino de la conversión de los Estados Unidos en la potencia económica mundial que pronto sería: el conflicto entre el norte, industrial y granjero, y el sur, semicolonial. Mientras el norte se beneficiaba del capital, el trabajo y la técnica de Europa —y sobre todo de Inglaterra— como una economía independiente, el sur (que importaba pocos de aquellos recursos) era una economía típicamente dependiente de Inglaterra. Su fortuna al poder proporcionar a las fábricas de Lancashire casi todo el algodón que necesitaban perpetuaba su dependencia, lo mismo que la lana y la carne perpetuarían las de Australia y Argentina. El sur era partidario del libre cambio, lo que le permitía vender a Inglaterra y a su vez comprarle productos baratos; el norte, casi desde el principio (1816), protegía fuertemente a los industriales frente a cualquier extranjero —por ejemplo, el inglés— que pretendiera perjudicarlos. El norte y el sur competían por los territorios del oeste —éste para sus plantaciones de esclavos y el mantenimiento de su orgullo aristocrático; aquél para sus segadoras mecánicas y grandes mataderos—, pero hasta la construcción del ferrocarril transcontinental, el sur por dominar el delta del Mississippi a través del cual el Medio Oeste tenía su salida al exterior, dispuso de las mejores cartas para la partida económica. Hasta después de la guerra civil de 1861-1865 —que supondría, en efecto, la unificación de Norteamérica bajo el capitalismo nordista— no se asentó el futuro de la economía norteamericana.

El otro futuro coloso de la economía mundial, Rusia, todavía era desdeñable económicamente, aunque algunos observadores perspicaces ya predecían que por su enorme tamaño, población y recursos materiales, estaba llamada a ser más tarde o más temprano una verdadera gran potencia. Las minas y las fábricas creadas por los zares del siglo XVIII con terratenientes feudales como patronos y con siervos como obreros, declinaban lentamente. Las nuevas industrias —trabajos textiles domésticos o en pequeña escala— sólo empezaron su verdadera expansión a partir de 1860. Incluso la exportación de cereales al oeste desde las fértiles tierras negras de Ucrania progresaba muy despacio. La Polonia rusa estaba un poco más adelantada, pero como el resto de la Europa oriental, desde Escandinavia en el norte hasta la península balcánica en el sur, la época de la gran transformación económica no había llegado todavía. Ni tampoco en el sur de Italia y en España, excepto en algunas pequeñas comarcas de Cataluña y el país vasco. Hasta en el norte de Italia, en donde los cambios económicos fueron mucho mayores, el adelanto era mayor en la agricultura (que siempre fue en esta región el factor más atractivo para las inversiones de capital y las empresas de negocios), en el comercio y en las navegaciones que en las manufacturas. El desarrollo de éstas lo dificultaba en toda la Europa meridional la escasez de carbón, que entonces era todavía la única fuente importante de la potencia industrial.

Así, una parte del mundo ascendía hacia el poderío industrial, mientras la otra se rezagaba. Pero ambos fenómenos no estaban desvinculados uno de otro. El estancamiento económico, la inercia y hasta el retroceso, eran productos del avance económico. Pues, ¿cómo las economías relativamente atrasadas podrían resistir la fuerza —o, en ciertos casos, la atracción— de los nuevos centros de riqueza, industria y comercio? La inglesa y algunas otras zonas europeas podían vender a menor precio que todos sus competidores. Aspiraban a ser el «taller» del mundo. Nada parecía más natural que el que los países menos adelantados se limitaran a producir alimentos y quizá minerales, cambiando tales productos no competidores por las manufacturas inglesas o de otros países de la Europa occidental. «El sol es vuestro carbón», decía Richard Cobden a los italianos.[25] En donde el poder local estaba en manos de grandes terratenientes o de granjeros o rancheros progresistas, el cambio resultaba conveniente para ambas partes. Los propietarios de las plantaciones cubanas eran felices ganando dinero con su azúcar e importando los productos extranjeros que permitían a los extranjeros seguir comprándoles azúcar. En donde los fabricantes locales podían hacer oír su voz o los gobiernos apreciaban las ventajas de un desarrollo económico equilibrado o sencillamente las desventajas de la dependencia, la actitud era menos favorable. Friedrich List, el economista alemán —vistiendo como de costumbre la túnica de la abstracción filosófica—, rechazaba una economía internacional que hacía de Inglaterra la principal o la única potencia industrial, y abogaba por el proteccionismo. Como acabamos de ver, eso era lo que, sin filosofías, hacían los norteamericanos.

Todo esto suponía una economía políticamente independiente y lo bastante fuerte para aceptar o rechazar el papel que le había asignado la industrialización primera de un pequeño sector del mundo. Donde no había independencia, como en las colonias, no existía opción. La India, como hemos visto, estaba en proceso de desindustrialización, y Egipto proporcionaba una estampa todavía más viva de ese proceso. Mohamed Alí había tratado siste-

---

25. G. Mori, «Osservazioni sul libero-scambismo dei moderati nel Risorgimento», *Riv. Storic. del Socialismo*, III (1960), p. 8.

máticamente de implantar en su país una economía moderna, basada, entre otras cosas, en la industria. No sólo estimuló el aumento de producción de algodón para el mercado mundial (desde 1821), sino que en 1838 invirtió la considerable suma de 12 millones de libras esterlinas en industrias, en las que trabajaban de 30.000 a 40.000 obreros. No sabemos lo que hubiera ocurrido de haberse dejado a Egipto seguir ese camino. Lo que sí ocurrió fue que el convenio anglo-turco de 1838 introdujo en el país a los comerciantes extranjeros, con lo que minó el monopolio a través del cual venía operando Mohamed Alí; luego, la derrota de Egipto por los occidentales en 1839-1841 le obligó a reducir su ejército, con lo que perdió gran parte del incentivo que le llevara a la industrialización.[26] No sería aquélla la primera ni la última vez en el siglo XIX en que los cañones occidentales «abrieran» un país al comercio, es decir, a la competencia superior del sector industrializado del mundo. ¿Quién, que viera a Egipto en la época del protectorado británico a finales de ese siglo, habría reconocido al país que cincuenta años antes —y para disgusto de Richard Cobden— [27] fue el primer Estado no blanco que buscara el camino moderno para salir de su anticuada economía?

De todas las consecuencias económicas de la era de la doble revolución, la más profunda y duradera fue aquella división entre países «avanzados» y «subdesarrollados». En 1848 era evidente qué países pertenecerían al primer grupo: la Europa occidental (menos la península ibérica), Alemania, Italia del norte y algunas partes de Europa central, Escandinavia, los Estados Unidos y quizá las colonias establecidas por emigrantes de habla inglesa. Igualmente claro era que el resto del mundo, salvo algunas pequeñas parcelas, bajo la presión irregular de las exportaciones e importaciones occidentales o la presión militar de los cañones y las expediciones militares occidentales, se estaba quedando retrasado o pasaba a depender económicamente de Occidente. Hasta que los rusos, en los años treinta de este siglo, encontraron los medios para salvarlo, el abismo entre los «atrasados» y los «avanzados» permaneció inconmovible, infranqueable y cada vez más ancho, entre la minoría y la mayoría de los habitantes del mundo. Ningún otro hecho determinaría la historia del siglo XX más firmemente que este.

26. C. Issawi, «Egypt since 1800», *Journal of Economic History*, XXI (marzo de 1961), p. 1.

27. «Todo este despilfarro se hizo con el mejor algodón en bruto que debían habernos vendido ... Y no fue esto lo peor, sino que las manos que se emplearon en tales fábricas se arrancaron al cultivo del suelo» (Morley, *Life of Cobden*, cap. 3).

10. LA CARRERA ABIERTA AL TALENTO

Un día paseaba por Manchester con uno de esos señores de clase media. Le hablé de los desgraciados y pobres barrios bajos y llamé su atención hacia las terribles condiciones de la parte de la ciudad en la que viven los obreros de las fábricas. Le dije que en mi vida había visto una ciudad tan mal construida. Me escuchó pacientemente y en la esquina de la calle en que nos despedimos, comentó: «Y, sin embargo, se gana mucho dinero en ella. ¡Buenos días!».

F. ENGELS [1]

Entre los nuevos financieros se ha establecido la costumbre de publicar en los periódicos las minutas de sus banquetes y los nombres de los invitados.

M. CAPEFIGUE [2]

I

Las instituciones oficiales derribadas o fundadas por una revolución son fácilmente discernibles, pero nadie mide los efectos que de ahí se siguen. El resultado principal de la revolución en Francia fue el de poner fin a una sociedad aristocrática. No a la «aristocracia» en el sentido de jerarquía de estatus social distinguida por títulos y otras marcas visibles de exclusividad, y a menudo moldeada sobre el prototipo de tales jerarquías, es decir, la nobleza de «sangre». Las sociedades construidas sobre una carrera individual acogen gustosas esas visibles y tradicionales marcas del éxito. Napoleón, incluso, creó una nueva nobleza que se uniría a los viejos aristócratas supervivientes después de 1815. El fin de una sociedad aristocrática no significa el fin de la influencia aristocrática. Las clases que se elevan tienden naturalmente a ver los símbolos de su riqueza y poderío en los términos que los anteriores grupos superiores establecieron como modelos de elegancia, lujo y comodidad. Las mujeres de los enriquecidos pañeros de Cheshire querían

---

1. F. Engels, *La situación de la clase obrera en Inglaterra*, cap. XII.
2. M. Capefigue. *Histoire des grandes opérations financières*, IV, 1860. p. 255.

convertirse en *ladies*, instruidas por los numerosos libros de etiqueta y vida elegante que se multiplicaron en los años 1840, por la misma razón que los especuladores de las guerras napoleónicas apreciaban un título de barón, o por las que los salones burgueses se llenaban de «terciopelo, oro, espejo, algunas toscas imitaciones de las sillerías Luis XV y otros adornos ... Estilos ingleses para los criados y los caballos, pero sin espíritu aristocrático». ¿Quién más orgulloso que aquel banquero fanfarrón, salido cualquiera sabe de dónde, que decía una vez: «Cuando aparezco en mi palco en el teatro, todos los gemelos se vuelven hacia mí, y recibo una ovación casi regia»?[3]

Por otra parte, una cultura tan profundamente formada por la corte y la aristocracia como la francesa no perdería sus huellas. Así, la marcada preocupación de la prosa literaria francesa por sutiles análisis psicológicos de las relaciones personales (procedente de los escritores aristocráticos del siglo XVII) o el patrón dieciochesco de las relaciones sexuales entre amantes y queridas, se convirtieron en parte esencial de la civilización burguesa parisiense. Antiguamente, los reyes tenían favoritas oficiales; ahora las tenían los acaudalados hombres de negocios. Las cortesanas concedían sus bien pagados favores para pregonar el éxito de los banqueros, quienes gastaban su dinero con ellas como los jóvenes aristócratas que antaño se arruinaban por sus amantes. En algunos aspectos la revolución conservó las características aristocráticas de la cultura francesa con una pureza excepcional, por la misma razón que la Revolución rusa ha conservado con singular fidelidad el *ballet* clásico y la típica actitud burguesa decimonónica respecto a la «buena literatura». La Revolución francesa se hizo cargo de esos valores, los asimiló como una deseable herencia del pasado y los protegió contra la normal erosión del tiempo y las costumbres.

Y, sin embargo, el antiguo régimen había muerto, aunque todavía un pescador de Brest considerara en 1832 el cólera como un castigo de Dios por la deposición del rey legítimo. El republicanismo oficial entre los campesinos avanzaba lentamente más allá del jacobino Mediodía y algunas comarcas descristianizadas, pero en la primera y genuina elección universal —la de mayo de 1848— los legitimistas fueron confinados al oeste y a los departamentos centrales más pobres. La geografía política de la moderna Francia rural ya era claramente reconocible. Salvo en la escala social más alta, la Restauración borbónica no restauró el antiguo régimen; precisamente cuando Carlos X quiso hacerlo fue derribado. La sociedad de la Restauración fue la de los capitalistas y hombres de carrera de Balzac o del Julien Sorel de Stendhal, más bien que la de los duques vueltos de la emigración. Una época geológica los separaba de la *dolce vita* de 1780-1790 que añoraba Talleyrand. El Rastignac de Balzac está mucho más cerca del *Bel-Ami* de Maupassant, la típica figura de 1880-1890, e incluso de la de Sammy Glick, la típica de Hollywood hacia 1940, que la de Fígaro, el éxito antiaristocrático de la década 1780-1790.

3. M. Capefigue, *op. cit.*, pp. 248-249 y 254.

En una palabra, la sociedad de la Francia posrevolucionaria era burguesa en su estructura y sus valores. Era la sociedad del *parvenu*, del hombre que se hacía a sí mismo, aunque esto no era totalmente cierto, salvo cuando el país era gobernado por *parvenus*, es decir, cuando fue republicano o bonapartista. Puede no parecernos excesivamente revolucionario que la mitad de los senadores franceses en 1840 pertenecieran a familias de la antigua nobleza, pero para el francés burgués de entonces era mucho más sorprendente que la otra mitad hubieran sido comuneros en 1789; sobre todo, si miraba a las exclusivistas jerarquías sociales del resto de la Europa continental. La frase «cuando los americanos buenos se mueren van a París» expresa lo que era París en el siglo XIX, aunque no llegase a ser el verdadero paraíso de los *parvenus* hasta el Segundo Imperio. Londres, y menos todavía Viena, San Petersburgo o Berlín, eran capitales en las que no se podía comprar todo con dinero, por lo menos en la primera generación. En París había muy pocas cosas dignas de comprarse que estuvieran fuera de su alcance.

Este dominio de la nueva sociedad no era peculiar de Francia; pero si se exceptúan los democráticos Estados Unidos era, en ciertos aspectos superficiales, más evidente y más oficial en Francia, aunque de hecho no más profundo que en Inglaterra o los Países Bajos. En Inglaterra, los grandes *chefs* de cocina seguían siendo los que trabajaban para los nobles, como Carême, el del duque de Wellington (que anteriormente sirviera a Talleyrand), o para los clubes oligárquicos, como Alexis Soyer del Reform Club. En Francia ya existían los restaurantes de lujo en los que trabajaban los cocineros de la nobleza que se quedaron sin empleo durante la revolución. El profundo cambio social se advierte en la cubierta del manual de cocina clásica francesa escrito por «A. Beauvilliers, antiguo servidor de MONSIEUR, el conde de Provenza ... y actualmente dueño del restaurante La Gran Taberna de Londres, de la calle de Richelieu número 26».[4] El *gourmand* —especie inventada durante la Restauración y propagada por el *Almanach des Gourmands* de Brillat-Savarin desde 1817— ya iba al Café Inglés o al Café de París para celebrar comidas no presididas por dueñas de casa.

En Inglaterra, la prensa era todavía un vehículo de instrucción, invectiva y presión política. Fue en Francia en donde Émile Girardin (1836) fundó el periódico moderno —*La Presse*— político pero barato, que apuntaba a la acumulación de ingresos por publicidad, pero atractivo para sus lectores por su chismorreo, sus folletines y sus pasatiempos.[5] (La primacía de los franceses en estos indecisos campos se recuerda todavía en el idioma inglés por las palabras *journalism* y *publicity*, y en el alemán por los vocablos *Reklame* y

---

4. A. Beauvilliers, *L'art du cuisinier*, París, 1814.
5. En 1835, el *Journal des Débats* (que tiraba unos 10.000 ejemplares) ingresaba unos 20.000 francos anuales por anuncio. En 1838 la cuarta página de *La Presse* fue arrendada en 150.000 francos anuales, y en 1845, en 300.000 (H. Sée, *Histoire économique de la France*, II, p. 216).

Annonce.) La moda, los grandes almacenes, los escaparates públicos canta-dos por Balzac[6] fueron invenciones francesas, productos de la década 1820-1830. La revolución abrió otra brillante carrera a las gentes de talento, el tea-tro, en la «buena sociedad», en una época en que la situación social de los actores en la aristocrática Inglaterra era análoga a la de los boxeadores o los *jockeys*: Lablache, Talma y otras figuras del teatro se instalaron en Mai-sons-Lafitte (llamado así por el banquero que construyó el elegante barrio), muy cerca de la espléndida casa del príncipe de la Moskowa.

El efecto de la revolución industrial sobre la estructura de la sociedad burguesa fue menos drástico en la superficie, pero de hecho fue más profun-do. Creó nuevos bloques de burgueses que coexistían con la sociedad oficial, demasiado grandes para ser absorbidos por ella salvo una pequeña asimi-lación en el vértice, y demasiado orgullosos y dinámicos para desear esa absorción si no era en sus propios términos. En 1820 aquellos grandes ejér-citos de sólidos hombres de negocios eran apenas visibles desde Westmins-ter, en donde los lores y sus parientes dominaban todavía el Parlamento sin reformar, o desde Hyde Park, en donde señoras antipuritanas como Harriete Wilson (antipuritana hasta en su negativa a ser una flor deshojada) paseaban en sus carruajes tirados por cuatro caballos rodeadas de admiradores perte-necientes a las fuerzas armadas, la diplomacia y la nobleza, entre los que no faltaba el férreo y antiburgués duque de Wellington. Los mercaderes, los ban-queros e incluso los industriales del siglo XVIII habían sido lo suficientemen-te pocos para ser asimilados por la sociedad oficial; en efecto, la primera generación de millonarios del algodón, encabezada por sir Robert Peel el viejo, cuyo hijo se educaba para primer ministro, fue firmemente *tory*, aun-que de una especie moderada. No obstante, el arado de la industrialización multiplicaba sus cosechas de hombres de negocios bajo las lluviosas nubes del norte. Manchester no tardaría en pactar con Londres. Con su grito de batalla, «lo que Manchester piensa hoy lo pensará mañana Londres», se pre-paraba para imponer sus condiciones a la capital.

Los hombres nuevos de las provincias constituían un formidable ejército, tanto más cuanto que cada vez adquirían mayor conciencia de ser una «cla-se» y no un «término medio» que servía de puente entre los estamentos supe-riores e inferiores. (El concepto actual de «clase media» apareció por vez pri-mera hacia 1812.) En 1834 John Stuart Mill ya podía quejarse de que los comentaristas sociales «giraran en su eterno círculo de grandes señores, capi-talistas y obreros hasta parecer aceptar la división de la sociedad en esas tres clases como si fuera uno de los mandamientos de la ley de Dios».[7] Además, aquellos hombres nuevos no eran simplemente una clase, sino un combativo ejército de clase, organizado al principio de acuerdo con el «pobre trabaja-

    6.   «El gran poema del escaparate canta sus estrofas de color desde la Madeleine hasta la Porte de Saint-Denis.»
    7.   A. Briggs, «Middle Class Conciousness in English Politics 1780-1846», *Past and Pre-sent* (9 de abril de 1956), p. 68.

dor» (que, a su juicio, debía aceptar su dirección)[8] contra la sociedad aristocrática, y más tarde contra el proletariado y los grandes señores, como se demostró en la constitución de la Liga Anti-Corn Law. Eran hombres que se habían hecho a sí mismos o por lo menos hombres de origen modesto que debían muy poco a su nacimiento, su familia o su educación. (Como el Mr. Bounderby de *Tiempos difíciles* de Dickens, no se negaban a reconocerlo.) Eran ricos y aumentaban sus riquezas de año en año. Y, sobre todo, estaban imbuidos del feroz y dinámico orgullo de aquellos a quienes sus fabulosas carreras les demuestran que la divina providencia, la ciencia y la historia, se han puesto de acuerdo para presentarles en bandeja toda la tierra.

La «economía política» traducida en unas simples proposiciones dogmáticas por improvisados periodistas y publicistas que cantaban las virtudes del capitalismo —Edward Baines del *Leeds Mercury* (1773-1848), John Edward Taylor del *Manchester Guardian* (1791-1844), Archibald Prentice del *Manchester Times* (1792-1857), Samuel Smiles (1812-1904)— les dio cierta seguridad intelectual. La disidencia protestante de los duros independientes, unitarios, baptistas y cuáqueros más bien que el tipo emocional metodista, les dio cierta seguridad espiritual y cierto desprecio por los inútiles aristócratas. Ni el temor, ni la cólera, ni siquiera la compasión movían al patrono que decía a sus obreros:

> El Dios de la Naturaleza estableció una ley justa y equitativa que el hombre no tiene derecho a violar; cuando se aventura a hacerlo siempre es seguro que, más tarde o más temprano, encontrará el correspondiente castigo … Así, cuando los amos creen audazmente que por una unión de fuerzas pueden oprimir más a sus criados, insultan con tal acto a la majestad del Cielo y atraen sobre ellos la maldición de Dios, y, por el contrario, cuando los sirvientes se unen para quitar a sus patronos la parte de beneficio que legítimamente pertenece al amo, violan también las leyes de la equidad.[9]

Había un orden en el universo, pero ya no era el orden del pasado. Había un solo dios cuyo nombre era vapor y que hablaba con la voz de Malthus, de McCulloch o de cualquier otro que utilizase las máquinas.

El grupo de intelectuales agnósticos del siglo XVIII y de seudoeruditos y escritores que hablaban por ellos, no oscurecía el hecho de que en su mayor parte estuvieran demasiado ocupados en ganar dinero para molestarse por algo ajeno a este propósito. Estimaban a sus intelectuales, incluso cuando, como Richard Cobden (1804-1865), no fueran afortunados como hombres de negocios, pero evitaban las ideas poco prácticas o excesivamente sofisticadas, pues eran hombres cuya falta de instrucción les hacía sospechar de todo lo que no fuera empírico. El científico Charles Babbage (1792-1871) les pro-

---

8.   «Las opiniones de esa clase de gente inferior al "término medio" están formadas, y sus inteligencias están dirigidas por las de ese inteligente y virtuoso "término medio", en estrecho contacto con ella» (James Mill, *An Essay on Government*, 1823).

9.   Donald Read, *Press and People 1790-1850*, 1961, p. 26.

puso en vano sus métodos científicos. Sir Henry Cole, el precursor de la planificación industrial, la formación técnica y la racionalización del transporte, les proporcionó (con la inestimable ayuda del príncipe consorte) el más brillante monumento de sus esfuerzos, la Gran Exposición de 1851. A pesar de lo cual fue apartado de la vida pública como un entrometido aficionado a la burocracia, la cual —como toda interferencia gubernativa— era detestada por aquéllos cuando no ayudaba directamente a sus beneficios. George Stephenson, un minero que había progresado por su propio esfuerzo, dominó los nuevos ferrocarriles imponiéndoles el patrón de los antiguos carruajes a caballo —nunca pensó en otra cosa— mucho más que el imaginativo, sofisticado e intrépido ingeniero Isambard Kingdom Brunel, quien no tiene más monumento en el panteón de los ingenieros construido por Samuel Smiles, que la infamante frase: «A juzgar por los resultados prácticos y provechosos, los Stephenson eran indiscutiblemente los hombres a quienes había que seguir».[10] Los filósofos radicales hicieron todo lo posible por crear una red de «institutos de mecánica» —libres de los errores políticamente desastrosos que los operarios insistían, contra natura, en oír en tales sitios— para adiestrar a los técnicos de las nuevas industrias basadas científicamente. En 1848 la mayor parte de ellos estaban moribundos a causa de la opinión general de que la instrucción técnica enseñaría a los ingleses (como si fueran distintos de los alemanes o los franceses) cosas inútiles. Desde luego, había algunos fabricantes inteligentes, expertos y cultos que acudían a las reuniones de la recién creada Asociación Británica para el Avance de la Ciencia, pero sería erróneo suponer que representaban al conjunto de su clase.

Una generación de estos hombres se formó en los años comprendidos entre Trafalgar y la Gran Exposición. Sus predecesores, criados en la escuela social de comerciantes provincianos cultos y racionalistas y ministros disidentes, y apoyados en la armazón intelectual del siglo *whig*, eran quizá menos bárbaros: el alfarero Josiah Wedgwood (1730-1795) era miembro de la Royal Society, de la Sociedad de Arqueólogos y de la Sociedad Lunar, con Matthew Boulton, su socio James Watt y el químico y revolucionario Priestley. (Su hijo Thomas, experto en fotografía, editó periódicos científicos y subvencionó al poeta Coleridge.) El fabricante del siglo XVIII construía naturalmente sus fábricas con arreglo a los libros de los arquitectos georgianos. Sus sucesores, si no más cultos, eran al menos más pródigos, pues en la década 1840-1850 habían ganado suficiente dinero para gastarlo alegremente en residencias seudoaristocráticas, en ayuntamientos seudogóticos y seudorrenacentistas y en reconstruir en estilo perpendicular sus capillas modestas, utilitarias o clásicas. Pero entre la era georgiana y la victoriana hubo la que se llamó con razón la fría era de la burguesía y de las clases trabajadoras, cuyos rasgos inmortalizó Dickens en *Tiempos difíciles*.

Un protestantismo pietista, rígido, farisaico, antiintelectual, con la obsesión de la moralidad puritana hasta el punto de que la hipocresía era su com-

---

10. S. Smiles, *Life of George Stephenson*, edición de 1881, p. 183.

pañera automática, dominaba aquella época desolada. «La virtud —dice G. M. Young— avanzaba sobre un ancho frente invencible»; y pisoteaba al no virtuoso, al débil, al pecador (es decir, a aquellos que ni hacían dinero ni eran capaces de dominar sus gastos emocionales o financieros) sobre el fango al que pertenecían, ya que a lo sumo sólo merecían la caridad de los mejores. En ello había cierto sentido económico capitalista. Los pequeños empresarios tenían que volver a invertir en sus negocios gran parte de sus beneficios si querían llegar a ser grandes empresarios. Las masas de nuevos proletarios tenían que someterse al ritmo industrial del trabajo y a la más draconiana disciplina laboral o pudrirse si no querían aceptarla. Y, sin embargo, todavía hoy se contrae el corazón a la vista del paisaje construido por aquella generación.[11]

En Coketown no se ve más que edificios severamente funcionales. Si los miembros de una secta religiosa construyen allí una capilla —como hicieron los miembros de dieciocho sectas religiosas— harán un piadoso almacén de ladrillo rojo, que a veces (pero esto sólo en los ejemplares más ricamente decorados) tendrá una campana en una jaula instalada en lo más alto ... Todas las inscripciones públicas de la ciudad están pintadas igual, con severos caracteres blancos y negros. La cárcel podía haber sido el hospital y el hospital podía haber sido la cárcel, el ayuntamiento podía haber sido una u otro, o cualquier otra cosa, pues todo parece lo contrario de lo que es por virtud de su construcción. Hechos, hechos, hechos, en todas partes en el aspecto material de la ciudad; hechos, hechos, hechos, en todas partes en lo inmaterial ... Todo eran hechos entre la maternidad y el cementerio, y lo que no se podía expresar en cifras o demostrar que era comprable en el mercado más barato y vendible en el más caro, ni existía ni existiría por los siglos de los siglos. Amén.[12]

Esta desvaída devoción al utilitarismo burgués que los evangelistas y los puritanos compartían con los agnósticos «filósofos radicales» del siglo XVIII, quienes la ponían en palabras lógicas para ellos, producía su propia belleza funcional en líneas de ferrocarril, puentes y almacenes, y su romántico horror en las interminables hileras de casitas grises o rojizas, que, ennegrecidas por el humo, se extendían en torno a la fortaleza de la fábrica. Lejos de ella vivían los nuevos burgueses (si habían acumulado el dinero suficiente para mudarse), distribuyendo dinero a los misioneros que se esforzaban en proporcionar recursos, educación moral y asistencia a los pobres negros idólatras. Estos hombres personificaban el capital que demostraba su derecho a gobernar al mundo; sus mujeres, privadas por el dinero de sus maridos hasta de la satisfacción de dedicarse a las tareas domésticas, personificaban las virtudes de su clase: estúpidas («ser una chica dulce y buena sin preocupar-

11. Charles Dickens, *Tiempos difíciles.*
12. Cf. Léon Faucher, *Manchester in 1884*, 1844, pp. 24-25: «La ciudad realiza en cierta medida la utopía de Bentham. Todo está previsto en sus resultados por los patrones de utilidad; y si lo BELLO, lo GRANDE y lo NOBLE llegaran a arraigar en Manchester, se desarrollarían de acuerdo con esos patrones».

se de más»), mal educadas, nada prácticas, teóricamente asexuales, sin bienes propios y protegidas. Eran el único lujo que aquella época de sobriedad y ahorro se permitía.

La burguesía fabril inglesa era el ejemplo más característico de su clase, pero por todo el continente existían pequeños grupos de la misma condición: católicos en los distritos textiles del norte de Francia y Cataluña, calvinistas en Alsacia, pietistas luteranos en Renania, judíos por toda Europa central y oriental. Raras veces eran tan rígidos como en Inglaterra, pues no se habían apartado completamente de las viejas tradiciones de vida urbana y paternalismo. A pesar de su liberalismo doctrinal, Léon Faucher se vio penosamente sorprendido por el aspecto de Manchester en la década de 1840, como le hubiera ocurrido a cualquier otro observador continental.[13] Pero también compartían con los ingleses la confianza que inspira el constante enriquecimiento —entre 1830 y 1856 las dotes matrimoniales de la familia Dansette de Lille ascendieron de 15.000 a 50.000 francos—,[14] la absoluta fe en el liberalismo económico y la repudiación de las actividades no económicas. Las dinastías tejedoras de Lille mantuvieron su total desprecio por la carrera de las armas hasta la primera guerra mundial. Los Dollfus de Mulhouse disuadieron a su joven Frédéric Engel de ingresar en el famoso Politécnico, temerosos de que ello pudiera atraerle más a la carrera militar que a la de los negocios. La aristocracia y los árboles genealógicos no les tentaban demasiado al principio: como los mariscales de Napoleón, ellos mismos eran sus antepasados.

II

Puede afirmarse que el resultado más importante de las dos revoluciones fue, por tanto, el de que abrieran carreras al talento, o por lo menos a la energía, la capacidad de trabajo y la ambición. Pero no todas las carreras ni hasta los últimos peldaños, excepto quizá en los Estados Unidos. Y, sin embargo, ¡qué extraordinarias fueron las oportunidades, qué distantes de los del siglo XIX los estáticos ideales jerárquicos del pasado! La negativa de Von Schele, alto funcionario del reino de Hannover, a conceder un cargo gubernativo a un pobre abogado joven porque su padre había sido encuadernador —por lo cual el hijo debía seguir perteneciendo a ese oficio— resultaba ahora perniciosa y ridícula.[15] Mas, en realidad, Von Schele no hizo otra cosa que repetir la antigua y proverbial prudencia de la estable sociedad precapitalista. Con toda probabilidad, en 1750 el hijo de un encuadernador hubiera seguido el negocio de su padre. Ahora no ocurría así. Ahora

---

13. Léon Faucher, *Études sur l'Angleterre*, I, 1842, p. 322.
14. M. J. Lambert-Dansette, *Quelques familles du patronat textile de Lille-Armentières*, Lille, 1954, p. 659.
15. Oppermann, *Geschichte d. Königreichs Hannover*, citado en T. Klein, *1848, Der Vorkampf*, 1914, p. 71.

se abrían ante él cuatro caminos que conducían hasta las estrellas: negocios, estudios universitarios (que a su vez llevaban a las tres metas de la administración pública, la política y las profesiones liberales), arte y milicia. El último, muy importante en Francia durante el período revolucionario y napoleónico, perdió mucho de su significado durante las largas generaciones de paz que se sucedieron, y tal vez por esa razón dejó de ser atractivo. El tercero era nuevo sólo en cuanto que el reconocimiento público de una excepcional capacidad para divertir o conmover a los auditorios era ahora mucho mayor que antes, como lo demuestra la ascendente consideración social de los actores que llegó a producir en la Inglaterra eduardiana el doble fenómeno del actor ennoblecido y del noble casándose con la corista. Pero ya en el período posnapoleónico se había dado el caso característico del «ídolo» artístico, que podía ser una cantante como Jenny Lind, el ruiseñor de Suecia, una danzarina como Fanny Elssler o un concertista como Paganini o Franz Liszt.

Ni los negocios ni los estudios eran caminos abiertos a todos, ni siquiera entre los que estaban lo bastante emancipados de las garras de la costumbre y de la tradición para creer que «la gente como nosotros» sería admitida a ellos, para saber cómo actuar en una sociedad individualista o para admitir el deseo de «mejorarse». Había que pagar un portazgo para emprender esos caminos: sin algunos recursos iniciales resultaba casi imposible dar los primeros pasos hacia el éxito. Ese portazgo era indudablemente demasiado alto tanto para los que emprendían el camino de los estudios como el de los negocios, pues aun en los países que tenían un sistema educativo público, la instrucción primaria estaba en general muy descuidada; e incluso en donde existía se limitaba por razones políticas, a un mínimo de gramática, aritmética y formación moral. Sin embargo, paradójicamente a primera vista, el camino de los estudios parecía más atractivo que el de los negocios.

Ello se debía sin duda a que requería una revolución más pequeña en las costumbres y la manera de vivir de los hombres. La sabiduría, aunque sólo en forma de sabiduría clerical, tenía un puesto respetable en la sociedad tradicional; de hecho, un lugar más eminente que en la sociedad burguesa. Tener un sacerdote, ministro o rabino en la familia, era quizá el mayor honor al que las gentes modestas podían aspirar y valía la pena hacer los más titánicos esfuerzos para conseguirlo. Esta admiración social pudo transferirse, una vez que tales carreras se abrieron para todos, a las profesiones seculares, funcionarios o maestros, o en los más maravillosos casos, abogados o médicos. Además, la sabiduría no era tan antisocial como parecían serlo los negocios. El hombre culto no cambiaba ni se separaba automáticamente de los demás como el egoísta mercader o empresario. Con frecuencia, sobre todo si era profesor, ayudaba a sus semejantes a salir de la ignorancia y oscuridad que parecían culpables de sus desventuras. Era más fácil crear una sed general de instrucción que una sed general de éxitos individuales en los negocios, y la cultura más fácil de adquirir que el difícil arte de ganar dinero. Las comunidades compuestas casi exclusivamente —como las de Gales— de pequeños campesinos, pequeños comerciantes y proletarios, sentían al mismo tiempo el afán de elevar a sus hijos al magisterio y al clero y un amargo resentimiento contra la riqueza y los negocios.

No obstante, en cierto sentido la instrucción representaba la competencia individualista, la «carrera abierta al talento» y el triunfo del mérito sobre el nacimiento y el parentesco casi de manera tan efectiva como los negocios, y ello a través del expediente de los exámenes y concursos. Como de costumbre, la Revolución francesa fue la que le daría su más lógica expresión: las jerarquías paralelas de los exámenes que iban seleccionando progresivamente de entre el cuerpo nacional de estudiantes victoriosos la minoría intelectual capaz de administrar e instruir al pueblo francés. La ciencia y la competencia en los exámenes eran también el ideal de la escuela de pensadores ingleses más conscientemente burguesa, los filósofos radicales benthamitas, que con el tiempo —pero no antes del final de nuestro período— las impusieron en una forma de suma pureza en los más altos centros gubernamentales de Gran Bretaña y en los servicios civiles de la India, a pesar de la encarnizada resistencia de la aristocracia. La selección de méritos, probada en exámenes u otras pruebas, acabó por aceptarse como ideal en todas partes, excepto en los servicios públicos más arcaicos de Europa (como los Asuntos Exteriores papales o de Gran Bretaña), o en los más democráticos, que tendían —como en los Estados Unidos— a preferir la elección al examen como criterio más conveniente para los puestos públicos, pues, como otras formas de competencia individual, los exámenes u oposiciones eran un artificio liberal, pero no democrático o igualitario.

El principal resultado de la educación abierta al talento fue, pues, paradójico. No produjo la «sociedad abierta» de libre competencia en los negocios sino la «sociedad cerrada» de la burocracia; pero ambas, en sus diferentes formas, fueron instituciones características de la era burguesa y liberal. El *ethos* de los más altos servicios civiles del siglo XIX era fundamentalmente el de la Ilustración del siglo XVIII: masónico y «josefino» en la Europa central y oriental, napoleónico en Francia, liberal y anticlerical en los otros países latinos, benthamita en Inglaterra. Desde luego, la competencia se transformó en ascenso automático una vez que el hombre de mérito había ganado su puesto en el servicio; aun cuando el ascenso dependiera (en teoría) de sus méritos, el igualitarismo social impuso el ascenso por rigurosa antigüedad. Por tanto, a primera vista, la burocracia parecía muy distinta del ideal de la sociedad liberal. Y con todo, los servicios públicos adquirirían cohesión a la vez por la conciencia de la selección por méritos, por la general atmósfera de incorruptibilidad, la eficacia práctica, la educación y por los orígenes no aristocráticos. Incluso la rígida insistencia en el ascenso automático (que alcanzaba un rigor absurdo en la organización verdaderamente burguesa de la armada británica), tenía al menos la ventaja de excluir el hábito típicamente aristocrático o monárquico del favoritismo. En las sociedades en donde se retrasaba el desarrollo económico, el servicio público constituía por eso una buena oportunidad para la clase media en franca ascensión.[16] No es accidental que en el Parlamento de Francfort de 1848, el 68 por 100 de los diputados fueran funcionarios civiles, contra un 12 por 100 de «profesiones liberales» y un 2,5 por 100 de hombres de negocios.[17]

Fue una suerte para quienes intentaban hacer carrera que el período posnapoleónico fuera en casi todas partes de marcada expansión en aparato y actividad gubernamental, aunque no la suficiente para absorber el creciente aumento de ciudadanos cultos. Entre 1830 y 1850 el gasto público *per capita* aumentó en un 25 por 100 en España, en un 40 por 100 en Francia, en un 44 por 100 en Rusia, en un 50 por 100 en Bélgica, en un 70 por 100 en Austria, en un 75 por 100 en los Estados Unidos y en más de un 90 por 100 en Holanda. (Sólo en Inglaterra, en las colonias británicas, Escandinavia y algunos países atrasados, el gasto gubernamental por cada habitante permaneció estable o disminuyó durante este período de apogeo del liberalismo económico).[18] Ello se debió no sólo al evidente devorador de contribuciones, las fuerzas armadas, mucho más numerosas después de las guerras napoleónicas que antes, a pesar de la ausencia de grandes guerras internacionales: de los grandes estados sólo Inglaterra y Francia tenían en 1851 un ejército mucho menor que en el momento de mayor esplendor de la fuerza de Napoleón en 1810, y en cambio, varios —como Rusia, algunos estados alemanes e italianos y España— los tenían mucho más grandes; se debía también al desarrollo de antiguas funciones y a la creación de nuevas por los estados. Pues es un error elemental (y no compartido por los lógicos protagonistas del capitalismo, los «filósofos radicales» benthamitas) el de creer que el liberalismo era hostil a la burocracia. Era hostil solamente a la burocracia ineficaz, a la intromisión pública en cuestiones que debían dejarse a la iniciativa privada, y a las contribuciones excesivas. El vulgar tópico liberal de un Estado reducido a las atrofiadas funciones de un vigilante nocturno, oscurece el hecho de que el Estado libre de sus funciones ineficaces e inadecuadas era un Estado mucho más poderoso y ambicioso que antes. Por ejemplo, en 1848 era un Estado que había adquirido unas fuerzas de policía modernas y con frecuencia nacionales: en Francia desde 1798, en Irlanda desde 1823, en Inglaterra desde 1829 y en España (la guardia civil) desde 1844. Fuera de Inglaterra era normalmente el Estado el que tenía un sistema de instrucción pública; fuera de Inglaterra y los Estados Unidos, era el Estado el que tenía o estaba a punto de tener un servicio público de ferrocarriles; en todas partes era el que tenía un servicio postal cada vez mayor para servir a las crecientes necesidades de los negocios y de las comunicaciones privadas. El aumento de la población obligaba a mantener un sistema judicial más amplio; el crecimiento de las ciudades y la acumulación de problemas sociales urbanos requería

16. En las novelas de Balzac, todos los *funcionarios* pertenecen o están emparentados con familias de pequeños empresarios.

17. G. Schilfert, *Sieg u. Niederlage d. demokratischen Wahlrechts in d. deutschen Revolution 1848-1849*, 1952, pp. 404-405.

18. Mulhall, *op. cit.*, p. 259.

un sistema administrativo municipal más amplio. Nuevas o viejas, las funciones de gobierno eran desempeñadas cada vez más por un verdadero servicio nacional de funcionarios de carrera, cuyos últimos escalones eran ascendidos y trasladados libremente por la autoridad central de cada país. No obstante, si un eficaz servicio de esta clase podía reducir el número de empleados y el costo de la administración al eliminar la corrupción y la pérdida de tiempo, también creaba una máquina de gobierno mucho más formidable. Las funciones más elementales del Estado liberal, tales como la eficiente imposición y cobranza de impuestos por un cuerpo de funcionarios asalariados o el mantenimiento de una política rural regular y normalmente organizada, hubieran parecido algo mucho más allá de los más descabellados sueños de la mayor parte de los absolutistas prerrevolucionarios. Tal sería el nivel de tributación —ahora a veces un gradual impuesto de utilidades—[19] que el súbdito del Estado liberal toleraba: en 1840 los gastos de gobierno en la Inglaterra liberal eran cuatro veces mayores que en la autocrática Rusia.

Pocos de esos nuevos puestos burocráticos equivalían en realidad a la charretera de oficial que el soldado napoleónico llevaba en su mochila como primer paso para la obtención del bastón de mariscal. De los 130.000 funcionarios civiles que se calculaban en Francia en 1839,[20] la mayor parte eran carteros, maestros, recaudadores de contribuciones, oficiales judiciales, etc.; e incluso los 450 empleados del Ministerio del Interior y los 350 del de Asuntos Exteriores eran en su mayor parte escribientes; un segmento de humanidad que, como la literatura —desde Dickens hasta Gogol— pone de manifiesto, no tenían motivos para ser envidiados, a no ser por el privilegio del servicio público, que les permitía la seguridad de no morirse de hambre y de sostener un ritmo de vida. Los funcionarios que alcanzaban un nivel social equivalente al de una buena carrera de la clase media —financieramente ningún funcionario honrado podía esperar más que una decorosa mediocridad— eran pocos. Hoy la «clase administrativa», de todo el servicio social inglés, proyectada por los reformadores de mediados del siglo XIX como el equivalente de la clase media en la jerarquía burocrática, no consta de más de 3.500 personas.

Sin embargo, la situación del probo funcionario o trabajador de cuello blanco era, aunque modesta, muy superior a la del trabajador humilde. Su trabajo no exigía esfuerzo físico. Sus manos limpias y su cuello blanco lo colocaban, simbólicamente, al lado de los ricos. Le rodeaba el halo mágico de la autoridad pública. Ante él, los hombres y las mujeres formaban colas para inscribir u obtener los documentos que registraban sus vidas; les atendía o les rechazaba; les aconsejaba lo que debían o no debían hacer. En los países más atrasados (lo mismo que en los democráticos Estados Unidos) sus sobrinos y primos podían encontrar buenos empleos por medio de él; en otros mucho

19. Este impuesto se estableció temporalmente en Inglaterra durante las guerras napoleónicas y permanentemente desde 1842. Ningún otro país importante la siguió antes de 1848.
20. W. R. Sharp, *The French Civil Service*, Nueva York, 1931, pp. 15-16.

menos atrasados, incluso se dejaba sobornar. Para numerosas familias aldeanas o trabajadoras, para quienes todos los demás caminos de mejora social estaban cerrados, la pequeña burocracia, el magisterio y el sacerdocio eran, teóricamente al menos, himalayas que sus hijos podían intentar alcanzar.

Las profesiones liberales no estaban tan a su alcance; llegar a ser médico, abogado o profesor (lo que en el continente significa lo mismo la segunda enseñanza que la universitaria) u «otra clase de persona culta de diferentes actividades»[21] exigía largos años de estudios o excepcionales talentos y oportunidad. En 1851 había en Inglaterra unos 16.000 abogados (sin contar a los jueces) y unos 1.700 estudiantes de derecho;[22] unos 17.000 médicos y cirujanos y 3.500 estudiantes y ayudantes de medicina, menos de 3.000 arquitectos y unos 1.300 «editores y escritores». (El término francés «periodista» no había sido reconocido oficialmente todavía.) El derecho y la medicina eran dos de las grandes profesiones tradicionales. La tercera, el clero, proporcionaba menos oportunidades de las que podían esperarse porque (excepto el de las sectas protestantes) crecía más despacio que la población. De hecho, gracias al celo anticlerical de los gobiernos —José II suprimió 359 abadías y conventos, y los españoles, en sus intervalos liberales, hicieron lo posible por suprimirlos todos—, algunas partes de la profesión se contrajeron en vez de agrandarse.

Solamente existía una verdadera salida: la primera enseñanza seglar y religiosa. El número de maestros, reclutados sobre todo entre los hijos de campesinos, artesanos y otras familias modestas, no era despreciable en los estados occidentales: en 1851 unos 76.000 hombres y mujeres se consideraban maestros y maestras de escuela, o profesores privados, sin contar las 20.000 institutrices, el conocidísimo último recurso de pobres señoritas bien educadas incapaces o poco dispuestas a ganarse la vida en una actividad menos respetable. Además, la enseñanza no era simplemente una extensa, sino una creciente profesión. Cierto que estaba mal pagada; pero fuera de los países más positivistas como Inglaterra y los Estados Unidos, el maestro de escuela era una figura popular con razón, pues si alguien representaba el ideal de una época en la que por primera vez los hombres y las mujeres vulgares miraban por encima de su cabeza y veían que la ignorancia podía ser disipada, era seguramente el hombre o la mujer cuya vida y vocación era dar a los niños las oportunidades que sus padres nunca habían tenido: abrirles el mundo; infundirles los sentimientos de moralidad y de verdad.

Claro está que la carrera más francamente abierta al talento era la de los negocios. Y en una economía que se ensanchaba con rapidez, las oportunidades para los negocios eran cada vez mayores. La naturaleza en pequeña escala de muchas empresas, el predominio de los subcontratos de la modesta compra y venta, los hacía relativamente fáciles. Sin embargo, ni las con-

---

21. *The Census of Great Britain in 1851*, Longman, Brown, Green and Longmans, Londres, 1854, p. 57.

22. En el continente, el número y proporción de abogados solían ser mayores.

diciones sociales ni las culturales eran propicias para el pobre. En primer lugar —hecho descuidado con frecuencia por los triunfadores—, la evolución de la economía industrial dependía de crear más deprisa jornaleros que patronos. Por cada hombre que ascendía en el mundo de los negocios, se hundían necesariamente muchos más. En segundo lugar, la independencia económica requería condiciones técnicas, disposición mental o recursos financieros (aunque modestos) que no poseen la mayor parte de los hombres y las mujeres. Los que tenían la suerte de poseerlos —por ejemplo, los miembros de ciertas minorías religiosas o sectas, cuya aptitud para tales actividades es bien conocida por los sociólogos— podían hacerlo bien: la mayor parte de aquellos siervos de Ivanovo —el Manchester ruso— que se hicieron fabricantes textiles, pertenecían a la secta de los «viejos creyentes».[23] Pero estaría totalmente fuera de la realidad esperar que cuantos no poseían esas condiciones —por ejemplo la mayoría de los campesinos rusos— hicieran lo mismo o pensaran siquiera en emularlos.

III

Ningún grupo de la población acogió con mayor efusión la apertura de las carreras al talento de cualquier clase que fuese, que aquellas minorías que en otros tiempos estuvieron al margen de ellas no sólo por su nacimiento, sino por sufrir una discriminación oficial y colectiva. El entusiasmo con que los protestantes franceses se lanzaron a la vida pública durante y después de la revolución, fue superado tan sólo por la volcánica erupción de talento entre los judíos occidentales. Antes de la emancipación que preparó el racionalismo del siglo XVIII y trajo la Revolución francesa, sólo había dos caminos de ascensión para los judíos: el comercio o las finanzas y la interpretación de la ley sagrada; y ambos los confinaban en sus cerradas comunidades —los guetos—, de las que sólo un puñado de «judíos cortesanos» u otros hombres ricos emergían a medias, evitando —incluso en Inglaterra y Holanda— presentarse demasiado a la peligrosa y antipopular luz de la celebridad. Tal aparición no era impopular sólo entre los brutales y ebrios no creyentes que, en conjunto, se oponían a aceptar la emancipación de los judíos. Siglos de opresión social habían encerrado al gueto en sí mismo, rechazando cualquier paso fuera de sus rígidas ortodoxias como apostasía y traición. Los precursores de la liberalización de los judíos en Alemania y Austria en el siglo XVIII, sobre todo Moses Mendelssohn (1729-1786), fueron calificados de desertores y ateos por sus correligionarios.

La gran masa judía que habitaba en los crecientes guetos de la zona oriental del antiguo reino de Polonia y Lituania continuaba viviendo su vida recatada y recelosa entre los campesinos hostiles, dividida sólo en su fideli-

23. R. Portal, «La naissance d'une bourgeoisie industrielle en Russie dans la première moitié du XIXᵉ siècle», *Bulletin de la Société d'Histoire Moderne*, serie 12, II (1959).

dad entre los eruditos rabinos intelectuales de la ortodoxia lituana y los estáticos y pobres hasidíes. Es característico que de cuarenta y seis revolucionarios detenidos por las autoridades austríacas sólo *uno* fuera judío.[24] Pero en las comunidades más pequeñas del oeste, los judíos aprovechaban con ambas manos sus nuevas oportunidades, aun cuando el precio que hubiesen de pagar por ellas fuese un bautismo nominal que se requería todavía en algunos países semiemancipados para desempeñar cargos oficiales. Los hombres de negocios no lo necesitaban. Los Rothschild, reyes del judaísmo internacional, no sólo fueron ricos. Esto también podían haberlo sido antes, aunque los cambios políticos y militares del período proporcionaban oportunidades sin precedentes para las finanzas internacionales. Ahora podía vérseles ocupar también una posición proporcionada a su riqueza e incluso aspirar a la nobleza que los príncipes europeos empezaron a concederles en 1816. (En 1823 serían promovidos barones hereditarios por los Habsburgo.)

Más sorprendente que la riqueza judía fue el florecimiento del talento de los judíos en las artes, las ciencias y las profesiones. En comparación con el siglo XX era modesto todavía, aunque ya en 1848 habían llegado a la madurez la mayor inteligencia judía y el más afortunado político judío del siglo XIX: Karl Marx (1818-1883) y Benjamin Disraeli (1804-1881). No había grandes científicos judíos y sólo algunos matemáticos de altura, pero no de suprema eminencia. Tampoco Meyerbeer (1791-1846) y Mendelssohn-Bartholdy (1809-1847) eran compositores de la talla de otros contemporáneos, aunque entre los poetas Heinrich Heine (1797-1856) pueda figurar junto a los mejores de su tiempo. Tampoco había pintores judíos de importancia ni grandes intérpretes o directores musicales. En el teatro sólo contaban con una gran figura: la actriz Rachel (1821-1858). Pero la verdad es que la emancipación de un pueblo no se mide por la producción de genios, sino más bien por la súbita abundancia de judíos menos eminentes participantes en la cultura y la vida pública de la Europa occidental, especialmente en Francia y sobre todo en los estados alemanes, que proporcionaban el lenguaje y la ideología que poco a poco salvaban la brecha entre el medievalismo y el siglo XIX para los judíos inmigrantes del *hinterland*.

La doble revolución proporcionó a los judíos lo más parecido a la igualdad que nunca habían gozado bajo el cristianismo. Los que aprovecharon la oportunidad no podían desear nada mejor que ser «asimilados» por la nueva sociedad, y sus simpatías estaban, por obvias razones, del lado liberal. Sin embargo, su situación era incierta e incómoda, aunque el endémico antisemitismo de las masas explotadas, que con frecuencia identificaría a los judíos con los «burgueses»,[25] no era utilizado muy en serio por los políticos dema-

---

24. Viena, *Verwaltungsarchiv*, Polizeihofstelle, H 136/1834.

25. El bandido alemán Schinderhannes (Johannes Bueckler, 1777-1803) alcanzó mucha popularidad al elegir a muchos judíos como víctimas, y en Praga, la inquietud industrial en 1840-1850 tuvo también un tinte antijudío (Viena, *Verwaltungsarchiv*, Polizeihofstelle, 1186-1845).

gogos. En Francia y Alemania occidental (pero no en otras partes), algunos judíos jóvenes soñaban con una sociedad más perfecta todavía: hubo un marcado elemento judío en el sansimonismo francés (Olinde Rodrigues, los hermanos Pereire, Léon Halévy, d'Eichthal) y un poco menos en el comunismo alemán (Moses Hess, el poeta Heine, y naturalmente Marx, quien, no obstante, mostraba una indiferencia total por sus orígenes y conexiones judaicas).

La situación de los judíos los hacía excepcionalmente aptos para ser asimilados por la sociedad burguesa. Eran una minoría. Ya estaban completamente urbanizados, hasta el punto de encontrarse inmunizados contra las dolencias urbanas. Su baja morbilidad y mortalidad en las ciudades ya fue advertida por los estadísticos. Eran hombres cultos y al margen de la agricultura. Una gran proporción de ellos se dedicaba al comercio o a las profesiones libres. Su posición los obligaba constantemente a considerar las nuevas situaciones e ideas, aunque sólo fuera para detectar la amenaza latente que pudieran llevar implícita. Por otra parte, la gran masa de los pueblos del mundo encontraba mucho más difícil adaptarse a la nueva sociedad.

Esto se debía en parte a que la férrea coraza de la costumbre casi los imposibilitaba para entender lo que se esperaba de ellos; como los jóvenes señores argelinos, llevados a París para adquirir una educación europea en los años 1840, que se sorprendían al descubrir que habían sido invitados a la capital real para algo que no era el trato social con el rey y la nobleza, que sabían que constituía su deber. Además, la nueva sociedad no hacía fácil la adaptación. Los que aceptaban los evidentes beneficios de la civilización y los modales de la clase media podían disfrutarlos libremente; los que los rechazaban o no eran capaces de obtenerlos simplemente no contaban. Había más que un sesgo meramente político en la insistencia sobre la libre propiedad que caracterizaba a los gobiernos moderadamente liberales de 1830; el hombre que no mostraba habilidad para llegar a propietario de algo no era un hombre completo y, por tanto, difícilmente sería un completo ciudadano. Esta actitud llegaba a su extremo donde la clase media europea, puesta en contacto con los infieles idólatras, trataba de convertirlos, a través de inexpertos misioneros, a las verdades del cristianismo, de convencerlos para comerciar o llevar pantalones (entre lo cual no había mucha diferencia), o imponerles las verdades de la legislación liberal. Si aceptaban todo ello, el liberalismo (si se trataba del revolucionario francés) estaba dispuesto a concederles la plena ciudadanía con todos sus derechos, o (si se trataba del inglés) la esperanza de llegar a ser un día casi tan buenos como los ingleses. Tal actitud se refleja perfectamente en el *senadoconsulto* de Napoleón III, que poco después de nuestro período, pero todavía dentro de su espíritu, abría las puertas de la ciudadanía francesa a los argelinos: «Il peut, sur sa demande, être admis à jouir des droits de citoyen français; dans ce cas il est régi par les lois civiles et politiques de la France».[26] En efecto, todo lo que tenía que

26. A. Girault y L. Milliot, *Principes de colonisation et de législation coloniale*, 1938, p. 359.

hacer era renunciar al Islam; si no quería hacerlo —y pocos lo hicieron— seguiría siendo un súbdito y no un ciudadano.

El absoluto desprecio de los «civilizados» por los «bárbaros» (entre los que se incluía a la masa de trabajadores pobres del país)[27] descansaba sobre este sentimiento de superioridad demostrada. El mundo de la clase media estaba abierto para todos. Los que no lograban cruzar sus umbrales demostraban una falta de inteligencia personal, de fuerza moral o de energía que automáticamente los condenaba; o en el mejor de los casos, una herencia histórica o radical que debería invalidarles eternamente, como si ya hubieran hecho uso para siempre de sus oportunidades. El período que culminó a mediados del siglo XIX fue, por tanto, una época de dureza sin igual, no sólo porque la pobreza que rodeaba a la respetabilidad de la clase media era tan espantosa que los nacionales ricos preferían no verla, dejando que sus horrores causaran impacto sólo en los visitantes extranjeros (como hoy los horrores de los suburbios indios), sino también porque los pobres, como los bárbaros del exterior, eran tratados como si no fueran seres humanos. Si su destino era ser obreros industriales, no pasaban de ser una masa que arrojar en el molde de la disciplina por la pura coacción, que aumentaba con la ayuda del Estado la ya draconiana disciplina de la fábrica. (Es característico que la opinión de la clase media contemporánea no viese la incompatibilidad entre el principio de la igualdad ante la ley y los deliberadamente discriminatorios códigos laborales, que, como en el inglés de amo y criado de 1823, castigaba con prisión a los obreros que infringieran el contrato y a los patronos con modestas multas, si acaso.)[28] Debían estar constantemente al borde de la indigencia, pues de otra manera no trabajarían, y ser inaccesibles a los motivos «humanos». «Es muy conveniente para el propio trabajador —decían a Villermé algunos patronos hacia 1840— estar acosado constantemente por la necesidad, pues así no dará mal ejemplo a sus hijos, y su pobreza será una garantía de su buena conducta.»[29] Sin embargo, había demasiados pobres, aunque se esperaba que los efectos de la ley de Malthus eliminarían a bastantes de ellos permitiendo establecer un máximum viable; a menos que *per absurdum* los pobres llegaran a imponer un límite racional a la población refrenando sus excesivas complacencias en la procreación.

Sólo había un paso desde tal actitud al reconocimiento formal de la desigualdad que, como afirmó Henri Baudrillart en su conferencia inaugural en el Colegio de Francia, en 1853, era uno de los tres pilares de la sociedad humana (los otros dos eran la propiedad y la herencia).[30] Así, pues, la socie-

---

27. Louis Chevalier, en *Classes laborieuses et classes dangereuses*, París, 1958, III, parte 2, examina el uso del vocablo «bárbaro» en 1840-1850, tanto por los adversarios como por los partidarios del esfuerzo de los humildes.

28. D. Simon, «Master and Servant», en J. Saville, ed., *Democracy and the Labour Movement*, 1954.

29. P. Jaccard, *Histoire sociale du travail*, 1960, p. 248.

30. P. Jaccard, *op. cit.*, p. 249.

dad jerárquica se reconstruyó sobre los cimientos de la igualdad oficial. Pero había perdido lo que la hacía tolerable en otros días: la convicción social general de que los hombres tenían obligaciones y derechos, de que la virtud no era sencillamente el equivalente del dinero y de que los miembros del orden inferior, aunque bajo, tenían derecho a vivir sus modestas vidas en la condición social a que Dios los había llamado.

11. EL TRABAJADOR POBRE

> Cada industrial vive en su fábrica como los plantadores coloniales en medio de sus esclavos, uno contra ciento, y la subversión de Lyon es una especie de insurrección de Santo Domingo ... Los bárbaros que amenazan a la sociedad no están ni en el Cáucaso ni en las estepas de Tartaria; están en los suburbios de nuestras ciudades industriales ... La clase media debe reconocer francamente la naturaleza de la situación; debe saber en dónde está.
>
> SAINT-MARC GIRARDIN en el *Journal des Débats*,
> 8 de diciembre de 1831

> Pour gouverner il faut avoir
> manteaux ou rubans en sautoir (*bis*).
> Nous en tissons pour vous, grands de la terre,
> et nous, pauvres canuts, sans drap on nous enterre.
> C'est nous les canuts
> nous sommes tout nus (*bis*).
>
> Mais quand notre règne arrive
> quand votre règne finira,
> alors nous tisserons le linceul du vieux monde
> car on entend déjà la revolte qui gronde.
> C'est nous les canuts
> nous n'irons plus tout nus.
>
> Canto de los tejedores de seda de Lyon

I

Tres posibilidades se abrían al pobre que se encontraba al margen de la sociedad burguesa y sin protección efectiva en las regiones todavía inaccesibles de la sociedad tradicional. Podía esforzarse en hacerse burgués, podía desmoralizarse o podía rebelarse.

Lo primero, como hemos visto, no sólo era técnicamente difícil para quienes carecían de un mínimo de bienes o de instrucción, sino también profundamente desagradable. La introducción de un sistema individualista puramente utilitario de conducta social, la jungla anárquica de la sociedad burguesa, teóricamente justificada con su divisa «cada hombre para sí y que al último se lo lleve el diablo», parecía a los hombres criados en las sociedades tradicionales poco mejor que la maldad desenfrenada. «En nuestro tiempo —decía uno de los desesperados tejedores a mano de Silesia que se amotinaron inútilmente contra su destino en 1844—[1] los hombres han inventado excelentes artes para debilitar y minar las vidas de los demás. Pero ¡ay!, nadie piensa en el séptimo mandamiento, que prohíbe robar. Ni recuerdan el comentario de Lutero cuando dice: "Amaremos y temeremos al Señor, así que no quitaremos nada a nuestro prójimo, sus bienes o dinero, ni los adquiriremos con falsedad o engaño, sino que, por el contrario, le ayudaremos a conservar y aumentar su vida y su caudal".» Aquel hombre hablaba en nombre de todos los que se veían arrastrados a un abismo por quienes representaban a las fuerzas del infierno. No pedían mucho. («El rico solía tratar al pobre con caridad, y el pobre vivía sencillamente, pues en aquellos días los órdenes más bajos necesitaban mucho menos que hoy para ropas y otros menesteres.») Pero incluso ese modesto lugar en el orden social parecía que iba ahora a serle arrebatado.

De aquí su resistencia incluso a las más racionales proposiciones de la sociedad burguesa, siempre unidas a la inhumanidad. Los señores del campo introdujeron, y los labradores aceptaron, el «sistema Speenhamland», aunque los argumentos económicos contra él eran terminantes. Como procedimiento de aliviar la pobreza, la caridad cristiana era tan mala como inútil, como podía verse en los Estados Pontificios, en los que abundaba. Pero era popular no sólo entre los ricos tradicionalistas, que la fomentaban como salvaguardia contra el peligro de la igualdad de derechos (propuesta por «esos soñadores que sostienen que la naturaleza ha creado a los hombres con iguales derechos y que las diferencias sociales debían fundarse puramente en la utilidad común»),[2] sino también entre los tradicionalistas pobres, profundamente convencidos de que tenían *derecho* a las migajas de la mesa del rico. En Inglaterra, un abismo dividía a los paladines de las sociedades de socorro mutuo de la clase media, que veían en ellas una forma de ayuda individual, y a los pobres, que las consideraban, a menudo con un concepto primario, como verdaderas *sociedades* con sus banquetes, ceremonias, ritos y festejos, en detrimento de los cálculos de contaduría.

Esta resistencia fue reforzada por la oposición de los mismos burgueses a algunos aspectos de pura e individual libre competencia que no les beneficiaban. Nadie era más devoto del individualismo que el bronco granjero o fabricante norteamericano, y ninguna constitución más opuesta que la suya —o al menos así lo creyeron sus abogados hasta nuestro siglo— a tales inter-

---

1. El tejedor Hauffe, nacido en 1807, citado en Alexander Schneer, *Ueber die Noth der Leinen-Arbeiter in Schlelesien...*, Berlín, 1844, p. 16.

2. El teólogo P. D. Michele Augusti, *Della libertà ed eguaglianza degli uomini nell'ordine naturale e civile*, 1790, citado en A. Cherubine, *Dottrine e metodi assistenziali dal 1789 al 1848*, Milán, 1958, p. 17.

ferencias en la libertad como la legislación federal sobre el trabajo de los niños. Pero nadie estaba más firmemente entregado que ellos, como hemos visto, a la protección «artificial» de sus negocios. Uno de los principales beneficios que se esperaban de la iniciativa privada y la libre competencia era el de la nueva maquinaria. Pero no sólo se levantaron para aplastarla los luditas, destructores de máquinas, también los pequeños negociantes y granjeros simpatizaban con ellos porque consideraban a los innovadores como destructores de la vida de los hombres. Los granjeros algunas veces dejaban sus máquinas al alcance de los amotinados para que las destrozasen, por lo que el gobierno se vio obligado a enviar en 1830 una lacónica circular señalando que las máquinas «están protegidas por la ley como cualquier otra clase de propiedades».[3] Las dudas y vacilaciones con las que, fuera de las ciudadelas de la confianza liberal burguesa, empezaban los nuevos empresarios su histórica tarea de destruir el orden social y moral, fortalecían las convicciones del hombre pobre.

Claro está que había trabajadores que hacían lo posible por unirse a la clase media o al menos por seguir los preceptos de austeridad, de ayudarse y mejorarse a sí mismos. La literatura moral y didáctica de la clase media radical, los movimientos de moderación y los esfuerzos de los protestantes están llenos de esa clase de hombres, cuyo Homero fue Samuel Smiles. En efecto, tales corporaciones atraían y quizá estimulaban a los jóvenes ambiciosos. El Seminario de Templanza de Royton, puesto en marcha en 1843 (limitado a muchachos —en su mayor parte obreros del algodón— que se comprometían a la abstinencia, renunciaban al juego y vivían con una estricta moralidad) había producido a los veinte años cinco maestros tejedores de algodón, un clérigo, dos gerentes de fábricas de algodón en Rusia «y otros muchos alcanzaron posiciones respetables como gerentes, inspectores, mecánicos, maestros de escuela o tenderos».[4] Desde luego tal fenómeno era menos común fuera del mundo anglosajón, en donde el camino de la clase trabajadora (excepto la emigración) era mucho más estrecho —ni siquiera en Inglaterra se podía decir que era ancho— y la influencia intelectual y moral de la clase media radical sobre el buen trabajador era menor.

Claro que, por otra parte, había muchos más que, enfrentados con una catástrofe social que no entendían, empobrecidos, explotados, hacinados en suburbios en donde se mezclaban el frío y la inmundicia, o en los extensos complejos de los pueblos industriales en pequeña escala, se hundían en la desmoralización. Privados de las tradicionales instituciones y guías de conducta, muchos caían en el abismo de la existencia precaria. Las familias empeñaban las mantas cada semana hasta el día de paga.[5] El alcohol era «la salida más rápida de Manchester» (o Lille o Borinage). El alcoholismo en

3. E. J. Hobsbawm, «The Machine Breakers», *Past and Present*, I (1952).
4. «About Some Lancashire Lads», en *The Leisure Hour*, 1881. Debo esta referencia a Mr. A. Jenkin.
5. En 1855, el 60 por 100 de los empeños con los prestamistas de Liverpool fueron de 5 chelines o menos, y el 27 por 100 de 2,5 chelines o menos.

masa —compañero casi invariable de una industrialización y urbanización bruscas e incontroladas— expandía «una pestilencia de fuertes licores» [6] por toda Europa. Quizá los numerosos contemporáneos que deploraban el aumento de la embriaguez, como de la prostitución y otras formas de promiscuidad sexual, exageraban. Sin embargo, la súbita aparición, hacia 1840, de sistemáticas campañas de agitación en favor de la templanza, entre las clases media y trabajadora de Inglaterra, Irlanda y Alemania, demuestra que la preocupación por la desmoralización no era académica ni estaba limitada a una sola clase. Su éxito inmediato fue efímero, pero durante el resto del siglo la hostilidad a los licores fuertes fue algo que los movimientos de los patronos y obreros ilustrados tuvieron en común. [7]

Pero, desde luego, los contemporáneos que deploraban la desmoralización de los nuevos pobres urbanos e industrializados no exageraban. Todo coincidía para agrandarla. Las ciudades y zonas industriales crecían rápidamente, sin plan ni supervisión, y los más elementales servicios de la vida de la ciudad no conseguían ponerse a su paso. Faltaban casi por completo los de limpieza en la vía pública, abastecimiento de agua, sanidad y viviendas para la clase trabajadora. [8] La consecuencia más patente de este abandono urbano fue la reaparición de grandes epidemias de enfermedades contagiosas (motivadas por el agua), como el cólera, que reconquistó a Europa desde 1831 y barrió el continente de Marsella a San Petersburgo en 1832 y otra vez más tarde. Para poner un ejemplo diremos que al tifus en Glasgow «no se le dio consideración de epidemia grave hasta 1818». [9] Luego aumentó. En la ciudad hubo dos grandes epidemias (tifus y cólera) en la década 1830-1840, tres (tifus, cólera y paludismo) en la siguiente, dos en la década de 1850, hasta que las mejoras urbanas acabaron con una generación de descuido. Los terribles efectos de ese descuido fueron tremendos, pero las clases media y alta no los sintieron. El desarrollo urbano en nuestro período fue un gigantesco proceso de segregación de clases, que empujaba a los nuevos trabajadores pobres a grandes concentraciones de miseria alejadas de los centros del gobierno y los negocios, y de las nuevas zonas residenciales de la burguesía. La casi universal división de las grandes ciudades europeas en un «hermoso» oeste y un «mísero» este, se desarrolló en este período. [10] Y ¿qué institucio-

---

6. «Die Schnapspest im ersten Drittel des Jahrhunderts», *Handwoerterbuch d. Staatswissenschaften*, 2.ª ed., artículo «Trunksucht».

7. La hostilidad a la cerveza, el vino y otras bebidas que forman parte de la dieta habitual del hombre, estaba limitada a los sectarios protestantes anglosajones.

8. L. Chevalier, *Classes laborieuses et classes dangereuses*, *passim*.

9. J. B. Russell, *Public Health Administration in Glasgow*, 1903, p. 3.

10. «Las circunstancias que obligan a los trabajadores a trasladarse del centro de París han tenido, como se señala, deplorables efectos sobre su conducta y moralidad. Antiguamente solían vivir en los pisos altos de edificios cuyos pisos bajos estaban ocupados por comerciantes y otros miembros de clases relativamente acomodadas. Una especie de solidaridad se establecía entre los inquilinos de un mismo edificio. Los vecinos se ayudaban unos a otros en pequeñas cosas. Cuando eran víctimas de enfermedades o paro los obreros solían encontrar socorros dentro de la misma casa y, en reciprocidad, una especie de sentimiento de humano respeto imbuía a la clase

nes sociales salvo la taberna y si acaso la capilla se crearon en aquellas nuevas aglomeraciones obreras, salvo las de iniciativa de los mismos trabajadores? Sólo a partir de 1848, cuando las nuevas epidemias desbordando los suburbios empezaron a matar también a los ricos, y las desesperadas masas que vivían en ellos asustaron a los poderosos, se emprendió una sistemática reconstrucción y mejora urbana.

La bebida no era la única muestra de desmoralización. El infanticidio, la prostitución, el suicidio y el desequilibrio mental han sido relacionados con aquel cataclismo económico y social, gracias sobre todo a los trabajos de algunos médicos contemporáneos a los que hoy podemos llamar precursores de la medicina social.[11] Tanto el aumento de criminalidad como el de violencias, a menudo sin finalidad determinada, eran una especie de ciega afirmación personal contra las fuerzas que amenazaban con destruir a la humanidad. La floración de sectas y cultos apocalípticos, místicos y supersticiosos en este período (véase cap. 12) indica una incapacidad parecida para contener los terremotos sociales que estaban destrozando las vidas de los hombres. Las epidemias de cólera, por ejemplo, provocaron resurgimientos religiosos lo mismo en la católica Marsella que en el protestante País de Gales.

Todas estas formas de desviación de la conducta social tenían algo de común entre ellas, e incidentalmente con la ayuda a «uno mismo». Eran tentativas para escapar del destino de ser un pobre hombre trabajador, o al menos para aceptar u olvidar la pobreza y la humillación. El creyente en la segunda venida, el borracho, el ladronzuelo, el lunático, el vagabundo o el pequeño negociante ambicioso, desviaban sus ojos de la condición colectiva y (con la excepción del último) eran apáticos respecto a la posibilidad de una acción colectiva. Esta apatía de la masa representó un papel mucho más importante de lo que suele suponerse en la historia de nuestro período. No es casualidad que los menos hábiles, los menos instruidos, los menos organizados y, por tanto, los menos esperanzados de los pobres, fueran entonces y más tarde los más apáticos: en las elecciones de 1848, en la ciudad prusiana de Halle, el 81 por 100 de los artesanos independientes y el 71 por 100 de los albañiles, carpinteros y otros obreros de la construcción votaron; en cambio, sólo lo hizo un 46 por 100 de los trabajadores de las factorías y los ferrocarriles, los labradores, los trabajadores domésticos, etc.[12]

---

trabajadora costumbres de cierta regularidad.» La cita pertenece a un informe de la Cámara de Comercio y la Prefectura de Policía. Pero la segregación puso fin a aquella situación (Chevalier, *op. cit.*, pp. 233-234).

11. La larga lista de doctores a quienes debemos mucho de nuestro conocimiento de la época —y de su subsiguiente mejoría— contrasta vivamente con la general indiferencia y crueldad de la opinión burguesa. Villermé y los colaboradores de los *Annales d'Hygiène Publique*, fundados por él en 1829, Kay, Thackrah, Simon, Gaskell y Farr, en Inglaterra, y varios en Alemania merecen ser más recordados de lo que normalmente son.

12. E. Neuss, *Entstehung v. Entwicklung d. Klasse d. besitzlosen Lohnarbeiter in Halle*, Berlín, 1958, p. 283.

II

La alternativa de la evasión o la derrota era la rebelión. La situación de los trabajadores pobres, y especialmente del proletariado industrial que formaba su núcleo, era tal que la rebelión no sólo fue posible, sino casi obligada. Nada más inevitable en la primera mitad del siglo XIX que la aparición de los movimientos obrero y socialista, así como el desasosiego revolucionario de las masas. La revolución de 1848 sería su consecuencia directa.

Ningún observador razonable negaba que la condición de los trabajadores pobres, entre 1815 y 1848, era espantosa. Y en 1840, esos observadores eran muchos y advertían que tal situación empeoraba cada vez más. En Inglaterra, las teorías malthusianas que sostenían que el crecimiento de la población superaría inevitablemente al de los medios de subsistencia, se basaban en ese juicio y se veían reforzadas por los argumentos de los economistas ricardianos. Los que tenían una visión más optimista de las perspectivas de la clase trabajadora eran menos numerosos y menos capaces que los pesimistas. En Alemania, durante la década 1830-1840, la creciente depauperación del pueblo fue el tema específico de catorce publicaciones diferentes, y la cuestión de si «las quejas contra esa creciente depauperación y merma de alimentos» eran justificadas, sirvió de base para un concurso de ensayos académicos. (Diez de los dieciséis competidores dijeron que sí y sólo dos que no.)[13] El predominio de tales opiniones evidencia la miseria universal y en apariencia desesperada de los pobres.

Sin duda, la verdadera pobreza era peor en el campo, y especialmente entre los jornaleros, los trabajadores domésticos rurales y los campesinos que vivían en las tierras pobres y estériles. Una mala cosecha —como las de 1789, 1795, 1817, 1832 y 1847— provocaba verdaderas hambres, aun sin la intervención de catástrofes adicionales, como la competencia de las manufacturas algodoneras inglesas, que destruyó hasta sus cimientos la industria de lino en Silesia. Después de la ruinosa cosecha de 1813 en Lombardía, muchas gentes se sustentaban tan sólo con hierbas y forrajes, con pan hecho de hojas de habas y bayas silvestres.[14] Un mal año, como el de 1817, pudo producir, incluso, en la próspera y tranquila Suiza, un exceso de defunciones sobre los nacimientos.[15] El hambre europea de 1846-1848 palidece junto al cataclismo del hambre irlandesa (véanse pp. 169-170), pero no por eso fue menos real. En Prusia oriental y occidental (1847) un tercio de la población

---

13 J. Kuczynski, *Geschichte der Lage der Anbeiter*, Berlín, 1960, vol. 9, pp. 264 ss.; vol. 8, 1960, pp. 109 ss.

14. R. J. Rath, «The Habsburgs and the Great Depression in Lombardo-Venetia 1814-1818», *Journal of Modern History*, XIII, p. 311.

15. M. C. Muehlemann, «Les prix des vivres et le mouvement de la population dans le canton de Berne 1782-1881», *IV Congrès International d'Hygiène*, 1883.

había dejado de comer pan, y se alimentaba sólo de patatas.[16] En las austeras y paupérrimas aldeas de las montañas del centro de Alemania, en donde hombres y mujeres se sentaban en troncos, carecían casi de ropas de cama y bebían en cuencos de barro por falta de cristal, la población estaba tan acostumbrada a una dieta de patatas y recuelo, que durante las épocas de hambre, los componentes de los servicios de socorro tenían que enseñarles a comer los garbanzos y las gachas que les suministraban.[17] El hambre y el tifus arrasaban los campos de Flandes y de Silesia, en donde los tejedores de lino libraban su desesperada batalla contra la industria moderna.

Pero, de hecho, la miseria —la creciente miseria como pensaban muchos— que llamaba más la atención, aparte de catástrofes totales como la de Irlanda, era la de las ciudades y zonas industriales en donde los pobres se extenuaban menos pasivamente y menos inadvertidamente. Todavía es cuestión que se debate si sus ingresos eran menores; pero, como hemos visto, no cabe duda de que la situación general de los pobres en las ciudades era pavorosa. Las diferencias entre una región y otra, entre los diversos tipos de trabajadores y los distintos períodos económicos, así como las deficiencias de las estadísticas, hacen difícil responder decididamente a tales preguntas, aunque cualquier significativa mejora general puede ser excluida antes de 1848 (o quizá de 1844 en Inglaterra), y podamos asegurar que la brecha entre ricos y pobres era cada vez más ancha y más visible. La época en que la baronesa de Rothschild llevaba joyas por valor de millón y medio de francos al baile de máscaras del duque de Orleans (1842) era la misma en que John Bright describía a las mujeres de Rochdale: «Dos mil mujeres y muchachas pasaban por las calles cantando himnos; era un espectáculo singular e impresionante, casi sublime. Terriblemente hambrientas, devoraban una hogaza con avidez indescriptible. Si el pan hubiera estado cubierto de fango, lo habrían devorado igual».[18]

Es probable que hubiera un deterioro general en grandes zonas de Europa, pues no sólo faltaban, como hemos visto, instituciones urbanas y servicios sociales correspondientes a la súbita e inesperada expansión, sino que además el dinero y los jornales tendían a bajar desde 1815, y también la producción y el transporte de los alimentos disminuyeron en muchas grandes ciudades hasta la época del ferrocarril.[19] Los malthusianos fundaban su pesimismo en esos empeoramientos. Pero, aparte de ellos, el mero cambio de la

16. F. J. Neumann, «Zur Lehre von d. Lohngesetzen», *Jb. f. Nat. Oek*, 3.ª serie, IV (1892), pp. 374 ss.

17. R. Scheer, *Entwicklung d. Annaberger Posamentier-industrie im 19 Jahrhundert*, Leipzig, 1909, pp. 27-28 y 33.

18. N. McCord, *The Anti-Corn Law League*, 1958, p. 127.

19. «Por el contrario, es seguro que la situación alimenticia en París se agravó poco a poco con el siglo XIX, sin duda hasta la proximidad de los años 50 o 60.» R. Philippe, en *Annales*, 16, 3 (1961), p. 567. Para cálculos análogos sobre Londres, cf. E. J. Hobsbawm, «The British Standard of Living», *Economic History Review*, X, I (1957). El total de carne consumida por cabeza en Francia parece que permaneció inalterado entre 1812 y 1840. (*Congrès International d'Hygiène, París, 1878*, 1880, vol. I, p. 432.)

tradicional dieta alimenticia del hombre preindustrial por la más austera del industrial y urbanizado iba a llevarle a la desnutrición, lo mismo que las condiciones de vida y el trabajo urbanos iban a debilitar su salud. La extraordinaria diferencia de salud y aptitudes físicas entre la población agrícola y la industrial (y desde luego entre las clases alta, media y trabajadora), que llamó la atención de los estadísticos franceses e ingleses, se debía claramente a esto. Las probabilidades de vivir de los niños nacidos en la década de 1840 eran dobles en los trabajadores rurales de Wiltshire y Rutland (no muy ahítos por cierto) que en los de Manchester o Liverpool. Pero entonces —por poner sólo un ejemplo— «hasta que el vapor se introdujo en el trabajo hacia finales del último siglo, las enfermedades producidas por el polvo del metal apenas se conocían en los talleres metalúrgicos de Sheffield». Ya en 1842, el 50 por 100 de los pulidores de metales de treinta años, el 79 por 100 de los de cuarenta y el 100 por 100 de los de más de cincuenta estaban enfermos de los pulmones.[20]

Además, el cambio en la economía trasladó y desplazó a grandes núcleos de labradores, a veces en beneficio suyo, pero casi siempre en su perjuicio. Grandes masas de población permanecían totalmente al margen de las nuevas industrias o ciudades, como un sustrato permanente de pobreza y desesperación, y también grandes masas se veían periódicamente afectadas por el paro en crisis no siempre pasajeras. Dos terceras partes de los obreros textiles de Bolton (1842) y de Roubaix (1847) serían despedidos definitivamente a consecuencia de quiebras.[21] El 20 por 100 de los de Nottingham y una tercera parte de los de Paisley serían despedidos también.[22] Un movimiento como el cartismo en Inglaterra se desplomaría, una y otra vez, por su debilidad política. Una y otra vez el hambre —la intolerable carga que pesaba sobre millones de pobres trabajadores— lo haría revivir.

Aparte de estas tormentas generales, algunas catástrofes especiales estallaban sobre las cabezas de los diferentes géneros de trabajadores humildes. Como ya hemos visto, la fase inicial de la Revolución industrial no impulsó a todos los trabajadores hacia las factorías mecanizadas. Por el contrario, en torno a los pocos sectores mecanizados y de producción en gran escala, se multiplicaba el número de artesanos preindustriales, de cierta clase de trabajadores expertos y del ejército de trabajadores domésticos, mejorando a menudo su condición, especialmente durante los largos años de escasez de mano de obra por las guerras. En la década 1820-1830 el avance poderoso e impersonal de la máquina y del mercado empezó a darlos de lado. En el mejor de los casos, los hombres independientes se convertían en dependientes, las personas en «manos». En el peor de los casos, se producían aquellas

20. S. Pollard, *A History of Labour in Sheffield*, 1960, pp. 62-63.

21. H. Ashworth, en *Journal Stat. Soc.*, V (1842), p. 74; E. Labrousse, ed., *Aspects de la crise... 1840-1851*, 1956, p. 107.

22. *Statistical Committee Appointed by the Anti-Corn Law Conference... March 1842*, s. f., p. 45.

multitudes de degradados, empobrecidos y hambrientos —tejedores manuales, calceteros, etc.— cuya miseria helaba la sangre incluso de los más inflexibles economistas. No eran gente ignorante e inexperta. Algunas comunidades como las de tejedores de Norwich y de Dunfermline, rotas y dispersas en 1830-1840, las de los mueblistas londinenses cuyas antiguas «tarifas de precios» se convirtieron en papeles mojados cuando cayeron en la charca de los talleres baratos, los jornaleros continentales convertidos en proletarios vagabundos, los artesanos que perdieron su independencia, etc., habían sido siempre los más hábiles, los más educados, los más dignos de confianza, es decir, la flor de la clase trabajadora.[23] No sabían lo que les ocurría y era lógico que trataran de saberlo, y más lógico todavía que protestaran.[24]

Materialmente, es probable que el nuevo proletariado fabril estuviera algo mejor. Claro que no era libre; estaba bajo el estricto control y la disciplina más estricta todavía impuesta por el patrono o sus representantes, contra los que no tenían recurso legal alguno y sólo unos rudimentos de protección pública. Tenían que trabajar las horas y en las condiciones que les impusieran; aceptar los castigos y multas con que los sancionaban, a la vez que los patronos aumentaban sus beneficios. En industrias o zonas aisladas tenían que comprar en las tiendas del dueño; en otras recibían los jornales en especie (lo que permitía al patrono poco escrupuloso aumentar más sus ganancias) o vivían en las casas que el patrono les proporcionaba. Sin duda, el chico de pueblo podía encontrar semejante vida no más dependiente ni menos miserable que la que vivía con sus padres; y en las industrias continentales con una fuerte tradición paternalista, el despotismo del amo estaba contrapesado al menos por los servicios de seguridad, educación y bienestar que a veces proporcionaba a sus obreros. Pero, para el hombre libre, entrar en la factoría como simple «mano» era entrar en algo poco mejor que la esclavitud, y todos —menos los más hambrientos— trataban de evitarlo y, si no tenían más remedio, de resistir a la férrea disciplina con mucha más energía que las mujeres y los niños, a quienes los patronos preferían por eso. En la década 1830-1840 y en parte de la siguiente, puede afirmarse que incluso la situación material del proletariado industrial tendió a empeorar.

Cualquiera que fuese la situación del trabajador pobre, es indudable que todo el que pensara un poco en su situación —es decir, que no aceptara las tribulaciones del pobre como parte de un destino inexorable y del eterno

23. De 195 tejedores adultos de Gloucestershire, sólo 15 no sabían leer y escribir en 1840. En cambio, de los amotinados en las zonas fabriles de Lancashire, Cheshire y Staffordshire, en 1842, sólo un 13 por 100 sabía leer y escribir bien, y un 32 por 100, imperfectamente (R. K. Webb, en *English Historical Review*, LXV (1950), pp. 333 ss.).

24. «Casi un tercio de nuestra población trabajadora ... consiste en tejedores y labradores, cuyos ingresos medios no llegan a una cantidad suficiente para sostener y alimentar a sus familias sin la asistencia parroquial. Esta parte de la comunidad, casi siempre decente y respetable, es la que sufre más por la baja de los salarios y la dureza de los tiempos. Es a esta clase de pobres criaturas a las que deseo particularmente recomendar el sistema cooperativo» (F. Baker, *First Lecture on Co-operation*, Bolton, 1830).

designio de las cosas— tenía que advertir que el trabajador era explotado y empobrecido por el rico, que se hacía más rico mientras el pobre se hacía más pobre. Y que el pobre sufría *porque* el rico se beneficiaba. El mecanismo social de la sociedad burguesa era profundamente cruel, injusto e inhumano. «No puede haber riqueza sin trabajo —escribía el *Lancashire Co-operator*—. El trabajador es la fuente de toda la riqueza. ¿Quién ha producido todo el alimento? El mal alimentado y depauperado labrador. ¿Quién construyó todas las casas, almacenes y palacios poseídos por los ricos, que nunca trabajaron o produjeron algo? Los obreros. ¿Quién teje todas las hilazas y hace todas las telas? Los tejedores.» Sin embargo, «el trabajador vive en la indigencia mientras los que no trabajan son ricos y poseen de todo hasta hartarse».[25] Y el desesperado trabajador rural (cuyos ecos han llegado hasta los cantos espirituales de los negros de hoy) expresaba esto con menos claridad, pero quizá más profundamente:

> Si la vida fuera algo que pudiera comprarse con dinero,
> el rico viviría y el pobre moriría.[26]

III

El movimiento obrero proporcionó una respuesta al grito del hombre pobre. No debe confundirse con la mera revulsión colectiva contra la intolerable injusticia que se produjo en otros momentos de la historia, ni siquiera con la práctica de la huelga y otras formas de beligerancia características del trabajo desde entonces. Todo ello tiene también una historia que se remonta más allá de la Revolución industrial. Lo verdaderamente nuevo en el movimiento obrero de principios del siglo XIX era la conciencia de clase y la ambición de clase. No era el «pobre» el que se enfrentaba al «rico». Una *clase* específica, la clase trabajadora, obreros o proletariado, se enfrentaba a otra, patronos o capitalistas. La Revolución francesa dio confianza a esta nueva clase; la Revolución industrial imprimió en ella la necesidad de una movilización permanente. Una vida decorosa no podía conseguirse solamente con la protesta ocasional que serviría para restaurar la estable balanza de la sociedad perturbada temporalmente. Se requería la vigilancia continua, la organización y actividad del «movimiento»: sindicatos, sociedades mutuas y cooperativas, instituciones laborales, periódicos, agitación. La novedad y rapidez del cambio social que los absorbía, incitó a los trabajadores a pensar en los términos de una sociedad completamente distinta, basada en sus experiencias e ideas opuestas a las de sus opresores. Sería cooperativa y no com-

---

25. Citado en A. E. Musson, «The Ideology of Early Co-operation in Lancashire and Cheshire», *Transactions of the Lancashire and Cheshire Antiquarian Society*, LXVIII (1958), p. 120.

26. A. Williams, en *Folksongs of the Upper Thames*, 1923, p. 105, da una versión quizá con más conciencia de clase.

petidora, colectivista y no individualista. Sería «socialista». Y representaría no el eterno sueño de la sociedad libre, que los pobres siempre llevan en lo recóndito de su mente pero en lo que sólo piensan en las raras ocasiones de una revolución social general, sino una alternativa permanente y practicable al presente sistema.

En este sentido, la conciencia de la clase trabajadora no existía en 1789, ni siquiera durante la Revolución francesa. Fuera de Inglaterra y Francia tampoco existía apenas en 1848. Pero en los dos países que incorporaron la doble revolución existía desde luego entre 1815 y 1848, y de manera especial hacia 1830. El término «clase trabajadora» (distinto del menos específico «las clases trabajadoras») aparece en los escritos laboristas ingleses poco después de Waterloo y quizá un poco antes, mientras que en los franceses la frase equivalente sólo se hace frecuente después de 1830.[27] En Inglaterra, los intentos de reunir a todos los trabajadores en sociedades generales de obreros, es decir, en entidades que superaran el aislamiento local de los grupos particulares de obreros llevándoles a una solidaridad nacional y hasta quizá universal de la clase trabajadora, empezó en 1818 y prosiguió con febril intensidad entre 1829 y 1834. El complemento de la «unión general» era la huelga general, que también fue formulada como un concepto y una táctica sistemática de la clase trabajadora de aquel período, sobre todo en la obra *Grand National Holiday, and Congress of the Productive Classes* (1832) de William Benbow, y seriamente discutida como método político por los cartistas. Entretanto, la discusión intelectual en Inglaterra y Francia dio lugar al concepto y a la palabra «socialismo» en los años 1820. Uno y otra fueron adoptados inmediatamente por los trabajadores, en pequeña escala en Francia (como por los gremios de París en 1832) y en mucha mayor escala por los ingleses, que pronto llevaron a Robert Owen a la jefatura de un vasto movimiento de masas, para el que estaba singularmente mal dotado. En resumen, en los primeros años de la década de 1830-1840 ya existían la conciencia de clase proletaria y las aspiraciones sociales. Casi seguramente era más débil y mucho menos efectiva que la conciencia de la clase media que los patronos adquirieron y pusieron de manifiesto por aquellos años. Pero hacía acto de presencia en el mundo.

La conciencia proletaria estaba combinada con y reforzada por la que muy bien puede llamarse conciencia jacobina, o sea, la serie de aspiraciones, experiencias, métodos y actitudes morales que la Revolución francesa (y antes la norteamericana) infundió en los confiados pobres. Lo mismo que la expresión práctica de la situación de la nueva clase trabajadora era el «movimiento obrero», y su ideología, «la agrupación cooperativa», la del pueblo llano, proletario o no, que la Revolución francesa hizo subir al escenario de

27. A. Briggs, «The Language of "Class" in Early Nineteenth Century England», en A. Briggs y J. Saville, eds., *Essays in Labour History*, 1960; E. Labrousse, *Le mouvement ouvrier et les idées sociales*, III, «Cours de la Sorbonne», pp. 168-169; E. Coornaert, «La pensée ouvrière et la conscience de classe en France 1830-1848», en *Studi in onore di Gino Luzzato*, III, Milán, 1950, p. 28; G. D. H. Cole, *Attempts at General Union*, 1953, p. 161.

la historia como actores más que como simples víctimas, era el movimiento democrático. «Los ciudadanos de pobre apariencia externa y que en otros tiempos no se habían atrevido a presentarse en los sitios reservados a las personas elegantes, paseaban ahora por donde lo hacían los ricos, llevando la cabeza muy alta.»[28] Deseaban respeto, reconocimiento e igualdad. Sabían que podían conseguirlo, pues en 1793-1794 se había hecho. No todos estos ciudadanos eran obreros, pero todos los obreros conscientes pertenecían a sus filas.

Las conciencias proletaria y jacobina se completaban. La experiencia de la clase trabajadora daba al trabajador pobre las mayores instituciones para su defensa de cada día: la «unión general» y la sociedad de ayuda mutua, y las mejores armas para la lucha colectiva: la solidaridad y la huelga (que a su vez implicaba organización y disciplina).[29] Sin embargo, incluso en donde no eran tan débiles, inestables y localizadas como solían serlo en el continente, su alcance era bastante limitado. La tentativa de utilizar un modelo puramente unionista o mutualista no sólo para ganar salarios más altos, sino también para derrocar a la sociedad existente y establecer una nueva, se hizo en Inglaterra entre 1829 y 1834, y otra vez, en parte, bajo el cartismo. Fracasó y su fracaso ahogó durante medio siglo a un movimiento proletario y socialista precoz pero notablemente maduro. Los intentos de convertir las sociedades de obreros en uniones nacionales de productores en cooperativa (como la Unión de Obreros de la construcción, con su parlamento de maestros de obras y su gremio de albañiles, 1831-1834) fracasaron igualmente, como también los de crear una cooperativa nacional de producción y una «bolsa de trabajo». Las vastas «uniones generales», lejos de mostrarse más fuertes que las sociedades locales y parciales, se mostraron más débiles y menos manejables, lo cual se debía menos a las dificultades inherentes a la unión que a la falta de disciplina, organización y experiencia de sus jefes. La huelga general resultó inaplicable bajo el cartismo, excepto (en 1842) en alguna ocasión de tumultos espontáneos engendrados por el hambre.

Por el contrario, los métodos de agitación política propios del jacobinismo y del radicalismo en general, pero no específicamente de la clase trabajadora, mostraban su flexibilidad y su eficacia: campañas políticas por medio de periódicos y folletos, mítines y manifestaciones, motines e insurrecciones si eran necesarios. Es cierto que también dichas campañas fracasaron muchas veces por apuntar demasiado alto o asustar demasiado a las clases dirigentes. En la histérica década de 1810-1820, la tendencia era recurrir a las fuerzas armadas para hacer frente a cualquier manifestación importante (como la de Spa Fields, Londres, en 1816, o la de «Peterloo», Manchester, en 1819, en la que resultaron diez manifestantes muertos y varios centenares heridos). En

28. A. Soboul, *Les sans-culottes de Paris en l'an II*, 1958, p. 660.
29. La huelga es una consecuencia tan espontánea y lógica de la existencia de la clase trabajadora que la mayor parte de los idiomas europeos tienen palabras propias casi independientes para designarla (*grève*, *strike*, *sciopero*, *zabastovka*), mientras las que designan otras instituciones son a menudo prestadas.

1838-1848, los millones de firmas que suscribían las peticiones no acercaron mucho más la Carta del Pueblo. Sin embargo, la campaña política en un frente más limitado era efectiva. Sin ella no habría habido emancipación católica en 1829, ni Acta de Reforma en 1832, ni seguramente siquiera el modesto pero efectivo control legislativo sobre las condiciones de las fábricas y el horario de trabajo. Así, una vez y otra encontramos a una clase trabajadora de organización débil que compensaba esa debilidad con los métodos de agitación del radicalismo político. La «agitación en las fábricas», de 1830-1840 en el norte de Inglaterra, compensó la debilidad de las uniones locales, lo mismo que la campaña de protestas en masa contra el exilio de los «mártires de Tolpuddle» (véanse pp. 125 ss.) trató de salvar algo del naufragio de las «uniones generales» después de 1834.

A su vez, la tradición jacobina sacó fuerzas y una continuidad y solidez sin precedentes de la cohesiva solidaridad y lealtad características del nuevo proletariado. Los proletarios no se mantenían unidos por el mero hecho de ser pobres en el mismo lugar, sino por el hecho de que trabajar juntos en gran número, colaborar en la tarea y apoyarse los unos en los otros era toda su vida. La solidaridad inquebrantable era su única arma, pues sólo con ella podían demostrar su modesto pero decisivo haber colectivo. No ser «rompehuelgas» (u otras palabras por el estilo) era —y sigue siendo— el primer mandamiento de su código moral; el que quebrantaba la solidaridad —el esquirol, el «amarillo»— era el Judas de la comunidad. Una vez que adquirieron un leve aleteo de conciencia política, sus manifestaciones dejaron de ser simples erupciones ocasionales de un populacho exasperado que se extinguían rápidamente, para convertirse en el rebullir de un ejército. Así, en una ciudad como Sheffield, una vez que la lucha de clases entre la clase media y la trabajadora hubo hecho su aparición en la política local hacia 1840, no tardó en formarse un bloque proletario fuerte y estable. A finales de 1847 había ocho cartistas en el ayuntamiento, y el colapso nacional del cartismo en 1848 apenas lo afectó en una ciudad en donde diez o doce mil personas aclamaron la revolución de París de aquel año. En 1849 los cartistas ocupaban casi la mitad de los escaños del ayuntamiento.[30]

Bajo la clase trabajadora y la tradición jacobina yace el sustrato de una tradición más antigua que refuerza a una y otra: la del motín o protesta pública ocasional de gentes desesperadas. La acción directa de los amotinados —la destrucción de las máquinas, las tiendas o las casas de los ricos— tenía una larga historia. En general, expresaba el hambre o los sentimientos de los hombres irritados por las circunstancias, como en las oleadas de destructores de máquinas que periódicamente arrasaban las declinantes industrias manuales amenazadas por la máquina (las textiles inglesas en 1810-1811 y más tarde en 1826, las textiles continentales entre 1830 y 1850). Algunas veces, como en Inglaterra, era una forma reconocida de presión colectiva de obreros organizados, sin implicar hostilidad a las máquinas, como entre los mineros, los

30. S. Pollard, *op. cit.*, pp. 48-49.

cuchilleros y algunos obreros textiles, que conciliaban una moderación política con un sistemático terrorismo contra sus compañeros no unionistas. Otras veces expresaban el descontento de los obreros sin trabajo o agotados físicamente. En una época revolucionaria, esa acción directa, encomendada a hombres y mujeres políticamente inmaduros, podía convertirse en una fuerza decisiva, sobre todo si se producía en las grandes ciudades o en otros lugares de importancia política. En 1830 y en 1848 tales movimientos pesaron de manera extraordinaria en los sucesos políticos al convertirse de expresiones de descontento en franca insurrección.

IV

Por todo ello, el movimiento obrero de aquel período no fue ni por su composición ni por su ideología y su programa un movimiento estrictamente «proletario», es decir, de trabajadores industriales o jornaleros. Fue, más bien, un frente común de todas las fuerzas y tendencias que representaban a los trabajadores pobres, principalmente a los urbanos. Semejante frente común existía hacía tiempo, pero desde la Revolución francesa la clase media liberal y radical le proporcionaba inspiración y jefes. Ya hemos visto cómo el jacobinismo y no el sans-culottismo (y mucho menos las aspiraciones de los proletarios) fue lo que dio unidad a la tradición popular parisina. La novedad de la situación después de 1815 estribaba en que el frente común se dirigía cada vez más contra la clase media liberal y contra los reyes y los aristócratas, y en que lo que le daba unidad era el programa y la ideología del proletariado, aunque todavía la clase trabajadora industrial apenas existía y estaba mucho menos madura políticamente que otros grupos de trabajadores pobres. Tanto el rico como el pobre trataban de asimilarse a la gran «masa urbana existente bajo el orden medio de la sociedad»,[31] o sea, el «proletariado» o «clase trabajadora». Todo el que se sentía confuso por «el creciente sentimiento general de que en el actual estado de cosas hay una falta de armonía interna que no puede continuar»[32] se inclinaba al socialismo como la única crítica intelectualmente válida y alternativa.

La jefatura del nuevo movimiento reflejaba un estado de cosas parecido. Los trabajadores pobres más activos, militantes y políticamente conscientes, no eran los nuevos proletarios de las factorías, sino los maestros artífices, los artesanos independientes, los trabajadores a domicilio en pequeña escala y algunos otros que trabajaban y vivían como antes de la Revolución industrial, pero bajo una presión mucho mayor. Los primeros sindicatos (*trade unions*) los formaron casi invariablemente impresores, sombrereros, sastres, etc. El

31. T. Mundt, *Der dritte Stand in Deutschland und Preussen*, Berlín, 1847, p. 4, citado por J. Kuczynski, *Gesch. d. Lage d. Arbeiter*, 9, p. 169.
32. Karl Biedermann, *Vorlesungen ueber Socialismus und sociale Fragen*, Leipzig, 1847, citado por J. Kuczynski, *op. cit.*, p. 71.

núcleo de los líderes del cartismo, en una ciudad como Leeds, lo formaron un ebanista convertido en tejedor a mano, un par de oficiales de imprenta, un librero y un cardador. Los hombres que adoptaron las doctrinas cooperativistas de Owen eran, en su mayor parte, artesanos, mecánicos y trabajadores manuales. Los primeros trabajadores comunistas alemanes fueron buhoneros, sastres, ebanistas, impresores. Los hombres que en el París de 1848 se alzaron contra la burguesía, fueron los habitantes del viejo barrio artesano de Saint-Antoine, y todavía no (como en la Comuna de 1871) los del proletario barrio de Belleville. Por otra parte, a medida que los avances de la industria destruían aquella fortaleza del sentido de «clase trabajadora», se minaba fatalmente la fuerza de los primitivos movimientos obreros. Entre 1820 y 1850, por ejemplo, el movimiento británico creó una densa red de instituciones para la educación social y política de la clase trabajadora, como los institutos de mecánicos, los *Halls of Science* owenistas y otros muchos. En 1850 —y sin contar los puramente políticos— había 700 en Inglaterra —de ellos 151 en el condado de York— con 400 aulas.[33] Pero ya habían empezado a declinar, y pocos años después la mayor parte habrían muerto o caído en un letargo.

Únicamente hubo una excepción. Sólo en Inglaterra los nuevos proletarios habían empezado a organizarse e incluso a crear sus propios jefes: John Doherty, el obrero algodonero owenista irlandés, y los mineros Tommy Hepburn y Martin Jude. No sólo los artesanos y los deprimidos trabajadores a domicilio formaban los batallones del cartismo; también los obreros de las factorías luchaban en ellos, y a veces los lideraban. Pero, fuera de Inglaterra, los trabajadores de las fábricas y las minas eran todavía en gran parte más bien víctimas que agentes. Y hasta finales del siglo no intervendrían decididamente en la formación de su destino.

El movimiento obrero era una organización de autodefensa, de protesta, de revolución. Pero para el trabajador pobre era más que un instrumento de combate: era también una norma de vida. La burguesía liberal no le ofrecía nada; la historia le había sacado de la vida tradicional que los conservadores prometían inútilmente mantener o restaurar. Nada tenían que esperar del género de vida al que se veían arrastrados. Pero el movimiento les exigía una forma de vivir diferente, colectiva, comunal, combativa, idealista y aislada, ya que, esencialmente, era lucha. En cambio, les proporcionaba coherencia y objetivos. El mito liberal suponía que los sindicatos estaban formados por toscos trabajadores instigados por agitadores sin conciencia; pero en realidad los trabajadores toscos eran los menos partidarios de la unión, mientras los más inteligentes y competentes la defendían con ardor.

Los más altos ejemplos de «los mundos del trabajo» en aquel período los proporcionan seguramente las viejas industrias domésticas. Comunidades como la de los sederos de Lyon, los archirrebeldes *canuts*, que se levantó en 1831 y otra vez en 1834, y que, según la frase de Michelet, «como este mun-

---

33. M. Tylecote, *The Mechanics' Institutes of Lancashire before 1851*, Manchester, 1957, VIII.

do no lo haría, ellos mismos hicieron otro en la húmeda oscuridad de sus callejuelas, un paraíso mortal de dulces sueños y visiones».[34] Y comunidades, como la de los tejedores de lino escoceses con su puritanismo republicano y jacobino, sus herejías swedenborgianas, su biblioteca de artesanos, su caja de ahorros, su instituto mecánico, su club y biblioteca científicos, su academia de dibujo, sus mítines misionales, sus ligas antialcohólicas, sus escuelas infantiles, su sociedad de floricultores, su revista literaria: el *Gasometer* de Dunfermline[35] y, naturalmente, su cartismo. El sentimiento de clase, la combatividad, el odio y el desprecio al opresor pertenecían a su vida tanto como los husos en que los hombres tejían. Nada debían a los ricos, excepto sus jornales. Todo lo demás que poseían era su propia creación colectiva.

Pero este silencioso proceso de autoorganización no se limitó a los trabajadores de aquel antiguo tipo. También se reflejó en la «unión», basada a menudo en la primitiva comunidad metodista local, en las minas de Northumberland y Durham. Se reflejó en la densa concentración de sociedades de socorro mutuo de los obreros en las nuevas zonas industriales, de manera especial en Lancashire.[36] Y, sobre todo, se reflejó en los compactos millares de hombres, mujeres y niños que llevando antorchas se esparcían sobre las marismas que rodeaban a las pequeñas ciudades industriales de Lancashire en las manifestaciones cartistas, y en la rapidez con la que los nuevos almacenes cooperativos de Rochdale se extendieron en los últimos años de la década 1840-1850.

V

Y, sin embargo, cuando volvemos la vista sobre aquel período, advertimos una gran y evidente discrepancia entre la fuerza del trabajador pobre temido por los ricos —el «espectro del comunismo» que les obsesionaba— y su real fuerza organizada, por no hablar de la del nuevo proletariado industrial. La expresión pública de su protesta era, en sentido literal, más bien un «movimiento» que una organización. Lo que unía incluso a la más masiva y abarcadora de sus manifestaciones políticas —el cartismo (1838-1848)— era poco más que un puñado de consignas tradicionales y radicales, unos cuantos briosos oradores y periodistas que se convirtieron en voceros de los pobres, como Feargus O'Connor (1794-1855), y unos cuantos periódicos como el *Northern Star*. Era el destino común de combatir a los ricos y a los grandes lo que los viejos militantes recordaban:

34.   Citado en *Revue Historique*, CCXXI (1959), p 138.
35.   Cf. T. L. Peacock, *Nightmare Abbey*, 1818: «Usted es un filósofo —dijo la señora— y un amante de la libertad. Usted es el autor de un tratado titulado *Gas filosófico o proyecto para la iluminación general de la inteligencia humana*».
36.   En 1821 Lancashire tenía la mayor proporción de miembros de sociedades de socorro mutuo de todo el país (el 17 por 100); en 1845, casi la mitad de dichas sociedades estaban en Lancashire y Yorkshire (P. Gosden, *The Friendly Societies in England 1815-1875*, 1961, pp. 23 y 31).

Teníamos un perro llamado *Rodney*. A mi abuela no le gustaba ese nombre, porque tenía la curiosa idea de que el almirante Rodney, que fue nombrado par, había sido hostil al pueblo. También la anciana procuraba explicarme que Cobbett y Cobden eran dos personas diferentes, que Cobbett era un héroe y Cobden sólo un abogado de la clase media. Uno de los cuadros que más recuerdo —estaba al lado de algunos dibujos estarcidos y no lejos de una estatuilla de porcelana de Jorge Washington— era un retrato de John Frost.[37] Un renglón en lo alto del grabado indicaba que pertenecía a una serie llamada «Galería de retratos de amigos del pueblo». Sobre la cabeza había una guirnalda de laurel, mientras abajo se representaba a Mr. Frost llamando a la Justicia en ayuda de algunos desdichados y tristes desterrados ... El más asiduo de nuestros visitantes era un zapatero lisiado ... quien hacía su aparición todos los domingos por la mañana, puntual como un reloj, con un ejemplar del *Northern Star* húmedo todavía de la imprenta, con la intención de oír a algún miembro de nuestra familia leer para él y para los demás la «carta de Feargus». Primero había que poner el periódico a secar cerca del fuego, y luego se cortaban con gran cuidado sus hojas para no estropear un solo renglón de aquella producción casi sagrada. Una vez hecho esto, Larry, fumando plácidamente una pipa, que de vez en cuando acercaba a la lumbre, se instalaba para escuchar, con el recogimiento de un devoto en el tabernáculo, el mensaje del gran Feargus.[38]

Había poca dirección y coordinación. El intento más ambicioso de convertir un movimiento en una organización —la «unión general» de 1834-1835— fracasó lamentable y rápidamente. Todo lo más —en Inglaterra como en el continente— había la espontánea solidaridad de la comunidad laboral local, los hombres que, como los sederos de Lyon, morían tan sufridos como vivían. Lo que mantenía firme el movimiento eran el hambre, la desgracia, el odio y la esperanza. Y lo que lo derrotó, tanto en la Inglaterra cartista como en el continente revolucionario de 1848, fue que los pobres —lo bastante numerosos, hambrientos y desesperados para sublevarse— carecían de la organización y la madurez capaz de hacer de su rebelión algo más que un momentáneo peligro para el orden social. En 1848 el movimiento del trabajador pobre tenía todavía que desarrollar su equivalente al jacobinismo de la clase media revolucionaria de 1789-1794.

37. Líder de una fracasada insurrección cartista en Newport, en 1839.
38. W. E. Adams, *Memoirs of a Social Atom*, I, Londres, 1903, pp. 163-165.

12. IDEOLOGÍA RELIGIOSA

> Dadme un pueblo en donde las pasiones hirvientes y las ambiciones mundanas se calmen con la fe, la esperanza y la caridad; un pueblo que considere la tierra como un lugar de peregrinación y la otra vida como su verdadera patria; que aprenda a admirar y a reverenciar en el heroísmo cristiano su pobreza y sus sufrimientos; un pueblo que ame y adore en Jesucristo al primer nacido de todos los oprimidos, y en su cruz el instrumento de la salvación universal. Dadme, digo, un pueblo formado en ese molde y el socialismo no sólo será derrotado fácilmente, sino que será imposible pensar en él...
>
> «Civiltà Cattolica» [1]

> Pero cuando Napoleón empezó su avance, ellos (los campesinos heréticos de Molokan) creyeron que era el león del valle de Josafat, el cual, como decían sus viejos himnos, estaba destinado a derribar al falso zar y a restaurar el trono del verdadero zar blanco. Y así, los molokanos de la provincia de Tambov eligieron unos representantes que salieron a su encuentro para saludarle, vestidos de blanco.
>
> HAXTHAUSEN, *Studien ueber... Russland* [2]

I

Lo que los hombres piensan del mundo es una cosa, y otra muy distinta los términos en que lo hacen. Durante gran parte de la historia y en la mayor parte del mundo (quizá fuera China la principal excepción), los términos en que todos menos un puñado de hombres instruidos y emancipados, pensaban del mundo, eran los de la religión tradicional, tanto más cuanto que hay países en los cuales la palabra «cristiano» es sencillamente un sinónimo de

---

1. «Civiltà Cattolica», II, 122, citado por L. Dal Pane, «Il socialismo e la questione sociale nella prima annata della Civiltà Cattolica», en *Studi in onore di Gino Luzzato*, Milán, 1950, p. 144.
2. Haxthausen, *Studien ueber... Russland*, 1847, I, p. 388.

«campesino» e incluso de «hombre». En ciertos aspectos esto había dejado de ocurrir en algunas partes de Europa antes de 1848, pero no fuera de la zona transformada por las dos revoluciones. La religión, de ser algo como el cielo, de lo que ningún hombre podía librarse y que abarcaba todo lo que está sobre la tierra, se convirtió en algo como un banco de nubes, un gran rasgo —pero limitado y cambiante— del firmamento humano. De todos los cambios ideológicos, éste es quizá el más profundo, aunque sus consecuencias prácticas fueron más ambiguas e indeterminadas de lo que entonces se supuso. En todo caso, es el cambio más inaudito y sin precedentes.

Naturalmente, lo que no tenía precedentes era la secularización de las masas. La indiferencia religiosa de los señores, combinada con el exquisito cumplimiento de los deberes rituales (para ejemplarizar a las gentes de condición inferior), había sido corriente entre los nobles,[3] aunque las damas, como es frecuente en su sexo, siguieran siendo muy devotas. Los hombres cultos y educados podían ser técnicamente creyentes en un ser supremo, pero en un ser sin más funciones que las de la existencia, sin interferencia en las actividades humanas y sin exigir otra forma de adoración que una ligera gratitud. Sin embargo, su actitud respecto a la religión tradicional era despectiva y a menudo francamente hostil, casi la misma que si hubieran estado dispuestos a declararse abiertamente ateos. Se dice que el gran matemático Laplace respondió a Napoleón cuando le preguntó dónde situaba a Dios en su mecánica celeste: «No necesito plantearme tal hipótesis». El ateísmo declarado era bastante raro, pero entre los señores, los escritores y los eruditos ilustrados, creadores de las modas intelectuales en el siglo XVIII, era más raro todavía el franco cristianismo. Si entre la minoría selecta de finales del siglo XVIII hubo una religión floreciente fue la masonería racionalista, iluminista y anticlerical.

Esta difusa descristianización masculina en las clases cultas y educadas se remontaba a finales del siglo XVII o principios del XVIII, y sus efectos públicos habían sido sorprendentes y beneficiosos. Sólo el hecho de que a los procesos por brujería que habían infestado durante varios siglos a la Europa central y occidental siguieran ahora los procesos por herejía y autos de fe en el limbo, bastaría para justificarla. Sin embargo, a principios del siglo XVIII, apenas afectaba a los estratos sociales bajo y medio. Los campesinos permanecían completamente al margen de cualquier lenguaje ideológico que no les hablara con las lenguas de la Virgen, los santos y la Sagrada Escritura, por no hablar de los más antiguos dioses y espíritus que todavía se escondían tras una fachada ligeramente cristianizada. Había muestras de pensamiento irreligioso entre algunos artesanos que antiguamente habrían sido arrastrados a la herejía. Los zapateros remendones, los más intelectuales de las clases trabajadoras, que habían tenido místicos como Jacob Boehme, parecían haber

---

3. Cf. el retrato del caballero andaluz de Antonio Machado, *Poesías completas*, Col. Austral, pp. 152-154: «Gran pagano / se hizo hermano / de una santa cofradía», etc. (En español en el original.)

empezado a poner en duda la existencia de cualquier deidad. En todo caso, eran en Viena el único grupo artesano que simpatizaba con los jacobinos, porque se decía que éstos no creían en Dios. Sin embargo, no pasaban de ser ligerísimas agitaciones. La mayoría de las gentes pobres de las ciudades seguían siendo (salvo en algunas pocas ciudades del norte de Europa, como París y Londres) profundamente piadosas o supersticiosas.

Incluso entre las gentes de categoría media no era popular la abierta hostilidad a la religión, aunque la ideología de una ilustración racionalista, progresiva y antitradicional encajaba perfectamente en el esquema de cosas de una clase media ascendente. Sus alianzas eran con la aristocracia y la inmoralidad, la que pertenecía a la sociedad noble. Y, en realidad, los primeros «librepensadores», los libertinos de mediados del siglo XVII vivían de acuerdo con la connotación de su nombre: el *Don Juan* de Molière no sólo retrata su mezcla de ateísmo y desenfreno sexual, sino también el respetable horror de los burgueses por ella. Había muchas razones para la paradoja (particularmente obvia en el siglo XVII) de que los pensadores más audaces intelectualmente, que se adelantaban a la que más tarde sería la ideología de la clase media —Hobbes y Bacon, por ejemplo—, estuvieran asociados como individuos a la vieja y corrompida sociedad. Los ejércitos de la clase media ascendente necesitaban la disciplina y la organización de una fuerte e ingenua moralidad para librar sus batallas. Teóricamente el agnosticismo o el ateísmo son perfectamente compatibles con ellas y, desde luego, el cristianismo innecesario, por lo que los filósofos del siglo XVIII no se cansaban de demostrar que una moral «natural» (de la que encontraban ejemplos en los nobles salvajes) y el alto nivel personal del individuo librepensador eran mejores que el cristianismo. Pero en la práctica, las probadas ventajas del viejo tipo de religión y los terribles riesgos de abandonar cualquier sanción sobrenatural de la moralidad eran inmensos; no sólo para el trabajador pobre, que por lo general era tenido por demasiado ignorante y estúpido para actuar sin alguna especie de superstición socialmente útil, sino para la misma clase media.

Las generaciones francesas posrevolucionarias están llenas de tentativas de crear una moralidad burguesa no cristiana equivalente a la cristiana: un rousseauniano «culto del ser supremo» (Robespierre en 1794), varias seudoreligiones construidas sobre cimientos racionalistas no cristianos, aunque manteniendo todavía la aparatosidad del ritual y el culto (los sansimonianos y la «religión de la humanidad» de Comte). Con el tiempo, el intento de mantener los signos exteriores de los antiguos cultos religiosos fue abandonado, pero no el de establecer una moralidad laica oficial (basada en varios conceptos morales como el de «solidaridad») y, por encima de todo, una contrapartida laica de los sacerdotes, los maestros. El *instituteur* francés, pobre, desinteresado, imbuyendo en cada pueblo a sus discípulos la moralidad romana de la Revolución y la República, el antagonismo al cura párroco, no triunfó hasta la Tercera República, la cual resolvería también los problemas políticos de instaurar una estabilidad burguesa sobre los cimientos de la revolución social para lo menos setenta años. Pero ya estaba prefigurado en la ley de Condorcet de 1792, que establecía que «las personas encargadas de la instrucción pública en la enseñanza primaria se llamarán *instituteurs*», como un eco de Cicerón y de Salustio, quienes hablaron de la «institución del Estado», *instituere civitatem*, y la «institución de la moral ciudadana», *instituere civitatum mores*.[4]

De este modo, la burguesía permanecía dividida ideológicamente en una minoría cada vez mayor de librepensadores y una mayoría de creyentes, católicos, protestantes o judíos. No obstante, el nuevo hecho histórico fue el de que, de los dos sectores, el librepensador era infinitamente más dinámico y más eficaz. Aunque en términos puramente cuantitativos la religión seguía siendo muy fuerte y, como veremos, aún se haría más fuerte, ya no era (por emplear una analogía biológica) dominante, sino recesiva, y permanecería así hasta el día en que el mundo quedara transformado por la doble revolución. No hay duda de que el gran contingente de los ciudadanos de los nuevos Estados Unidos de América eran creyentes de una u otra doctrina (protestantes en su mayor parte), pero la constitución de la República fue y sigue siendo agnóstica, a pesar de todos los esfuerzos para cambiarla. Tampoco hay duda de que entre la clase media de nuestro período los pietistas protestantes superaban con mucho a la minoría de radicales agnósticos. Pero un Bentham moldeó mucho más que un Wilberforce las instituciones de su época.

La prueba más evidente de esta decisiva victoria de la ideología secular sobre la religiosa es también su resultado más importante. Con las revoluciones norteamericana y francesa, las mayores transformaciones políticas y sociales fueron secularizadas. Los problemas de las revoluciones holandesa e inglesa de los siglos XVI y XVII todavía se habían discutido y combatido en el lenguaje tradicional del cristiano, ortodoxo, cismático o hereje. En las ideologías de la norteamericana y la francesa, el cristianismo es dejado aparte por primera vez en la historia. El lenguaje, el simbolismo, las costumbres de 1789 son puramente acristianos, si dejamos aparte algunos esfuerzos populares y arcaicos para crear cultos de santos y de mártires, análogos a los antiguos, en honor de los heroicos *sans-culottes* muertos. Esto era, de hecho, romano. Al mismo tiempo, el secularismo de la revolución demuestra la notable hegemonía política de la clase media liberal, que impuso sus particulares formas ideológicas sobre un vastísimo movimiento de masas. Si el liderazgo intelectual de la Revolución francesa hubiera venido sólo de las masas que en realidad la hicieron, es inconcebible que su ideología no mostrara más señales de tradicionalismo de las que mostró.[5]

Así, el triunfo burgués imbuyó a la Revolución francesa de la ideología moral secular de la ilustración dieciochesca, y puesto que el lenguaje de dicha revolución se convirtió en el de todos los subsiguientes movimientos

4. G. Duveau, *Les instituteurs*, 1957, pp. 3-4.

5. En efecto, sólo algunas canciones populares de este período, como el *Ça ira*, recogen ecos de la terminología católica.

revolucionarios sociales, también transmitió a éstos ese secularismo. Con algunas excepciones sin importancia, sobre todo entre intelectuales como los sansimonianos y en algunos sectarios comunistas-cristianos como el sastre Weitling (1808-1871), la ideología de la nueva clase trabajadora y de los movimientos socialistas del siglo XIX fue secular desde un principio. Thomas Paine, cuyas ideas expresaban las aspiraciones radical-democráticas de los pequeños artesanos, es tan célebre por haber escrito el primer libro para demostrar que la Biblia no es la palabra de Dios (*La era de la razón*, 1794), como por sus *Derechos del hombre* (1791). Los menestrales de 1820-1830 siguieron a Robert Owen no sólo por su análisis del capitalismo, sino por su incredulidad, y mucho después del fracaso del owenismo, sus *Halls of Science* seguían repartiendo propaganda racionalista por las ciudades. Había y hay socialistas religiosos y un gran número de hombres que siendo religiosos son también socialistas. Pero la ideología predominante de los modernos movimientos obreros y socialistas, dígase lo que se quiera, está basada en el racionalismo del siglo XVIII.

Tanto más sorprendente cuanto que, como hemos visto, las masas siguieron siendo religiosas y, como el natural idioma revolucionario de las masas criadas en una tradicional sociedad cristiana es el de la rebelión (herejía social, milenarismo), hicieron de la Biblia un documento incendiario. Sin embargo, el secularismo de los nuevos movimientos obrero y socialista estaba basado en el hecho, igualmente nuevo y más fundamental, de la indiferencia religiosa del nuevo proletariado. Para el criterio moderno, las clases trabajadoras y las masas urbanas que aumentaban en el período de la Revolución industrial estaban sin duda muy influidas por la religión; pero a juicio de la primera mitad del siglo XIX no había precedente para su alejamiento, ignorancia e indiferencia de la religión organizada. Los observadores de todas las tendencias políticas coincidían en esto. El censo religioso británico de 1851 lo demostró con gran horror de los contemporáneos. Gran parte de ese alejamiento se debía al absoluto fracaso de las iglesias en su lucha con las aglomeraciones —las grandes ciudades y los nuevos establecimientos industriales— y con las clases sociales —el proletariado— ajenas a sus costumbres y experiencia. En 1851 sólo había iglesias con cabida para el 34 por 100 de los habitantes de Sheffield, para el 31,2 por 100 de los de Liverpool y Manchester y para el 29 por 100 de los de Birmingham. Los problemas del párroco en una aldea agrícola no se adaptaban a la cura de almas en una ciudad o zona industrial.

Las iglesias establecidas desdeñaron a estas nuevas comunidades y clases, abandonándolas (especialmente en los países católicos y luteranos) casi por completo a la fe secular de los nuevos movimientos, la cual los captaría más tarde hacia finales del siglo. (Como en 1848 no hicieron mucho para conservarlas, el esfuerzo para reconquistarlas tampoco fue muy grande.) Las sectas protestantes fueron más afortunadas, al menos en países como Inglaterra, en el que tales religiones eran un fenómeno político-religioso muy sólido. Sin embargo, es evidente que el éxito de estas sectas fue mayor en donde el entorno social estaba más cerca del tradicionalismo de las pequeñas ciudades o las comunidades aldeanas, como por ejemplo entre los granjeros, los mineros y los pescadores. Además, entre las clases obreras industriales, las sectas no eran más que una minoría. La clase trabajadora como grupo estaba indudablemente menos afectada por la religión organizada que cualquier otro núcleo de pobres en la historia del mundo.

La tendencia general del período 1789-1848 fue por eso de una enfática secularización. La ciencia se encontraba en abierto y creciente conflicto con las Escrituras al aventurarse por el campo evolucionista (véase cap. 15). La erudición histórica, aplicada a la Biblia en dosis sin precedentes —en particular desde la década 1830-1840 por los profesores de Tubinga—, disolvía el texto inspirado, si no escrito, por el Señor en una colección de documentos históricos de diferentes períodos, con todos los defectos de la documentación humana. El *Novum Testamentum* (1842-1852) de Lachmann negaba que los Evangelios fueran relatos de testigos de vista y ponía en duda que Jesucristo hubiera intentado fundar una nueva religión. La polémica *Leben Jesu* (Vida de Jesús) de David Strauss (1835) eliminaba el elemento sobrenatural del protagonista de su biografía. En 1848 la Europa culta casi estaba preparada para el impacto de las teorías de Darwin. La tendencia fue reforzada por el ataque directo de numerosos regímenes políticos contra la propiedad y los privilegios legales de las diferentes iglesias y su clero u otras personas consagradas, y la inclinación de los gobiernos e instituciones laicas a hacerse cargo de algunas funciones atribuidas antes a las instituciones religiosas, especialmente —en los países católicos romanos—, la educación y la beneficencia social. Entre 1789 y 1848 muchos monasterios fueron disueltos y sus propiedades vendidas de Nápoles a Nicaragua. Desde luego, fuera de Europa, los conquistadores blancos lanzaban ataques directos contra las religiones de sus súbditos o víctimas, bien —como los administradores británicos en la India al prohibir que las viudas se arrojaran a la pira en que se quemaban los cuerpos de sus esposos, y al abolir la secta de los *thugs*, compuesta de fanáticos asesinos en los años 1830-1840— como paladines de la ilustración contra la superstición, bien sencillamente porque apenas sabían qué efectos producirían estas medidas en sus víctimas.

II

En términos puramente numéricos es evidente que todas las religiones, salvo las en decadencia, parecían crecer con el aumento de población. Dos de ellas mostraban una aptitud especial para expandirse en nuestro período: el *Islam* y el *protestantismo sectario*. Esta expansión era más sorprendente comparada con el marcado fracaso de otras religiones —la católica y algunas modalidades protestantes— para extenderse, a pesar de un fuerte aumento de actividad misional fuera de Europa, cada vez más respaldado por la fuerza militar, política y económica de la penetración europea. En efecto, las décadas revolucionarias y napoleónicas vieron el principio de la sistemática actividad misional protestante de los anglosajones. La Sociedad Misionera Baptista (1792), la Sociedad Misionera Interconfesional de Londres (1795), la Sociedad Misionera de la Iglesia Evangélica 11799), la Sociedad Bíblica Inglesa y Extranjera (1804), fueron seguidas por la Oficina Norteamericana de Enviados a las Misiones en el Extranjero (1810), los baptistas norteamericanos (1814), los wesleyanos (1813-1818), la Sociedad Bíblica Norteamericana (1816), la Iglesia de Escocia (1824), los presbiterianos unidos (1835), los metodistas episcopalianos norteamericanos (1819), etc. No obstante, algunos precursores como la Sociedad Misional Holandesa (1797) y las Misioneras de Basilea (1815), la actividad de los protestantes continentales se desarrolló algo más tarde: las sociedades berlinesa y renana en los años 1820, las sociedades suecas de Leipzig y de Brema en la década siguiente, la noruega en 1842. Las misiones del catolicismo romano, que estaban estancadas y descuidadas, revivieron más tarde todavía. Las razones para aquel desbordamiento de Biblias y comercio sobre los paganos pertenecen lo mismo a la historia religiosa que a la social y económica de Europa y de América. Aquí necesitamos anotar simplemente que en 1848 los resultados de este movimiento eran todavía muy poco importantes, salvo en algunas islas del Pacífico como Hawai. También se habían hecho algunos avances en la costa de Sierra Leona (en donde propaganda antiesclavista llamara la atención en 1790) y en Liberia, constituida en Estado independiente de esclavos americanos libertados en 1820-1830. En los bordes de los establecimientos europeos en África del Sur, los misioneros extranjeros (pero no la establecida Iglesia local de Inglaterra o la Iglesia reformada holandesa) habían empezado a convertir africanos. Pero cuando David Livingstone, el famoso explorador y misionero, embarcó para África en 1840, los nativos de aquel continente aún no habían sido alcanzados por el cristianismo en cualquiera de sus formas.

Frente a esto, el Islam proseguía su silenciosa, fragmentada e irrevocable expansión, no sostenida por misioneros organizados o conversiones forzosas, lo que constituye una característica de dicha religión. Se extendía tanto por el este (en Indonesia y el noroeste de China) como por el oeste, desde el Sudán hacia el Senegal, y en proporción mucho menor, desde las playas del océano Índico hacia el interior. Cuando las sociedades tradicionales cambian algo tan fundamental como su religión, es evidente que deben enfrentarse con nuevos y mayores problemas. Sin duda los mercaderes musulmanes, que virtualmente monopolizaban y multiplicaban el comercio del África interior con el mundo exterior, ayudaron a llevar a los nuevos pueblos la noticia de la existencia del Islam. El comercio de esclavos, que arruinaba la vida comunal, lo hacía atractivo, pues el Islam es un medio poderoso de reintegrar las estructuras sociales.[6] Al mismo tiempo la religión mahometana apelaba a la sociedad semifeudal y militar del Sudán, y su sentido de independencia, militarismo y superioridad suponía un útil contrapeso para la esclavitud. Los

6. J. S. Trimingham, *Islam in West Africa*, Oxford, 1959, p. 30.

negros musulmanes eran malos esclavos: los haussa (y otros sudaneses) importados a Bahía (Brasil) se sublevaron nueve veces entre 1807 y el gran levantamiento de 1835, en el que muchos murieron o fueron devueltos a África. Los negreros aprendieron a evitar las importaciones de aquellas zonas, abiertas muy recientemente al tráfico comercial.[7]

Mientras el elemento de resistencia a los blancos era muy pequeño en el Islam africano (en donde apenas existía), era por tradición muy fuerte en el suroeste de Asia. Aquí el Islam —también precedido por los mercaderes— había adelantado mucho frente a los cultos locales y al declinante hinduismo de las islas de las Especias, principalmente como medio de una resistencia más efectiva frente a los portugueses y los holandeses y como «una especie de prenacionalismo», aunque también como contrapeso popular frente a los príncipes hinduizados.[8] Mientras esos príncipes se volvían cada vez más estrechamente dependientes de los holandeses, el Islam arraigaba muy hondo en la población. A su vez los holandeses aprendieron que los príncipes indonesios, aliándose con los maestros religiosos, podían desencadenar un alzamiento popular general, como en la guerra de Java del príncipe de Djogjakarta (1825-1830). Por tanto, llevaban una política de estrecha alianza con los gobernantes locales, gobernando indirectamente a través de ellos. Entretanto, el aumento de comercio y navegación que forjaba íntimos eslabones entre los musulmanes del sureste asiático y La Meca servía para aumentar el número de peregrinos, hacer más ortodoxos a los mahometanos indonesios e incluso para abrirlos a la influencia militante y restauradora del wahhabismo árabe.

Dentro del Islam los movimientos de reforma y renovación, que en este período dieron a la religión mucho de su poder de penetración, pueden ser considerados también como un reflejo del impacto de la expansión europea y de la crisis de las antiguas sociedades mahometanas, sobre todo de los imperios turco y persa) y quizá también de la creciente crisis del Imperio chino. Los puritanos wahhabistas se sublevaron en Arabia a mediados del siglo XVIII. En 1814 habían conquistado Arabia y estaban dispuestos a conquistar Siria, hasta que fueron detenidos por las fuerzas combinadas del occidentalizado Mohamed Alí de Egipto y las armas de Occidente, pero sus enseñanzas se extendían ya por Persia, Afganistán y la India. Inspirado también por los wahhabistas, un santón argelino, Sidi Mohamed ben Alí el Senussi, desplegó un movimiento similar que desde 1840 se extendió desde Trípoli hasta el desierto del Sáhara. En Argelia Abd-el-Kader y en el Cáucaso Shamyl acaudillaron también movimientos político-religiosos contra los franceses y los rusos, respectivamente, anticipando un panislamismo que aspiraba no sólo a volver a la pureza original del Profeta, sino también a absorber las innovaciones occidentales. En Persia, una heterodoxia todavía más nacionalista y revolucionaria —el movimiento «bab» de Mohamed Alí— surgió

7. A. Ramos, *Las culturas negras en el mundo nuevo*, México, 1943, pp. 277 ss.
8. W. F. Wertheim, *Indonesian Society in Transition*, 1956, p. 204.

entre 1840 y 1850. Entre otras cosas trataba de volver a ciertas antiguas prácticas del zoroastrismo persa y exigía quitar los velos a las mujeres.

El fermento y expansión del Islam eran tales que en términos de pura historia religiosa se puede definir el período 1789-1848 como el de resurrección del mundo islámico. Ningún movimiento equivalente de masas se produjo en cualquier otra religión no cristiana, aunque a finales del período nos encontremos con la gran rebelión Taiping de China, que tenía muchas de sus características. Pequeños movimientos reformistas minoritarios se fundaron en la India inglesa, siendo el más importante el *Brahmo Samaj* de Ram Mohan Roy (1772-1833). En los Estados Unidos las tribus indias derrotadas iniciaron también unos movimientos religioso-sociales de resistencia a los blancos, como el que inspiraría la guerra de la vasta confederación india mandada por Tecumseh en la primera década del siglo, y la religión de Handsome Lake (1799), destinada a conservar las formas de vida de los iroqueses amenazadas por la sociedad blanca norteamericana. Thomas Jefferson, hombre de singular ilustración, fue quien dio su bendición oficial a aquel profeta, que adoptó algunas modalidades cristianas y especialmente cuáqueras. Sin embargo, el contacto directo entre una civilización capitalista avanzada y los pueblos animistas era todavía demasiado raro para producir muchos de esos movimientos proféticos y milenarios típicos del siglo xx.

El movimiento expansionista del sectarismo protestante difiere de los del Islam en que estaba casi completamente limitado a los países de civilización capitalista desarrollada. Su extensión no puede calcularse, pues algunos movimientos de esa índole (por ejemplo el pietismo alemán o el evangelismo inglés) permanecieron dentro de la armazón de sus respectivas iglesias estatales. No obstante, su alcance es indudable. En 1851 aproximadamente la mitad de los protestantes de Inglaterra y Gales asistían a otros servicios religiosos que a los de la Iglesia oficial. El extraordinario triunfo de las sectas fue el principal resultado del desarrollo religioso desde 1790, o más precisamente desde los últimos años de las guerras napoleónicas. Así, en 1790, los metodistas wesleyanos tenían sólo 59.000 miembros en el Reino Unido; en 1850 ellos y sus diferentes retoños contaban con casi diez veces ese número.[9] En los Estados Unidos un proceso similar de conversión de masas multiplicó el número de baptistas, metodistas y presbiterianos (estos últimos algo menos) a expensas de las iglesias dominantes antes; en 1850 casi tres cuartas partes de todas las iglesias de los Estados Unidos pertenecían a esas tres denominaciones.[10] La quiebra de las iglesias establecidas, la secesión y ascensión de las sectas, también señalan la historia religiosa de este período en Escocia (la *Great Disruption* de 1843), Holanda, Noruega y otros países.

Las razones para los límites geográficos y sociales del sectarismo protestante son evidentes. Los países católicos no aceptaban el establecimiento

9. *Census of Great Britain 1851: Religious Worship in England and Wales*, Londres, 1854.

10. Mulhall, *Dictionary of Statistics*. Véase la voz «religión».

público de sectas. En ellos, la ruptura con la Iglesia establecida o la religión dominante tomaba más bien la forma de una descristianización en masa (especialmente entre los hombres) que de un cisma.[11] (Y, a la inversa, el anticlericalismo protestante de los países anglosajones era con frecuencia la contrapartida exacta del anticlericalismo ateo de los continentales.) El renacimiento religioso tendía a tomar la forma de algún nuevo culto emocional, de algún santo milagroso o de alguna peregrinación dentro del armazón existente de la religión católica romana. Uno o dos santos de nuestro período son conocidísimos, como por ejemplo, el cura de Ars (1786-1859) en Francia. Los cristianos ortodoxos de la Europa oriental se prestaban con más facilidad al sectarismo, y en Rusia, el creciente quebranto de una sociedad retrógrada venía produciendo desde finales del siglo XVII una gran cosecha de sectas. Varias de ellas, en particular la de los skoptsi que se autocastraban, los dukhobors de Ucrania y los molokanos, eran productos de finales del siglo XVIII y de la época napoleónica; los «viejos creyentes» databan del siglo XVII. Sin embargo, las clases más atraídas en general por dichas sectas —artesanos, mercaderes, granjeros y otros precursores de la burguesía, o conscientes campesinos revolucionarios— no eran todavía lo bastante numerosas para producir un movimiento sectario de gran alcance.

En los países protestantes la situación era distinta. En ellos el impacto de la sociedad comercial e individualista era más fuerte (al menos en Inglaterra y los Estados Unidos) y la tradición sectaria estaba ya bien establecida. Su insistencia en la comunicación individual entre el hombre y Dios, tanto como su austeridad moral, la hacían atractiva para los pequeños empresarios y negociantes. Su implacable teología del infierno y la condenación y de una austera salvación personal la hacía atractiva también para los hombres que vivían unas vidas difíciles en un entorno durísimo, como los habitantes en zonas fronterizas y los navegantes, los pequeños cultivadores individuales, los mineros y los obreros explotados. La secta podía convertirse sin dificultad en una asamblea democrática e igualitaria de fieles sin jerarquía social o religiosa, por lo que seducía a los hombres comunes. Su hostilidad a un ritual elaborado y a una doctrina erudita estimulaba a los que gustaban de la predicación y la profecía. La persistente tradición del milenarismo se prestaba a una primitiva expresión de rebeldía social. Por último, su asociación con las emocionantes y subyugadoras «conversiones» personales abría el camino para una «restauración» religiosa masiva de histérica intensidad, en la que los hombres y las mujeres podían encontrar un grato alivio para las coacciones de una sociedad que no proporcionaba otras salidas equivalentes para la emoción de las masas y destruía las que habían existido en el pasado.

El movimiento de renovación religiosa hizo más que cualquier otro para propagar las sectas. Así, el salvacionismo personal de John Wesley (1703-1791) y sus metodistas, intensamente emotivo e irracionalista, que impulsó

11. Las sectas y derivaciones del protestantismo —no demasiado frecuentes— fueron numéricamente escasas, y lo siguen siendo desde entonces.

el renacimiento y la expansión de la disidencia protestante, al menos en Inglaterra. Por esta razón las nuevas sectas y tendencias eran inicialmente apolíticas (como la de los wesleyanos) o incluso marcadamente conservadoras, pues se apartaban del maligno mundo exterior para la salvación personal o para la vida de los grupos limitados, lo que con frecuencia significaba que rechazaban la posibilidad de cualquier alteración colectiva de sus condiciones seculares. Sus energías «políticas» solían expresarse en campañas morales y religiosas como las que multiplicaron las misiones extranjeras, el antiesclavismo, y la morigeración de las costumbres. Los sectarios políticamente activos y radicales durante el período de las revoluciones norteamericana y francesa pertenecían más bien a las antiguas comunidades puritanas, más rígidas y más tranquilas, supervivientes del siglo XVII, estancadas o incluso en evolución hacia un deísmo intelectualista bajo la influencia del racionalismo del siglo XVIII: presbiterianos, congregacionistas, unitarios, cuáqueros. El nuevo tipo de sectarismo metodista era antirrevolucionario, y por ello ha llegado a atribuirse —erróneamente— la inmunidad de Inglaterra a la revolución en nuestro período a la creciente influencia de dicha secta.

Sin embargo, el carácter social de las nuevas sectas militaba contra su retirada teológica del mundo. Se extendían con más facilidad entre quienes permanecían entre los ricos y poderosos, de un lado, y las masas de la sociedad tradicional, de otro: es decir, entre los que estaban a punto de elevarse a la clase media o de declinar a un nuevo proletariado, y entre la masa indiscriminada de hombres independientes y modestos. La orientación política fundamental de todos ellos se inclinaba hacia un radicalismo jacobino o jeffersoniano, o, al menos, hacia un moderado liberalismo de clase media. El «no conformismo» en Inglaterra, las iglesias protestantes predominantes en los Estados Unidos, tendían por eso a ocupar un lugar entre las fuerzas políticas de la izquierda; aunque entre los metodistas británicos el *torysmo* de su fundador sólo fue superado en el curso de medio siglo de secesiones y crisis internas que terminó en 1848.

Sólo entre los muy pobres o los muy violentos prosiguió la repulsa original del mundo existente. Pero era muchas veces una primitiva repulsa revolucionaria que tomaba la forma de las predicciones milenarias del fin del mundo, fin que las tribulaciones de la época posnapoleónica (en armonía con el Apocalipsis) parecían prefigurar. Los irvingitas en Inglaterra lo anunciaron para 1835 y 1838; William Miller, el fundador de los adventistas del séptimo día en los Estados Unidos, lo predecía para 1843 y 1844, fechas en las que ya tenía 50.000 seguidores y 3.000 predicadores que lo respaldaban. En las zonas en donde el pequeño comercio y la pequeña explotación agropecuaria individual se encontraban bajo el inmediato impacto del crecimiento de una dinámica economía capitalista, como en el estado de Nueva York, este fermento milenarista era particularmente poderoso. Su más dramático producto fue la secta de los mormones, fundada por el profeta Joseph Smith, quien recibió su revelación cerca de Palmyra, Nueva York, por los años 1820, y dirigió a sus seguidores hacia alguna remota Sión en un éxodo que, por lo pronto, les llevó a los desiertos de Utah.

También había grupos entre los cuales la histeria colectiva de las masas en las reuniones llegaba a extremos insospechados, bien a causa de la aspereza y el tedio de sus vidas («como no tienen otras diversiones, las ceremonias religiosas ocupan su lugar», observaba una señora hablando de las jóvenes que trabajaban en las fábricas de Essex),[12] bien porque su colectiva unión religiosa creaba una comunidad temporal de personas dispares. En su forma moderna ese despertar religioso fue el producto de la frontera norteamericana. El «Gran Despertar» empezó hacia 1800 en los Apalaches con gigantescos «campamentos de reunión» —uno de los cuales en Kane Ridge, Kentucky (1801) reunió de diez a veinte mil personas bajo cuarenta predicadores— y un grado de histerismo orgiástico difícil de concebir: hombres y mujeres delirantes bailaban hasta la extenuación, entraban en trance a millares, «hablaban distintas lenguas» o aullaban como perros. La lejanía, un duro entorno natural o social, o ambas cosas a la vez, estimulaban aquel despertar que los predicadores ambulantes importaban a Europa, produciendo así una secesión proletario-democrática en los wesleyanos (los llamados primitivos metodistas) después de 1808, extendida particularmente entre los mineros y pequeños granjeros del norte de Inglaterra, entre los pescadores del mar del Norte, los jornaleros del campo y los oprimidos trabajadores de las industrias explotadoras de las Midlands. Tales brotes de histerismo religioso se sucedieron periódicamente en la época que venimos estudiando —en el sur de Gales estallaron en 1807-1809, 1828-1830, 1839-1842, 1849 y 1859—[13] y representaron el mayor aumento en las fuerzas numéricas de las sectas. No se pueden atribuir a alguna causa concreta. Unos coincidieron con períodos de aguda tensión y desasosiego (todos los períodos —menos uno— de expansión ultrarrápida del wesleyanismo fueron tales), otros con la rápida recuperación después de una crisis, y a veces con calamidades sociales como las epidemias de cólera, que originaron fenómenos religiosos análogos en otros países cristianos.

III

Por todo ello, desde el punto de vista puramente religioso, nuestro período fue de una creciente secularización y (en Europa) de indiferencia religiosa, combatidas por ramalazos de religiosidad en sus formas más intransigentes, irracionales y emocionales. En un extremo figura Tom Paine, en el otro el adventista William Miller. El materialismo mecánico y francamente ateo del filósofo alemán Feuerbach (1804-1872) se enfrentó en la década 1830-1840 con los jóvenes antiintelectuales del «Movimiento de Oxford» que defendían la absoluta certeza de las vidas de los santos medievales.

---

12. Mary Merryweather, *Experience of Factory Life*, 3.ª ed., Londres, 1862, p. 18. La referencia es a los años 1840-1850.
13. T. Rees, *History of Protestant Nonconformity in Wales*, 1861.

Pero esta vuelta a la religión anticuada, literal y militante tenía tres aspectos. Para las masas era principalmente un método para rivalizar con la sociedad, cada vez más fría, inhumana y tiránica, de la clase media liberal: en frase de Marx (que no fue el único en utilizar estas palabras), era «el corazón de un mundo sin corazón, como el espíritu de un mundo sin espíritu ... el *opio* del pueblo».[14] Y algo más aún: el intento de crear instituciones sociales y a veces educativas y políticas en un ambiente que no proporcionaba ninguna de ellas, y un medio de dar a las gentes poco desarrolladas políticamente una primitiva expresión de su descontento y sus aspiraciones. Su literalismo, emocionalismo y superstición protestaban a la vez contra toda una sociedad en la que dominaba el cálculo racional y contra las clases elevadas que deformaban la religión a su propia imagen.

Para las clases medias que se elevaban por encima de tales masas, la religión podía ser un poderoso apoyo moral, una justificación de su existencia social contra el desprecio y el odio unidos de la sociedad tradicional, y una palanca de su expansión. Ser sectarios los liberaba de los grillos de aquella sociedad. Daba a sus beneficios un título moral mayor que el de un mero interés propio racional; legitimaba su dureza con los oprimidos; los unía al comercio que proporcionaba civilización a los paganos y ventas a sus productos.

A las monarquías y las aristocracias, como a todos los que se encontraban en el vértice de la pirámide social, la religión proporcionaba la estabilidad anhelada. Habían aprendido de la Revolución francesa que la Iglesia es el más fuerte apoyo del trono. Los pueblos creyentes e iletrados como los italianos del sur, los españoles, los tiroleses y los rusos se levantaron en armas para defender a su Iglesia y a sus gobernantes contra los extranjeros, los infieles y los revolucionarios, bendecidos y en algunos casos guiados por sus sacerdotes. Las gentes creyentes e incultas vivían contentas en la pobreza a que Dios las había destinado bajo los gobiernos que la Providencia les señalara, sencilla, moral y ordenadamente, manteniéndose inmunes a los subversivos efectos de la razón. Para los gobiernos conservadores después de 1815 —¿y qué gobiernos continentales europeos no lo eran?— el estímulo de los sentimientos religiosos y de las iglesias era parte tan indispensable de su política como la organización de la policía y la censura: el sacerdote, el policía y el censor eran ahora los tres baluartes principales de la reacción contra la revolución.

Para la mayor parte de los gobiernos establecidos era evidente que el jacobinismo amenazaba a los tronos y que las iglesias los defendían. Sin embargo, para un grupo de intelectuales e ideólogos románticos, la alianza entre el trono y el altar tenía un significado más profundo: el de preservar a una sociedad antigua, orgánica y viva de la corrosión de la razón y el liberalismo; el individuo encontraba en esa alianza una expresión más adecuada de su trágica condición que en cualquier solución preconizada por los racionalistas. En Francia e Inglaterra tales justificaciones de la alianza entre el tro-

14. Marx-Engels, *Werke*, Berlín, 1956, I, p. 378.

no y el altar no tuvieron gran importancia política. Ni tampoco la búsqueda
romántica de una religión trágica y personal. (El explorador más importante
de estas profundidades del corazón humano, el danés Sören Kierkegaard
[1813-1855], procedía de un país pequeño y apenas llamó la atención de sus
contemporáneos: su fama es totalmente póstuma.) No obstante, en los estados alemanes y en Rusia, los intelectuales romántico-reaccionarios, bastiones
de la reacción monárquica, tuvieron su papel en la política como funcionarios civiles, redactores de manifiestos y programas, e incluso como consejeros personales en donde los monarcas tendían al desequilibrio mental, como
Alejandro I de Rusia y Federico Guillermo IV de Prusia. Pero, en conjunto,
los Friedrich Gentz y los Adam Müller eran figuras menores y su medievalismo religioso (del que desconfiaba el propio Metternich) fue simplemente
una ligera fachada tradicionalista para disimular a los policías y censores en
los que sus reyes confiaban. La fuerza de la Santa Alianza de Rusia, Austria
y Prusia, destinada a mantener el orden en Europa después de 1815, residía
no en su apariencia de cruzada mística, sino en su firme decisión de contener cualquier movimiento subversivo con las armas rusas, prusianas o austríacas. Por otra parte, los gobiernos genuinamente conservadores solían des-
confiar de los intelectuales y los ideólogos, por reaccionarios que fueran,
pues, una vez aceptado el principio de que valía más pensar que obedecer, el
fin no podía tardar mucho. En 1819 Friedrich Gentz (secretario de Metternich) escribía a Adam Müller:

> Continúo defendiendo la proposición: «Para que la prensa no pueda abu-
> sar, nada se imprimirá en los próximos ... años». Si este principio se aplicara
> como norma de gobierno por un Tribunal claramente superior, dentro de poco
> encontraríamos nuestro camino hacia Dios y la Verdad.[15]

Pero si los ideólogos antiliberales tuvieron escasa importancia política, su
vuelo desde los horrores del liberalismo hasta un pasado verdaderamente religioso y orgánico tuvo un considerable interés religioso, ya que produjo una
patente recuperación del catolicismo romano entre los jóvenes sensibles de las
clases altas. ¿No había sido el protestantismo el precursor directo del individualismo, el racionalismo y el liberalismo? ¿Podía una verdadera sociedad
religiosa curar por sí sola las dolencias del siglo XIX, si no era la *verdadera*
sociedad cristiana de la católica Edad Media?[16] Como de costumbre, Gentz
expresó la atracción del catolicismo con una claridad impropia del tema:

> El protestantismo es la primera, la verdadera, la única fuente de todos los
> tremendos males que hoy nos abruman. Si se limitara a razonar, podíamos

---

15.   *Briefwechsel zwischien Fr. Gentz und Adam Müller*, Gentz a Müller, 7 de octubre de
1819.

16.   En Rusia, en donde la verdadera sociedad cristiana de la Iglesia ortodoxa estaba todavía floreciente, la tendencia análoga fue menos la de un retorno a la inmaculada religiosidad del
pasado, que la de una retirada a las ilimitadas profundidades del misticismo accesibles a la ortodoxia del presente.

haberlo tolerado, pues la tendencia a discutir está muy arraigada en la naturaleza humana. Sin embargo, una vez que los gobiernos acceden a aceptar el protestantismo como una forma tolerada de religión, como una expresión del cristianismo y un derecho del hombre; una vez que ... le conceden un lugar al lado del Estado, o incluso sobre sus ruinas, la única iglesia verdadera, el orden religioso, moral y político del mundo se disuelven inmediatamente ... Toda la Revolución francesa y hasta la peor revolución que está a punto de estallar sobre Alemania, proceden de esta misma fuente.[17]

Así, algunos grupos de jóvenes exaltados se apartaron de los horrores del intelecto para arrojarse en los brazos de Roma; abrazaron el celibato, las torturas del ascetismo, los escritos de los Padres, o simplemente el ritual cálido y estéticamente satisfactorio de la Iglesia con una apasionada entrega. En su mayor parte procedían, como era de esperar, de los países protestantes: los románticos alemanes eran, en general, prusianos. El «Movimiento de Oxford» de la década de 1830 es el fenómeno más familiar de este género para los anglosajones, aunque es característicamente británico en cuanto que sólo algunos de los jóvenes fanáticos que expresaron así el espíritu de la más oscurantista y reaccionaria de las universidades se unieron realmente a la Iglesia romana, especialmente el inteligentísimo J. H. Newman (1801-1890). Los demás se conformaron con una postura intermedia, como «ritualistas» dentro de la Iglesia anglicana, que para ellos era la verdadera Iglesia católica, e intentaron, con horror del clero «bajo» y «zafio», adornarla con ornamentos, incienso y otras «abominaciones» papistas. Los nuevos conversos eran un enigma para las familias nobles tradicionalmente católicas que consideraban su religión como un distintivo familiar, y para la masa de trabajadores irlandeses inmigrantes que formaban cada vez más el grueso del catolicismo británico; el noble celo de estos conversos tampoco era apreciado del todo por los cautelosos y realistas funcionarios eclesiásticos del Vaticano. Pero, puesto que procedían de excelentes familias y la conversión de las clases altas podía ser el heraldo de la conversión de las bajas, fueron bien acogidos como un síntoma esperanzador de la fuerza conquistadora de la Iglesia.

A pesar de ello, incluso dentro de la religión organizada —al menos dentro de la católica romana, la protestante y la judía— trabajaban los zapadores y minadores del liberalismo. En la Iglesia romana su principal campo de acción era Francia, y su figura más importante Hugues-Felicité-Robert de Lamennais (1782-1854), quien pasó sucesivamente desde un conservadurismo romántico a una idealización revolucionaria del pueblo que lo condujo hasta cerca del socialismo. Las *Paroles d'un croyant* (1834) de Lamennais suscitaron una conmoción entre los gobiernos, que difícilmente esperaban ser heridos por la espalda con un arma tan digna de confianza para el mantenimiento del *statu quo* como el catolicismo. Su autor no tardó en ser condenado por Roma. Sin embargo, el catolicismo liberal sobrevivió en Francia, país receptivo siempre a las tendencias eclesiásticas ligeramente desviadas de las de

17. Gentz a Müller, 19 de abril de 1819.

Roma. También en Italia la poderosa corriente revolucionaria entre 1830 y 1850 envolvió en sus remolinos a algunos pensadores católicos como Rosmini y Gioberti (1801-1852), paladín de una Italia liberal unificada por el papa. Pero el cuerpo principal de la Iglesia era cada vez más militantemente antiliberal.

Como es natural, las minorías y sectas protestantes estaban mucho más cerca del liberalismo, sobre todo en política: ser hugonote francés equivalía a ser un liberal moderado. (Por ejemplo Guizot, primer ministro de Luis Felipe.) Las iglesias protestantes estatales, como la anglicana y la luterana, eran políticamente más conservadoras, pero sus teologías eran quizá menos resistentes a la corrosión de la erudición bíblica y el racionalismo. Los judíos, desde luego, estaban expuestos a la fuerza de la corriente liberal. Al fin y al cabo, a ella debían su completa emancipación política y social. La asimilación cultural era la meta de todos los judíos emancipados. Los más extremistas entre los hebreos ilustrados abandonaron su antigua religión por el cristianismo o el agnosticismo, como el padre de Karl Marx o el poeta Heine (quien no obstante descubrió que los judíos nunca dejan de ser judíos, al menos para el mundo exterior, aunque dejen de frecuentar la sinagoga). Los menos extremistas desarrollaron una forma liberal atenuada de judaísmo. Sólo en los oscuros guetos orientales, la Torá y el Talmud siguieron dominando la vida virtualmente inalterada de las pequeñas ciudades.

13. IDEOLOGÍA SECULAR

[Mr. Bentham] transforma los utensilios de madera en un torno por diversión y en su fantasía piensa que puede hacer lo mismo con los hombres. Pero no tiene grandes dotes para la poesía, y apenas puede extraer una moraleja de Shakespeare. Su casa está calentada e iluminada por el vapor. Es una de esas personas que prefieren lo artificial a lo natural en muchas cosas, y considera omnipotente la inteligencia humana. Siente el mayor desprecio por las perspectivas más allá de sus puertas, por los árboles y los campos verdes y siempre relaciona todo con la utilidad.

W. HAZLITT, *The Spirit of the Age*, 1825

Los comunistas desdeñan el ocultar sus miras y propósitos. Declaran abiertamente que sus fines sólo pueden ser alcanzados por el derrumbamiento a la fuerza de todas las condiciones existentes. Las clases dirigentes tiemblan ante la revolución comunista. Pero los proletarios nada tienen que perder, excepto sus cadenas, y sí un mundo que ganar. ¡Proletarios de todo el mundo, uníos!

K. MARX Y F. ENGELS, *Manifiesto del partido comunista*, 1848

I

La cantidad debe hacernos dar un lugar de privilegio en el mundo de 1789-1848 a la ideología religiosa; la calidad a lo secular. Con muy pocas excepciones, todos los pensadores importantes de nuestro período hablaban el idioma secular, cualesquiera que fueran sus creencias religiosas particulares. Mucho de lo que pensaban (y de lo que el vulgo da por sentado sin reflexionar demasiado) será discutido en el capítulo dedicado a las ciencias y a las artes; algo ha sido discutido ya. Aquí nos centraremos en el que fue el tema principal surgido de la doble revolución: la naturaleza de la sociedad y el camino por el que iba o debía ir. Sobre este problema clave hubo dos opiniones contradictorias: la de quienes aceptaban el rumbo que el mundo seguía y la de quienes no lo aceptaban; en otras palabras, los que creían en el progreso y los otros. Pues en un sentido había sólo una *Weltanschauung* de gran importancia, y cierto número de otras opiniones que, cualesquiera que fueran sus méritos, no eran en el fondo más que críticas negativas de la triunfante, racionalista, humanista «Ilustración» del siglo XVIII. Sus paladines creían firmemente (y con razón) que la historia humana era un avance más que un retroceso o un movimiento ondulante alrededor de cierto nivel. Podían observar que el conocimiento científico del hombre y su control sobre la naturaleza aumentaban de día en día. Creían que la sociedad humana y el individuo podían perfeccionarse por la misma aplicación de la razón, y que estaban destinados a su perfeccionamiento en la historia. Sobre estos puntos estaban de acuerdo los burgueses liberales y el proletariado revolucionario.

Hasta 1789, la más potente y avanzada fórmula de esta ideología progresiva había sido el clásico liberalismo burgués. Claro está que su sistema fundamental había sido elaborado con tanta firmeza en los siglos XVII y XVIII que su estudio apenas pertenece a este volumen. Era una filosofía estrecha, lúcida y afilada que encontró sus más puros exponentes (como puede suponerse) en Inglaterra y Francia.

Era rigurosamente racionalista y secular; es decir, convencida de la capacidad del hombre en principio para entenderlo todo y resolver todos los problemas utilizando la razón, y de la tendencia de la conducta y las instituciones irracionales (entre las que incluían al tradicionalismo y a todas las religiones no racionales) a oscurecer más que iluminar. Filosóficamente se inclinaban al materialismo o al empirismo, muy adecuados a una ideología que debía su fuerza y sus métodos a la ciencia, en este caso principalmente a las matemáticas y a la física de la revolución científica del siglo XVII. Sus supuestos generales sobre el mundo y el hombre estaban marcados por un penetrante individualismo, que debía más a la introspección de los individuos de la clase media o a la observación de su conducta que a los principios *a priori* en que decía basarse, y que se expresaba en una psicología (si bien este vocablo no existía todavía en 1789) que no era sino un eco de la mecánica del siglo XVII, la llamada escuela «asociacionista».

En resumen, para el liberalismo clásico, el mundo humano estaba formado por átomos individuales con ciertas pasiones y necesidades, cada uno de los cuales buscaba por encima de todo las máximas satisfacciones y las mínimas contrariedades, igual en esto a todos los demás[1] y no reconociendo «naturalmente» límites o derechos de interferencia en sus pretensiones. En otras palabras, cada hombre estaba «naturalmente» poseído de vida, libertad y afán de felicidad, como afirmaba la Declaración de Independencia Norteamericana, aunque los pensadores liberales más lógicos preferían no incluir esto en el léxico de los «derechos naturales». En su deseo de satisfacer sus propios intereses, cada individuo, en esta anarquía de competidores iguales, encontraba útil o ventajoso entablar ciertas relaciones con otros individuos, y este

---

1. El gran Thomas Hobbes argumentaba con fuerza en favor de la completa igualdad —para fines prácticos— de todos los individuos en todos los aspectos, salvo la «ciencia».

complejo de útiles tratos —a menudo expresados con el franco término comercial de «contrato»— constituía la sociedad y los grupos políticos o sociales. Claro que tales tratos y asociaciones implicaban alguna disminución de la naturalmente ilimitada libertad del hombre para hacer lo que quisiera, siendo una de las misiones de la política reducir tales interferencias al mínimum practicable. Excepto quizá para ciertos irreductibles grupos sexuales como los padres y sus hijos, el «hombre» del liberalismo clásico (cuyo símbolo literario fue Robinson Crusoe) era un animal social sólo cuando coexistía en gran número. Los designios sociales eran, por tanto, una suma aritmética de designios individuales. La felicidad (término que causó a sus definidores casi tantos problemas como a sus perseguidores) era el supremo objetivo de cada individuo; la mayor felicidad del mayor número era el verdadero designio de la sociedad.

De hecho, el *utilitarismo* puro, que reducía todas las relaciones humanas al patrón que acabamos de diseñar, estuvo limitado en el siglo XVII a algunos filósofos faltos de tacto como el gran Thomas Hobbes, o a confiados paladines de la clase media como la escuela de pensadores y publicistas británicos asociados a los nombres de Jeremy Bentham (1748-1832), James Mill (1773-1836) y sobre todo los economistas políticos clásicos. Por dos razones. En primer lugar, una ideología que tan completamente reducía todo, salvo el cálculo racional del «interés propio», a «disparates en zancos» (por utilizar la frase de Bentham), chocaba con algunos poderosos instintos de la conducta de la clase media empeñada en avanzar.[2] Así podía demostrarse que el propio interés racional justificaba una mayor interferencia de lo que era agradable en la «natural libertad» del individuo para hacer lo que quisiera y guardarse lo que ganara. (Thomas Hobbes, cuyas obras fueron recogidas y publicadas cuidadosa y respetuosamente por los utilitaristas británicos, había mostrado realmente que ese interés propio impedía cualesquiera limitaciones *a priori* sobre el poder del Estado, y los mismos benthamitas defendieron la administración burocrática estatal cuando pensaron que podía proporcionar la mayor felicidad al mayor número de seres con la misma facilidad que el *laissez faire*.) En consecuencia, los que trataban de salvaguardar la propiedad privada, la libertad individual y de empresa, a menudo preferían darles la sanción metafísica de «derecho natural» que la vulnerable de «utilidad». Además, una filosofía que eliminaba tan completamente la moral y el deber al reducirlos a cálculo racional, podía debilitar el sentido de la disposición eterna de las cosas entre los pobres ignorantes sobre los cuales descansaba la estabilidad social.

2. No se suponía que ese «interés propio» representara necesariamente un egoísmo antisocial. Humana y socialmente, los utilitaristas sostenían que las satisfacciones que el individuo trata de alcanzar incluían, o debían de incluir, la «benevolencia», es decir, la inclinación a socorrer a sus semejantes. Lo curioso es que esto no era un deber moral o un aspecto de la coexistencia social, sino algo que proporcionaba felicidad al hombre. «El interés —decía d'Holbach en su *Système de la nature*, I, 268— no es sino lo que cada uno de nosotros considera necesario para su felicidad.»

Por razones como estas, el utilitarismo nunca monopolizó la ideología de la clase media liberal. Pero proporcionó los más agudos filos radicales con que tajar las instituciones tradicionales que no podían contestar a las preguntas: ¿es racional?, ¿es útil?, ¿contribuye a la mayor felicidad del mayor número? Pero no era lo bastante fuerte ni para inspirar una revolución ni para evitarla. Más que el soberbio Thomas Hobbes, el filosóficamente tenue John Locke era el pensador favorito del liberalismo vulgar, pues declaraba a la propiedad privada el más fundamental de los «derechos naturales». Y los revolucionarios franceses encontraron magnífica esta declaración para plantear sus peticiones de libertad de iniciativa («tout citoyen est libre d'employer ses bras, son industrie et ses capitaux comme il juge bon et utile à lui-même ... Il peut fabriquer ce qui lui plaît et comme il lui plaît»)[3] en forma de un general derecho natural a la libertad («l'exercise des droits naturels de chaque homme n'a de bornes que celles qui assurent aux autres membres de la société la jouissance des mêmes droits»).[4]

Así, el liberalismo clásico se separaba en su pensamiento político de la audacia y el rigor que le hicieron ser una poderosa fuerza revolucionaria. Sin embargo, en su pensamiento económico estaba menos inhibido; en parte porque la confianza de la clase media en el triunfo del capitalismo era mucho mayor que su confianza en la supremacía política de la burguesía sobre el absolutismo o la multitud ignorante; en parte porque los clásicos supuestos sobre la naturaleza y el estado natural del hombre se acoplaban indudablemente a la situación especial del mercado mucho mejor que a la situación de la humanidad en general. En consecuencia, las clásicas formas de economía política son con Thomas Hobbes el monumento intelectual más impresionante a la ideología liberal. Su época de apogeo es un poco anterior a la del período que estudiamos aquí. La publicación en 1776 de la obra de Adam Smith (1723-1790) *La riqueza de las naciones* señala su comienzo; la de los *Principios de economía política* de David Ricardo (1792-1823) en 1817, su cima, y 1830 el principio de su decadencia o transformación. No obstante, su versión vulgarizada seguiría ganando adeptos entre los hombres de negocios durante nuestro período.

La argumentación social de la economía política de Adam Smith era a la vez elegante y consoladora. Es verdad que la humanidad consistía esencialmente en individuos soberanos de cierta constitución psicológica que persiguen su propio interés en competencia con el de los demás. Pero podía demostrarse que tales actividades, cuando se las dejaba producirse lo más incontroladamente posible, daban lugar no sólo a un orden social «natural» (tan distinto del artificial impuesto por los intereses aristocráticos, el oscurantismo, la tradición o las intromisiones de la ignorancia), sino también al más rápido aumento posible de la «riqueza de las naciones», es decir, de la

3. *Archives Parlamentaires*, 1787-1860, t. VIII, p. 429. Este fue el primer borrador del párrafo 4.°.
4. Declaración de Derechos del Hombre y del Ciudadano, 1798, párrafo 4.°.

comodidad y el bienestar, y, por tanto, la felicidad, de todos los hombres. La base de este orden natural era la división social del trabajo. Podía *probarse* científicamente que la existencia de una clase de capitalistas dueños de los medios de producción beneficiaba a todos, incluyendo a los trabajadores que se alquilaban a sí mismos, lo mismo que se podía probar, científicamente también, que los intereses de Inglaterra y de Jamaica estaban mejor servidos si una producía mercancías manufacturadas y la otra caña de azúcar. El aumento de riqueza en las naciones continuaba con las operaciones de las empresas de propiedad privada y la acumulación de capital, y podía asegurarse que cualquier otro método para lograrlo lo retrasaría o lo detendría. Además, la sociedad económicamente muy desigual que resultaba inevitablemente de las operaciones de la naturaleza humana, no era incompatible con la natural igualdad de todos los hombres ni con la justicia, pues aparte de asegurar incluso a los más pobres una vida mejor de la que de otra manera habrían tenido, estaba basada en la más equitativa de todas las relaciones: la permuta en el mercado. Como un sabio moderno ha señalado, «nadie dependía de la benevolencia de los demás; pues por todo lo que se adquiría se daba algo equivalente a cambio. Asimismo, el libre juego de las fuerzas naturales destruiría todas las posiciones que no estuvieran edificadas sobre contribuciones al bien común».[5]

El progreso era, por tanto, tan «natural» como el capitalismo. Si se removían los obstáculos artificiales que en el pasado se le habían puesto, se produciría de modo inevitable; y era evidente que el progreso de la producción marchaba codo a codo con el de las artes, las ciencias y la civilización en general. No se suponga que los hombres que mantenían tales puntos de vista fueran meros defensores de los intereses de los hombres de negocios. Eran hombres que creían, con considerable justificación histórica en aquel período, que el camino hacia adelante de la humanidad pasaba por el capitalismo.

La fuerza de este criterio panglossiano descansaba no sólo en lo que se creía ser la incontestable habilidad para demostrar sus teoremas económicos por un razonamiento deductivo, sino también en el evidente progreso del capitalismo y la civilización del siglo XVIII. A la inversa, empezó a vacilar no simplemente porque Ricardo descubriera contradicciones dentro del sistema que Smith había preconizado, sino también porque la verdadera economía y los resultados sociales del capitalismo demostraron ser menos felices de lo que se había pronosticado. En la primera mitad del siglo XIX, la economía política se convirtió en una ciencia más bien negra que color de rosa. Naturalmente, aún podía sostenerse que la miseria de los pobres que (según decía Malthus en el famoso *Ensayo sobre el principio de la población*, 1798) estaba condenada a prolongarse hasta el borde de la extenuación, o (como decía Ricardo) a padecer por la introducción de la maquinaria,[6] constituía

5. E. Roll, *A History of Economic Thought*, ed. de 1948, p. 155.
6. «La opinión mantenida por la clase trabajadora de que el empleo de la maquinaria es con frecuencia perjudicial para sus intereses, no se funda en el prejuicio y el error, sino que es conforme a los correctos principios de la economía política.» (*Principles*, 383.)

todavía la mayor felicidad del mayor número, número que simplemente resultó ser mucho menor de lo que podía esperarse. Pero tales hechos, lo mismo que las evidentes dificultades para la expansión capitalista en el período entre 1810 y 1850, enfriaron los optimismos y estimularon las investigaciones críticas, especialmente sobre la *distribución* y la *producción* que habían sido la preocupación principal de la generación de Smith.

La economía política de Ricardo, obra maestra de rigor deductivo, vino a introducir considerables elementos de discordia en la «armonía natural» por la que los primitivos economistas habían apostado. Y hasta dio bastante más importancia que Smith a ciertos factores de los que podía esperarse que llegarían a detener la máquina del progreso económico al atenuar el abastecimiento de su combustible esencial, tal como una tendencia a reducir el porcentaje de beneficios. Y más aún: proporcionó la teoría general del valor intrínseco del trabajo, teoría que sólo necesitaba que se le diera una vuelta para convertirse en un potente argumento contra el capitalismo. Sin embargo, la maestría técnica de Ricardo como pensador, y su apasionado apoyo a los objetivos prácticos por los que abogaban la mayor parte de los hombres de negocios ingleses —libre cambio y hostilidad a los terratenientes—, ayudaron a dar a la clásica economía política un puesto incluso más firme que antes en la ideología liberal. Para efectos prácticos, las tropas de choque de la reforma de la clase media británica en el período posnapoleónico estaban armadas con una combinación de utilitarismo benthamita y economía ricardiana. A su vez, las sólidas realizaciones de Smith y de Ricardo, respaldadas por las de la industria y el comercio británicos, convirtieron la economía política en una ciencia inglesa, dejando reducidos a los economistas franceses (que por lo menos habían compartido la primacía en el siglo XVIII) al ínfimo papel de simples predecesores o auxiliares, y a los economistas no clásicos a algo menos importante aún. Aparte de esto, la convirtieron en un símbolo esencial de los avances liberales. Brasil instituyó una cátedra de economía política en 1808 —mucho antes que Francia—, desempeñada por un divulgador de Adam Smith, el primer economista francés J. B. Say, y el anarquista utilitarista William Godwin. La Argentina, recién independizada, empezó en 1823 a enseñar economía política en la nueva Universidad de Buenos Aires sobre la base de las obras ya traducidas de Ricardo y James Mill; pero no lo hizo antes que Cuba, que tenía su primera cátedra desde 1818. El hecho de que la conducta económica real de los gobernantes latinoamericanos pusiera los pelos de punta a los financieros y economistas europeos, no quita importancia a su apego a la ortodoxia económica.

En política, como hemos visto, la ideología liberal no era ni tan coherente ni tan consistente. Teóricamente estaba dividida entre el utilitarismo y las adaptaciones de las viejas doctrinas de la ley natural y el derecho natural, con predominio de estas últimas. En su programa práctico, la división estaba entre la creencia en un gobierno popular, por ejemplo el basado en el régimen de mayorías —que tenía la lógica a su lado y reflejaba el hecho de que realmente hacer revoluciones y presionar políticamente para conseguir reformas eficaces no era cosa de la clase media, sino una movilización de las masas—[7] y la creencia, más generalizada, en el gobierno de una minoría selecta: es decir, entre «radicalismo» y «whiggismo», por decirlo en términos británicos. Pues si el gobierno era realmente popular, y si la mayoría gobernaba realmente (o sea, si los intereses de la minoría eran sacrificados a aquélla, como era lógicamente inevitable), la verdadera mayoría —del mayor número y las clases más pobres»—,[8] ¿sería capaz de salvaguardar la libertad y cumplir los dictados de la razón que coincidían sin duda alguna con el programa de la clase media liberal?

Antes de la Revolución francesa, la principal causa de alarma a este respecto era la ignorancia y superstición del trabajador pobre, que, con demasiada frecuencia, estaba bajo la férula del clero o del rey. La revolución introdujo el riesgo adicional de un ala izquierda con un programa anticapitalista, implícito —y para algunos explícito— en ciertos aspectos de la dictadura jacobina. Los moderados *whigs* se dieron pronto cuenta de este peligro: Edmund Burke, cuya ideología económica era la de un puro seguidor de Adam Smith,[9] retrocedía en su política hasta una creencia francamente irracionalista en las virtudes de tradición, continuidad y lento crecimiento orgánico que siempre habían proporcionado su principal bagaje al conservadurismo. Los liberales prácticos del continente se asustaban de la democracia política, prefiriendo una monarquía constitucional con sufragio adecuado o, en caso necesario, cualquier absolutismo anticuado que garantizara sus intereses. Después de 1793-1794 sólo una burguesía sumamente descontenta, o si no una sumamente segura de sí como la de Inglaterra, estaba preparada con James Mill para confiar en su capacidad de conservar el apoyo permanente de los trabajadores pobres incluso en una República democrática.

Los descontentos sociales, los movimientos revolucionarios y las ideologías socialistas del período posnapoleónico intensificaron este dilema que la revolución de 1830 hizo aún más agudo. El liberalismo y la democracia parecían más bien adversarios que aliados; el triple lema de la Revolución francesa —libertad, igualdad y fraternidad— expresaba más bien una contradicción que una combinación. Naturalmente, esto parecía más obvio en la propia cuna de la revolución: Francia. Alexis de Tocqueville (1805-1859), que dedicó una aguda y notable inteligencia al análisis de las tendencias inherentes a la democracia norteamericana (1835) y más tarde a las de la Revo-

7. Condorcet (1743-1794), cuyo comportamiento es virtualmente un compendio de actitudes burguesas «ilustradas», se convirtió, por la toma de la Bastilla, de creyente en el sufragio limitado en creyente en la democracia, aunque con fuertes garantías para el individuo y para las minorías.

8. *Oeuvres de Condorcet*, ed. de 1804, XVIII, p. 412: «Ce que les citoyens ont le droit d'attendre de leur représentants». R. R. Palmer, *The Age of Democratic Revolution*, I, 1959, pp. 13-20, sostiene, de modo poco convincente, que el liberalismo era más claramente «democrático» de lo que aquí se sugiere.

9. Cf. C. B. Macpherson, «Edmund Burke», *Transactions of the Royal Society of Canada*, LIII, sec. II, 1959, pp. 19-26.

lucion francesa, ha sobrevivido como el mejor de los críticos liberales moderados de la democracia de aquel período; o más bien podríamos decir que
resultó particularmente afín a los liberales moderados del mundo occidental
después de 1945. Quizá naturalmente en vista de su aforismo: «Del siglo XVIII
fluyen, como de una fuente común, dos ríos. Uno lleva a los hombres a las
instituciones libres, el otro al poder absoluto».[10] También en Inglaterra la firme confianza de James Mill en una dirección burguesa de la democracia contrasta vivamente con la preocupación de su hijo John Stuart Mill (1806-1873)
por defender los derechos de las minorías frente a las mayorías, preocupación que domina el noble y angustiado pensamiento de su *Sobre la libertad* (1859).

II

Mientras la ideología liberal perdía así su confianza original —hasta la
inevitabilidad o deseabilidad del progreso empezaba a ser puesta en duda por
algunos liberales—, una nueva ideología, el socialismo, volvía a formular los
viejos axiomas del siglo XVIII. La razón, la ciencia y el progreso eran sus firmes cimientos. Lo que distinguía a los socialistas de nuestro período de los
paladines de una sociedad perfecta de propiedad en común, que constantemente irrumpen en la literatura a lo largo de la historia, era la incondicional
aceptación de la Revolución industrial que creaba la verdadera posibilidad del
socialismo moderno. El conde Claude de Saint-Simon (1760-1825), a quien
por tradición se considera como el primer «socialista utópico», aunque su
pensamiento ocupe en realidad una posición más ambigua, fue primero y
ante todo el apóstol del «industrialismo» y los «industrialistas» (dos vocablos
acuñados por él). Sus discípulos se hicieron socialistas, audaces técnicos,
industriales y financieros. El sansimonismo ocupa un puesto peculiar en la
historia del capitalismo y del anticapitalismo. Robert Owen (1771-1858) fue
en Inglaterra un afortunadísimo precursor de la industria algodonera, y ponía
su confianza en la posibilidad de una sociedad mejor, no sólo por su firme
creencia en la perfectibilidad humana a través de la sociedad, sino también
por la visible creación de una sociedad de gran potencia, debida a la Revolución industrial. Friedrich Engels, aunque de mala gana, también pertenecía al
negocio del algodón. Ninguno de los nuevos socialistas deseaba hacer retroceder la hora de la evolución social, aunque sí muchos de sus seguidores.
Incluso Charles Fourier (1772-1837), el menos entusiasta del industrialismo
de los padres fundadores del socialismo, afirmaba que la solución estaba más
adelante y no más atrás de ese industrialismo.

Por otra parte, los argumentos del liberalismo clásico podían volverse
—y de hecho se volvían— contra la sociedad capitalista que habían ayudado a construir. La felicidad era verdaderamente «una nueva idea en Euro-

---

10.   Citado en J. L. Talmon, *Political Messianism*, 1960, p. 323.

pa»,[11] como decía Saint-Just; pero nada era más fácil que observar que la mayor felicidad del mayor número —que evidentemente no se lograría— era la del trabajador pobre. No era difícil, como William Godwin, Robert Owen, Thomas Hodgskin y otros admiradores de Bentham hicieron, separar la búsqueda de la felicidad de los supuestos del egoísmo individualista. «El primero y más necesario objeto de toda existencia es la felicidad —escribía Owen—,[12] pero la felicidad no se puede obtener individualmente; es inútil esperar una felicidad aislada; todos debemos tomar parte en ella o los menos nunca la disfrutarán.»

Más aún: la economía política clásica en su forma ricardiana podía volverse contra el capitalismo; lo cual llevó a los economistas de la clase media posteriores a 1830 a mirar a Ricardo con alarma e incluso a considerarlo, con el norteamericano Carey (1793-1879), como la fuente de inspiración para los agitadores y los destructores de la sociedad. Si como la economía política argumentaba, el trabajo era el origen de todos los méritos, ¿por qué la mayor parte de sus productores vivían al borde de la indigencia? Porque como demostraba Ricardo —aunque le desagradara sacar las conclusiones de su teoría— el capitalista se apropiaba en forma de beneficio del excedente que producía el trabajador por encima de lo que recibía como salario. (El hecho de que los terratenientes también se apropiaran de una parte del excedente de sus jornaleros, no afectaba fundamentalmente a la cuestión.) En efecto, el capitalista explotaba al trabajador. Sólo la desaparición de los capitalistas aboliría la explotación. Pronto surgiría en Inglaterra un grupo de «economistas del trabajo» ricardianos para hacer el análisis y sacar la moraleja.

Si el capitalismo hubiera llevado a cabo lo que de él se esperaba en los días optimistas de la economía política, tales críticas no habrían tenido resonancia. En contra de lo que suele suponerse, entre los pobres hay pocas «revoluciones de alza del nivel de vida». Pero en el período de formación del socialismo, por ejemplo entre la publicación de la *New View of Society* (1813-1814) de Robert Owen[13] y el *Manifiesto comunista* (1848), la depresión, la caída de los salarios, el gran paro técnico y las dudas sobre las futuras perspectivas expansivas de la economía eran bastante inoportunos.[14] Por eso los críticos podían fijarse no sólo en la injusticia de la economía, sino en los defectos de su actuación, en sus «contradicciones internas». Los ojos aguzados por la antipatía detectaban así las fluctuaciones o «crisis» del capitalismo (Sismondi, Wade, Engels) que sus partidarios disimulaban, y cuya posibilidad negaba una «ley» asociada al nombre de J. B. Say (1767-1832). Difícilmente podían dejar de advertir que la creciente y desigual distribución

11. Dictamen sobre el modo de ejecución del decreto de 8 ventoso, año II (*Oeuvres complètes*, II, 1908, p. 248).
12. *The Book of the New Moral World*, parte IV, p. 54.
13. R. Owen, *A New View of Society: or Essays on the Principle of the Formation of the Human Character.*
14. La palabra «socialismo» se acuñó también hacia el año 1820.

de las rentas nacionales en aquel período («el rico se hace más rico y el pobre más pobre») no era un accidente, sino el producto de los procedimientos del sistema. En resumen, podían demostrar no sólo que el capitalismo era injusto, sino que, al parecer, funcionaba mal y —en la medida en que funcionaba— daba unos resultados contrarios a los que habían predicho sus panegiristas.

De este modo, los nuevos socialistas defendían su causa nada más que empujando los argumentos del clásico liberalismo franco-británico más allá del punto al que los burgueses liberales estaban preparados para llegar. La nueva sociedad que preconizaban no necesitaba abandonar el terreno tradicional del humanismo clásico y del ideal liberal. Un mundo en el que todos fueran felices y cada individuo pudiera cumplir libre y plenamente sus potencialidades, un mundo en el que reinara la libertad y el gobierno que significa coacción hubiese desaparecido, era la aspiración suprema de los liberales y de los socialistas. Lo que distinguía a los diferentes miembros de la familia ideológica descendiente del humanismo y de la Ilustración —liberales, socialistas, comunistas o anarquistas— no era la amable anarquía más o menos utópica de todos ellos, sino los métodos para realizarla. En este punto, sin embargo, el socialismo se separaba de la tradición liberal clásica.

En primer lugar, rompía con la creencia liberal de que la sociedad era un mero agregado o combinación de sus átomos individuales y que su fuerza motriz estaba en el propio interés y en la competencia. Al hacerlo así, los socialistas volvían a la más antigua de todas las tradiciones ideológicas humanas: la creencia de que el hombre es por naturaleza un ser comunal. Los hombres viven juntos y se ayudan unos a otros naturalmente. La sociedad no era una disminución necesaria aunque lamentable del ilimitado derecho natural del hombre a hacer lo que quisiera, sino el marco de su vida, felicidad e individualidad. La idea smithiana de que la permuta en el mercado asegura de algún modo la justicia social les chocaba como algo incomprensible o inmoral. La mayor parte del vulgo compartía esta extrañeza, aun cuando no pudiera expresarla. Muchos críticos del capitalismo reaccionaron contra la evidente «deshumanización» de la sociedad burguesa (el término técnico «alienación» utilizado por los hegelianos y el primitivo Marx, reflejaba el viejo concepto de la sociedad más como el «hogar» del hombre que como el simple lugar de las libres actividades del individuo) vituperando toda la corriente de civilización, racionalismo, ciencia y técnica. Los nuevos socialistas —diferentes de los revolucionarios del tipo de los viejos artesanos como el poeta William Blake y Jean-Jacques Rousseau— cuidaron de no hacerlo. Pero compartían no sólo la tradicional idea de la sociedad como hogar del hombre, sino además el viejo concepto de que antes de la institución de la sociedad clasista y la propiedad, los hombres habían vivido en armonía, concepto que Rousseau explicaba idealizando a los salvajes, y los escritores radicales, menos sofisticados, con el mito de la antigua libertad y hermandad de los pueblos conquistados por poderes extranjeros —los sajones por los normandos, los galos por los teutones—. «El genio —decía Fourier— debe volver a descubrir las huellas de aquella felicidad primitiva y adaptarla a las condiciones de la industria moderna.»[15] El comunismo primitivo buscaba a través de los siglos y los océanos el modelo que proponer al comunismo del futuro.

En segundo lugar, el socialismo adoptó una forma de argumentación que, si no quedaba fuera del alcance de la clásica tradición liberal, tampoco estaba muy dentro de él: la evolucionista e histórica. Para los liberales clásicos y también para los primeros socialistas modernos, tales proposiciones eran naturales y racionales, distintas de la sociedad artificial e irracional que la ignorancia y la tiranía impusieron antaño al mundo. Ahora que el progreso y la ilustración habían demostrado a los hombres lo que era racional, todo lo que había que hacer era barrer los obstáculos que impedían al sentido común seguir su camino. Claro que los socialistas «utópicos» (los sansimonianos, Owen, Fourier, etc.) trataban de mostrarse tan firmemente convencidos de que la verdad sólo tenía que ser proclamada para que en el acto la adoptaran todos los hombres cultos y sensatos, que en un principio limitaron sus esfuerzos para realizar el socialismo a una propaganda dirigida, en primer lugar, a las clases influyentes —los obreros, aunque indudablemente se beneficiarían con él, eran por desgracia un grupo ignorante y retrasado— y a la construcción de las plantas piloto del socialismo —colonias comunistas y empresas cooperativas, situadas casi todas en los abiertos espacios de América, en donde ninguna tradición de atraso histórico se alzaba en el camino del progreso humano—. La «Nueva Armonía» de Owen se instaló en Indiana, y en los Estados Unidos había unas treinta y cuatro «falanges» furieristas nativas o importadas, así como numerosas colonias inspiradas por el comunista cristiano Cabet y otros. Los sansimonianos, menos aficionados a los experimentos comunales, nunca dejaron de buscar un déspota ilustrado que pudiera llevar a la práctica sus propósitos, y durante algún tiempo creyeron haberlo encontrado en la inverosímil figura de Mohamed Alí, el gobernante egipcio.

Había un elemento de evolución histórica en esta clásica causa racionalista en pro de la buena sociedad, ya que una ideología de progreso implica otra de evolución, tal vez de inevitable evolución a través de las etapas del desarrollo histórico. Pero solamente cuando Karl Marx (1818-1883) trasladó el centro de gravedad de la argumentación socialista desde su racionalidad o deseabilidad hasta su inevitabilidad histórica, el socialismo adquirió su más formidable arma intelectual, contra la que todavía siguen erigiéndose defensas polémicas. Marx extrajo esa línea de argumento de una combinación de las tradiciones ideológicas alemana y franco-inglesa (economía política inglesa, socialismo francés y filosofía alemana). Para Marx la sociedad humana había roto inevitablemente el comunismo primitivo en clases; inevitablemente también se desarrollaba a través de una sucesión de sociedades clasistas, cada una, a pesar de sus injusticias, «progresiva» en su tiempo, cada

---

15. Citado en Talmon, *op. cit.*, p. 127.

una con las «contradicciones internas» que hasta cierto punto son un obstáculo para el ulterior progreso y engendran las fuerzas para su superación. El capitalismo era la última de ellas, y Marx, lejos de limitarse a atacarlo, utilizó toda su elocuencia, con la que estremecía al mundo, para pregonar públicamente sus logros históricos. Pero por medio de la economía política podía demostrarse que el capitalismo presentaba contradicciones internas que inevitablemente lo convertían, hasta cierto punto, en una barrera para el progreso y habrían de hundirle en una crisis de la que no podría salir a flote. Además, el capitalismo (como también podía demostrarse por economía política) creaba fatalmente su propio sepulturero, el proletariado, cuyo número y descontento crecía a medida que la concentración del poder económico en unas pocas manos lo hacía más vulnerable, más fácil de derribar. La revolución proletaria debía por tanto derribarlo inevitablemente. Pero podía demostrarse también que el sistema social que correspondía a los intereses de la clase trabajadora era el socialismo o el comunismo. Como el capitalismo había prevalecido, no sólo por ser más racional que el feudalismo, sino sencillamente por la fuerza social de la burguesía, el socialismo prevalecería por la inevitable victoria de los trabajadores. Era tonto suponer que este era un ideal eterno que los hombres pudieran haber realizado, de ser lo bastante inteligentes, en la época de Luis XIV. El socialismo era el hijo del capitalismo. Ni siquiera podía haber sido formulado de manera adecuada antes de la transformación de la sociedad que creó las condiciones para su advenimiento. Una vez que esas condiciones existían, la victoria era segura, pues «la humanidad siempre se plantea sólo las tareas que puede resolver».[16]

III

Comparadas con estas ideologías de progreso, relativamente coherentes, las de resistencia al progreso apenas merecen el nombre de sistemas de pensamiento. Eran más bien actitudes faltas de un método intelectual, y se basaban en la agudeza con que intuían la debilidad de la sociedad burguesa y en la inconmovible convicción de que había algo más en la vida de lo que el liberalismo suponía. Por tanto, requieren poca atención.

La carga principal de su crítica era que el liberalismo destruía el orden social o la comunidad que el hombre considerara en otro tiempo como esencial para la vida, sustituyéndola por la intolerable anarquía de la competencia de todos contra todos («cada hombre a lo suyo y que el diablo se lleve al último») y la deshumanización del mercado. Sobre este punto los conservadores y los revolucionarios antiprogresistas, o sea, los representantes de los ricos y los pobres, tendían a coincidir incluso con los socialistas, convergencia muy marcada entre los románticos (véase cap. 14) que produjo fenómenos como la «democracia *tory*» o el «socialismo feudal». Los conservadores

16. C. Marx, Prefacio a la *Crítica de la economía política*.

tendían a identificar el orden social ideal —o al menos el ideal practicable, pues las ambiciones sociales de los bien acomodados son siempre más modestas que las del pobre— con cualquier régimen amenazado por la doble revolución, o con alguna específica situación del pasado, como por ejemplo el feudalismo medieval. También, naturalmente, daban gran importancia al elemento de «orden» que era el que salvaguardaba a los que ocupaban los peldaños superiores de la jerarquía social, contra los que estaban en los inferiores. Los revolucionarios, como hemos visto, pensaban más bien en alguna remota edad de oro en la que las cosas iban bien para el pueblo, pues ninguna sociedad actual es realmente satisfactoria para los pobres. También daban más importancia a la ayuda mutua y al sentimiento de comunidad de tales épocas que a su «orden».

Sin embargo, ambos coincidían en que en algunos importantes aspectos el antiguo régimen había sido o era mejor que el nuevo. En él, Dios había hecho a los de arriba y a los de abajo y ordenado su condición, lo que gustaba a los conservadores, pero también imponía obligaciones (cumplidas a la ligera y de mala manera muchas veces) a los de arriba. Los hombres eran desigualmente humanos, pero no mercancías valoradas según el mercado. Sobre todo vivían juntos, en tensas redes de relaciones sociales y personales, guiados por el claro mapa de la costumbre, las instituciones sociales y la obligación. Sin duda Gentz, el secretario de Metternich, y el periodista inglés radical y demagogo William Cobbett (1762-1835) tenían en la mente un ideal medieval muy diferente, pero ambos atacaban igualmente a la Reforma, que —sostenían— había introducido los principios de la sociedad burguesa. E incluso Friedrich Engels, el más firme de los creyentes en el progreso, pintó un cuadro tiernamente idílico de la antigua sociedad dieciochesca destruida por la Revolución industrial.

Careciendo de una coherente teoría de la evolución, los pensadores antiprogresistas encontraban difícil decidir qué era lo que había fracasado. Su culpable favorito era la razón, o más específicamente el racionalismo del siglo XVIII, que tonta e impíamente trataba de plantear problemas demasiado complejos para el entendimiento y la organización humanos: las sociedades no podían ser proyectadas como las máquinas. «Lo mejor sería olvidar de una vez para siempre —escribía Burke— la *Enciclopedia* y todo el conjunto de los economistas, y volver a aquellas antiguas reglas y principios que hicieron antaño grandes a los príncipes y felices a las naciones.»[17] El instinto, la tradición, la fe religiosa, la «naturaleza humana», la «verdad» como opuestos a la «falsa» razón fueron concitados, dependiendo de la propensión intelectual del pensador, contra el racionalismo sistemático. Pero, sobre todo, el conquistador de este racionalismo iba a ser la *historia*.

Pues si los pensadores conservadores no tenían el sentido del progreso histórico, tenían en cambio un sentido agudísimo de la diferencia entre las sociedades formadas y estabilizadas natural y gradualmente por la historia y

17. *Letter to the Chevalier de Rivarol*, 1 de junio de 1791.

las establecidas de pronto por «artificio». Si no podían explicar por qué los trajes históricos tenían buen corte —de hecho negaron que lo tuvieran—, podían explicar admirablemente cómo el largo uso los hacía cómodos. El esfuerzo intelectual más serio de la ideología antiprogresista fue el del análisis histórico y la rehabilitación del pasado, la investigación de la continuidad contra la revolución. Sus exponentes más importantes fueron, por tanto, no los extravagantes franceses emigrados como De Bonald (1753-1840) y Joseph de Maistre (1753-1821), que intentaron rehabilitar un pasado muerto, a veces con argumentos racionalistas casi delirantes, aun cuando su objeto fuera establecer las virtudes del irracionalismo, sino hombres como Edmund Burke en Inglaterra y la «escuela histórica» alemana de juristas, que legitimó un antiguo régimen, existente todavía, en función de su continuidad histórica.

IV

Falta por considerar un grupo de ideologías extrañamente equilibradas entre el progresismo y el antiprogresismo, o en términos sociales, entre la burguesía industrial y el proletariado de un lado, y las clases aristocráticas y mercantiles y las masas feudales del otro. Sus más importantes sostenedores eran los radicales «hombres pequeños» de la Europa occidental y los Estados Unidos, y los hombres de la modesta clase media de la Europa central y meridional, cómoda pero no plena y satisfactoriamente situados en la estructura de una sociedad monárquica y aristocrática. Todos ellos creían de alguna manera en el progreso. No estaban preparados para seguirlo hasta sus lógicas conclusiones liberales o socialistas; los primeros porque estas conclusiones habrían condenado a los pequeños artesanos, tenderos, granjeros y comerciantes a verse transformados en capitalistas o jornaleros; los segundos porque eran demasiado débiles y después de la dictadura jacobina estaban demasiado asustados para desafiar el poder de sus príncipes, de los cuales eran funcionarios en muchos casos. Las opiniones de ambos grupos mezclaban por eso los elementos liberales (y en el primer caso implícitamente socialistas) con los antiliberales, los progresistas con los antiprogresistas. Esta complejidad esencial y contradictoria les permitía penetrar más profundamente en la naturaleza de la sociedad que a los liberales progresistas o antiprogresistas. Les obligaba a la dialéctica.

El pensador (o más bien genio intuitivo) más importante de aquel primer grupo de pequeños burgueses radicales, Jean-Jacques Rousseau, ya había muerto en 1789. Indeciso entre el individualismo puro y el convencimiento de que el hombre es sólo él mismo en comunidad, entre el ideal de un Estado basado en la razón y el recelo de la razón frente al «sentimiento», entre el reconocimiento de que el progreso era inevitable y la certidumbre de que ese progreso destruiría la armonía del hombre primitivo «natural», expresaba su propio dilema personal como el de las clases que ni podían aceptar las promesas liberales de los dueños de las fábricas ni las socialistas de los proletarios. Las opiniones de aquel desagradable neurótico, pero gran hombre, no nos conciernen en detalle, pues no hubo una escuela de pensamiento específicamente rousseauniana ni de políticos rousseaunianos, excepto Robespierre y los jacobinos del año II. Su influencia intelectual fue penetrante y fuerte, especialmente en Alemania y entre los románticos, pero no fue tanto la de un sistema, como la de una actitud y una pasión. Su influencia entre los plebeyos y pequeños burgueses radicales fue también inmensa, pero quizá sólo entre los de inteligencia más borrosa, como Mazzini y los nacionalistas de su género, fue predominante. En general, se fundió con adaptaciones mucho más ortodoxas del racionalismo del siglo XVIII, como las de Thomas Jefferson (1743-1826) y Thomas Paine (1737-1809).

Recientes modas académicas han tendido a dar una idea equivocada de él ridiculizando la tradición que lo unía a Voltaire y a los enciclopedistas como un precursor de la Ilustración y la Revolución, porque fue su crítico. Pero quienes estaban influidos por él lo consideraban entonces como parte de la Ilustración, y los que reimprimieron sus obras en pequeños talleres radicales a principios del siglo XIX, lo pusieron automáticamente al lado de Voltaire, d'Holbach y los demás. Algunos críticos liberales le han atacado recientemente considerándole el precursor del «totalitarismo» de izquierda. Pero la verdad es que no ejerció la menor influencia sobre la tradición principal de los modernos comunismo y marxismo.[18] Sus típicos seguidores fueron, durante nuestro período y más tarde, los pequeños burgueses radicales de tipo jacobino, jeffersoniano y mazziniano: fanáticos de la democracia, el nacionalismo y un estado de gentes modestamente acaudaladas, propiedad equitativamente repartida y algunas actividades de beneficencia. En nuestro período se le consideraba, sobre todo, el paladín de la *igualdad*; de la libertad frente a la tiranía y la explotación («el hombre nace libre, pero dondequiera vive encadenado»), de la democracia frente a la oligarquía, del sencillo «hombre natural» desnaturalizado por las falsificaciones del dinero y la educación, y de los «sentimientos» frente al frío cálculo.

El segundo grupo, que quizá pudiera ser llamado mejor el de la filosofía alemana, era más complejo. Como sus miembros carecían de fuerza para derribar sus sociedades y de recursos económicos para hacer una Revolución industrial, se inclinaban a concentrarse en la construcción de elaborados sistemas generales de pensamiento. En Alemania había pocos liberales clásicos. El más notable de ellos fue Wilhelm von Humboldt (1767-1835), hermano del gran científico. Entre los intelectuales de las clases media y alta germánicas, la actitud más corriente era quizá la creencia en la inevitabilidad del progreso y en los beneficios del avance científico y económico, combinada con la creencia en las virtudes de una administración burocrática de ilustra-

---

18. En una correspondencia que duró cerca de cuarenta años, Marx y Engels sólo le mencionan tres veces, casual y casi negativamente. Sin embargo, de pasada, aprecian su dialéctica, que se aproxima anticipadamente a la de Hegel.

do paternalismo y un sentido de responsabilidad entre las jerarquías superiores, actitud que convenía a una clase en la que figuraban muchos funcionarios y profesores al servicio del Estado. El gran Goethe, ministro y consejero privado de un minúsculo Estado, es el mejor ejemplo de esta actitud.[19] Las peticiones de la clase media —a menudo formuladas filosóficamente como consecuencia inevitable de las tendencias de la historia— se cumplían en un Estado ilustrado y representaban mejor que nada al moderado liberalismo alemán. El hecho de que los estados alemanes siempre tomaran una viva y eficaz iniciativa en la organización del progreso económico y educativo, y el de que un completo *laissez faire* no fuera una política particularmente ventajosa para los negociantes alemanes, no disminuye la importancia de aquella actitud.

No obstante, aunque podamos asimilar así la práctica mirada previsora de los pensadores de la clase media alemana (permitida por las peculiaridades de su posición histórica) a la de sus antagonistas en otros países, no es seguro que logremos explicar con ello la marcada frialdad hacia el liberalismo clásico en su pura forma que se advierte en gran parte del pensamiento alemán. Los lugares comunes liberales —materialismo o empirismo filosófico, Newton, análisis cartesiano, etc.— desagradaban mucho a la mayor parte de los pensadores alemanes; en cambio, el misticismo, el simbolismo y las vastas generalizaciones sobre conjuntos orgánicos, los atraían visiblemente. Tal vez una reacción nacionalista contra la cultura francesa predominante en el siglo XVIII intensificaba el teutonismo del pensamiento alemán. Más probablemente, la persistencia de la atmósfera intelectual de la última época en que Alemania había predominado económica, intelectual y, en cierto modo, políticamente influyera en ello; pues el declinar del período entre la Reforma y el final del siglo XVIII había conservado el arcaísmo de la tradición intelectual germánica lo mismo que conservó inalterado el aspecto del siglo XVI de las pequeñas ciudades alemanas. En todo caso, la atmósfera fundamental del pensamiento alemán —tanto en filosofía como en ciencia o arte— difería notablemente de la gran tradición del siglo XVIII en la Europa occidental.[20] En una época en que la perspectiva dieciochesca se acercaba a su fin, esto dio alguna ventaja al pensamiento alemán, y ayuda a explicar su creciente influencia intelectual en el siglo XIX.

Su expresión más monumental fue la filosofía clásica alemana, un cuerpo de pensamiento creado entre 1760 y 1830 junto a la literatura clásica y en estrecha conexión con ella. (No se debe olvidar que el poeta Goethe era un científico y un «filósofo natural» muy distinguido y el poeta Schiller no sólo

---

19.   Para su «declaración de fe política», véase Eckermann, *Gespraeche mit Goethe*, 4 de enero de 1824.

20.   Esto no es aplicable a Austria, que había tenido una historia muy diferente. La característica principal del pensamiento austríaco era la de no contener nada mencionable, aunque en las artes (especialmente en la música, la arquitectura y el teatro) y en algunas ciencias aplicadas se distinguiera mucho el Imperio austríaco.

era profesor de historia,[21] sino también autor de estimables tratados filosóficos.) Immanuel Kant (1724-1804) y Georg Wilhelm Friedrich Hegel (1770-1831) son sus dos grandes luminarias. Después de 1830 el proceso de desintegración que ya hemos visto en acción al mismo tiempo dentro de la economía política clásica (la flor intelectual del racionalismo del siglo XVIII) se produjo también en la filosofía alemana. Sus consecuencias fueron los «jóvenes hegelianos» y más tarde el marxismo.

Siempre debe recordarse que la filosofía clásica alemana fue un fenómeno completamente burgués. Todas sus figuras eminentes (Kant, Hegel, Fichte, Schelling) saludaron con entusiasmo a la Revolución francesa y fueron fieles a ella durante bastante tiempo (Hegel defendió a Napoleón hasta la batalla de Jena en 1806). La Ilustración fue el esqueleto del pensamiento típicamente dieciochesco de Kant y el punto de partida del de Hegel. Las filosofías de ambos estaban profundamente impregnadas de la idea de progreso: la primera gran realización de Kant fue el sugerir una hipótesis del origen y desarrollo del sistema solar, mientras toda la filosofía de Hegel es la de la evolución (o la historicidad en términos sociales) y el progreso necesario. Así, mientras Hegel sintió aversión desde el principio por el ala izquierda de la Revolución francesa y acabó haciéndose absolutamente conservador, no dudó un momento en la necesidad histórica de tal revolución como base y fundamento de la sociedad burguesa. Además, a diferencia de la mayor parte de los subsiguientes filósofos académicos, Kant, Fichte y sobre todo Hegel, estudiaron a algunos economistas (Fichte a los fisiócratas, Kant y Hegel a los británicos); es razonable creer que Kant y el joven Hegel se consideraron convencidos por Adam Smith.[22]

Esta inclinación burguesa de la filosofía alemana es, en un aspecto, más evidente en Kant, que permaneció toda su vida fiel a la izquierda liberal —entre sus últimos escritos (1795) hay un noble alegato en favor de la paz universal mediante una federación mundial de repúblicas que renunciarían a la guerra—; pero, en otro, más oscuro que en Hegel. En el pensamiento de Kant, confinado en la modesta y sencilla residencia de un profesor en la remota ciudad prusiana de Koenigsberg, el contenido social tan específico en los pensadores ingleses y franceses, se reduce a una austera, aunque sublime, abstracción; particularmente, a la abstracción moral de «la voluntad».[23] El pensamiento de Hegel es, como todos sus lectores saben por penosa experiencia, bastante abstracto. Sin embargo, al menos inicialmente, es evidente que sus abstracciones son intentos de pactar con la sociedad burguesa; y, en realidad, en su análisis del *trabajo* como el factor fundamental de la huma-

---

21.   Cosa que nadie hubiese creído, a juzgar por la cantidad de inexactitudes que se advierten en sus dramas históricos, con excepción de la trilogía de Wallenstein.

22.   G. Lukács, *Der junge Hegel*, p. 409 para Kant; *passim*, especialmente II, 5 para Hegel.

23.   Lukács demuestra que la concreta paradoja smithiana de la «mano invisible», que produce resultados socialmente beneficiosos a partir del egoísta antagonismo de los individuos se convierte en Kant en la pura abstracción de una «sociabilidad antisocial» (*Der junge Hegel*, p. 409).

nidad («el hombre hace los utensilios porque es un ser razonable, y esa es la primera expresión de su voluntad», como dijo en sus conferencias de 1805-1806),[24] Hegel manejaba, de manera abstracta, las mismas herramientas de los economistas liberales clásicos, e incidentalmente proporcionaba uno de sus cimientos a Marx.

A pesar de ello, la filosofía alemana difería desde el principio del liberalismo clásico en importantes aspectos, más notablemente en Hegel que en Kant. En primer lugar, era deliberadamente idealista y rechazaba el materialismo o el empirismo de la tradición clásica. En segundo lugar, mientras la unidad básica de la filosofía kantiana es el individuo —aunque en la forma de la conciencia individual— el punto de partida de la de Hegel es el colectivo (es decir, la comunidad), al que ve desintegrado en los individuos bajo el impacto del desarrollo histórico. Y en verdad, la famosa *dialéctica* hegeliana, la teoría del progreso (en cualquier campo) a través de la interminable resolución de sus contradicciones, puede muy bien haber recibido su estímulo inicial de ese profundo conocimiento de la contradicción entre lo individual y lo colectivo. Por otra parte, desde el principio, su posición al margen de la zona del impetuoso avance burgués-liberal, y quizá su completa incapacidad para participar en él, hizo a los pensadores alemanes mucho más conscientes de sus límites y contradicciones. Sin duda era inevitable, pero ¿no trajo más pérdidas que ganancias? ¿No debería ser sustituida?

Por ello encontramos que la filosofía clásica, especialmente la hegeliana, fluye paralelamente a la visión del mundo de Rousseau, aunque a diferencia de él, los filósofos hicieron titánicos esfuerzos para incluir sus contradicciones en sistemas únicos, coherentes y capaces de abarcarlo todo. (Digamos de paso que Rousseau ejerció una inmensa influencia emocional sobre Kant, de quien se dice haber roto su invariable costumbre de dar un paseo después de comer, sólo dos veces en su vida: una por la caída de la Bastilla y otra —durante varios días— para leer el *Emilio*.) En la práctica, los desilusionados filósofos revolucionarios se enfrentaban con el problema de la «reconciliación» con la realidad, que en el caso de Hegel tomó la forma, después de varios años de vacilación —permaneció indeciso respecto a Prusia hasta después de la caída de Napoleón y, como Goethe, no puso interés en las guerras de liberación—, de una idealización del Estado prusiano. En teoría, el carácter transitorio de la sociedad históricamente condenada fue asimilado por la filosofía de Hegel. No había verdades absolutas. Ni siquiera el mismo desenvolvimiento del proceso histórico, que tenía lugar a través de la dialéctica de la contradicción y era comprendido por un método dialéctico, o por lo menos así lo creyeron los «jóvenes hegelianos» de la década de 1830, dispuestos a seguir la lógica de la filosofía clásica alemana hasta más allá del punto en que su gran maestro quiso pararse (pues deseaba, algo ilógicamente, terminar la historia con la cognición de la idea absoluta), como después de aquellos años estuvieron dispuestos a reemprender el camino de la revolución que

---

24. Lukács, *op. cit.*, pp. 411-412.

sus predecesores habían abandonado o (como Goethe) ni siquiera habían emprendido. Pero el resultado de la revolución en 1830-1848 no fue tan sólo la simple conquista del poder por la clase media liberal. Y el intelectual revolucionario que surgió de la desintegración de la filosofía clásica alemana no fue un girondino o un filósofo radical, sino Karl Marx.

Así pues, el período de la doble revolución conoció el triunfo y la más elaborada expresión de las radicales ideologías de la clase media liberal y la pequeña burguesía, y su desintegración bajo el impacto de los estados y sociedades que habían contribuido a crear o recibido con los brazos abiertos. 1830, que marca la reaparición del mayor movimiento revolucionario en la Europa occidental después del descanso tras la victoria de Waterloo, marca también el principio de su crisis. Tales ideologías aún sobrevivirían, pero muy disminuidas: ningún economista liberal clásico del último período tendría la talla de Smith o de Ricardo (ni siquiera J. Stuart Mill, que se convirtió en el representativo economista y filósofo liberal inglés de la década de 1840), ningún filósofo clásico alemán iba a tener el alcance y la fuerza de un Kant o un Hegel, y los girondinos y jacobinos franceses de 1830, 1848 y más adelante serían pigmeos comparados con sus antepasados de 1789-1794. Los Mazzini de mediados del siglo XIX no podían compararse de ninguna manera con los Jean Jacques Rousseau del XVIII. Pero la gran tradición —la fuerte corriente de desarrollo intelectual desde el Renacimiento— no murió, sino que se transformó en otra distinta. Por su talla y su proximidad a ellos, Marx sería el heredero de los economistas y filósofos clásicos. Pero la sociedad de la que esperaba ser profeta y arquitecto, sería muy diferente de la de aquéllos.

14. LAS ARTES

> Siempre hay un gusto de moda: un gusto para escribir las cartas, un gusto para representar *Hamlet*, un gusto por las lecturas filosóficas, un gusto por lo sencillo, un gusto por lo brillante, un gusto por lo tétrico, un gusto por lo tierno, un gusto por lo feo, un gusto por los bandidos, un gusto por los duendes, un gusto por el diablo, un gusto por las bailarinas francesas y los cantantes italianos, las patillas a la alemana y las tragedias, un gusto para disfrutar del campo en noviembre y de invernar en Londres hasta el final de la canícula, un gusto para hacer zapatos, un gusto por las excursiones pintorescas, un gusto por el propio gusto o por hacer ensayos sobre el gusto.
>
> La honorable señora Pinmoney en T. L. PEACOCK,
> *Melincourt*, 1816

> En proporción a la riqueza del país, ¡qué pocos bellos edificios hay en Inglaterra ... qué escaso el empleo del capital en museos, cuadros, joyas, objetos exóticos, palacios, teatros u otros objetos improductivos! Esto que es el principal fundamento de la grandeza del país, es señalado muchas veces por los viajeros extranjeros y por algunos de nuestros escritores de periódicos, como prueba de nuestra inferioridad.
>
> S. LAING [1]

I

Lo primero que sorprende a quien intente examinar el desarrollo de las artes en el período de la doble revolución es su extraordinario florecimiento. Medio siglo que comprende a Beethoven y Schubert, al maduro y anciano Goethe, a los jóvenes Dickens, Dostoievski, Verdi y Wagner, lo último de Mozart y toda o la mayor parte de Goya, Pushkin y Balzac, por no mencionar a un regimiento de hombres que serían gigantes en cualquier otra com-

---

1. S. Laing, *Notes of a Traveller on the Social and the Political State of France, Prussia, Switzerland, Italy and Other Parts of Europe, 1842*, ed. de 1854, p. 275.

pañía, puede admitir el parangón con cualquier otro período de la misma duración en la historia del mundo. Gran parte de esta extraordinaria abundancia se debió al renacimiento y expansión de las artes que atrajo a un público culto en casi todos los países europeos.[2]

Mejor que fatigar al lector con un largo catálogo de nombres será ilustrar lo ancho y lo profundo de aquel renacimiento cultural mencionando los acontecimientos más importantes de los diferentes subperíodos de la época que estudiamos. Así, en 1798-1801, el ciudadano que apeteciera novedades en el arte pudo gozar de las *Baladas líricas* de Wordsworth y Coleridge en inglés, de varias obras de Goethe, Schiller, Jean Paul y Novalis en alemán, mientras escuchaba *La Creación* y *Las estaciones* de Haydn y la *Primera sinfonía* y los *Primeros cuartetos de cuerda* de Beethoven. En aquellos años terminaron J.-L. David y Francisco de Goya sus retratos de *Madame de Récamier* y de la *Familia de Carlos IV*. En 1824-1826, ese ciudadano pudo leer en inglés varias novelas nuevas de Walter Scott; poemas de Leopardi y *Los novios*, de Manzoni, en italiano; poemas de Victor Hugo y Alfred de Vigny en francés y, si era capaz de ello, las primeras partes del *Eugenio Onegin* de Pushkin en ruso y las recién editadas sagas nórdicas. De aquellos años son la *Novena sinfonía* de Beethoven, *La muerte y la muchacha* de Schubert, la primera obra de Chopin y el *Oberón*, de Weber, así como los cuadros *La matanza de Quíos*, de Delacroix y *La carreta de heno* de Constable. Diez años después (1834-1836), la literatura produjo *El inspector general* de Gogol y *La dama de picas* de Pushkin en Rusia; *Papá Goriot* de Balzac y obras de Musset, Hugo, Gautier, Vigny, Lamartine y Dumas (padre) en Francia; en Alemania obras de Büchner, Grabbe y Heine; en Austria de Grillparzer y Nestroy; en Dinamarca de Hans Andersen; en Polonia el *Pan Tedeusz* de Mickiewicz; en Finlandia la fundamental edición de la epopeya nacional *Kalevala*; en Inglaterra las poesías de Browning y Wordsworth. La música produjo las óperas de Bellini y Donizetti en Italia, las obras de Chopin en Polonia, de Glinka en Rusia; la pintura, los cuadros de Constable en Inglaterra, de Caspar David Friedrich en Alemania. Unos años antes y después de este trienio se produjeron *Los papeles póstumos del Club Pickwick* de Dickens, *La Revolución francesa* de Carlyle, la segunda parte del *Fausto* de Goethe, poemas de Platen, Eichendorff y Mörike en Alemania, importantes contribuciones a las literaturas flamencas y húngaras, así como nuevas publicaciones de los más importantes escritores franceses, polacos y rusos, y, en música, la aparición de las *Davidsbuendlertaenze* de Schumann y el *Réquiem* de Berlioz.

Dos cosas se deducen de estos esquemáticos datos. La primera, la extraordinaria difusión de los acontecimientos artísticos en las naciones. Esto era nuevo. En la primera mitad del siglo XIX, la literatura y la música rusas surgieron bruscamente como una fuerza mundial, y también en mucha menor proporción, la literatura de los Estados Unidos con Fenimore Cooper (1787-

---

2. No nos ocuparemos de las civilizaciones extraeuropeas, salvo de las escasas afectadas por la doble revolución.

1851), Edgar Allan Poe (1809-1849) y Herman Melville (1819-1891). También lo hicieron la literatura y la música polacas y húngaras y, al menos en forma de publicación de canciones populares, cuentos y leyendas épicas, las literaturas del norte y de los Balcanes. Además, en varias de esas culturas literarias recién acuñadas, los éxitos fueron inmediatos e insuperables: Pushkin (1799-1837) se convierte en el poeta ruso clásico, Mickiewicz (1798-1855) en el más grande de Polonia, Petoefi (1823-1849) en el poeta nacional húngaro.

El segundo hecho evidente es el excepcional desarrollo de ciertas artes y géneros. La literatura, por ejemplo, y dentro de ella la novela. Probablemente ningún medio siglo cuenta con una concentración mayor de grandes novelistas: Stendhal y Balzac, en Francia; Jane Austen, Dickens, Thackeray y las hermanas Brontë, en Inglaterra; Gogol, el joven Dostoievski y Turgueniev en Rusia. (Los primeros escritos de Tolstoi aparecerían entre 1850 y 1860.) La música es quizá algo más sorprendente todavía. El repertorio de los conciertos contemporáneos está formado en su mayor parte por las obras de los compositores activos en este período: Mozart y Haydn, aunque ambos pertenezcan en realidad a una época anterior, Beethoven y Schubert, Mendelssohn, Schumann, Chopin y Liszt. El período «clásico» de la música instrumental fue principalmente el de las grandes obras alemanas y austríacas, pero hubo un género —la ópera— que floreció más vastamente y quizá con mayor éxito que los demás: con Rossini, Donizetti, Bellini y el joven Verdi, en Italia; con Weber y el joven Wagner (por no mencionar las dos últimas óperas de Mozart), en Alemania; Glinka en Rusia y varias figuras de menos importancia en Francia. En las artes plásticas, la relación es menos brillante, con la excepción parcial de la pintura. España produjo con Francisco de Goya y Lucientes (1746-1828) uno de sus intermitentes grandes artistas, y uno de los mejores pintores de todos los tiempos. Se puede decir que la pintura británica (con J. M. W. Turner, 1775-1851, y John Constable, 1776-1837) alcanzó una cima de maestría y originalidad algo más alta que la del siglo XVIII, desde la que ejercería una influencia internacional mayor que antes o después; también se puede afirmar que la pintura francesa (con J.-L. David, 1748-1825; J.-L. Géricault, 1791-1824; J.-D. Ingres, 1780-1867; F.-E. Delacroix, 1790-1863; Honoré Daumier, 1808-1879; y el joven Gustave Coubert, 1819-1877) fue tan eminente como lo había sido en otras épocas de su historia. Por otra parte, la pintura italiana llegó virtualmente al fin de sus siglos de gloria y esplendor, y la alemana no conseguía aproximarse a los grandes triunfos de la literatura y la música o a los de ella misma en el siglo XVI. La escultura en todos los países estaba en un nivel inferior que en el siglo XVIII, y también, a pesar de algunas obras notables en Alemania y Rusia, la arquitectura. Desde luego, las mayores hazañas arquitectónicas de nuestro período lo fueron sin duda las obras de los ingenieros.

Todavía no está aclarado qué es lo que determina el florecimiento o el agostamiento de las artes en un determinado período. Sin embargo, es indudable que entre 1789 y 1848, la respuesta debe buscarse ante todo en el impacto de la doble revolución. Si una frase puede resumir las relaciones entre artista y sociedad en esta época, podemos decir que la Revolución francesa lo inspiró con su ejemplo y la Revolución industrial con su horror, mientras la sociedad burguesa surgida de ambas transformaba su existencia y sus modos de creación.

No hay duda de que los artistas de aquel período se inspiraban y estaban implicados en los asuntos públicos. Mozart escribió una ópera propagandística de la sumamente política francmasonería (*La flauta mágica*, 1790), Beethoven dedicó la *Heroica* a Napoleón, como heredero de la Revolución francesa, Goethe era por lo menos un laborioso funcionario y hombre de Estado. Dickens escribió novelas para atacar los abusos sociales. Dostoievski fue condenado a muerte en 1849 por sus actividades revolucionarias. Wagner y Goya conocieron el destierro político. Pushkin fue castigado por complicidad con los «decembristas», y toda la *Comedia humana* de Balzac es un monumento de conciencia social. Nunca fue menos exacto definir a los artistas como «no comprometidos». Los que lo estaban en efecto, los amables decoradores de los palacios rococó y los *boudoirs* o los que proporcionaban piezas a los coleccionistas, eran precisamente aquellos cuyo arte se había marchitado. ¿Cuántos de nosotros recordamos que Fragonard sobrevivió diecisiete años a la revolución? Incluso la menos política, en apariencia, de las artes —la música— tuvo las más fuertes vinculaciones políticas. Nuestro período fue quizá el único en la historia en que las óperas se escribían o se consideraban como manifiestos políticos y armas revolucionarias.[3]

El lazo entre los asuntos públicos y las artes es particularmente estrecho en los países en que la conciencia nacional y los movimientos de liberación o unificación nacional estaban más desarrollados (véase cap. 7). No es obra del azar que el nacimiento o la resurrección de las culturas literarias nacionales en Alemania, Rusia, Polonia, Hungría, los países escandinavos y otros pueblos, coincidiera —y a veces incluso fuera su primera manifestación— con la afirmación de la supremacía cultural de la lengua vernácula y de los nacionales frente a una cultura aristocrática y cosmopolita que con frecuencia utilizaba lenguas extranjeras. Es bastante natural que tal nacionalismo encontrara su mejor expresión cultural en la literatura y la música; artes públicas ambas que podían contar con la poderosa herencia creadora del pueblo, el lenguaje y la canción popular. También es comprensible que las artes tradicionalmente dependientes de los encargos de las clases dirigentes —cortes, gobiernos, nobleza— como la arquitectura y la escultura y no tanto la pintura, reflejaran menos este resurgir nacional.[4] La ópera italiana floreció como

3. Aparte de *La flauta mágica*, de Mozart, debemos citar las primeras óperas de Verdi, aplaudidas como expresiones del nacionalismo italiano; *La muda de Portici*, de Auber, que exaltó la revolución belga de 1830; *La vida por el zar*, de Glinka, y varias «óperas nacionales», como la húngara *Hunyady László* (1844), que figuran todavía en los repertorios locales por sus relaciones con los primitivos nacionalismos.

4. La falta de una población con suficiente cultura literaria y conciencia política en la mayor parte de Europa limitó la explotación de algunas artes reproductoras baratas, como la recién inventada litografía. Pero las notables realizaciones de grandes revolucionarios artistas con estos

nunca, más bien como arte popular que cortesano, mientras la arquitectura y la pintura italianas morían. Claro que no debemos olvidar que esas nuevas culturas nacionales estaban limitadas a una minoría de letrados y a las clases media y alta. Salvo quizá la ópera italiana, las reproducciones gráficas de las artes plásticas y unos cuantos poemas breves y canciones, ninguna de las grandes realizaciones artísticas de este período llegaron hasta los analfabetos y los pobres. La mayor parte de los habitantes de Europa las desconocían por completo, hasta que los movimientos de masas nacionales o políticos las convirtieron en símbolos colectivos. Desde luego la literatura tendría la mayor circulación, aunque principalmente entre las nuevas clases medias que proporcionaban un vasto mercado (sobre todo entre las desocupadas mujeres) para las novelas y la poesía narrativa. Pocas veces los autores de éxito gozaron de mayor prosperidad relativa: Byron recibió 2.600 libras esterlinas por los tres primeros cantos de *Childe Harold*. La escena, aunque socialmente mucho más restringida, también conseguía millares de espectadores. La música instrumental no marchaba tan bien, fuera de países burgueses como Inglaterra y Francia o ansiosos de cultura como los americanos, en donde eran frecuentes los conciertos con gran asistencia de público. (Por lo cual varios compositores y virtuosos europeos tenían puestos los ojos en el lucrativo mercado anglosajón.) En otros sitios, los conciertos eran sostenidos por abono entre la aristocracia local o por iniciativa privada de los aficionados. La pintura estaba destinada, desde luego, a los compradores individuales y desaparecía de la vista del público después de su presentación en las salas de exposiciones o en las privadas de los marchantes. Los museos y galerías de arte fundados o abiertos al público en este período (por ejemplo el Louvre y la National Gallery londinense, fundados en 1826) se dedicaban más al arte del pasado que al del presente. El aguafuerte, el grabado y la litografía, por otro lado, estaban muy generalizados, porque eran baratos y empezaban a introducirse en los periódicos. La arquitectura seguía trabajando principalmente (salvo en algunos casos de construcción especulativa de casas particulares) para encargos públicos o privados.

II

Pero incluso las artes de una pequeña minoría social pueden ser eco del fragor de los terremotos que sacuden a toda la humanidad. Así ocurrió con la literatura y las artes de nuestro período. Su consecuencia fue el «romanticismo». Como un estilo, una escuela, una época artística, nada es más difícil de definir o incluso de describir en términos de análisis formal; ni siquiera el «clasicismo» contra el que el «romanticismo» aseguraba alzar la bandera de

---

y otros procedimientos —por ejemplo, *Los desastres de la guerra* y los *Caprichos*, de Goya; las fantásticas ilustraciones de William Blake; las litografías y dibujos de Daumier— demuestran lo fuerte que era la atracción de estas técnicas propagandísticas.

rebeldía. Los propios románticos apenas pueden ayudarnos, pues aunque sus descripciones de lo que eran fueron después firmes y decididas, también carecían a menudo de un contenido racional. Para Victor Hugo el romanticismo «trata de hacer lo que la naturaleza, fundirse con las creaciones de la naturaleza, pero al mismo tiempo no mezclándolas: la sombra y la luz, lo grotesco y lo sublime; en otras palabras, el cuerpo y el alma, lo animal con lo espiritual».[5] Para Charles Nodier «ese último resorte del corazón humano, cansado de los sentimientos corrientes, es lo que se llama el género *romántico*: poesía extraña, completamente adecuada a la condición moral de la sociedad, a las necesidades de las generaciones saciadas que exigen la sensación a toda costa...».[6] Novalis pensaba que el romanticismo quería dar «un alto significado a lo que era corriente, un infinito esplendor a lo finito».[7] Hegel sostenía que «la esencia del arte romántico está en la libre y concreta existencia del objeto artístico, y la idea espiritual en su verdadera esencia, todo ello revelado desde el interior más bien que por los sentidos».[8] Poca luz brota de todas estas frases, lo cual era de esperar, ya que los románticos preferían la oscuridad y las luces mortecinas y difusas a la claridad.

Y, sin embargo, aunque eluda una clasificación, aunque sus orígenes y su fin se disuelvan cuando se intenta precisar fechas, aunque el criterio más agudo se pierda en generalidades cuando trata de definirlo, nadie puede dudar de la existencia del romanticismo o de nuestra capacidad para reconocerlo. En un sentido estricto, el romanticismo surgió como una tendencia consciente y militante de las artes en Inglaterra, Francia y Alemania hacia 1800 (al final de la década de la Revolución francesa) y sobre una zona mucho más amplia de Europa y Norteamérica después de Waterloo. Fue precedido antes de la revolución (también en Francia y Alemania sobre todo) por lo que se ha llamado el «prerromanticismo» de Jean-Jacques Rousseau, y el *Sturm und Drang*, «tempestad y empuje», de los jóvenes poetas alemanes. Probablemente, la era revolucionaria de 1830-1848 conoció la mayor boga europea del romanticismo. En un sentido amplio, éste dominó varias de las artes creativas de Europa desde los comienzos de la Revolución francesa. En este sentido, los elementos «románticos» en un compositor como Beethoven, un pintor como Goya, un poeta como Goethe y un novelista como Balzac, son factores cruciales de su grandeza, de las que carecieron, por ejemplo, Haydn o Mozart, Fragonard o Reynolds, Mathias Claudius o Choderlos de Laclos (todos los cuales llegaron a vivir en nuestro período); aunque ninguno de aquellos hombres puedan ser considerados enteramente como «románticos» ni se consideraran a sí mismos tales.[9] En un sentido más

5. *Oeuvres complètes*, XIV, p. 17.
6. H. E. Hugo, *The Portable Romantic Reader*, 1957, p. 58.
7. Fragmente Vermischten Inhalts (Novalis, *Schriften*, Jena, 1923, III, pp. 45-46).
8. De *The Philosophy of Fine Art*, Londres, 1920, I, pp. 106 ss.
9. Como a menudo la palabra «romanticismo» era el lema y el manifiesto de grupos restringidos de artistas, correríamos el riesgo de darle un sentido restrictivo y ahistórico si nos limitásemos a ellos o excluyésemos a los disconformes con ellos.

amplio todavía, el acercamiento al arte y a los artistas característico del romanticismo, se convirtió en norma de la clase media del siglo xIX y todavía conserva mucha de su influencia.

Sin embargo, aunque no esté claro lo que el romanticismo quería, sí lo está lo que combatía: el término medio. Todo su contenido era un credo extremista. Los artistas y pensadores románticos en su más estricto sentido se encuentran en la extrema izquierda, como el poeta Shelley, o en la extrema derecha, como Chateaubriand y Novalis, saltando de la izquierda a la derecha como Wordsworth, Coleridge y numerosos partidarios desilusionados de la Revolución francesa, saltando de la monarquía a la extrema izquierda como Victor Hugo, pero rarísima vez entre los moderados o liberales del centro racionalista, que eran los fieles mantenedores del «clasicismo». «No tengo el menor respeto a los *whigs* —decía el viejo *tory* Wordsworth—; pero llevo dentro de mí una gran cantidad de cartismo.»[10] Sería excesivo llamarle un credo antiburgués, pues el elemento revolucionario y conquistador de las promociones jóvenes que llegaban a atacar al cielo, fascinaba también a los románticos. Napoleón se convirtió en uno de sus héroes míticos, como Satán, Shakespeare, el Judío Errante y otros pecadores más allá de los límites ordinarios de la vida. El elemento demoníaco en la acumulación de dinero del capitalismo, la ilimitada e ininterrumpida aspiración al *más*, por encima de todo cálculo y todo freno racional, la necesidad de grandes extremos de lujo, les encantaba. Algunos de sus héroes más característicos, Fausto y Don Juan, compartían su implacable ansiedad con los hombres de presa de las novelas de Balzac. A pesar de lo cual el elemento romántico permaneció subordinado, incluso en la fase de la revolución burguesa. Rousseau proporcionó algunos de los accesorios de la Revolución francesa, pero la dominó solamente en la época en que desbordó el liberalismo burgués, es decir, en la de Robespierre. Y aun así, su indumento básico era romano, racionalista y neoclásico. Su pintor era David, y la razón, su ser supremo.

Por tanto, el romanticismo no puede clasificarse simplemente como un movimiento antiburgués. En realidad, en el prerromanticismo de las décadas anteriores a la Revolución francesa, muchos de sus lemas característicos habían sido utilizados para glorificación de la clase media, cuyos verdaderos y sencillos sentimientos habían sido favorablemente contrastados con el envaramiento de una corrompida sociedad, y cuya espontánea confianza en la naturaleza estaba destinada —se creía— a barrer el artificio de la corte y del clericalismo. Sin embargo, una vez que la sociedad burguesa triunfó de hecho en las revoluciones francesa e industrial, el romanticismo se convirtió indiscutiblemente en su enemigo instintivo y en justicia puede ser considerado como tal.

Sin duda una gran parte de la apasionada y confusa, pero profunda, reacción del romanticismo contra la sociedad burguesa se debía a los intereses

---

10. E. C. Batho, *The Later Wordsworth*, 1933, pp. 227; véanse también pp. 46-47 y 197-199.

egoístas de los dos grupos que le proporcionaban sus fuerzas de choque: los jóvenes socialmente desplazados y los artistas profesionales. Nunca hubo un período para los jóvenes artistas, vivos o muertos, como el romántico: las *Baladas líricas* (1798) eran obra de hombres de veinte años; Byron se hizo famoso de la noche a la mañana a los veinticuatro, edad en la que Shelley ya era célebre y Keats estaba al borde del sepulcro. La carrera poética de Victor Hugo empezó cuando tenía veinte años, la de Musset a los veintitrés. Schubert escribió *El rey de los elfos* a los dieciocho y murió a los treinta y uno, Delacroix pintó *La matanza de Quíos* a los veinticinco y Petoefi publicó sus *Poemas* a los veintiuno. Llegar a los treinta años sin haber alcanzado la gloria y producido una obra maestra era raro entre los románticos. La juventud —especialmente la intelectual o estudiantil— era su hábitat natural. En aquel período fue cuando el Barrio Latino de París volvió a ser, por primera vez desde la Edad Media, no sólo el sitio en donde se alzaba la Sorbona, sino un concepto cultural y político. El contraste entre un mundo teóricamente abierto de par en par al talento y en la práctica monopolizado, con cósmica injusticia, por los burócratas sin alma y los filisteos barrigudos, clamaba al cielo. Las sombras de la casa-prisión —matrimonio, carrera respetable, absorción por el filisteísmo— los rodeaban, y las aves nocturnas en la forma de sus mayores les auguraban (muchas veces con seguridad) su inevitable sentencia, como el registrador Heerbrand predice («sonriendo ladina y misteriosamente») en un cuento de E. T. A. Hoffmann, *El puchero de oro*, el horrible futuro de consejero de la corte al poético estudiante Anselmus. No le faltaba razón a Byron cuando preveía que sólo una temprana muerte le salvaría de una «respetable» vejez, y A. W. Schlegel se lo demostró. Desde luego, nada universal había en esta revuelta de los jóvenes contra los viejos. No era sino un reflejo de la sociedad creada por la doble revolución. Pero la específica forma histórica de esta alienación colorea una gran parte del romanticismo.

Así, e incluso con un mayor alcance, la alienación del artista que reaccionaba contra ella haciéndose «el genio» fue una de las invenciones más características de la época romántica. En donde la función social del artista es clara, su relación con el público directa y la pregunta de qué debe decir y cómo decirlo es contestada por la tradición, la moral, la razón o alguna otra norma aceptada, un artista puede ser un genio, pero rara vez se comporta como tal. Los pocos que se adelantaron al patrón decimonónico —un Miguel Ángel, un Caravaggio, un Salvator Rosa— destacan del ejército de hombres del tipo de artesanos profesionales como los Johann Sebastian Bach, los Händel, los Haydn, los Mozart, los Fragonard y los Gainsborough de la época prerrevolucionaria. En donde se conservó algo de la antigua situación social después de la doble revolución, el artista siguió sin considerarse un genio, aunque no le faltara vanidad. Los arquitectos y los ingenieros, que trabajaban por encargo específico, seguían creando edificios útiles que les imponían unas formas claramente inteligibles. Es significativo que la mayor parte de los más famosos y característicos del período 1790-1848 sean neoclásicos

como la Madeleine, el British Museum, la catedral de San Isaac de Lenin-
grado, el Londres de Nash, o el Berlín de Schinkel, o funcionales como los
maravillosos puentes, canales, ferrocarriles, fábricas e invernáculos de aquella edad de la belleza técnica.

Pero estos arquitectos e ingenieros —independientemente de sus estilos— se comportaban como profesionales y no como genios. También, en las
formas artísticas genuinamente populares, como la ópera en Italia o (en un
nivel social más alto) la novela en Inglaterra, los compositores y escritores
seguían trabajando para divertir a los demás y consideraban la supremacía de
la taquilla como una condición natural de su arte, más bien que como una
conspiración contra su musa. Rossini no hubiera querido componer una ópera poco comercial, como el joven Dickens escribir una novela que no pudiera
venderse por entregas o el libretista de una obra musical moderna un texto
que se represente con arreglo al primitivo borrador. (Esto puede ayudar también a explicar por qué la ópera italiana de aquella época era muy poco
romántica, a pesar de su natural afición a la sangre, los truenos y las situaciones «fuertes».)

El problema real para el artista era o separarse de una función tradicional
para entregar su alma como una mercancía en un mercado ciego, para ser
vendida o no, o trabajar dentro de un sistema de patronazgo que, por lo general, habría sido económicamente insostenible aun cuando la Revolución
francesa no hubiera establecido su indignidad humana. Por eso el artista permanecía solitario, gritando en la noche, inseguro incluso de encontrar un eco.
Era, pues, natural que se considerara un genio, que crease únicamente lo que
llevaba dentro, sin consideración al mundo y como desafío a un público cuyo
único derecho respecto a él era aceptarle tal cual era o rechazarlo de plano.
En el mejor de los casos esperaba ser comprendido, como Stendhal, por unos
cuantos elegidos o por una indefinida posteridad; en el peor, escribía dramas
irrepresentables, como los de Grabbe o la segunda parte del *Fausto* de Goethe, o composiciones para orquestas gigantescas e inverosímiles como Berlioz; algunos se volvían locos como Hölderlin, Grabbe, Gérard de Nerval,
etc. A veces, aquellos genios incomprendidos eran recompensados con es-
plendidez por príncipes habituados a los caprichos de sus amantes o al derro-
che para adquirir prestigio, o por una burguesía enriquecida, ávida de entablar contacto con las cosas más altas de la vida. Franz Liszt (1811-1886)
jamás pasó hambre en la proverbial buhardilla romántica. Pocos llegarían a
ver realizadas sus fantasías megalómanas como Richard Wagner. Sin embargo, entre las revoluciones de 1789 y 1848 los príncipes eran bastante suspi-
caces respecto a las artes no operísticas[11] y la burguesía se preocupaba más
de acumular dinero que de derrocharlo. Por lo cual los genios no sólo eran
incomprendidos en general, sino pobres. Y la mayor parte de ellos, revolucionarios.

---

11.   Fernando VII de España, al seguir protegiendo al revolucionario Goya, a pesar de sus
provocaciones artísticas y políticas, fue una excepción.

La juventud y los «genios» incomprendidos producirían la reacción de los románticos contra los filisteos, la moda de molestar y sorprender a los burgueses, la unión con el *demi-monde* y la bohemia (términos que adquirieron su presente significado en el período romántico), el gusto por la locura y por todas las cosas normalmente reprobadas por las respetables instituciones vigentes. Pero esto era sólo una parte del romanticismo. La enciclopedia de extremismos eróticos de Mario Praz no es más representativa de la «agonía romántica»[12] que una discusión sobre calaveras y duendes en el simbolismo isabelino es crítica de Hamlet. Detrás de la insatisfacción de los románticos como hombres jóvenes (e incluso en ocasiones como mujeres jóvenes, ya que aquel fue el primer período de la historia en el que algunas mujeres aparecen en el continente para ejercer su derecho a la «creación artística»)[13] y como artistas, hay una insatisfacción mayor aún con el género de sociedad surgido de la doble revolución.

El análisis social preciso nunca fue el fuerte de los románticos, y de hecho desconfiaban del resuelto materialismo mecánico razonador del siglo XVIII (simbolizado por Newton, el espantajo de William Blake y Goethe) en el que veían, con razón, una de las principales herramientas con las que había sido construida la sociedad burguesa. Por tanto, no podemos esperar que hiciesen una crítica razonada de la sociedad burguesa, aunque algo parecido a una crítica se envolvía en el místico manto de la «filosofía de la naturaleza» y se movía entre las rizadas nubes metafísicas formadas dentro de una vasta estructura «romántica», y contribuía entre otras cosas a la filosofía de Hegel (véanse pp. 254-256). Algo parecido se produjo también, en relámpagos visionarios muy cercanos a la excentricidad y hasta a la locura, entre los primeros socialistas utópicos franceses. Los primitivos sansimonianos (aunque no su líder) y de manera especial Fourier, difícilmente pueden ser considerados otra cosa que románticos. El resultado más duradero de aquellas críticas románticas fue el concepto de «alienación» humana, que tan importante papel iba a tener en Marx, y la insinuación de la sociedad perfecta del futuro. No obstante, la crítica más efectiva y poderosa de la sociedad burguesa iba a venir no de quienes la rechazaban (y con ella las tradiciones de los clásicos: racionalismo y ciencia del siglo XVII) totalmente y *a priori*, sino de quienes llevaron las tradiciones del pensamiento clásico burgués a sus conclusiones antiburguesas. El socialismo de Robert Owen no tenía en sí el menor elemento de romanticismo; sus componentes eran enteramente los del racionalismo dieciochesco y de la más burguesa de las ciencias, la economía política. El propio Saint-Simon es considerado como una prolongación de la

---

12. Mario Praz, *The Romantic Agony*, Oxford, 1933.
13. Mme. de Staël, George Sand, las pintoras Mme. Vigée-Lebrun y Angelica Kauffmann, en Francia; Bettina von Arnim, Annette von Droste-Huelshoff, en Alemania. Las mujeres novelistas fueron muy frecuentes entre la clase media inglesa, en donde esta forma de arte estaba considerada como una «respetable» manera de ganar dinero las jóvenes bien dotadas: Fanny Burney, Mrs. Radcliffe, Jane Austen, Mrs. Gaskell y las hermanas Brontë, pertenecen total o parcialmente a esta época, lo mismo que la poetisa Elizabeth Barrett Browning.

Ilustración. Es significativo que el joven Marx, formado en la tradición alemana (es decir, primariamente romántica), se convirtiese en el creador del marxismo sólo cuando conjugó su pensamiento la crítica socialista francesa y la teoría totalmente antirromántica de la economía política inglesa. Y fue la economía política la que le proporcionó en la madurez la esencia de su pensamiento.

III

Nunca es prudente desdeñar las razones del corazón de las que la razón nada sabe. Como pensadores dentro de los límites de referencia fijados por los economistas y los físicos, los poetas se encontraban superados, pero no sólo veían más profundamente que aquéllos, sino algunas veces con mucha mayor claridad. Pocos hombres advirtieron el terremoto social causado por la máquina y la factoría antes que William Blake, en la década 1790-1800, cuando todavía había en Londres poco más que unos molinos de vapor y unos ladrillares. Salvo raras excepciones, los mejores comentarios sobre el problema de la urbanización en Inglaterra se debieron a los escritores imaginativos, cuyas observaciones parecían muchas veces nada realistas, y demostraron ser un utilísimo indicador de la gran evolución urbana de París.[14] Carlyle fue para Inglaterra en 1840 un guía más profundo —aunque más confuso— que el diligente estadístico y compilador J. R. McCulloch; y si J. S. Mill es mejor que otros utilitaristas es porque una crisis personal le permitió ser el único de ellos que apreció el valor de las críticas alemana y romántica de la sociedad: de Goethe y de Coleridge. La crítica romántica del mundo, aunque mal precisada, no era ni mucho menos desdeñable.

El anhelo que se convertía en obsesión en los románticos era la recuperación de la unidad perdida entre el hombre y la naturaleza. El mundo burgués era profunda y deliberadamente antisocial. «Es cruel tener que rasgar los fuertes lazos feudales que atan al hombre a sus "superiores naturales", y no dejar otro nexo entre hombre y hombre que el desnudo egoísmo, que el duro "pago al contado". Los mayores éxtasis de fervor religioso, de entusiasmo caballeresco, de sentimentalismo filisteo, se han ahogado en el agua helada del cálculo egoísta. La dignidad personal se ha resuelto en valor de cambio, y en lugar de las innumerables e inquebrantables libertades, se alzó esa libertad única e inconsciente: la libertad de comercio.» La voz que dice esto es la del *Manifiesto comunista*, pero por ella habla también todo el romanticismo. Ese mundo puede proporcionar riqueza y bienestar a los hombres —aunque también parecía evidente que a otros, en número infinitamente mayor, los torna hambrientos y miserables—, pero dejó sus almas desnudas y solas. Los dejó sin patria y sin hogar, perdidos en el universo como

14. L. Chevalier, *Clases laborieuses et classes dangereuses à Paris dans la première moitié du XIXe siècle*, París, 1958.

seres «enajenados». Un corte revolucionario en la historia del mundo les impide evitar esa «enajenación» con la decisión de no abandonar jamás su viejo hogar. Los poetas del romanticismo alemán sabían mejor que nadie que la salvación consistía en la sencilla y modesta vida de trabajo que se vivía en aquellas pequeñas e idílicas ciudades preindustriales, que salpicaban los paisajes de ensueño por ellos descritos de la manera más irresistible. Y, sin embargo, sus jóvenes tenían que abandonarlas para emprender la busca inacabable de la «flor azul» o simplemente para vagar sin fin, llenos de melancolía cantando las melodías de Eichendorff o de Schubert. La canción del vagabundo es su tonada, la nostalgia su constante compañera. Novalis llegó a definir la filosofía en términos de nostalgia.[15]

Tres fuentes mitigaron la sed producida por la perdida armonía entre el hombre y el mundo: la Edad Media, el hombre primitivo (o, lo que es lo mismo, lo exótico y lo popular), y la Revolución francesa.

La primera atrajo sobre todo al romanticismo de reacción. La ordenada y estable sociedad de la época feudal, con su grave y lento paso, coloreada por la heráldica, rodeada por el sombrío misterio de los bosques llenos de hadas y cubierta por el dosel del indiscutido cielo cristiano era el evidente paraíso perdido de los conservadores adversarios a la sociedad burguesa, cuyo gusto por la devoción, lealtad y un mínimo de cultura entre los más modestos no había hecho sino agudizar la Revolución francesa. Con las naturales variaciones locales, ese era el ideal que Burke arrojaba a la cara de los racionalistas atacantes de la Bastilla en sus *Reflections on the French Revolution* (1790). Pero donde este sentimiento encontró su clásica expresión fue en Alemania, país que en aquel período adquirió algo así como el monopolio de los sueños medievales, quizá porque la pulcra *Gemuetlichkeit* que parecía reinar en los castillos del Rin y las casas de la Selva Negra, se prestaba mejor a la idealización que la inmundicia y la crueldad de los países más genuinamente medievales.[16] En todo caso, el medievalismo fue un componente del romanticismo alemán mucho más fuerte que los demás e irradió fuera de Alemania, bien en la forma de óperas y «ballets» románticos (como el *Freischuetz* de Weber o *Giselle*), de cuentos de hadas como los de Grimm o de teorías históricas que inspiraron a escritores como Coleridge o Carlyle. A pesar de ello, el medievalismo, en la forma más generalizada de una restauración gótica, fue la divisa de los conservadores y especialmente de los religiosos antiburgueses en todas partes. Chateaubriand exaltó en *El genio del cristianismo* (1802) el gótico frente a la revolución; los defensores de la Iglesia de Inglaterra lo favorecían contra los racionalistas y no conformistas cuyos edificios seguían siendo clásicos; el arquitecto Pugin y el ultrarreaccionario y catolizante «Movimiento de Oxford» de la década de 1830 eran

15. Ricarda Huch, *Die Romantik*, I, p. 70,
16. «O Hermann, o Dorothée! Gemuethlichkeit! —escribía Gautier, quien, como todos los románticos franceses, adoraba Alemania—. Ne semble-t-il pas que l'on entend du loin le cor du postillon?» (P. Jourda, *L'exotisme dans la littérature française depuis Chateaubriand*, 1939, p. 79.)

goticistas hasta la médula. Entretanto, desde las brumosas lejanías de Escocia —país capaz de todos los sueños arcaicos, como la invención de los poemas de Ossian— el conservador Walter Scott abastecía a Europa con otra serie de imágenes medievales en sus novelas históricas. El hecho de que las mejores de sus novelas trataran con fidelidad períodos históricos recientes escapó a la atención del público.

Al lado de esta preponderancia del medievalismo conservador, que los gobiernos reaccionarios de después de 1815 trataron de aprovechar en sus destartaladas justificaciones absolutistas (véanse pp. 234-235), el ala izquierda del medievalismo carecía de importancia. En Inglaterra existía principalmente como una corriente en el movimiento radical popular que tendía a ver el período anterior a la Reforma como una edad de oro del trabajador y la Reforma como el primer gran paso hacia el capitalismo. En Francia fue mucho más importante, pues allí no puso su énfasis en la jerarquía feudal y el orden católico, sino en el *pueblo* eterno, doliente, turbulento y creador: la nación francesa reafirmando siempre su identidad y su misión. El más grande de esos medievalistas democráticos y revolucionarios fue el historiador y poeta Jules Michelet; y *El jorobado de Nôtre Dame*, de Victor Hugo, el producto más conocido de aquella preocupación.

Estrechamente aliada al medievalismo, sobre todo a través de su preocupación por las tradiciones de mística religiosidad, estaba la búsqueda de los más antiguos y profundos misterios y fuentes de la sabiduría irracional del Oriente: los románticos, aunque también conservadores, reinos de Kublai Jan o los brahmanes. Desde luego, sir William Jones, el descubridor del sánscrito, era un sincero *whig* radical que admiraba, todo lo que un caballero ilustrado podía hacerlo, las revoluciones norteamericana y francesa; pero el resto de los entusiastas del Oriente y los escritores de poemas seudopersas, de cuyo entusiasmo brotó una gran parte del orientalismo moderno, pertenecían a la tendencia antijacobina. Es característico que su meta espiritual fuera la India brahmánica en vez del irreligioso y racional Imperio chino que había preocupado a las imaginaciones extravagantes de la Ilustración del siglo XVIII.

IV

El sueño de la perdida armonía del hombre primitivo tenía una historia mucho más larga y más compleja. Siempre había sido un sueño irresistiblemente revolucionario, tanto en la forma de la edad de oro del comunismo, como en la de la igualdad «cuando Adán cavaba y Eva hilaba», los libres anglosajones no habían sido aún esclavizados por los conquistadores normandos, o el noble salvaje demostraba las deficiencias de una sociedad corrompida. En consecuencia, el primitivismo romántico se prestaba con facilidad a una rebeldía de tipo izquierdista, excepto cuando servía simplemente de válvula de escape de la sociedad burguesa (como en el exotismo de

un Gautier o un Mérimée que descubrieron al noble salvaje durante sus viajes turísticos por España en la década de 1830) o cuando la continuidad histórica hacía del primitivismo algo ejemplarmente conservador. Este fue,
sobre todo, el caso del «pueblo». Entre los románticos de todas las tendencias se admitía sin discusión que el «pueblo» —es decir, el campesino o el
artesano preindustriales— representaba todas las virtudes incontaminadas y
que su lenguaje, sus canciones, sus leyendas y sus costumbres eran el verdadero tesoro espiritual de la nación. La vuelta a esa sencillez y a esa virtud era
el propósito del Wordsworth de las *Baladas líricas*; ingresar en el acervo de
la canción y los cuentos populares, la ambición —lograda por varios artistas— de muchos poetas y compositores teutónicos. El vasto movimiento para
recopilar los cancioneros populares, publicar los viejos poemas épicos, reco-
ger el léxico del lenguaje vivo, etc., estaba íntimamente relacionado con el
romanticismo: la palabra *folklore* (1846) es una invención de aquella época.
Los *Minstrelsy of the Scottish Border* (1803) de Scott, *Des Knaben Wunder-
horn* (1806) de Arnim y Brentano, los *Cuentos de hadas* (1812) de Grimm,
las *Irish Melodies* (1807-1834) de Moore, la *Historia de la lengua checa* de
Dobrovsky (1818), el *Diccionario serbio* (1818) y *las Canciones populares
serbias* (1823-1833) de Vuk Karajic, la *Frithjofssaga* de Tegner en Suecia
(1825), la edición del *Kalevala* por Lönnrot en Finlandia (1835), la *Mitología alemana* de Grimm (1835), los *Cuentos populares noruegos* de Asbjörn-
son y Moe (1842-1871), son algunos de los grandes monumentos de aquella
tendencia.

«El pueblo» podía ser un concepto revolucionario, especialmente en los
países oprimidos a punto de descubrir o reafirmar su identidad nacional, y
sobre todo en los que carecían de una aristocracia o clase media nacionales.
En ellos, la aparición del primer diccionario, gramática o colección de cantos populares era un acontecimiento de la mayor importancia política, una
primera declaración de independencia. Por otra parte, para quienes se sorprendían más por las simples virtudes de conformidad, ignorancia y piedad
del pueblo, la profunda prudencia de la confianza de este pueblo en el papa,
el rey o el zar y el culto de lo antiguo en el hogar se prestaban a una interpretación conservadora. Representaban la unidad de la inocencia, el mito y
la viejísima tradición que la sociedad burguesa iba destruyendo día a día.[17] El
capitalista y el racionalista eran los enemigos contra los que los reyes, los
nobles y los campesinos debían mantener una unión sagrada.

El primitivo existía en cada aldea; pero existía como un concepto más
revolucionario todavía en la supuesta «edad de oro» comunista del pasado y
como el supuesto noble salvaje, en especial el piel roja americano. Desde
Rousseau que la presentó como el ideal del hombre social libre hasta los
socialistas, la sociedad primitiva era una suerte de modelo para todas las uto-

17. Cómo debemos interpretar la nueva popularidad de los bailes de salón de aquella época: el vals, la mazurka, el *schottische*, basados en danzas populares, es cuestión de gusto. Se trataba ciertamente de una moda romántica.

pías. La triple división de la historia hecha por Marx —comunismo primitivo, sociedad clasista, comunismo en un nivel superior— confirma —aunque también transforma— aquella tradición. El ideal del primitivismo no fue exclusivamente romántico. Algunos de sus más ardientes defensores pertenecían a la Ilustración del siglo XVIII. La investigación romántica llevó a sus exploradores a los desiertos de Arabia o el norte de África, entre los guerreros y odaliscas de Delacroix y Fromentin, a Byron a través del mundo mediterráneo, o a Lermontov al Cáucaso, en donde el hombre natural en la forma del cosaco combatía al hombre natural en forma de miembro tribal entre precipicios y cataratas, más bien que a la inocente utopía social y erótica de Tahití. Pero también los llevó a América, en donde el hombre primitivo luchaba sin esperanza, situación muy propia para acercarlo al sentimiento de los románticos. Los poemas indios del austrohúngaro Lenau claman contra la expulsión de los hombres de piel rojiza; si los mohicanos no hubieran sido los últimos de su tribu ¿habrían llegado a ser un símbolo tan poderoso en la cultura europea? Naturalmente, el noble salvaje representó una parte muchísimo más importante en el romanticismo norteamericano que en el europeo —*Moby Dick*, de Melville (1851), es su más grande monumento— pero en las novelas de Fenimore Cooper captó al viejo mundo como no había sido capaz de hacerlo el Natchez del conservador Chateaubriand.

La Edad Media, el pueblo y la nobleza del salvaje eran ideales firmemente anclados en el pasado. Sólo la revolución, «la primavera de los pueblos», apuntaba de manera exclusiva al futuro y, sin embargo, hasta los más utópicos encontraban cómodo acudir a un precedente para lo que carecía de precedentes. Esto no fue posible hasta que una segunda generación romántica produjo una cosecha de jóvenes para quienes la Revolución francesa y Napoleón eran hechos históricos y no un penoso capítulo autobiográfico. 1789 había sido aclamado virtualmente por cada artista e intelectual europeo, pero aunque algunos conservaron su entusiasmo durante la guerra, el Terror, la corrupción burguesa y el Imperio, sus sueños no eran fácilmente comunicables. Incluso en Inglaterra, en donde la primera generación romántica —la de Blake, Coleridge, Wordsworth, Southey, Campbell y Hazlitt— había sido completamente jacobina, la desilusión y el neoconservadurismo predominaban en 1805. En Francia y Alemania, la palabra «romántico» puede decirse que había sido inventada como un lema antirrevolucionario por los conservadores antiburgueses de finales de la década 1790-1800 (con frecuencia viejos izquierdistas desilusionados), lo que explica el hecho de que cierto número de pensadores y artistas de esos países, quienes según el criterio moderno deberían ser considerados románticos, estén tradicionalmente excluidos de esta calificación. A pesar de lo cual, en los últimos años de las guerras napoleónicas, empezaron a surgir nuevas promociones juveniles para las cuales sólo la gran hoguera liberadora de la revolución seguía siendo visible a través de los años, pues el montón de cenizas de los excesos y corrupciones había desaparecido; después del destierro de Napoleón, la figura del emperador se convirtió en un fénix casi mítico y liberador. Y como Europa se hundía más y más cada año en la vulgaridad sin relieves de la reacción, la censura, la mediocridad, y en la pestilente ciénaga de la pobreza, la opresión y la desdicha, la imagen de la revolución liberadora se hacía cada vez más luminosa.

La segunda generación de románticos ingleses —la de Byron (1788-1824), el apolítico pero progresista Keats (1795-1821) y sobre todo Shelley (1792-1822)— fue la primera en combinar el romanticismo con un revolucionarismo activo: las decepciones de la Revolución francesa, no olvidadas por la mayoría de los veteranos, palidecían junto a los patentes horrores de la transformación capitalista en su propio país. En el continente, la unión entre arte romántico y revolución anticipada en 1820-1830, sólo se manifestó en su plenitud después de la Revolución francesa de 1830. Por entonces aparece lo que podíamos llamar la visión romántica de la revolución y el estilo romántico de ser un revolucionario, cuya expresión más conocida es el cuadro de Delacroix *La libertad guiando al pueblo* (1831). Melancólicos jóvenes barbudos y con sombreros de copa, obreros en mangas de camisa, tribunos del pueblo con las melenas flotantes bajo las alas del sombrero, rodeados de banderas tricolores y gorros frigios, recrean la revolución de 1793 —no la moderada de 1789, sino la «gloriosa» del año II— levantando barricadas en cada ciudad del continente.

Desde luego, el revolucionario romántico no era un tipo completamente nuevo. Su inmediato precursor fue el miembro de las sociedades secretas y las sectas masónicas revolucionarias —carbonarios o filohelenos— cuya inspiración procedía directamente de los viejos supervivientes jacobinos o babuvistas como Buonarroti. Fue la típica lucha revolucionaria del período de la Restauración, llena de jóvenes con uniforme de húsares de la guardia que abandonan la ópera, el baile, la cita con una duquesa u otras importantes reuniones para participar en un golpe militar o ponerse al frente de una nación en armas: en resumen, el patrón byroniano. Sin embargo, no sólo esta moda revolucionaria estaba inspirada directamente en las maneras de pensar del siglo XVIII, siendo quizá socialmente más exclusiva que estas últimas. También faltaba en ella un elemento crucial de la visión revolucionaria romántica de 1830-1848: las barricadas, las masas, el nuevo y desesperado proletariado, todo ese elemento que Daumier litografió en la *Matanza de la calle Transnonain* (1834) con sus trabajadores asesinados añadidos a la imaginería romántica.

La consecuencia más sorprendente de esta unión del romanticismo con la visión de una nueva y más excelsa Revolución francesa fue la abrumadora victoria del arte político entre 1830 y 1848. Rara vez habrá habido un período en que incluso los artistas menos «ideológicos» fueran más francamente partidistas, llegando a menudo a considerar el servicio a la política como su principal deber. «El romanticismo —proclamaba Victor Hugo en el prefacio de *Hernani*, ese manifiesto de rebeldía (1830)— es el liberalismo en literatura.»[18] «Los escritores —escribía el poeta Alfred de Musset (1810-1857),

18. V. Hugo, *Oeuvres complètes*, XV, p. 2.

cuyo talento natural como el del compositor Chopin (1810-1849) o el del
introspectivo poeta austrohúngaro Lenau (1802-1850) se inclinaba más a la
voz privada que a la pública— gustan de hablar en sus prefacios del futuro,
del progreso social, la humanidad y la civilización.»[19] Varios artistas fueron
figuras políticas y ello no sólo en los países con angustias de liberación
nacional, en donde todos los artistas tendían a ser profetas o símbolos nacionales: Chopin, Liszt y el joven Verdi entre los músicos; Mickiewicz (quien
creía representar un papel mesiánico), Petoefi y Manzoni entre los poetas de
Polonia, Hungría e Italia, respectivamente. El pintor Daumier trabajaba sobre
todo como caricaturista político. El poeta Uhland y los hermanos Grimm
eran políticos liberales; el volcánico genio juvenil Georg Büchner (1810-
1837) un revolucionario activo; Heinrich Heine (1797-1856), íntimo amigo
personal de Karl Marx, una ambigua pero potente voz de la extrema izquierda.[20] La literatura y el periodismo se fundieron, sobre todo en Francia, Alemania e Italia. En otra época un Lamennais o un Jules Michelet en Francia,
un Carlyle o un Ruskin en Inglaterra, pudieron haber sido poetas o novelistas que se asomaban de vez en cuando a los asuntos públicos; en la suya fueron publicistas, profetas, filósofos o historiadores con inspiración poética. En
este aspecto, la lava de la imaginería poética acompañó la erupción del intelecto juvenil de Marx con una amplitud inusitada entre los filósofos y los
economistas. Incluso el suave Tennyson y sus amigos de Cambridge lanzaron sus corazones tras la brigada internacional que marchó a España para
combatir junto a los liberales contra los clericales.

Las características teóricas estéticas surgidas y desarrolladas durante
aquel período ratificaron esta unidad de arte y preocupación social. Los sansimonianos de Francia, por un lado, los brillantes intelectuales revolucionarios de Rusia, por otro, «desplegaban las ideas que más tarde formarían parte de los movimientos marxistas bajo el nombre de realismo socialista»;[21] un
noble ideal aunque no muy afortunado derivado de la austera virtud del jacobinismo, y aquella fe romántica en el espíritu que hacía a Shelley llamar a
los poetas «los no reconocidos legisladores del mundo». La teoría de «el arte
por el arte», ya formulada principalmente por los conservadores y los *dilet-
tanti*, no podía competir con «el arte por la humanidad, por la nación o por
el proletariado». Hasta que las revoluciones de 1848 destruyeron las esperanzas románticas del gran renacimiento del hombre, no afloró el esteticismo
contenido de algunos artistas. La evolución de algunos hombres del 48, como
Baudelaire y Flaubert, demostró este cambio político y estético, y *La educación sentimental* de Flaubert fue su mayor éxito literario. Sólo en países

19. *Oeuvres complètes*, IX, París, 1879, p. 212.
20. Debe notarse que aquel fue uno de los raros períodos en que los poetas no sólo simpatizaban con la extrema izquierda, sino que escribían buenos poemas utilizables para la agitación. Digno de mención es el distinguido grupo de poetas socialistas alemanes de 1840-1850
—Herwegh, Weerth, Freiligrath y, naturalmente, Heine—, aunque *La máscara de la anarquía*,
de Shelley (1820), en respuesta a Peterloo, sea quizá el más importante de tales poemas.
21. Cf. M. Thibert, *Le rôle social de l'art d'après les Saint-Simoniens*, París, s. f.

como Rusia, en los que la desilusión de 1848 no se produjo (quizá porque en Rusia no hubo 1848), las artes continuaron como antes, entregadas y dedicadas a lo social.

V

El romanticismo es la moda más característica en el arte y en la vida del período de la doble revolución, pero no la única. Como no dominaba la cultura de la aristocracia ni la de la clase media, y menos aún la de los trabajadores pobres, su real importancia cuantitativa en el tiempo fue escasa. Las artes que dependían del patronazgo o el apoyo en masa de las clases acaudaladas toleraban mejor el romanticismo en donde sus características ideológicas eran menos patentes, como en la música. Las artes que dependían del apoyo de los pobres difícilmente interesaban al artista romántico, aunque de hecho la diversión de los pobres —grabados horribles y baratos, circos, teatrillos ambulantes, etc.— fuera una fuente de inspiración para los románticos y a su vez los artistas populares reforzaran el repertorio para emocionar a su público —mutaciones escénicas, hadas, aparecidos, últimas palabras de asesinos o bandidos, etc.— con elementos aprovechables de la guardarropía romántica.

El estilo fundamental de la vida aristocrática seguía enraizado en el siglo XVIII, aunque muy vulgarizado por la inyección de algunos «nuevos ricos» ennoblecidos, y sobre todo en el estilo «Imperio» napoleónico, feo y pretencioso, y en el estilo Regencia británico. Una comparación de los uniformes del siglo XVIII y los posnapoleónicos —la forma de arte que expresaba de manera más directa los instintos de los funcionarios y caballeros responsables de su dibujo— hace patente esta afirmación. La triunfal supremacía de Inglaterra hizo del noble inglés el modelo de la cultura aristocrática internacional o más bien de la incultura, ya que el interés del «dandi» —rasurado, impasible y refulgente— se suponía limitado a los caballos, perros, carruajes, púgiles, juego, diversiones de caballeros y su propia persona. Tan heroico extremismo encendió incluso a los románticos, a quienes también fascinaba el «dandismo»; pero probablemente encendió todavía más a las jóvenes de origen modesto, haciéndolas soñar, como dice Gautier:

> Sir Edward era exactamente el inglés de sus sueños. El inglés recién afeitado, sonrosado, brillante, peinado y pulido, que se enfrentaba a los primeros rayos del sol de la mañana con una corbata blanca perfectamente anudada, el inglés del paraguas y el impermeable. ¿No era el colmo de la civilización? ...
> —Tendré las vajillas de plata inglesa y la porcelana china. Tendré alfombras que cubrirán toda la casa, y lacayos con peluca blanca, y tomaré el aire junto a mi esposo conduciendo los cuatro caballos de nuestra carretela por Hyde Park ... Ágiles ciervos jugarán sobre el verde césped de mi casa de campo, y

quizá también algunos niños rubios y sonrosados. Los niños quedan muy bien en el asiento principal de un Barouche, al lado de un perro de aguas de buena raza rey Carlos...[22]

Esta era quizá una visión divertida, pero no romántica, lo mismo que el retrato de una majestad real o imperial en la ópera o el baile, cubierta de pedrería, deslumbrante de elegancia y belleza.

La cultura de las clases media y baja no era mucho más romántica. Su tónica era la sobriedad y la modestia. Sólo entre los grandes banqueros y especuladores, o en la primera generación de industriales millonarios que nunca o casi nunca necesitaban invertir mucho de sus rentas en los negocios, se dio el opulento seudobarroquismo de finales del siglo XIX, y ello sólo en los pocos países en los que las viejas monarquías y aristocracias habían dejado de dominar por completo a la «sociedad». Los Rothschild, monarcas por derecho propio, ya se lucían como príncipes.[23] El burgués corriente no era así. El puritanismo, el pietismo católico o evangelista estimulaban la moderación, la economía, una sobriedad espartana y un orgullo moral sin paralelo en Inglaterra, los Estados Unidos, Alemania y la Francia hugonote; la tradición moral de la Ilustración dieciochesca hacía lo mismo en el sector más libre o antirreligioso. Excepto en la lógica y en el afán de lucro, la vida de la clase media era una vida de emociones contenidas y deliberadas restricciones de objetivos. El sector más amplio de la clase media, que en el continente no se dedicaba a los negocios, sino al servicio del gobierno como funcionarios, maestros, profesores, militares y en algún caso pastores, carecía incluso del aliciente de acumular un capital; y por ello el modesto burgués provinciano que sabía que la riqueza de la ciudad pequeña era el límite de sus aspiraciones, no se dejaba impresionar por el nivel de riqueza y poderío de su época. La vida de la clase media era, en efecto, «antirromántica», y ajustada todavía en gran parte a los modales del siglo XVIII.

Esto es perfectamente evidente en el hogar de la clase media, que era después de todo el centro de la cultura mesocrática. El estilo de la casa y la calle burguesas posnapoleónicas procede directamente, y a menudo lo continúa directamente también, del clasicismo o el rococó del siglo XVIII. El tipo de construcciones georgianas continuó en Inglaterra hasta mediados del siglo XIX, y en todas partes la transformación arquitectónica (iniciada en gran parte por un redescubrimiento, artísticamente desastroso, del «renacimiento») se produjo más tarde. El estilo dominante en la decoración interior y la vida doméstica, llamado *Biedermayer*, después de alcanzar su más perfecta expresión en Alemania, era una suerte de clasicismo doméstico calentado por la intimidad de la emoción y el ensueño virginal (*Innerlichkeit, Gemuethlichkeit*), que debían algo al romanticismo —o más bien al prerromanticismo de finales de la centuria anterior—, pero reducida incluso esta deuda a las

22. P. Jourda, *op. cit.*, pp. 55-56.
23. M. Capefigue, *Histoire des grandes opérations financières*, IV, pp. 252-253.

dimensiones de la modesta interpretación burguesa de cuartetos los domingos por la tarde en la sala. Biedermayer creó uno de los más bellos y habitables estilos de mobiliario que se han inventado: cortinas blancas lisas sobre paredes mates, suelos desnudos, sillas y mesas de despacho sólidas pero elegantísimas, pianos, gabinetes de trabajo y jarrones llenos de flores. En esencia, fue el último estilo clásico. Quizá su más noble ejemplo sea la casa de Goethe en Weimar. Así, o muy parecido, era el ambiente en que vivían las heroínas de las novelas de Jane Austen (1775-1817), el de los goces y rigores evangélicos de la secta de Clapham, el de la alta burguesía bostoniana, el de los franceses provincianos lectores del *Journal des Débats*.

El romanticismo entró en la cultura de la clase media, quizá principalmente a través del aumento en la capacidad de ensueño de los miembros femeninos de la familia burguesa. Mostrar la capacidad del hombre que se gana la vida para mantenerlas en una ociosidad insoportable fue una de sus principales funciones sociales; una tibia esclavitud era su destino ideal. En todo caso, las jóvenes burguesas y las no burguesas, tal como las odaliscas y ninfas que los pintores antirrománticos, como Ingres (1780-1867), llevaron desde el romántico al ambiente burgués, se adaptaron rápidamente al mismo tipo frágil, pálido, de cabello suave y con tirabuzones, con una flor en el chal o en la capota, tan característico de la moda hacia 1840. Se había recorrido un largo camino desde aquella leona agazapada, la duquesa de Alba, de Goya, o las emancipadas muchachas neogriegas, vestidas de muselina blanca que la Revolución francesa sembró a través de los salones, o de las altivas damas y cortesanas de la Regencia, como lady Lieven o Harriete Wilson, tan antirrománticas como antiburguesas.

Las jóvenes burguesas podían tocar en sus casas la música romántica de Chopin o de Schumann (1810-1856). Biedermayer podía estimular una clase de lirismo romántico, como el de Eichendorff (1788-1857) o Eduard Mörike (1804-1875), en el que la pasión cósmica se transmutaba en nostalgia o en anhelo pasivo. El activo negociante podía incluso, durante un corto viaje de negocios, disfrutar en un paraje montañoso «la más romántica vista que he contemplado en mi vida», descansar en su casa bosquejando «El castillo de Udolpho», o, como John Cragg de Liverpool, «siendo un hombre de gustos artísticos» al mismo tiempo que un fundidor de hierro, «introducir el hierro fundido en la arquitectura gótica».[24] Pero, en su conjunto, la cultura burguesa no era romántica. El alborozo del progreso técnico impedía el romanticismo ortodoxo en los centros industriales avanzados. Un hombre como James Nasmyth, el inventor del martinete de vapor (1808-1890), era cualquier cosa menos un bárbaro aunque sólo fuera por ser hijo de un pintor jacobino («el padre de la pintura paisajística en Escocia»), criado entre artistas e intelectuales, aficionado a lo pintoresco y a lo antiguo, y poseer la caballerosidad y buena educación de los buenos escoceses. Sin embargo, ¿qué cosa más natural sino que el hijo del pintor se hiciera mecánico y que en una

24. *James Nasmyth, Engineer, An Autobiography*, ed. de Samuel Smiles, 1897, p. 177.

excursión hecha en su juventud con su padre le interesaran más que nada las fundiciones de hierro de Devon? Para él, como para los correctos ciudadanos de Edimburgo del siglo XVIII entre los que creció, las cosas eran sublimes pero no irracionales. Ruán contenía sencillamente «una magnífica catedral y la iglesia de Saint-Ouen, tan exquisita en su belleza, junto con otras reliquias de refinada arquitectura gótica, desparramadas por la interesante y pintoresca ciudad». Lo pintoresco era espléndido; a pesar de lo cual no pudo dejar de observar en sus entusiásticas vacaciones, que era un producto desdeñable. La belleza era espléndida; pero constituía un fallo de la arquitectura moderna el que «el *propósito* de la construcción es... mirado como una consideración secundaria». «Me costó trabajo arrancar de Pisa —escribía—; pero lo que más me interesaba en la catedral eran las dos lámparas de bronce suspendidas al final de la nave, que sugirieron a la inteligencia de Galileo la invención del péndulo.»[25] Semejantes hombres no eran ni bárbaros ni filisteos; pero su mundo estaba mucho más próximo al de Voltaire o al de Josiah Wedgwood que al de John Ruskin. El gran fabricante de herramientas Henry Maudslay se sentía sin duda mucho más a gusto en Berlín con sus amigos Humboldt, el rey de los hombres de ciencia liberales, y el arquitecto neoclásico Schinkel, de lo que hubiera estado con el grande pero nebuloso Hegel.

En cualquier caso, en los centros de la sociedad burguesa avanzada, las artes en conjunto ocupaban un segundo plano con respecto a las ciencias. Los fabricantes o ingenieros ingleses o norteamericanos cultos podían apreciar el arte, especialmente en los momentos de descanso o vacaciones en familia, pero sus verdaderos esfuerzos culturales se dirigían hacia la difusión y adelanto del conocimiento, del suyo, en instituciones como la Asociación Británica para el Avance de la Ciencia, y de las gentes, a través de la Sociedad para la difusión de conocimientos útiles y de otras similares. Es característico que el producto típico de la Ilustración del siglo XVIII, la *Enciclopedia*, floreciera como nunca; aún conservaba (como en el famoso *Conversationslexikon* alemán de Meyer, un producto de la década de 1830) mucho de su liberalismo político militante. Byron ganó mucho dinero con sus poemas, pero el editor Constable pagó en 1812 a Dugald Stewart mil libras esterlinas por un prefacio sobre el progreso de la filosofía para el suplemento de la *Enciclopedia británica*.[26] Incluso cuando la burguesía era romántica, sus sueños eran técnicos: los jóvenes arrebatados por Saint-Simon serían los que proyectarían el canal de Suez, las gigantescas redes de ferrocarriles que unirían todas las regiones del globo, las finanzas fáusticas mucho más allá del tipo natural de interés de los tranquilos y racionalistas Rothschild, quienes sabían que se podía hacer una enorme cantidad de dinero con un mínimum de vuelo espe-

---

25. *Ibíd.*, pp. 243, 246 y 251.
26. E. Halévy, *History of the English People in the Nineteenth Century* (edición de bolsillo) I, p. 509.

culativo por medios conservadores.[27] La ciencia y la técnica fueron las musas de la burguesía, y celebraron su triunfo, el ferrocarril, en el gran pórtico neoclásico de la estación de Euston, hoy destruido.

VI

Entretanto, fuera del radio de las clases educadas, la cultura del vulgo seguía su rumbo. En las partes no urbanas y no industriales del mundo cambió poco. Las canciones y fiestas de la década de 1840, los trajes, dibujos y colores de las artes decorativas populares, el patrón de sus costumbres, eran poco más o menos los mismos que en 1789. La industria y el ensanche de las ciudades empezaron a destruirlos. Los hombres no podían vivir en una ciudad fabril como habían vivido en las aldeas, y todo el complejo de la cultura necesariamente tenía que romperse en mil pedazos al derrumbarse el armazón social que lo sostenía y le daba forma. Una canción de arado o siega no podían cantarla los hombres que no araban o segaban, y si por casualidad lo hacían, dejaba de ser una canción popular y se convertía en algo diferente. La nostalgia del emigrante mantenía las viejas costumbres y canciones en el exilio de la ciudad, y quizá hasta intensificaba su atracción porque paliaban el dolor del desarraigo. Pero aparte de las ciudades y las fábricas, la doble revolución había transformado, o mejor dicho devastado, sólo algunos aspectos de la antigua vida rural, sobre todo en algunas zonas de Inglaterra e Irlanda, hasta el momento en que las viejas formas de vida se hicieron imposibles.

Así pues, en realidad, antes de 1840, la transformación social e industrial no había llegado a destruir por completo la antigua cultura, al menos en las zonas de la Europa occidental en donde los artesanos manuales habían tenido varios siglos para desarrollarla y era ya una cultura semi-industrial. En el campo, los mineros y tejedores expresaban sus esperanzas y protestas en cánticos populares tradicionales, y la Revolución industrial no hizo más que aumentar su número y hacerlas más intensas. Las fábricas y talleres no necesitaban cantos de trabajo, pero otras actividades relacionadas con el desarrollo económico sí y utilizaban algunos antiguos: el canto del cabrestante de los marineros de los grandes veleros pertenece a aquella edad de oro de la canción popular «industrial» en la primera mitad del siglo XIX, como las baladas de los balleneros de Groenlandia, la balada del dueño de la mina y de la mujer del minero y el lamento de los tejedores.[28] En las ciudades preindustriales, los gremios de artesanos y trabajadores domésticos desarrollaban una intensa labor cultural en la que las sectas protestantes colaboraban o competían con el radicalismo jacobino para estimular la educación, uniendo

27. D. S. Landes, «Vieille banque et banque nouvelle», *Revue d'Histoire Moderne et Contemporaine*, III (1956), p. 205.

28. Cf. los discos microsurcos «*Shuttle and Cage*» *Industrial Folk Ballads* (10 T$_{13}$); *Row, Bullies, Row* (T$_7$); *The Blackball Line* (T$_8$), y otros por el estilo, Londres.

los nombres de Bunyan y Juan Calvino con los de Tom Paine y Robert Owen. Bibliotecas, capillas e institutos, jardines y jaulas, en los que el artesano más fantástico criaba flores, exageradas artificialmente, pájaros y perros, llenaban aquellas comunidades confiadas y militantes de hombres diestros; Norwich, en Inglaterra, era famosa no sólo por su espíritu republicano y ateo, sino también por sus canarios.[29] Pero la adaptación del antiguo canto popular a la vida industrial no sobreviviría (excepto en los Estados Unidos de América) al impacto de la edad de los ferrocarriles y el acero, y las comunidades de expertos artesanos —por ejemplo, la de los antiguos tejedores de lino de Dunfermline— tampoco sobrevivirían al avance de la máquina y la factoría. Después de 1840, caerían en la ruina.

De momento, nada sustituía a la vieja cultura. En Inglaterra, por ejemplo, el nuevo patrón de una vida plenamente industrial no surgiría del todo hasta 1870-1880. El período desde la crisis de las viejas formas tradicionales de vida hasta la instauración de las nuevas fue, por tanto, en muchos aspectos la parte más negra de la que ya era de por sí una terrible edad negra para los trabajadores pobres. Ni siquiera las grandes ciudades acertaron a establecer un patrón de cultura popular —necesariamente comercial más que, como en las pequeñas comunidades, de creación propia— durante nuestro período.

Cierto que la gran ciudad, especialmente la gran ciudad capital, ya albergaba algunas importantes instituciones que atendían a las necesidades culturales de los pobres o el «pueblo bajo», aunque frecuentemente también —cosa curiosa— las de la aristocracia. Pero muchas de ellas procedían del siglo XVIII, cuya contribución a la evolución de las artes populares a menudo se ha pasado por alto. El teatro popular suburbano en Viena, el teatro dialectal en las ciudades italianas, la ópera popular (tan distinta de la cortesana), la *commedia dell'arte* y las pantomimas ambulantes, las carreras de caballos, los combates de boxeo o la versión democratizada de las corridas de toros españolas[30] eran productos del siglo XVIII; los pliegos de cordel o romances de ciego, de un período aún más antiguo. Las genuinas formas nuevas de pasatiempo urbano en la gran ciudad se derivaban de la taberna o establecimiento de bebidas, que se convirtió en creciente fuente de consuelo secular para el trabajador pobre en su desorganización social, en el último baluarte

---

29. «Todavía se sostienen en pie muchas casas viejas —escribía Francis Horner en 1879— en el fondo de la ciudad, que solían tener su jardín, a menudo lleno de flores. En una ventana —curiosamente grande y alegre— trabajaba en un telar manual un tejedor. Así podía vigilar sus flores tan de cerca como su trabajo —su trabajo y su placer entremezclados— ... Pero el telar metálico ha suplantado a su paciente máquina manual y los ladrillos han tapiado su jardín.» (Citado en G. Taylor, «Nineteenth Century Florists and Their Flowers», *The Listener*, 23 de junio de 1949.) Los tejedores eran particularmente entusiastas del cultivo de las flores, pero se mostraban muy rigurosos, reconociendo sólo ocho géneros como dignos de ser sembrados. Por su parte, los encajeros de Nottingham cultivaban rosas que todavía no eran —como las hortensias— flores de trabajador.

30. Su primera versión fue caballeresca y todos los lances se realizaban a caballo. La innovación de matar el toro a pie se atribuye generalmente a un carpintero de Ronda, en el siglo XVIII.

urbano de ceremonial tradicional, conservado e intensificado por los gremios, los sindicatos y las ritualizadas sociedades de socorro mutuo. El *music-hall* y la sala de baile saldrían de la taberna; pero hacia 1848 no habían progresado mucho, ni siquiera en Inglaterra, aunque habían hecho ya su aparición unos años antes.[31] Las otras nuevas formas de diversión urbana crecieron más de lo conveniente, acompañadas siempre por su séquito de pícaros. En la gran ciudad se convirtieron en algo permanente, y ya en 1840 la mezcla de barracas, teatros, mercachifles, rateros y mendigos en ciertos bulevares proporcionaba inspiración a los intelectuales románticos de París y diversión al populacho.

También influyó el gusto popular en la forma y el adorno de las relativamente pocas cosas que la industria producía para el pobre: los cachivaches que conmemoraban el triunfo del Acta de Reforma, el gran puente de hierro tendido sobre el río Wear o los magníficos navíos de tres palos que surcaban el Atlántico; los pliegos de cordel en que se inmortalizaban los sentimientos revolucionarios o patrióticos y los crímenes famosos; y los escasos muebles o prendas de vestir que los pobres podían comprar. Pero en conjunto la ciudad, y especialmente la nueva ciudad industrial, seguía siendo un lugar destartalado, cuyos pocos atractivos —espacios abiertos, fiestas— iban disminuyendo poco a poco a causa de la fiebre de la construcción, las humaredas que envenenaban la naturaleza y la exigencia de un trabajo incesante, reforzada en muchos casos por la austera disciplina dominical impuesta por la clase media. Sólo la nueva iluminación de gas y los escaparates de las calles principales anticipaban en algunos sitios los vivos colores de la noche en las ciudades modernas. Pero la creación de la moderna gran ciudad y las modernas formas urbanas de vida popular tendrían que esperar hasta bien entrada la segunda mitad del siglo XIX.

31. *Select Committee on Drunkenness*, «Parl. Papers», VIII, 1834, Q 571. En 1852 había en Manchester 28 tabernas y 21 cervecerías que proporcionaban música a sus clientes (entre un total de 481 tabernas y 1.298 cervecerías para una población de 303.000 habitantes en el casco urbano) (John T. Baylee, *Statistics and Facts in Reference to the Lord's Day*, Londres, 1852, p. 20).

15. LA CIENCIA

No olvidemos que mucho antes que nosotros, las ciencias y la filosofía lucharon contra los tiranos. Sus constantes esfuerzos hicieron la revolución. Como hombres libres y agradecidos, debemos establecerlas entre nosotros y conservarlas siempre. Pues las ciencias y la filosofía mantendrán la libertad que hemos conquistado.

Un miembro de la Convención[1]

Los problemas científicos —observó Goethe— son con mucha frecuencia cuestiones de carrera. Un simple descubrimiento puede hacer famoso a un hombre y poner la base de su fortuna como ciudadano ... Cada fenómeno observado por primera vez es un descubrimiento, cada descubrimiento es una propiedad. Rozad la propiedad de un hombre y veréis alzarse inmediatamente sus pasiones.

Conversaciones con Eckermann, 21 de diciembre de 1823

I

Trazar un paralelo entre las artes y las ciencias es siempre peligroso, pues las relaciones entre ellas y la sociedad en que florecen son muy diferentes. Pero también las ciencias reflejaron en su marcha la doble revolución, en parte porque ésta les planteó nuevas y específicas exigencias, en parte porque les abrió nuevas posibilidades y las enfrentó con nuevos problemas, en parte porque su existencia sugería nuevos patrones de pensamiento. No quiero decir con esto que la evolución de las ciencias entre 1789 y 1848 pueda ser analizada exclusivamente desde el punto de vista de los movimientos de la sociedad que las rodeaba. La mayor parte de las actividades humanas tienen su lógica interna, que determina al menos una parte de su movimiento. El planeta Neptuno fue descubierto en 1846, no porque algo ajeno a la astronomía estimulara su descubrimiento, sino porque las tablas de Bouvard en 1821

---

1. Citado en S. Solomon, *Comune*, agosto de 1939, p. 964.

demostraron que la órbita del planeta Urano, descubierto en 1781, manifestaba inesperadas desviaciones de los cálculos, porque a finales de la década 1830-1840 esas desviaciones se hicieron mayores y resultaba tentador atribuirlo a perturbaciones producidas por algún cuerpo celeste desconocido; y porque varios astrónomos se pusieron a calcular la posición de ese cuerpo. Sin embargo, aun el más apasionado creyente en la inmaculada pureza de la pura ciencia sabe que el pensamiento científico puede estar por lo menos influido por cosas ajenas al campo específico de una disciplina, ya que los hombres de ciencia, incluso el más antimundano de los matemáticos, vive en un mundo más ancho que el de sus especulaciones. El progreso de la ciencia no es un simple avance lineal, pues cada etapa marca la solución de problemas previamente implícitos o explícitos en ella, planteando a su vez nuevos problemas. También progresa por el descubrimiento de nuevos problemas, de nuevas maneras de enfocar los antiguos, de nuevos procedimientos para captar y resolver los viejos, de nuevos campos de investigación, de nuevos instrumentos teóricos y prácticos para realizar esa investigación. En todo ello hay un gran espacio para el estímulo o la formación del pensamiento por factores ajenos. Si, en efecto, la mayor parte de las ciencias avanzaron en nuestro período de un modo puramente lineal —como fue el caso de la astronomía, que permaneció sustancialmente dentro de su armazón newtoniana— ello puede carecer de importancia. Pero, como veremos, nuestro período supuso nuevos puntos de partida radicales en algunos campos del pensamiento (como en las matemáticas), contribuyó al despertar de algunas ciencias aletargadas (como la química), a la virtual creación de algunas nuevas (como la geología) y a la inyección de nuevas ideas revolucionarias en otras (como en las biológicas y sociales).

Lo mismo que sucedió con todas las demás fuerzas, las peticiones hechas directamente a los científicos por los gobiernos o la industria tuvieron gran importancia. La Revolución francesa los movilizó, colocando al geómetra e ingeniero Lazare Carnot al frente del esfuerzo de guerra jacobino, al matemático y físico Monge (ministro de Marina en 1792-1793) y a un equipo de matemáticos y químicos al frente de la producción bélica, como antes había encomendado al químico y economista Lavoisier la preparación de un cálculo de la renta nacional. Aquella fue tal vez la primera ocasión de la historia en que expertos científicos, como los mencionados, entraron como tales a formar parte del gobierno, aunque esto fuera de mayor importancia para el gobierno que para la ciencia. En Inglaterra, las mayores industrias de nuestro período eran la textil algodonera y las del carbón, el hierro, el ferrocarril y la naviera. Los conocimientos que las revolucionaron fueron los de los hombres empíricos, demasiado empíricos quizá. El héroe de la revolución del ferrocarril británico fue George Stephenson, quien no era precisamente un científico culto, sino un hombre intuitivo que adivinaba las posibilidades de las máquinas: un superartesano más bien que un técnico. Las tentativas de algunos hombres de ciencia como Babbage por hacerse útiles a los ferrocarriles, o de ingenieros como Brunel para establecerlos sobre fundamentos racionales más bien que empíricos, no dieron resultado.

Por otra parte, la ciencia se benefició enormemente del sorprendente estímulo dado a la educación científica y técnica y del algo menos sorprendente apoyo prestado a la investigación durante nuestro período. Aquí sí que es clarísima la influencia de la doble revolución. La Revolución francesa transformó la instrucción científica y técnica en su país con la creación de la Escuela Politécnica (1795) —escuela para técnicos de todas clases— y el primer esbozo de la Escuela Normal Superior (1794), que sería firmemente establecida como parte de una reforma general de la enseñanza secundaria y superior por Napoleón. También hizo revivir a la mortecina Real Academia (1795) e instituyó en el Museo Nacional de Historia Natural (1794) el primer verdadero centro de investigaciones fuera de las ciencias físicas. La supremacía mundial de la ciencia francesa durante la mayor parte de nuestro período se debió, casi seguramente, a esas importantes fundaciones, sobre todo a la Politécnica, turbulento centro de jacobinismo y liberalismo durante el período posnapoleónico e incomparable semillero de grandes matemáticos y físicos. La Politécnica tuvo imitadores en Praga, Viena y Estocolmo, en San Petersburgo y Copenhague, en toda Alemania y Bélgica, en Zurich y Massachusetts, pero no en Inglaterra. El choque de la Revolución francesa también sacudió la apatía educativa de Prusia, y la nueva Universidad de Berlín (1806-1810), fundada como parte del resurgir prusiano, se convirtió en modelo para las demás universidades alemanas, las cuales, a su vez, iban a crear el patrón para las instituciones académicas del mundo entero. Tampoco se imitaron esas reformas en Inglaterra, en donde la revolución política nada ganó ni conquistó. Pero la inmensa riqueza del país, que establecía laboratorios privados como los de Henry Cavendish y James Joule, y la presión general de las personas inteligentes de la clase media para conseguir una educación científica y técnica, dio buenos resultados. El conde Rumford, un ilustrado aventurero peripatético, fundó la Royal Institution en 1799. Su fama entre los legos se asentaba principalmente sobre sus famosas conferencias públicas, pero su verdadera importancia reside en las facilidades únicas para la experimentación científica que concedió a Humphrey Davy y Michael Faraday. Fue, en efecto, un primer ejemplo de laboratorio de investigación. Otras entidades para el progreso de la ciencia, como la Sociedad Lunar de Birmingham y la Sociedad Literaria y Filosófica de Manchester, movilizaron la ayuda de los industriales en las provincias: John Dalton, el fundador de la teoría atómica, procedía de la última. Los radicales benthamitas de Londres fundaron (o más bien se hicieron cargo de ella y la modificaron) la Institución Mecánica de Londres —el actual Birkbeck College— como escuela para técnicos, la Universidad de Londres como contrapeso a la somnolencia de Oxford y de Cambridge, y la Asociación Británica para el Avance de la Ciencia (1831) como alternativa del aristocrático sopor en que yacía la degenerada Royal Society. No eran fundaciones destinadas a alentar la búsqueda del puro conocimiento por sí mismo, ya que este tipo de instituciones tardan más en hacer su aparición. Incluso en Alemania, el primer laboratorio universitario para investigaciones químicas (el de Liebig en Giessen) no se instaló hasta 1825. (Su modelo —inútil es decirlo— fue francés.) Eran instituciones para formar técnicos como en Francia e Inglaterra, profesores como en Francia y Alemania, o para inculcar en los jóvenes el espíritu de servicio a su país.

Por tanto, la época revolucionaria engrosó el número de científicos y eruditos y extendió la ciencia en todos sus aspectos. Y más todavía, vio al universo geográfico de la ciencia ensancharse en dos direcciones. En primer lugar, el progreso del comercio y la exploración abrió nuevas zonas del mundo a los estudios científicos y estimuló el pensamiento sobre ellas. Uno de los mayores talentos científicos de nuestro período, Alexander von Humboldt (1769-1859), contribuyó primariamente de este modo al avance de la ciencia: como un infatigable viajero, observador y teórico en los campos de la geografía, la etnografía y la historia natural, aunque por su noble síntesis de todos los conocimientos —Kosmos (1845-1859)— no puede ser confinado dentro de los límites de las disciplinas particulares.

En segundo lugar, el universo científico se ensanchó para abarcar pueblos y países que hasta entonces sólo le habían aportado contribuciones insignificantes. La lista de grandes científicos de, digamos, 1750 contiene muy pocos que no sean franceses, británicos, alemanes, italiano y suizos. Pero una lista mucho más corta —la de los matemáticos de la primera mitad del siglo XIX— comprende a Henrik Abel, de Noruega; Janos Bolyai, de Hungría, y Nikolai Lobachevski, de la todavía más remota ciudad de Kazán. Otra vez aquí la ciencia parece reflejar la ascensión de las culturas nacionales fuera de Europa occidental, lo cual es también un sorprendente resultado de la época revolucionaria. Este elemento nacional en la expansión de las ciencias se reflejó a su vez en el declinar del cosmopolitismo que había sido tan característico de las pequeñas comunidades científicas de los siglos XVII y XVIII. La época de las ambulantes celebridades científicas internacionales que se trasladaban, como Euler, de Basilea a San Petersburgo, de San Petersburgo a Berlín para volver a la corte de Catalina la Grande, pasó con los antiguos regímenes. En adelante, los científicos permanecerían dentro de su área lingüística, salvo para brevísimas visitas, comunicándose con sus colegas por medio de los periódicos eruditos, producto típico de este período: los *Proceedings of the Royal Society* (1831), *Comptes Rendus de l'Académie des Sciences* (1837), *Proceedings of the American Philosophical Society* (1838), o los nuevos periódicos especializados, tales como el de Crelle, *Journal für Reine und Angewandte Mathematik* o los *Annales de Chimie et de Physique* (1797).

II

Antes de que podamos juzgar la naturaleza del impacto de la doble revolución sobre las ciencias, debemos echar una ojeada a lo que les ocurrió. En conjunto, las ciencias físicas no fueron revolucionadas. Es decir, permanecieron sustancialmente dentro de los términos de referencia establecidos por Newton, bien continuando líneas de investigación ya seguidas en el siglo XVIII, bien extendiendo los antiguos descubrimientos fragmentarios y coordinándolos en sistemas teóricos más amplios. El más importante de los campos abiertos así (y el único que tuvo inmediatas consecuencias técnicas) fue el de la electricidad, o más bien el electromagnetismo. Cinco fechas principales —cuatro de ellas en nuestro período— señalan su decisivo progreso: 1786, en la que Galvani descubre la corriente eléctrica; 1799, en la que Volta construye su pila eléctrica; 1800, en la que se inventa la electrolisis; 1820, en la que Oersted descubre la conexión entre electricidad y magnetismo, y 1831, en la que Faraday establece la relación entre estas fuerzas e incidentalmente se encuentra explorando un acercamiento a la física (en términos de «campos» más bien que de impulsos mecánicos) que se anticipaba a la época moderna. Lo más importante de las nuevas síntesis teóricas fue el descubrimiento de las leyes de la termodinámica, es decir, de las relaciones entre el calor y la energía.

La revolución que transformó a la astronomía y a la física en ciencias modernas se produjo en el siglo XVII; la que creó la química, corresponde de lleno al principio de nuestro período. De todas las ciencias, ésta fue la más íntima e inmediatamente ligada a las prácticas industriales, especialmente al proceso de blanqueo y teñido de la industria textil. Además, sus creadores fueron no sólo hombres prácticos unidos a otros hombres prácticos (como Dalton en la Sociedad Literaria y Filosófica de Manchester y Priestley en la Sociedad Lunar de Birmingham), sino también, algunas veces, revolucionarios políticos, aunque moderados. Dos fueron víctimas de la Revolución francesa: Priestley a manos de los *tories*, por simpatizar excesivamente con ella, y el gran Lavoisier en la guillotina, por no simpatizar bastante o más bien por ser un gran hombre de negocios.

La química, como la física, fue una ciencia preeminentemente francesa. Su virtual fundador, Lavoisier (1743-1794), publicó su fundamental *Traité elémentaire de chimie* en el mismo año de la revolución, y la inspiración para los adelantos químicos, y especialmente la organización de la investigación química en otros países —incluso en aquellos que más tarde serían los centros más importantes de esas investigaciones, como Alemania— fueron primeramente francesas. Los mayores avances antes de 1789 consistieron en poner un poco de orden elemental en la maraña de experimentos empíricos, elucidando algunos procesos químicos fundamentales, como la combustión, y algunos elementos asimismo fundamentales, como el oxígeno. También aportaron una precisa medición cuantitativa y un programa de ulteriores investigaciones sobre todo ello. El concepto crucial de una teoría atómica (fundada por Dalton en 1803-1810) hizo posible el invento de la fórmula química y con ello la apertura de los estudios de estructura química, a lo que siguió una gran abundancia de nuevos experimentos. En el siglo XIX, la química iba a ser una de las más vigorosas de todas las ciencias y, por tanto, de las más atractivas —como siempre lo son los temas dinámicos— para muchos hombres inteligentes. No obstante, la atmósfera y los métodos de la química siguieron siendo mucho tiempo los del siglo XVIII.

Pero la química tuvo una implicación revolucionaria: el descubrimiento de que la vida podía ser analizada en los términos de las ciencias inorgánicas. Lavoisier descubrió que la respiración es una forma de combustión de oxígeno. Woehler descubrió (1828) que un cuerpo que antes se encontraba sólo en las cosas vivas —la urea— podía ser sintetizado en el laboratorio, con lo que abrió el nuevo y vasto campo de la *química orgánica*. A pesar de que se superó así el gran obstáculo para el progreso —la creencia de que la materia viva obedecía fundamentalmente a leyes naturales diferentes de las de la materia inerte—, ni el estudio de la mecánica ni el de la química permitieron al biólogo avanzar mucho. Su avance más importante en este período, el descubrimiento de Schleiden y Schwann de que todas las cosas vivas estaban compuestas de infinitas *células* (1838-1839), estableció una especie de equivalente de la teoría atómica en la biología; pero la madurez de la biofísica y la bioquímica tardaría todavía mucho tiempo en llegar.

Una revolución aún más profunda que en la química, aunque por la naturaleza de la ciencia menos visible que en ella, se produjo en las matemáticas. A diferencia de la física que permanecía dentro de los términos de referencia del siglo XVII y de la química que respiraba a sus anchas por el portillo abierto en el XVIII, las matemáticas entraron en nuestro período en un universo completamente nuevo, mucho más allá del de los griegos, todavía dominado por la aritmética y la geometría plana, y el del siglo XVII, en el que dominaba el análisis. Pocos, salvo los matemáticos, podrán apreciar la profundidad de la innovación que significaron para la ciencia la teoría de las funciones de complejos variables (Gauss, Cauchy, Abel, Jacobi), la teoría de los grupos (Cauchy, Galois) o la de los vectores (Hamilton). Pero hasta los profanos pueden comprender el alcance de la revolución por la cual el ruso Lobachevski (1826-1829) y el húngaro Bolyai (1831) derribaron la más permanente de las certidumbres intelectuales: la geometría euclidiana. Toda la majestuosa e inconmovible lógica de Euclides descansaba sobre ciertas suposiciones, una de las cuales, el axioma de que las paralelas nunca se encuentran, no es ni evidente ni probable. Hoy parece elemental construir una geometría igualmente lógica sobre algunos otros supuestos, por ejemplo (Lobachevski, Bolyai) que una infinidad de paralelas a la línea L puede pasar por el punto P; o (Riemann) que ninguna paralela a la línea L pasa por el punto P; sobre todo cuando podemos construir superficies de vida real a las que aplicar esas reglas. (Así la tierra es un globo, conforme a los supuestos «riemannianos» y no a los euclidianos.) Pero hacer tales supuestos a principios del siglo XIX era un acto de audacia intelectual comparable a colocar al Sol, en lugar de la Tierra, en el centro del sistema planetario.

III

La revolución matemática pasó inadvertida salvo para unos cuantos especialistas en temas tan alejados de la vida cotidiana. En cambio, la revolución en las *ciencias sociales* apenas podía dejar de interesar al profano, ya que le afectaba visiblemente, en general —según se creía— para lo peor. Los eruditos y amantes de las ciencias de las novelas de Thomas Love Peacock están suavemente bañados de simpatía o amable ridículo, pero no así los economistas y propagandistas de la Steam Intellect Society.

Hablando con precisión, hubo dos revoluciones cuyos cursos convergen para producir el marxismo como la síntesis más amplia de las ciencias sociales. La primera, que continuaba los brillantes avances de los racionalistas de los siglos XVII y XVIII, establecía el equivalente de las leyes físicas para las poblaciones humanas. Su primer triunfo fue la construcción de una sistemática teoría deductiva de *economía política* ya muy avanzada en 1789. La segunda, que en sustancia pertenece a nuestro período y está estrechamente unida al romanticismo, fue el descubrimiento de la evolución histórica (véanse pp. 241-243 y 248-249).

La atrevida innovación de los racionalistas clásicos había consistido en demostrar que algo como leyes lógicamente preceptivas podía aplicarse a la conciencia humana y a la libre determinación. Las «leyes de la economía política» eran de esta clase. El convencimiento de que estaban más allá de gustar o disgustar, como las leyes de la gravedad (con las que a menudo se las comparaba), permitía una firme seguridad a los capitalistas de principios del siglo XIX, y tendía a imbuir a sus románticos contradictores de un antirracionalismo de igual dureza. En principio, los economistas tenían razón, desde luego, aunque exageraban mucho la universalidad de los postulados en los que basaban sus deducciones, la capacidad de «otras cosas» para permanecer «iguales», y también, a veces, sus capacidades intelectuales. Si la población de una ciudad se duplica y el número de viviendas no aumenta, en igualdad de condiciones, las rentas *deben* subir aunque unos lo deseen y otros no. Proposiciones de este tipo constituían la fuerza de los sistemas de razonamiento deductivo construidos por la economía política, sobre todo en Inglaterra, aunque también, en grado algo menor, en Francia, Italia y Suiza, los antiguos centros de la ciencia en el siglo XVIII. Como ya hemos visto, el período 1776-1830 asistió al triunfo de esta economía política (véase p. 241). Se vio complementada por la primera representación sistemática de una teoría demográfica destinada a establecer una relación mecánica, y virtualmente inevitable, entre las proporciones matemáticas de los aumentos de población y de los medios de subsistencia. El *Ensayo sobre el principio de la pobla-*

ción (1798) de T. R. Malthus no era ni tan original ni tan indiscutible como afirmaban sus partidarios en el entusiasmo del descubrimiento de que alguien había demostrado que los pobres deben permanecer siempre pobres y que la generosidad y la compasión pueden hacerlos todavía más pobres. Su importancia radica no en sus méritos intelectuales —bastante moderados—, sino en su pretensión de que se diera carácter científico a un grupo de decisiones individuales y caprichosas —como las sexuales— consideradas como un fenómeno social.

La aplicación de los métodos matemáticos a la sociedad realizó otro gran avance en este período. También aquí los científicos de habla francesa abrieron el camino, asistidos sin duda por la soberbia atmósfera matemática de la educación francesa. El belga Adolphe Quetelet, en su libro *Sur l'homme* (1835), que hizo época, demostró que la distribución estadística de las características humanas obedecía a leyes matemáticas conocidas, de lo cual deducía, con una confianza juzgada entonces excesiva, la posibilidad de asimilar las ciencias sociales a las físicas. La posibilidad de una generalización estadística sobre las poblaciones humanas y el establecimiento de firmes predicciones sobre esa generalización habían sido anticipados por los teóricos de la probabilidad (el punto de partida de Quetelet en las ciencias sociales), y por los hombres prácticos que tenían que basarse en ella, por ejemplo en las compañías de seguros. Pero Quetelet y el floreciente grupo contemporáneo de estadísticos, antropométricos e investigadores sociales, aplicaron estos métodos a campos más vastos y crearon la mayor herramienta matemática para la investigación de los fenómenos sociales.

Estos desarrollos en las ciencias sociales fueron revolucionarios de la misma manera que lo fue la química: siguiendo los avances ya teóricamente realizados. Pero las ciencias sociales lograron también algo completamente nuevo y original, que a su vez fertilizó a las ciencias biológicas e incluso a alguna ciencia física como la biología. Ese logro fue el descubrimiento de la historia como un proceso de evolución lógica y no sólo como una sucesión cronológica de acontecimientos. Los lazos de esta innovación con la doble revolución son tan obvios que no necesitan ser explicados. Así, lo que se llamaría *sociología* (palabra inventada por A. Comte hacia 1830) brotó directamente de la crítica del capitalismo. El propio Comte, a quien se considera el fundador de dicha disciplina, empezó su carrera como secretario particular del precursor de los socialistas utópicos, el conde de Saint-Simon,[2] y el más formidable teórico contemporáneo en materia sociológica, Karl Marx, consideró su teoría principalmente como un instrumento para cambiar el mundo.

La creación de la *historia* como un tema académico es quizá el aspecto menos importante de esta «historización» de las ciencias sociales. Es verdad que Europa padeció una epidemia de historiadores en la primera mitad del

---

2. Aunque, como hemos visto, las ideas de Saint-Simon no son fáciles de clasificar, parece pedante abandonar la práctica establecida de considerarle un socialista utópico.

siglo XIX. Pocas veces hubo más hombres dispuestos a interpretar su mundo escribiendo grandes relatos del pasado de los distintos países, a veces por vez primera. Karamzin en Rusia (1818-1824), Geijer en Suecia (1832-1836), Palacky en Bohemia (1836-1867), son los padres fundadores de la historiografía en sus respectivos países. En Francia, la urgencia de entender el presente a través del pasado era particularmente fuerte, por lo que pronto la revolución fue el tema de intensos y partidistas estudios de Thiers (1823, 1843), Mignet (1824), Buonarroti (1828), Lamartine (1847) y el gran Michelet (1847-1853). Fue la época heroica de la historiografía, pero pocas obras de Guizot, Augustin Thierry o Michelet en Francia, del danés Niebuhr y el suizo Sismondi, de Hallam, Lingard y Carlyle en Inglaterra, y de innumerables profesores alemanes, sobreviven hoy día más que como documentos históricos, como literatura y alguna vez como recuerdo de un genio.

Los resultados más duraderos de este despertar histórico se produjeron en el campo de la documentación y la técnica histórica. La recogida de vestigios del pasado, escritas o no escritas, se convirtió en una pasión universal. Quizá fuese, en parte, un intento para salvaguardarlas de los rudos ataques del presente, aunque probablemente su estímulo más importante fuera el nacionalismo: en algunas naciones todavía dormidas, muchas veces serían el historiador, el lexicógrafo y el recopilador de canciones folklóricas los verdaderos fundadores de la conciencia nacional. Así, los franceses crearon su École des Chartes (1821), los ingleses un Public Record Office (1838), los alemanes empezaron a publicar el *Monumenta Germaniae Historiae* (1826), mientras el prolífico Leopold von Ranke (1795-1886) sentó la doctrina de que la historia debía basarse en la escrupulosa valoración de los documentos originales. Entretanto, como hemos visto en el capítulo anterior, los lingüistas y folkloristas preparaban los diccionarios fundamentales de sus idiomas y las colecciones de las tradiciones orales de sus países.

La inserción de la historia en las ciencias sociales tuvo sus más importantes efectos en el derecho, en donde Friedrich Karl von Savigny fundó la escuela histórica de jurisprudencia (1815); en el estudio de la teología, en donde la aplicación del criterio histórico —especialmente en *Leben Jesu* (1835) de D. F. Strauss— horrorizaba a los fundamentalistas; pero sobre todo en una ciencia completamente nueva, la filología. También esta ciencia se desarrolló primeramente en Alemania, que era el más vigoroso centro de difusión para los estudios históricos. No es fortuito que Karl Marx fuera alemán. El ostensible estímulo para la filología era la conquista por Europa de las sociedades no europeas. Las primeras investigaciones de sir William Jones (1786) sobre el sánscrito fueron resultado de la conquista de Bengala por los ingleses; el desciframiento por Champollion de los jeroglíficos egipcios (su obra principal sobre el tema se publicó en 1824), de la expedición de Bonaparte a Egipto; la elucidación de la escritura cuneiforme por Rawlinson (1835) reflejaba la ubicuidad de los oficiales coloniales británicos. Pero, de hecho, la filología no se limitó al descubrimiento, descripción y clasificación. Sobre todo en manos de los grandes eruditos alemanes como

Franz Bopp (1791-1867) y los hermanos Grimm se convirtió en la segunda ciencia social propiamente dicha; es decir, en la segunda que descubrió leyes generales aplicables a un campo al parecer tan caprichoso como el de la comunicación humana. (La primera fue la economía política.) Pero a diferencia de las leyes de la economía política, las de la filología eran fundamentalmente históricas, o más bien evolucionistas.[3]

Su fundamento fue el descubrimiento de que una vasta serie de idiomas, los indoeuropeos, estaban emparentados unos con otros; a lo que se añadió el hecho evidente de que cada idioma escrito que existía en Europa había sido completamente transformado en el transcurso de los siglos y se presumía que seguiría sufriendo transformaciones. El problema no era sólo el de probar y clasificar esas relaciones mediante una comparación científica, tarea que por entonces se emprendió a fondo (por ejemplo, en la anatomía comparada de Cuvier). Era también, principalmente, el de elucidar su evolución histórica a partir del que debió haber sido un antepasado común. La filología fue la primera de las ciencias que consideró la evolución como su verdadera esencia. Desde luego fue afortunada, porque la Biblia guarda relativo silencio sobre la historia del lenguaje, mientras que los biólogos y geólogos sabían que es demasiado explícita acerca de la creación y la historia primitiva del globo. Por tanto, los filólogos corrieron mucho menos peligro de ser arrastrados por las aguas del Diluvio o tropezar en los obstáculos del *Génesis* I, que sus desdichados colegas. Si acaso la afirmación bíblica de que en toda la tierra había un solo lenguaje estaba a su lado. Pero la filología también tuvo la suerte de que de todas las ciencias sociales era la única que no trataba directamente de los seres humanos, que siempre se sienten agraviados por la sugerencia de que sus acciones están determinadas por algo que no sea su libre albedrío, sino que se ocupa de las palabras, que no se ofenden por ello. Por tanto, tenía libertad para enfrentarse con lo que todavía es el problema fundamental de las ciencias históricas: cómo deducir la inmensa y al parecer caprichosa variedad de individuos existente en la vida real de la acción de leyes generales invariables.

Los filólogos precursores no avanzaron mucho en la explicación de los cambios lingüísticos, aunque ya Bopp propuso una teoría sobre el origen de las inflexiones gramaticales. Pero establecieron para las lenguas indoeuropeas algo semejante a un árbol genealógico. Hicieron varias generalizaciones inductivas acerca de las proporciones relativas de cambio en los diferentes elementos lingüísticos, y algunas generalizaciones históricas de gran alcance, como la «ley de Grimm» (que demostraba que *todas* las lenguas teutónicas experimentaron ciertos cambios consonantales, y, varios siglos después, un grupo de dialectos teutónicos experimentó otro cambio similar). No obstante, durante aquellas exploraciones iniciales, nunca dudaron de que la evolución

---

3.   Paradójicamente, el intento de aplicar el método físico-matemático a la lingüística, considerada como parte de una «teoría de las comunicaciones» más general, no se hizo hasta el presente siglo.

del lenguaje era no sólo una cuestión de establecer secuencias cronológicas o registrar variantes, sino que debía explicarse por leyes lingüísticas generales, análogas a las científicas.

IV

Los biólogos y geólogos tuvieron menos suerte. También para ellos la historia fue la fuente principal, aunque el estudio de la tierra estuviera (a través de las minas) estrechamente unido a la química y el de la vida (a través de la medicina) a la fisiología y (a través del crucial descubrimiento de que los elementos químicos en las cosas vivas eran los mismos que en los de naturaleza inorgánica) a la química. Pero para el geólogo, en cualquier caso, los problemas más obvios entrañaban historia: por ejemplo, la explicación de la distribución de tierra y agua, las montañas y, sobre todo, la formación de los diferentes estratos.

El problema histórico de la geología era, pues, cómo explicar la evolución de la tierra, el de la biología el doble de cómo explicar la formación de la vida desde el huevo, la semilla o la espora, y cómo explicar la evolución de las especies. Ambos estaban unidos por la visible evidencia de los fósiles, de los cuales una selección particular había de ser encontrada en cada estrato rocoso y no en otros. Un ingeniero de drenajes inglés, William Smith, descubrió en la década de 1790 que la sucesión histórica de los estratos podía ser fechada exactamente por sus fósiles característicos, con lo que las operaciones subterráneas de la Revolución industrial contribuyeron a iluminar a ambas ciencias.

El problema había sido tan obvio que ya se habían hecho intentos de establecer teorías sobre la evolución; sobre todo, para el mundo de los animales, por el elegante, pero a veces apresurado, zoólogo conde de Buffon (*Les époques de la nature*, 1778). En la década de la Revolución francesa esas teorías ganaron terreno rápidamente. El reflexivo James Hutton de Edimburgo (*Theory of the Earth*, 1795) y el excéntrico Erasmus Darwin, que brillaba en la Sociedad Lunar de Birmingham y escribía algunas de sus obras científicas en verso (*Zoonomia*, 1794), adelantaron mucho las teorías evolucionistas de la tierra, las plantas y las especies animales. Laplace (1796) desarrolló también una teoría evolucionista del sistema solar, anticipada por el filósofo Emmanuel Kant, y por la misma época, Pierre Cabanis consideró las facultades mentales del hombre como producto de su historia evolucionista. En 1809 el francés Lamarck presentó la primera gran teoría sistemática moderna de la evolución, basada en la herencia de las características adquiridas.

Ninguna de esas teorías triunfó. Al contrario, tropezaron en seguida con la apasionada resistencia de algunos elementos como los *tories* de la *Quarterly Review*, cuya «adhesión a la causa de la revelación es tan decisiva».[4]

---

4. G. C. C. Gillispie, *Genesis and Geology*, 1951, p. 116.

¿Qué iba a suceder con el Diluvio y el Arca de Noé? ¿Qué con la distinta creación de las especies, sin mencionar al hombre? ¿Qué iba a ser, sobre todo, de la estabilidad social? No sólo los sencillos sacerdotes y los menos sencillos políticos se formulaban con inquietud tales preguntas. El gran Cuvier, el fundador del estudio sistemático de los fósiles en sus *Recherches sur les ossements fossiles* (1812), rechazaba la evolución en nombre de la Providencia. Sería mejor imaginar una serie de catástrofes en la historia geológica, seguida por una serie de recreaciones divinas —era casi imposible considerar los cambios *geológicos* como diferentes de los biológicos— que tropezar con la rigidez de la Escritura y de Aristóteles. El infeliz doctor Lawrence, que contestó a Lamarck proponiendo una casi darwiniana teoría de la evolución por selección natural, se vio obligado, ante el griterío de los conservadores, a retirar de la circulación su *Natural History of Man* (1819). Había sido lo bastante imprudente para no sólo tratar la evolución del hombre, sino también señalar las consecuencias de sus ideas para la sociedad contemporánea. Su retractación le conservó su destino, aseguró su porvenir y perturbó para siempre su conciencia, a la que tranquilizaba adulando a los valerosos impresores radicales que, de cuando en cuando, pirateaban su incendiaria obra.

Sólo a partir de 1830 —cuando la política tomó un rumbo hacia la izquierda— se abrieron paso las teorías evolucionistas en la geología, con la publicación de la famosa obra de Lyell *Principios de geología* (1830-1833), que acabó con la resistencia de los neptunianos, quienes afirmaban con la Biblia que todos los minerales habían surgido de las soluciones acuosas que antes habían cubierto la tierra (*Génesis* 1, 7-9), y de los «catastrofistas» que seguían la desesperada línea de argumentación de Cuvier.

En la misma década, Schmerling, que investigaba en Bélgica, y Boucher de Perthes, quien por fortuna prefirió su *hobby* de la arqueología a su cargo de jefe de aduanas en Abbeville, pronosticaron algo más alarmante todavía: el descubrimiento de los restos fosilizados del hombre prehistórico, cuya posibilidad había sido calurosamente denegada.[5] Pero el conservadurismo científico fue todavía capaz de rechazar aquella escandalosa perspectiva alegando la falta de pruebas definitivas, hasta el descubrimiento del hombre de Neandertal en 1856.

No hubo más remedio que aceptar: *a*) que las causas *ahora* en movimiento habían, en el transcurso del tiempo, transformado la tierra desde su primitivo estado hasta el presente; *b*) que esto necesitó un tiempo mucho mayor que el que pudiera deducirse de las Escrituras, y *c*) que la sucesión de estratos geológicos revelaba una sucesión de formas de animales que implicaba una evolución biológica. Bastante significativamente, los que aceptaron con más facilidad todo esto y mostraron el mayor interés en el problema de

---

5. Sus *Antiquités celtiques et antediluviennes* no se publicaron hasta 1846. De hecho, varios fósiles humanos se habían descubierto de cuando en cuando, pero yacían, o sin sin ser reconocidos, o, sencillamente, olvidados en los rincones de los museos provinciales.

la evolución fueron los radicales seglares de la clase media británica (siempre con la excepción del egregio doctor Andrew Ure, muy conocido por sus himnos de alabanza al sistema fabril). Los científicos tardaron más en aceptar la ciencia. Esto no es muy sorprendente si recordamos que la geología era la única ciencia, en este tiempo, lo bastante caballeresca (quizá porque se practicaba al aire libre, muchas veces en costosas «excursiones geológicas») para ser seriamente enseñada en las universidades de Oxford y Cambridge.

Sin embargo, faltaba todavía por imponerse la evolución biológica. El explosivo tema no volvió a discutirse hasta bastante después de la derrota de las revoluciones de 1848. E incluso entonces Charles Darwin lo manejó con gran precaución y ambigüedad, por no decir con mala fe. Incluso la exploración paralela de la evolución a través de la embriología disminuyó temporalmente. También aquí los primeros filósofos especulativos alemanes, como Johann Meckel de Halle (1781-1833), habían sugerido que durante su crecimiento el embrión de un organismo recapitula la evolución de sus especies. Pero esta «ley biogenética», aunque estuvo sostenida al principio por hombres como Rathke, descubridor de que los embriones de pájaros pasan por una fase en la que tienen branquias (1829), acabó siendo rechazada por el formidable Von Baer en Koenigsberg y San Petersburgo —la filosofía experimental parece haber ejercido una gran atracción sobre los investigadores de las zonas de Eslavonia y el Báltico—[6] y no volvería a dar señales de vida hasta el advenimiento del darwinismo.

Entretanto, las teorías evolucionistas habían hecho sorprendentes progresos en el estudio de la sociedad. Sin embargo, no debemos exagerar tales progresos. El período de la doble revolución pertenece a la prehistoria de todas las ciencias sociales, excepto la economía política, la lingüística y quizá la estadística. Incluso su más formidable logro, la coherente teoría de la evolución social de Marx y Engels era en aquella época poco más que una brillante conjetura puesta en marcha en un soberbio esquema y utilizada como base para el relato histórico. La firme construcción de cimientos científicos para el estudio de la sociedad humana no empezaría hasta la segunda mitad del siglo.

Lo mismo ocurriría en los campos de la antropología o etnografía social, de la prehistoria, de la sociología y de la psicología. El hecho de que tales campos de estudio fueran bautizados en nuestro período o de que exigiera ser considerado cada uno como una ciencia peculiar con sus características propias es importante. John Stuart Mill, en 1843, fue tal vez el primero que reclamó con energía ese estatus para la psicología. Asimismo, es significativo el hecho de que se fundaran en Francia e Inglaterra (1839, 1843) sociedades etnológicas especiales para estudiar «las razas humanas», lo mismo que la multiplicación de investigaciones sociales por medios estadísticos y de sociedades estadísticas entre 1830 y 1848. Pero las «instrucciones generales para

---

6. Rathke enseñaba en Dorpat (Tartu), en Estonia; Pander, en Riga; y el gran fisiólogo checo Purkinje abrió el primer laboratorio de investigaciones fisiológicas en Breslau el año 1830.

los viajeros» de la Sociedad Etnológica francesa en las que se les encarecía «descubrir lo que las memorias de los pueblos han conservado de sus orígenes ... lo que las revoluciones han significado en su idioma o sus costumbres, en su arte, su ciencia y su riqueza, su fuerza o su gobierno, por causas internas o invasión extranjera»[7] son poco más que un programa, aunque profundamente histórico. En realidad, lo que importa respecto a la ciencia social en nuestro período son menos sus resultados (aunque pudiera acumularse un considerable material descriptivo) que su firme predisposición materialista, expresada en una decisión de explicar las diferencias humanas sociales con relación al medio ambiente, y su igualmente firme adhesión a la evolución. ¿No había definido Chavannes en 1787 a la naciente etnología como «la historia del progreso de los pueblos hacia la civilización»?[8]

No tenemos más remedio que aludir, siquiera sea brevemente, a un subproducto de aquel primer florecimiento de las ciencias sociales: las teorías de la raza. La existencia de diferentes razas (o más bien colores) de hombres había sido discutidísima en el siglo XVIII, cuando el problema de una única o múltiple creación del hombre preocupaba también a las mentes reflexivas. La frontera entre monogenistas y poligenistas no era sencilla. El primer grupo comprendía a creyentes en la evolución y la igualdad humana con hombres que consideraban que sobre este punto la ciencia no chocaba con la Escritura: los predarwinianos Prichard y Lawrence con Cuvier. El segundo incluía no sólo a científicos de buena fe, sino también a los racistas y esclavistas de los estados del sur de la gran República norteamericana. Las discusiones raciales produjeron una viva explosión de antropometría, basada principalmente en la recogida, clasificación y medición de cráneos, práctica estimulada también por la extraña afición contemporánea a la frenología, que intentaba leer el carácter por la configuración del cráneo. En Inglaterra y en Francia se fundaron sociedades frenológicas (1823, 1832), aunque el tema no tardó en salir de la ciencia otra vez.

Al mismo tiempo, una mezcla de nacionalismo, radicalismo, historia y observación dio origen al lugar común —no menos peligroso— de las permanentes características nacionales o raciales en la sociedad. En la década de 1820 los hermanos Thierry, historiadores y revolucionarios franceses, habían emprendido el estudio de las conquistas de los normandos y de los galos, que todavía se refleja en la primera y proverbial frase de los libros de texto franceses «Nos ancêtres les Gaulois» y en los paquetes azules de los cigarrillos *Gauloise*. Como buenos radicales sostenían que el pueblo francés descendía de los galos, los aristócratas de los teutones que los conquistaron, argumento que más tarde sería utilizado con intención conservadora por los racistas de la clase alta como el conde de Gobineau. La creencia de que aquel especial linaje racial sobrevivía —idea aceptada y defendida con comprensible

---

7. Citado en la enciclopedia de la Pléiade, *Histoire de la science*, 1957, p. 1465.
8. *Essai sur l'éducation intellectuelle avec le projet d'une Science nouvelle*, Lausana, 1787.

celo por el naturalista galés W. Edwards para los celtas— se ajustaba de maravilla a una edad en la que los hombres trataban de descubrir la romántica y misteriosa individualidad de sus naciones para reclamar misiones mesiánicas para ellas si eran revolucionarios, o para atribuir su riqueza y poderío a una «innata superioridad». (En cambio no mostraban tendencia a atribuir la pobreza y la opresión a una innata inferioridad.) Pero para atenuar la responsabilidad de aquellos hombres, debemos decir que los peores abusos de las teorías racistas se producirían después de acabar nuestro período.

V

¿Cómo explicar estos desarrollos científicos? ¿Cómo, en particular, relacionarlos con los demás cambios históricos de la doble revolución? Es evidente que esas relaciones existen. Los problemas teóricos de la máquina de vapor llevaron al brillante Sadi Carnot en 1824 a la más fundamental visión física del siglo XIX, las dos leyes de la termodinámica (*Réflexions sur la puissance motrice du feu*),[9] aunque no fueran las únicas aproximaciones al problema. El gran avance de la geología y la paleontología debía mucho al celo con el que los ingenieros y arquitectos excavaban el suelo, y a la gran importancia de la minería. Por algo Inglaterra se convirtió en el país geológico por excelencia, instituyendo una inspección geológica nacional en 1836. La inspección de los recursos minerales proporcionó a los químicos innumerables compuestos orgánicos para analizar. Y la minería, la cerámica, la metalurgia, las artes textiles, las nuevas industrias de gas del alumbrado y químicas, así como la agricultura, estimularon sus trabajos. El entusiasmo de la sólida burguesía radical y de la aristocracia *whig* británicas, no sólo por las investigaciones aplicadas, sino por los audaces avances en el conocimiento de los que la propia ciencia oficial se asustaba, es prueba suficiente de que el progreso científico de nuestro período no puede ser separado de los estímulos de la Revolución industrial.

De manera parecida, las consecuencias científicas de la Revolución francesa son evidentes en la hostilidad franca o disimulada a la ciencia con que los políticos conservadores o moderados miraban lo que consideraban consecuencias naturales de la subversión racionalista y materialista del siglo XVIII. La derrota de Napoleón trajo una oleada de oscurantismo. «Las matemáticas eran las cadenas del pensamiento humano —gritaba el veleidoso Lamartine—. Respiro y ellas se han roto.» La lucha entre una combativa izquierda procientífica y anticlerical que en sus raros momentos de victoria había erigido la mayor parte de las instituciones que permitían funcionar a los científicos franceses, y una derecha anticientífica que hacía lo posible por aniquilarlas[10] no ha terminado todavía. Lo cual no quiere decir que los hom-

9. Su descubrimiento de la primera ley no se publicó, sin embargo, hasta mucho más tarde.
10. Cf. Guerlac, «Science and National Strength», en E. M. Earle, ed., *Modern France*, 1951.

bres de ciencia de Francia o de otros países fueran decididamente revolucionarios en aquel período. Algunos sí lo eran, como el joven Evariste Galois, que estuvo en las barricadas en 1830, fue perseguido por rebelde y muerto en un duelo provocado por unos espadachines políticos a la edad de veintiún años en 1832. Generaciones de matemáticos han bebido en las profundas ideas que escribió febrilmente en la que sabía iba a ser la última noche de su vida. Otros, en cambio, eran francamente reaccionarios, como el legitimista Cauchy, aunque por obvias razones la tradición de la Escuela Politécnica, de la que era el orgullo, fuese antirrealista militante. Probablemente la mayor parte de los científicos pertenecía a las izquierdas moderadas en el período posnapoleónico, y algunos, especialmente en las naciones nuevas o en las comunidades antes apolíticas, se verían obligados a aceptar preeminentes cargos políticos, sobre todo los historiadores, los lingüistas y otros que mantuvieron conexión con los movimientos nacionales. Palacky se convirtió en el principal portavoz de los checos en 1848, los siete profesores de Gotinga que firmaron una carta de protesta en 1837 se vieron convertidos en figuras nacionales [11] y el Parlamento de Francfort en la revolución alemana de 1848 era notoriamente una asamblea de profesores y altos funcionarios civiles. Por otra parte, comparados con los artistas y los filósofos, los hombres de ciencia —y de manera especial los consagrados a las ciencias naturales— demostraban sólo un bajísimo grado de conciencia política, a menos de que sus estudios o experimentos requiriesen otra cosa. Fuera de los países católicos, por ejemplo, demostraban una notable capacidad para combinar la ciencia con una tranquila ortodoxia religiosa que sorprende al que estudia la era posdarwiniana.

Semejantes derivaciones directas explican algunas cosas acerca del desarrollo científico entre 1789 y 1848, pero no mucho. Claramente los efectos indirectos de los acontecimientos contemporáneos fueron más importantes. Nadie podía dejar de observar que el mundo se estaba transformando más radicalmente que nunca antes de aquella era. Ninguna persona inteligente podía dejar de estar atemorizada, agitada y estimulada mentalmente por aquellas convulsiones y transformaciones. Apenas sorprende que los patrones de pensamiento derivados de los rápidos cambios sociales, las profundas revoluciones, el sistemático desplazamiento de instituciones habituales o tradicionales por las radicales innovaciones racionalistas, resultaran aceptables. ¿Es posible conectar esta visible aparición de la revolución con la rapidez con que los matemáticos antimundanos rompieron las antiguas y eficaces barreras del pensamiento? No podemos asegurarlo, aunque sabemos que la adopción de nuevas líneas revolucionarias de pensamiento se evita normalmente no por su intrínseca dificultad, sino por su conflicto con las tácitas suposiciones acerca de lo que es o no «natural». Los términos «número irracional» (para números como $\sqrt{2}$) o «imaginarios» (para números como $\sqrt{-1}$) indican la naturaleza de la dificultad. Una vez que decidimos que no son ni

---

11. Entre ellos estaban los hermanos Grimm.

más ni menos racionales o reales que otros cualesquiera, todo es coser y cantar. Pero puede hacer falta una época de profunda transformación para animar a los pensadores a tomar tales decisiones; y así las variables imaginarias o complejas en matemáticas, tratadas con confusa precaución en el siglo XVIII, sólo alcanzarían su plenitud después de la revolución.

Dejando a un lado las matemáticas, era de esperar que los patrones sacados de las transformaciones de la sociedad tentaran a los científicos en campos a los que por analogía parecían aplicables; por ejemplo, para introducir dinámicos conceptos evolucionistas en otros antes estáticos. Esto podía ocurrir directamente o por intermedio de alguna otra ciencia. Así el concepto de Revolución industrial, fundamental para la historia y las economías modernas, se presentó en la década de 1820 como análogo al de Revolución francesa. Charles Darwin dedujo el mecanismo de la «selección natural» por analogía con el modelo de la competencia capitalista, que tomó de Malthus (la «lucha por la existencia»). La afición por las teorías catastrofistas en geología (1790-1830) pudo también deberse en parte a lo familiarizada que estuvo aquella generación con las convulsiones de la sociedad.

Sin embargo, fuera de las ciencias más claramente sociales, no hay que dar demasiada importancia a esas influencias externas. El mundo del pensamiento es en cierto modo autónomo: sus movimientos se producen dentro de la misma longitud de onda histórica que los de fuera, pero no son meros ecos de éstos. Así, por ejemplo, las teorías catastrofistas de la geología también deben algo a la insistencia protestante —y sobre todo calvinista— en la omnipotencia arbitraria del Señor. Tales teorías fueron principalmente un monopolio de los protestantes, tan distintos de los trabajadores católicos o agnósticos. Si en el campo de las ciencias se producen movimientos paralelos a los de otros campos no es porque cada una de ellas pueda conectarse sencillamente a un aspecto correspondiente de la economía o la política.

Pero la existencia de vínculos no puede negarse. Las principales corrientes del pensamiento general en nuestro período tienen su correspondencia en el campo especializado de la ciencia, lo cual nos capacita para establecer un paralelismo entre ciencias y artes o entre ambas y las actitudes político-sociales. Así, pues, el «clasicismo» y el «romanticismo» existieron también en las ciencias, y como hemos visto, cada uno se ajustaba a un modo particular de considerar la sociedad humana. La adecuación del clasicismo (o en términos intelectuales, el universo racionalista, mecánico y newtoniano de la Ilustración) con el medio del liberalismo burgués, y del romanticismo (o en términos intelectuales con la llamada «filosofía natural») con sus oponentes, es evidentemente una supersimplificación y se rompió después de 1830. No obstante, presenta un cierto aspecto de verdad. Hasta que la ascensión de teorías como el socialismo moderno ancló firmemente al pensamiento revolucionario en el pasado racionalista (véase cap. 13), algunas ciencias como la física, la química y la astronomía marchaban con el liberalismo burgués franco-británico. Por ejemplo, los revolucionarios plebeyos del año II estaban inspirados por Rousseau más bien que por Voltaire, y sospechaban de Lavoisier (al que ejecutaron) y de Laplace, no sólo por sus conexiones con el antiguo régimen, sino por razones muy parecidas a las que llevaron al poeta William Blake a criticar duramente a Newton.[12] Por el contrario, la «historia natural» era simpática, pues representaba el camino a la espontaneidad de la verdadera e incorruptible naturaleza. La dictadura jacobina, que disolvió la Academia francesa, fundó nada menos que doce cátedras de investigación en el Jardin des Plantes. Lo mismo ocurrió en Alemania, en donde el liberalismo clásico era débil (véase cap. 13): una ideología científica rival de la clásica —la «filosofía natural»— ganó rápida popularidad.

Es fácil subestimar la «filosofía natural», porque pugna con lo que hemos venido considerando con razón como ciencia. La «filosofía natural» era especulativa e intuitiva. Trataba de expresar el espíritu del mundo o de la vida, la misteriosa unión orgánica de todas las cosas con las demás, y muchas más cosas que resistían una precisa medida cuantitativa de claridad cartesiana. En realidad, era rebelarse sencillamente contra el materialismo mecánico, contra Newton y a veces contra la misma razón. El gran Goethe derrochó una parte considerable de su olímpico tiempo tratando de desaprobar la óptica de Newton por la sencilla razón de que no se sentía feliz con una teoría que no acertaba a explicar los colores por la interacción de los principios de la luz y la oscuridad. Tal aberración causaría dolorosa sorpresa en la Escuela Politécnica, en donde la persistente preferencia de los alemanes por el confuso Kepler, con su carga de misticismo, sobre la lucida perfección de los *Principia* era incomprensible. ¿Qué podía uno hacer con los escritos de Lorenz Oken?

> La acción de la vida de Dios consiste en estarse manifestando eternamente, contemplándose eternamente en unidad y dualidad, dividido en el exterior y permaneciendo uno a pesar de todo … La polarización es la primera fuerza que aparece en el mundo … La ley de la causalidad es una ley de polarización. La causalidad es un acto de generación. El sexo está arraigado en el primer movimiento del mundo … Por tanto, en todas las cosas hay dos procesos, uno individualizador, vitalizante, y otro universalizador, destructivo.[13]

¿Qué hacer con tal filosofía? La desconcertada incomprensión de Bertrand Russell respecto a Hegel, que operaba en tales términos, es un buen ejemplo de la respuesta racionalista del siglo XVIII a esta pregunta retórica. Por otra parte, la deuda que Marx y Engels reconocieron francamente tener con la filosofía natural [14] nos advierte que no se la puede considerar como mera palabrería. Lo importante es que ejercía una influencia. Y produjo no meramente un esfuerzo científico —Lorenz Oken fundó la liberal *Deutsche*

---

12. Esta sospecha de la ciencia newtoniana no se extendía a su aplicación material, cuyo valor económico y militar era evidente.

13. Citado en S. Mason, *A History ot the Sciences*, 1953, p. 286.

14. *Anti-Duehring* y *Feuerbach*, de Engels, contienen una cualificada defensa de ella, lo mismo que de Kepler contra Newton.

Naturforscheversammlung e inspiró la Asociación Británica para el Avance de la Ciencia—, sino también fructíferos resultados. La teoría celular en biología, una buena parte de la morfología, la embriología, la filología y mucho del elemento histórico y evolucionista en todas las ciencias, fueron principalmente de inspiración «romántica». Pero incluso en su campo predilecto —la biología— el «romanticismo» se veía sustituido por el frío clasicismo de Claude Bernard (1813-1878), el fundador de la fisiología moderna. Por otra parte, hasta en las ciencias físico-químicas, que siguieron siendo la fortaleza del «clasicismo», las especulaciones de los filósofos naturales sobre temas tan misteriosos como la electricidad y el magnetismo trajeron importantes avances. Hans Christian Oersted de Copenhague, discípulo del nebuloso Schelling, buscó y halló en 1820 la conexión entre ambas fuerzas al demostrar el efecto magnético de las corrientes eléctricas. Ambos accesos a la ciencia se mezclaban, en efecto, pero casi nunca se fundían, ni siquiera en Marx, que conocía perfectamente los variados orígenes intelectuales de su pensamiento. En conjunto, el camino «romántico» sirvió de estímulo para nuevas ideas y puntos de partida, desapareciendo en seguida de las ciencias. Pero en nuestro período no puede ser menospreciado.

Si no puede ser menospreciado como un estímulo puramente científico, menos aún puede serlo por el historiador de ideas y opiniones, por cuanto hasta las ideas absurdas y falsas son hechos y fuerzas históricos. Nosotros no podemos desdeñar un movimiento que captó a hombres del más alto calibre intelectual, como Goethe, Hegel y el joven Marx, o influyó en ellos. Lo que podemos es tratar de comprender meramente su profunda insatisfacción con la «clásica» visión del mundo de los anglo-franceses del siglo XVIII, cuyas titánicas hazañas en la ciencia y en la sociedad eran innegables, pero cuyas estrecheces y limitaciones fueron también terriblemente evidentes en el período de las dos revoluciones. Advertir esas limitaciones y buscar, a menudo por intuición más bien que por análisis, los términos en que podía construirse un cuadro más satisfactorio del mundo, no era construirlo realmente. Ni las visiones de un universo evolucionista, interconectado, dialéctico, que expresaban los filósofos naturales, eran pruebas, ni siquiera fórmulas adecuadas. Pero reflejaban problemas reales —incluso problemas reales en las ciencias físicas— y anticipaban las transformaciones y ampliaciones del mundo de las ciencias que han producido nuestro moderno universo científico. Y en su caminar reflejaron también el impacto de la doble revolución, que no dejó sin cambiar uno solo de los aspectos de la vida humana.

16. CONCLUSIÓN: HACIA 1848

> La miseria y el proletariado son las úlceras que supuran en los organismos de los estados modernos. ¿Pueden curarse? Los médicos comunistas proponen la completa destrucción y aniquilamiento de los organismos existentes ... Una cosa es cierta, si esos hombres ganasen el poder no sería una revolución política sino social, una guerra contra toda la propiedad, una verdadera anarquía. ¿Abriría, en cambio, el camino a nuevos estados nacionales, y sobre qué cimientos sociales se alzarían éstos? ¿Quién alzará el velo del futuro? ¿Y qué parte representará Rusia en él? «Me siento en la playa y espero el viento», dice un viejo proverbio ruso.
>
> HAXTHAUSEN[1]

I

Empezamos examinando la situación del mundo en 1789. Concluiremos con una ojeada sobre él unos cincuenta años más tarde, al final del medio siglo más revolucionario que la historia había conocido hasta aquella fecha.

Fue una época de superlativos. Los numerosos nuevos compendios estadísticos en los que aquella era de cuentas y cálculos trataban de incluir todos los aspectos del mundo conocido[2] llegarían con justicia a la conclusión de que virtualmente cada cantidad mensurable era más grande (o más pequeña) que antes. La parte del mundo conocida, incluida en los mapas e intercomunicada, era mayor que nunca y sus comunicaciones increíblemente más rápidas. La población del mundo era también mayor que nunca; en varios casos mucho mayor de toda esperanza o probabilidad previas. Las ciudades de gran tamaño se multiplicaban en todas partes como nunca. La producción industrial alcanzaba cifras astronómicas: en la década 1840-1850 fueron extraídos del interior de la tierra unos 640 millones de toneladas de carbón. Estas cifras

---

1. Haxthausen, *Studien ueber... Russland*, 1847, I, pp. 156-157.
2. Unos cincuenta grandes compendios de este tipo se publicaron entre 1800 y 1848, sin contar las estadísticas gubernamentales (censos, investigaciones oficiales, etc.) ni los nuevos y numerosos periódicos especializados en economía y llenos de cuadros estadísticos.

sólo fueron superadas por las más extraordinarias todavía del comercio internacional, que se multiplicaron por cuatro desde 1780 para alcanzar unos 800 millones de libras esterlinas, y muchos más en otras monedas menos sólidas y estables.

La ciencia nunca había parecido más triunfal; los conocimientos nunca habían sido más vastos. Más de cuatro mil periódicos informaban a los ciudadanos del mundo y el número de libros publicados anualmente sólo en Inglaterra, Francia, Alemania y los Estados Unidos se contaban en números de cinco cifras. Los inventos alcanzaban cada año cimas más sorprendentes. La lámpara de Argand (1782-1784) acababa de revolucionar la iluminación artificial —fue el mayor avance desde las lámparas y candiles de aceite—, cuando los gigantescos laboratorios llamados «fábricas de gas», enviando sus productos a través de interminables tuberías subterráneas, empezaron a iluminar las factorías[3] y poco después las ciudades europeas: Londres desde 1807, Dublín desde 1818, París desde 1819, incluso la remota Sydney en 1841. Y ya era conocido el arco voltaico eléctrico. El profesor Wheatstone de Londres ya planeaba unir a Inglaterra con Francia por medio de un telégrafo submarino. Cuarenta y ocho millones de viajeros utilizaron los ferrocarriles del Reino Unido en un solo año (1845). Hombres y mujeres podían ser trasladados a lo largo de tres mil millas (1846) —y antes de 1850 a lo largo de seis mil— de vía férrea en la Gran Bretaña y más de nueve mil en los Estados Unidos. Servicios regulares de vapores unían ya a Europa con América y con la India.

Sin duda todos esos triunfos tenían su lado oscuro, aunque éste no figurase en los cuadros estadísticos. ¿Cómo se iba a encontrar una expresión cuantitativa para el hecho, que pocos podrían negar hoy, de que la Revolución industrial creó el mundo más feo en el que el hombre jamás viviera, como lo demostraban las horrendas, sucias, malolientes y enlodadas calles de los barrios bajos de Manchester? ¿O para los hombres y mujeres, desarraigados en número sin precedente, y privados de toda seguridad, que constituían el más desgraciado mundo? Sin embargo, podemos perdonar a los paladines del progreso en la década de 1840 su confianza y su decisión «de que el comercio pueda seguir libremente hacia adelante, llevando la civilización en una mano y la paz en la otra, para hacer a la humanidad mejor, más sabia y más dichosa». «Señor —decía Palmerston, continuando esta rosada exposición en 1842, el más oscuro de los años—, este es el designio de la Providencia.»[4] Nadie podía negar que existía una pobreza espantosa. Muchos aseguraban que iba aumentando y ahondándose. A pesar de ello, por ese criterio de todos los tiempos que mide los triunfos de la industria y la ciencia, ¿podía sostener el más pesimista de los observadores racionalistas que en términos mate-

3. Boulton y Watt las introdujeron en 1798. Las fábricas de algodón de Philips y Lee, en Manchester, utilizaron constantemente, desde 1805, un millar de mecheros.

4. Hansard, 16 de febrero de 1842, citado en Robinson y Gallagher, *Africa and the Victorians*, 1961, p. 2.

riales aquel tiempo era peor que todos los pasados o que el presente en los países no industrializados? No podía. Pero era bastante amarga la acusación de que la prosperidad material de los trabajadores pobres no era con frecuencia mayor que en el oscuro pasado y muchas veces peor que en las épocas de que se conservaba memoria. Los paladines del progreso intentaban rebatir esto con el argumento de que ello se debía no a las operaciones de la nueva sociedad burguesa, sino, por el contrario, a los obstáculos que el viejo feudalismo, la monarquía y la aristocracia seguían poniendo en el camino de la perfecta iniciativa libre. Por su parte, los nuevos socialistas insistían en que se debía a las operaciones de aquel sistema. Unos y otros coincidían en que la situación era cada vez más penosa. Unos sostenían que se superaría dentro de la estructura del capitalismo y otros discrepaban de esta creencia, pero ambos pensaban con razón que la vida humana se enfrentaba con unas perspectivas de mejoría material que conseguiría el control de las fuerzas de la naturaleza por el hombre.

No obstante, cuando hoy emprendemos el análisis de la estructura política y social del mundo en la década 1840-1850, dejamos el terreno de los superlativos por el de unas exposiciones más modestas. La gran mayoría de los habitantes del mundo seguían siendo campesinos como antes, aun cuando hubiera algunas zonas —sobre todo en Inglaterra— en donde ya la agricultura era la ocupación de una pequeña minoría y la población urbana estaba a punto de superar a la rural, lo que ocurrió por primera vez en el censo de 1851. Proporcionalmente había menos esclavos, ya que la trata internacional había sido abolida oficialmente en 1815 y la esclavitud en las colonias británicas en 1834 y en las liberadas de los franceses y los españoles, durante y después de la Revolución francesa. A pesar de lo cual, mientras las Indias Occidentales eran ahora, con algunas excepciones no británicas, una zona agrícola legalmente libre, la esclavitud seguía extendiéndose en los dos grandes bastiones que le quedaban: Brasil y el sur de los Estados Unidos, estimulada por el progreso de la industria y el comercio que se oponía a cualquier restricción de bienes y personas, y por la prohibición oficial que hacía más lucrativo aún el comercio de esclavos. El precio aproximado de un esclavo labrador en el sur de los Estados Unidos, que era de 300 dólares en 1795, oscilaba en 1860 entre 1.200 y 1.800 dólares;[5] el número de esclavos en los Estados Unidos ascendió de 700.000 en 1790 a 2.500.000 en 1840 y a 3.200.000 en 1850. Seguían viniendo de África, pero también se engendraban cada vez más para su venta dentro de la zona esclavista, es decir, en los estados fronterizos de Norteamérica que los suministraban a las cada vez mayores plantaciones de algodón.

Aparte de ello, se venían estableciendo otros sistemas de semiesclavitud como la exportación de «trabajo contratado» desde la India a las islas del azúcar del océano Índico y de las Indias Occidentales.

La servidumbre o vínculo legal de los campesinos a la gleba había sido

5.   R. B. Morris, *Encyclopedia of American History*, 1953, pp. 515-516.

abolida en gran parte de Europa, pero sin cambiar mucho la situación del trabajador rural pobre en zonas tradicionalmente latifundistas como Sicilia o Andalucía. Pero la servidumbre seguía subsistiendo en sus principales plazas fuertes europeas, aunque después de su gran expansión inicial su número seguía siendo aproximadamente el mismo en Rusia —entre diez y once millones de varones después de 1811— o sea, que declinaba en términos relativos.[6] No obstante, la agricultura servil (a diferencia de la agricultura esclavista) declinaba visiblemente, sus desventajas económicas eran cada vez más patentes y —sobre todo desde la década de 1840— la rebeldía del campesinado iba en aumento. La mayor sublevación de los siervos fue probablemente la de la Galitzia austríaca en 1846, preludio de la emancipación general por la revolución de 1848. En Rusia hubo 148 tumultos campesinos en 1826-1834, 216 en 1835-1844, 348 en 1844-1854, culminando en los 474 alzamientos de los últimos años anteriores a la emancipación de 1861.[7]

Al otro lado de la pirámide social, la posición de la aristocracia rural también cambió menos de lo que se podía pensar, salvo en los países de revolución campesina directa como Francia. Sin duda había ahora países —Francia y los Estados Unidos, por ejemplo— en donde los hombres más ricos ya no eran los grandes propietarios rurales (excepto los que habían adquirido grandes posesiones como símbolo de su ingreso en la más alta clase social, por ejemplo los Rothschild). Pero todavía en la Inglaterra de la década de 1840 las mayores concentraciones de riqueza eran seguramente las de los pares, y en el sur de los Estados Unidos las de los plantadores de algodón, que incluso crearon una caricatura provinciana de la sociedad aristocrática, inspirada por los conceptos «caballería», «romance» y otros empleados por Walter Scott, que tenían muy poco que ver con los esclavos negros, a expensas de los cuales medraban, y con los granjeros puritanos que se alimentaban de maíz y manteca de cerdo. Desde luego esta solidez aristocrática ocultaba un cambio: la renta de los nobles dependía cada vez más de la industria, los almacenes y las acciones, el verdadero dominio de la despreciada burguesía.

También las «clases medias» habían crecido rápidamente, pero su número no era todavía abrumadoramente grande. En 1801 había en Inglaterra unas 100.000 personas que pagaban impuestos por ganar más de 150 libras anuales; al final de nuestro período venían a ser unas 340.000;[8] es decir, contando con sus familias, llegaban a un millón y medio de personas, de una población total de 21 millones (1851).[9] Naturalmente, el número de los que trata-

6. La extensión de la servidumbre bajo Catalina II y Pablo (1762-1801) hizo aumentar el número de siervos varones de 3.800.000 a 10.400.000 en 1801 (P. Lyashchenko, *History of the Russian National Economy*, pp. 273-274).

7. Lyashchenko, *op cit.*, p. 370.

8. J. Stamp, *British Incomes and Property*, 1920, pp. 431 y 515.

9. Tales estimaciones son arbitrarias, pues suponen que cada persona incluida en la clase media tenía por lo menos un criado. Las 674.000 sirvientas domésticas en 1815 nos dan algo más del máximum de familias de la «clase media», y el de 50.000 cocineras (y otras tantas doncellas y porteras), el mínimum.

ban de emular el nivel de vida de esa clase media era mucho mayor. No todos eran muy ricos; según el cálculo del eminente estadístico William Farr (*Statistical Journal*, 1857, p. 102), el número de los que ganaban más de 5.000 libras anuales era de unos 4.000, incluyendo en él a la aristocracia; cifra no demasiado incompatible con la de los patronos de los 7.579 cocheros domésticos que adornaban las calles de Inglaterra. Podemos suponer que la proporción de las «clases medias» en otros países no era mucho más alta que ésta: más bien sería algo más baja.

Las clases trabajadoras (incluyendo el nuevo proletariado de fábricas, minas, ferrocarriles, etc.) crecían naturalmente de una manera vertiginosa. Sin embargo, salvo en Inglaterra, a lo sumo podían ser contadas por cientos de miles, pero no por millones. Comparadas con la población total del mundo, su número era todavía desdeñable y en todo caso —con la excepción otra vez de Inglaterra y algunos pequeños núcleos en otros sitios— totalmente desorganizadas. Pero, como hemos visto, su importancia política era ya inmensa y un tanto desproporcionada a su volumen y hechos.

La estructura política del mundo también se había transformado considerablemente en 1840-1850 aunque no tanto como el observador confiado o pesimista pudo haber imaginado en 1800. La monarquía continuaba siendo la forma corriente de gobierno, excepto en el continente americano. Pero incluso en éste, uno de los más grandes países (Brasil) era un imperio y otro (México) también tuvo esta forma política bajo el general Iturbide (Agustín I) desde 1822 hasta 1833. Cierto que varios reinos europeos, incluido el de Francia, podían considerarse ahora monarquías constitucionales, pero fuera de un grupo de tales regímenes en la orilla oriental del Atlántico, la monarquía absoluta predominaba en todas partes. Cierto también que en aquella década surgieron varios estados nuevos producto de la revolución: Bélgica, Serbia, Grecia y algunos latinoamericanos. Pero, aun cuando Bélgica era una potencia industrial importante (en gran parte gracias a moverse en la órbita de su gran vecina Francia),[10] el más importante de los estados revolucionarios era uno que ya existía en 1789, los Estados Unidos. Los Estados Unidos gozaban de dos inmensas ventajas: la falta de vecinos fuertes o potencias rivales que pudieran o quisieran impedir su extensión a través del ancho continente hasta el Pacífico —los franceses les habían vendido una zona tan grande como los Estados Unidos de entonces en la «Compra de la Luisiana» en 1803— y una capacidad extraordinariamente rápida de expansión económica. La primera ventaja era compartida también por Brasil, que, separado pacíficamente de Portugal, se libró de la fragmentación que una generación de guerras revolucionarias impuso a la América española; en cambio, sus enormes riquezas permanecían casi inexplotadas.

Desde luego, había habido grandes cambios. Además, casi desde 1830 la importancia de tales cambios crecía visiblemente. La revolución de 1830 in-

---

10. Cerca de un tercio de la producción belga de carbón y de acero era exportada, casi enteramente, a Francia.

trodujo las constituciones moderadamente liberales de la clase media —antidemocráticas a la vez que antiaristocráticas— en los principales estados de la Europa occidental. Hubo, sin duda, algunos compromisos impuestos por el temor de una revolución de masas que desbordara las modestas aspiraciones de la clase media. Sin embargo, las clases terratenientes estaban muy representadas en el gobierno, como en Inglaterra, mientras grandes sectores de las nuevas —y en especial las industriales más dinámicas— quedaban sin representación, como en Francia. Fueron, no obstante, compromisos que inclinaban de modo decisivo la balanza del lado de las clases medias. En todos los asuntos importantes, el interés de los industriales británicos prevalecía a partir de 1832; la abolición de las leyes de cereales bien valía su separación de los más extremistas propósitos republicanos y anticlericales de los utilitaristas. No puede dudarse de que en la clase media de la Europa occidental el liberalismo (aunque no el radicalismo democrático) estaba en alza. Sus principales oponentes (los conservadores en Inglaterra, los bloques generalmente agrupados alrededor de la Iglesia católica en otros sitios) estaban a la defensiva y lo sabían.

Claro que también la democracia radical había hecho grandes avances. Después de cincuenta años de vacilación y hostilidad, la presión de los granjeros y los hombres de la frontera acabó por imponerla en los Estados Unidos bajo el presidente Andrew Jackson (1829-1837), casi al mismo tiempo que la revolución europea recuperaba su ímpetu. Muy al final de nuestro período (1847) una guerra civil entre radicales y católicos estalló en Suiza. Pero pocos liberales de la moderada clase media pensaban todavía que este sistema de gobierno, invocado por los revolucionarios de izquierdas, adaptado al parecer para los pequeños productores y comerciantes de las montañas y las praderas, podría convertirse un día en la característica armazón política del capitalismo y ser defendido como tal contra los asaltos del mismo pueblo que lo proclamaba en aquella década.

Sólo en política internacional había habido una revolución en apariencia y virtualmente total. El mundo de la década de 1840 estaba dominado por completo —tanto política como económicamente— por las potencias europeas, a las que se sumaban los Estados Unidos. La guerra del opio de 1839-1842 había demostrado que la única gran potencia no europea superviviente, el Imperio chino, estaba inerme frente a una agresión militar y económica de Occidente. En el futuro, nada parecía que podría oponerse a la marcha de unos cuantos regimientos o baterías occidentales que llevaban con ellos mercaderes y Biblias. Y dentro de este general predominio occidental, el de Inglaterra era supremo, puesto que poseía más cañones, más mercaderes y más Biblias que nadie. Tan absoluta era esta supremacía británica, que apenas necesitaba un control político para actuar. Ya no quedaban otras potencias coloniales que las permitidas por Inglaterra y que, por tanto, no eran rivales suyas El Imperio francés estaba reducido a unas cuantas islas y factorías comerciales esparcidas, aunque se hallaba en vías de resucitar en el Mediterráneo, en Argelia; el holandés, restaurado en Indonesia bajo la mirada vigilante de la nueva factoría británica de Singapur, apenas era competidor; los españoles conservaban Cuba, las Filipinas y algunas vagas pretensiones en África; las colonias portuguesas estaban justamente olvidadas. El comercio británico dominaba la independiente Argentina, el Brasil y los estados norteamericanos del sur, así como la colonia española de Cuba o las británicas de la India. Las inversiones británicas tenían sus más fuertes intereses en el norte de los Estados Unidos y en todas partes en donde había un desarrollo económico. Jamás en la historia del mundo una sola potencia había ejercido mayor hegemonía que la de Inglaterra a mediados del siglo XIX, pues hasta los mayores imperios o hegemonías del pasado —el chino, el mahometano, el romano— siempre fueron puramente regionales. Nunca desde entonces una potencia sola ha logrado restablecer una hegemonía parecida ni es probable que pueda restablecerla en el futuro, ya que ninguna pudo ni podrá ostentar el título de «taller del mundo».

No obstante, el futuro declinar de Inglaterra era ya visible. Observadores inteligentes, como Tocqueville y Haxthausen, ya predijeron entre 1830 y 1850 que la extensión y los recursos de los Estados Unidos y Rusia no tardarían en hacer de ambos países los gigantes gemelos del mundo. Dentro de Europa, Alemania —según predijo en 1844 Friedrich Engels— pronto sería también una peligrosa competidora. Sólo Francia se había apartado de la competencia en la hegemonía universal, aunque esto no era tan evidente que calmara las sospechas de los estadistas británicos y de otros países.

En resumen, el mundo de 1840-1850 carecía de equilibrio. Las fuerzas del cambio económico, técnico y social liberadas en el medio siglo anterior eran insólitas e irresistibles hasta para el observador más superficial. En cambio sus consecuencias institucionales eran modestas todavía. Parecía inevitable, por ejemplo, que más tarde o más temprano la esclavitud y la servidumbre legal (salvo en las remotas regiones todavía no afectadas por la nueva economía, en la que permanecían como reliquias) desaparecieran. También parecía inevitable que Inglaterra dejara de ser algún día el único país industrializado. Era inevitable que las aristocracias latifundistas y las monarquías absolutas perdieran vigor en los países en donde se desarrollaba una fuerte burguesía, a pesar de los compromisos políticos o fórmulas que encontraran para conservar su situación económica, su influencia y su fuerza política. Además, era inevitable que la entrada de la conciencia política y la actividad política permanente en las masas —el gran legado de la Revolución francesa— significaría un día u otro un importante papel de esas mismas masas en el juego político. Y dada la notable aceleración del cambio social desde 1830, y la reaparición del movimiento revolucionario mundial, era también inevitable que no tardasen en producirse algunos cambios, cualquiera que fuese su precisa naturaleza institucional.[11]

11.   Esto, claro es, no quiere decir que todos los cambios predichos entonces como inevitables llegaran a producirse; por ejemplo, el triunfo universal del comercio libre, la paz, las asambleas representativas soberanas, la desaparición de las monarquías o de la Iglesia católica romana, etc.

Todo ello hubiera bastado para dar a los hombres de la década de 1840 la conciencia de una inminente transformación. Pero no para explicar lo que se sentía concretamente en toda Europa: la conciencia de una inminente revolución social. No dejaba de ser significativo que esa conciencia no se limitara a los revolucionarios que la preparaban meticulosamente, y a las clases gobernantes, cuyo temor a las masas es patente en épocas de cambio social. También los pobres la sentían. Y sus estratos más cultos la expresaban. «Todas las gentes bien informadas —escribía el cónsul norteamericano en Amsterdam durante el hambre de 1847, refiriendo los sentimientos de los emigrantes alemanes que cruzaban Holanda— expresan la creencia de que la crisis actual está tan profundamente entrelazada con los acontecimientos de esta época, que no es sino el comienzo de la gran revolución, que consideran habrá de disolver más tarde o más temprano el presente estado de cosas.» [12]

La razón era que la crisis de lo que quedaba de la antigua sociedad parecía coincidir con una crisis de la nueva. Mirando a la década 1840-1850 es fácil colegir que los socialistas que predecían la inminente desaparición del capitalismo eran unos soñadores que confundían sus esperanzas con las perspectivas realistas. Pues, en efecto, lo que sucedió no fue la quiebra del capitalismo, sino su más rápido e indiscutible período de expansión y de triunfo. Claro que todavía entre 1830 y 1850 no era evidente que la nueva economía pudiera o quisiera superar sus dificultades que parecían aumentar con su potencia para producir cada vez mayores cantidades de mercancías por métodos más y más revolucionarios. Sus teóricos estaban obsesionados con la perspectiva del «estado estacionario», del estancamiento de la fuerza motriz que impulsaba hacia adelante a la economía, estado que (a diferencia de los teóricos del siglo XVIII o los del período subsiguiente) consideraban como algo inminente más bien que como una reserva teórica. Sus paladines estaban indecisos respecto a su futuro. En Francia, los hombres que capitaneaban las altas finanzas y la industria pesada (los sansimonianos) todavía en 1830-1840 vacilaban entre el capitalismo y el socialismo como camino mejor para lograr el triunfo de la sociedad industrial. En los Estados Unidos, hombres como Horace Greeley, que se inmortalizarían como profetas de la expansión individualista («¡Vete al Oeste, joven!» era su consigna), estaban por aquellos años adheridos al socialismo utópico, difundiendo y comentando los méritos de las «falanges» furieristas, aquellas comunas semejantes a *kibbutzim* que compaginaban tan mal con lo que ahora se considera «americanismo». Los hombres de negocios estaban desesperados. Ahora puede parecernos incomprensible que algunos negociantes cuáqueros como John Bright y los afortunados fabricantes de algodón de Lancashire, en medio de su más dinámico período de expansión, estuvieran dispuestos a hundir a su país en el caos, el hambre y el motín por un *lock-out* político general, organizado sólo para abolir las tarifas.[13] Sin embargo, en el terrible año 1841

12. M. L. Hansen, *The Atlantic Migration 1607-1860*, Harvard, 1945, p. 252.
13. N. McCord, *The Anti-Corn Law League 1838-1846*, Londres, 1958, cap. V.

pudo parecer a los capitalistas reflexivos que la industria no se enfrentaría sólo con inconvenientes y pérdidas, sino con una estrangulación general, si no se hacían desaparecer los obstáculos que se oponían a su ulterior expansión.

Para la masa del vulgo el problema era mucho más simple. Como ya hemos visto, sus condiciones de vida en las grandes ciudades y los distritos fabriles de la Europa occidental y central los impulsaba inevitablemente hacia la revolución social. Su odio hacia la riqueza y la grandeza de aquel amargo mundo en que vivían, y sus sueños de un mundo nuevo y mejor, daban a su desesperación ojos y un sentido, aun cuando sólo algunos, sobre todo en Francia e Inglaterra, tuvieran conciencia de ese significado. Su organización o su facilidad para la acción colectiva les daba fuerza. El gran despertar de la Revolución francesa les había enseñado que el pueblo llano no tiene por qué sufrir injusticias mansamente: «las naciones nada sabían antes, y los pueblos pensaban que los reyes eran dioses en la tierra, por lo que debían limitarse a decir que todo cuanto hicieran estaba bien hecho. A causa del presente cambio es más difícil gobernar al pueblo».[14]

El «espectro del comunismo» era lo que horrorizaba a Europa. El miedo al «proletariado» dominaba no sólo a los propietarios de fábricas en Lancashire o en el norte de Francia, sino también a los funcionarios civiles en la Alemania rural, al clero en Roma y a los profesores en todas partes. Y con razón, pues la revolución que estalló en los primeros meses de 1848 no fue una revolución social sólo en el sentido de que movilizó y envolvió a todas las clases sociales. También lo fue, en sentido literal, el alzamiento de los trabajadores pobres en las ciudades —especialmente en las capitales— de la Europa central y occidental. Suya, y casi sólo suya, fue la fuerza que derribó los antiguos regímenes desde Palermo hasta las fronteras de Rusia. Cuando el polvo se asentó sobre sus ruinas, pudo verse a los trabajadores —en Francia decididamente trabajadores socialistas— que en pie sobre ellas exigían no sólo pan y trabajo, sino también una nueva sociedad y un nuevo Estado.

Mientras los trabajadores pobres se agitaban, la creciente debilidad y obsolescencia de los antiguos regímenes de Europa multiplicaba las crisis dentro del mundo de los ricos y los influyentes, lo que en sí no tuvo gran importancia. De haberse producido en otros momentos o en sistemas que permitieran a los diferentes grupos de las clases dirigentes resolver de forma pacífica sus rivalidades, no habrían llevado a la revolución más de lo que las constantes rencillas de las facciones cortesanas desde el siglo XVIII llevaron en Rusia a la caída del zarismo. En Inglaterra y Bélgica, por ejemplo, hubo numerosos conflictos entre agrarios e industriales y los diferentes sectores de unos y otros. Pero estaba claramente entendido que las transformaciones de 1830-1832 habían inclinado la balanza en favor de los industriales, que, no obs-

14. T. Kolokotrones, citado en L. S. Stavrianos, «Antecedents to Balkan Revolutions», *Journal of Modern History*, XXIX (1957), p. 344.

tante el *statu quo* político, sólo podían ser vencidos afrontando el riesgo de una revolución, que debía evitarse a toda costa. En consecuencia, la dura batalla entre los industriales librecambistas ingleses y los proteccionistas agrarios acerca de las leyes de cereales se libró y ganó (1846) en medio de la agitación cartista sin comprometer un solo momento la unidad de todas las clases gobernantes frente a la amenaza del sufragio universal. En Bélgica, la victoria de los liberales sobre los católicos en las elecciones de 1847 separó a los industriales de las filas de los revolucionarios potenciales, y una reforma electoral cuidadosamente preparada en 1848 y que duplicó el electorado,[15] atenuó el descontento de importantísimos sectores de la clase media baja. No hubo revolución de 1848, aunque en términos de verdadero sufrimiento, la situación de Bélgica (o más bien de Flandes) era probablemente peor que en ninguna otra parte de la Europa occidental, excepto Irlanda.

Pero, en la Europa absolutista, la rigidez de los regímenes políticos de 1815, creados con el designio de impedir cualquier cambio de tipo liberal o nacional, no dejó más opción —incluso a las oposiciones más moderadas— que la del *statu quo* o la revolución. Estas oposiciones podían no estar dispuestas a la revuelta, pero —salvo que se produjera una revolución social irrevocable— nada saldrían ganando si nadie lo hacía. Los regímenes de 1815 tenían que desaparecer más tarde o más temprano, y sus valedores lo sabían. La certidumbre de que «la historia estaba contra ellos» minaba su voluntad de resistencia. En 1848, el primer soplo revolucionario, dentro o fuera, los apartaría. Pero mientras no se produjera ese soplo no cederían en su actitud. Mas, al contrario que en los países liberales, las fricciones de escasa importancia dentro de los regímenes absolutistas, como los choques de los gobernantes con las dietas de Prusia y Hungría, la elección de un papa «liberal» en 1846 (es decir, un intento de acercar el papado unos milímetros al siglo XIX), el disgusto de una favorita regia en Baviera, etc., se convirtieron en agudas vibraciones políticas.

En teoría, la Francia de Luis Felipe compartía la flexibilidad política de Inglaterra, Bélgica, Holanda y Escandinavia. Pero en la práctica no lo hacía. Pues aunque era evidente que la clase gobernante en Francia —banqueros, financieros y uno o dos grandes industriales— representaba sólo a una parte de los intereses de la clase media, y además a una cuya política económica desagradaba a los elementos industriales más dinámicos y también a los diferentes viejos residuos feudales, el recuerdo de la revolución de 1789 se alzaba siempre en el camino de las reformas. Pero la oposición no bullía sólo en la burguesía descontenta, sino también en la baja clase media, tan decisiva políticamente, sobre todo en París (en donde votó contra el gobierno en 1846, a pesar del sufragio restringido). Ampliar los derechos políticos podría, por tanto, introducir en escena a los jacobinos en potencia, los radicales que, al menos para el entredicho oficial, eran revolucionarios. El primer ministro

---

15. Formado todavía tan sólo por 80.000 votantes en una población de 4.000.000 de habitantes.

de Luis Felipe, el historiador Guizot (1840-1848), prefirió dejar el ensancha-
miento de la base social del régimen al desarrollo económico, que aumenta-
ría automáticamente el número de ciudadanos calificados para intervenir en
la política. Así sucedió, en efecto. El electorado pasó de 166.000 en 1831 a
241.000 en 1846. Pero ello no fue suficiente. El miedo a la República jacobina mantenía la rigidez de la estructura política francesa, haciendo cada vez
más tensa la situación. En las condiciones de Inglaterra, una campaña política por medio de discursos de sobremesa, como la que la oposición francesa
desencadenó en 1847, hubiera sido perfectamente inocua. En las de Francia
fue el preludio de la revolución.

Pues, como las otras crisis de la política gubernamental europea, coincidió con una catástrofe social: la gran depresión que cruzó por el continente
desde mediados de la década 1840-1850. Las cosechas —y sobre todo la de
patata— se perdieron. Poblaciones enteras como la de Irlanda, y un poco
menos las de Silesia y Flandes, se morían de hambre.[16] El precio de los alimentos subió mucho. La depresión industrial multiplicó el paro, y las masas
trabajadoras de las ciudades se vieron privadas de sus modestos salarios en
el momento en que el coste de la vida resultaba insoportable. La situación
variaba de un país a otro y dentro de cada uno, pero —afortunadamente para
los regímenes existentes— las poblaciones más míseras, como la irlandesa y
la flamenca, o algunos trabajadores de las factorías provincianas, figuraban
también entre los menos maduros: por ejemplo, los obreros algodoneros de
los departamentos del norte de Francia, descargaron su desesperación sobre
los también desesperados inmigrantes belgas que inundaban aquellas regiones más que contra el gobierno o contra sus patronos. Por otra parte, en las
regiones más industrializadas, el filo más agudo del descontento ya se había
embotado por la prosperidad de la gran industria y la construcción de ferrocarriles a mediados de la década 1840-1850. 1846-1848 fueron malos años,
pero no tanto como 1841-1842; puede decirse que no pasaron de un bache en
lo que era visiblemente un nivel ascendente de prosperidad económica. Pero,
considerando en conjunto a la Europa central y occidental, la catástrofe de
1846-1848 fue universal y la disposición de ánimo de las masas, siempre
dependiente del nivel de vida, tensa y apasionada.

Así pues, un cataclismo económico europeo coincidió con la visible
corrosión de los antiguos regímenes. Un alzamiento campesino en Galitzia
en 1846; la elección de un papa «liberal» el mismo año; una guerra civil
entre radicales y católicos en Suiza a finales de 1847, ganada por los radicales; una de las constantes insurrecciones autonomistas sicilianas en Palermo
a principios de 1848... Todo ello eran indicios: eran los primeros rugidos
de la tormenta. Todo el mundo lo sabía. Rara vez una revolución ha sido más
universalmente vaticinada, aunque sin concretar sobre qué país y en qué fecha
estallaría. Todo un continente esperaba, dispuesto a transmitir al instante las

16.   En las regiones de Flandes donde se cultivaba el lino, la población disminuyó en un
5 por 100 entre 1846 y 1848.

primeras noticias de la revolución, de ciudad en ciudad, por los hilos del telégrafo eléctrico. En 1831 ya había escrito Victor Hugo que oía «el ronco son de la revolución, todavía lejano, en el fondo de la tierra, extendiendo bajo cada reino de Europa sus galerías subterráneas desde el túnel central de la mina, que es París». En 1847 el sonido era estentóreo y cercano. En 1848 se produjo la explosión.

EUROPA EN 1789

▨ Reino de Prusia

▨ Territorios dominados
por los Habsburgo

Charles Green

IMPERIO RUSO

⊚ Moscú

MAR NEGRO

IMPERIO OTOMANO

⊚ Constantinopla

Yesidan

Bulgaria

Rumelia

Levidia

Morea

Montenegro

Serbia

Bosnia

Valaquia

IMPERIO

REINO DE HUNGRÍA

Pest
⊚ Buda

AUSTRIA

⊚ Viena

Trieste

Tirol

REPÚBLICA DE VENECIA

Moravia

Bohemia

SAJONIA

POLONIA

⊚ Varsovia

PRUSIA

⊚ Berlín

MAR BÁLTICO

REINO DE SUECIA

⊚ Estocolmo

Cristianía

REINO DE NORUEGA Y DINAMARCA

⊚ Copenhague

Hannover
⊚ HANNOVER

Oldenburgo

PAÍSES BAJOS

Amsterdam ⊚

Bruselas ⊚

Colonia ⊚

Maguncia ⊚

BAVIERA

SUIZA

REINO DE FRANCIA

Paris ⊚

Londres ⊚

REINO DE GRAN BRETAÑA E IRLANDA

MAR DEL NORTE

OCÉANO ATLÁNTICO

Saboya

Génova ⊚

TOSCANA

ESTADOS PONTIFICIOS

Roma ⊚

Nápoles ⊚

REINO DE LAS DOS SICILIAS

CÓRCEGA

REINO DE CERDEÑA

MAR MEDITERRÁNEO

REINO DE ESPAÑA

⊚ Madrid

PORTUGAL

Lisboa ⊚

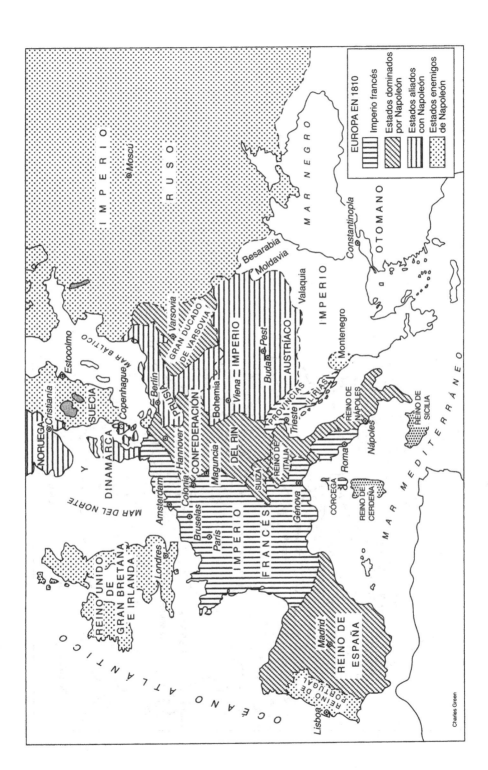

EUROPA EN 1810

Imperio francés

Estados dominados por Napoleón

Estados aliados con Napoleón

Estados enemigos de Napoleón

IMPERIO RUSO

Moscú

MAR NEGRO

IMPERIO OTOMANO

Constantinopla

Besarabia

Moldavia

Valaquia

IMPERIO AUSTRÍACO

Viena

IMPERIO

Buda

Pest

Bohemia

GRAN DUCADO DE VARSOVIA

Varsovia

Berlín

PRUSIA

CONFEDERACIÓN

DEL RIN

Maguncia

Hannover

Colonia

Amsterdam

Bruselas

París

IMPERIO FRANCÉS

Génova

SUIZA

REINO DE ITALIA

Roma

REINO DE CERDEÑA

CÓRCEGA

PROVINCIAS ILIRIAS

Trieste

Montenegro

REINO DE NÁPOLES

Nápoles

REINO DE SICILIA

MAR MEDITERRÁNEO

Estocolmo

MAR BÁLTICO

SUECIA

NORUEGA

Cristianía

Copenhague

DINAMARCA

Y

MAR DEL NORTE

REINO UNIDO DE GRAN BRETAÑA E IRLANDA

Londres

OCÉANO ATLÁNTICO

Madrid

REINO DE ESPAÑA

REINO DE PORTUGAL

Lisboa

Charles Green

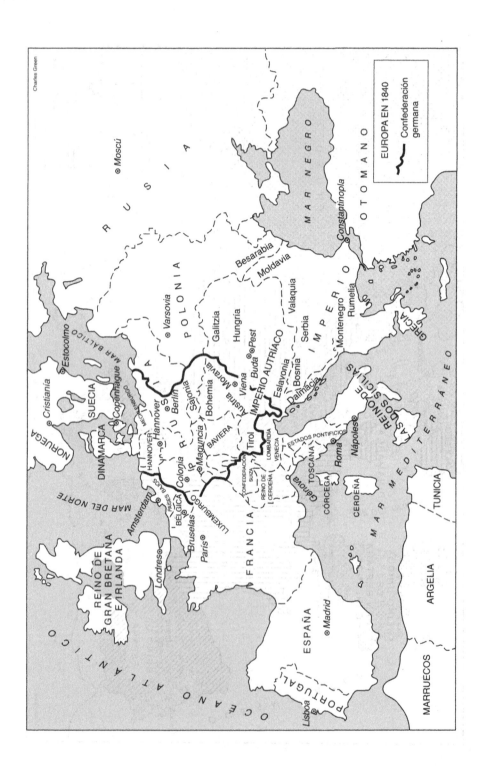

EUROPA EN 1840

Confederación germana

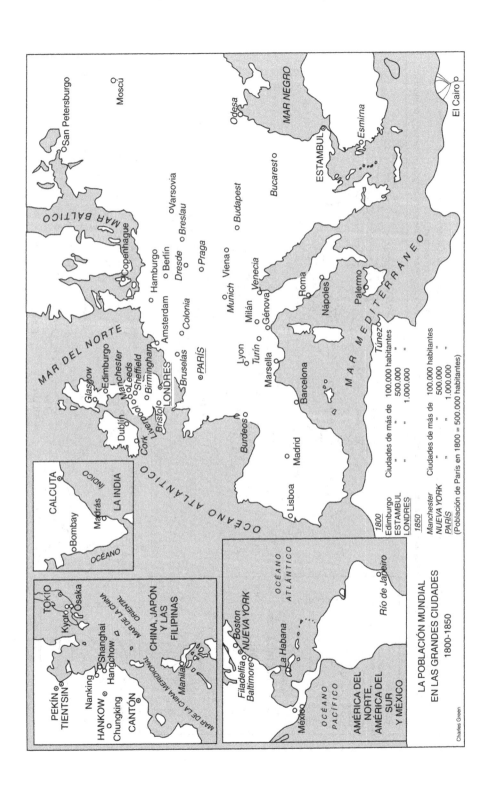

LA POBLACIÓN MUNDIAL
EN LAS GRANDES CIUDADES
1800-1850

Charles Green

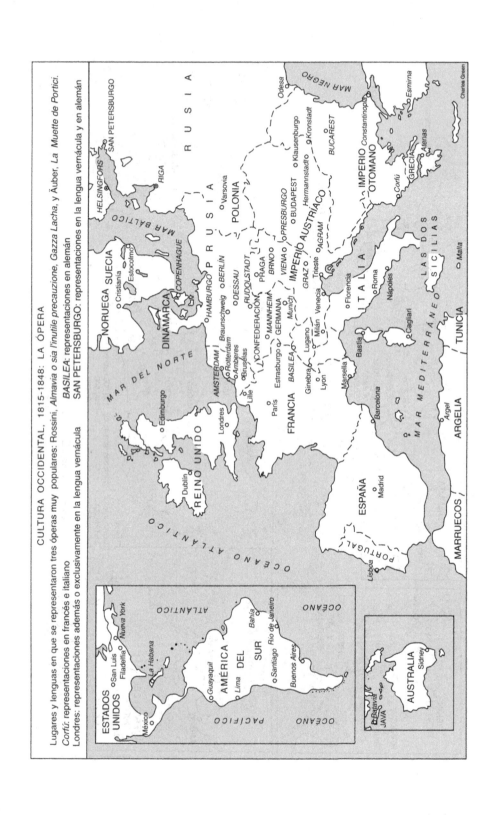

CULTURA OCCIDENTAL, 1815-1848: LA ÓPERA

Lugares y lenguas en que se representaron tres óperas muy populares: Rossini, *Almavia o sia l'inutile precauzione, Gazza Lacha*, y Auber, *La Muette de Portici*.

Corfú: representaciones en francés e italiano
Londres: representaciones además o exclusivamente en la lengua vernácula

BASILEA: representaciones en alemán
SAN PETERSBURGO: representaciones en la lengua vernácula y en alemán

Los estados de Europa en 1836

Nombre	Total de población (en miles)	Número de ciudades (más de 50.000 hab.)	Tierra en cultivo en *Morgen*[1] (en millones)	Producción de grano en *Scheffel*[2] (en millones)	Ganado vacuno (en millones)	Hierro (en millones CWT)	Carbón (en millones CWT)
Rusia, incluidas Polonia y Cracovia	49.538	6	276	1.125	19	2,1	—
Austria, incluidas Hungría y Lombardía	35.000	8	93	225	10,4	1,2	2,3
Francia	33.000	9	74	254	7	4	20,0
Gran Bretaña, incluida Irlanda	24.273	17	67,5	330	10,5	13	200
Confederación germana (a excepción de Austria y Prusia)	14.205	4	37,5	115	6	1,1	2,2
España	14.032	8	30		3	0,2	0
Portugal	3.530	1	30		3	0,2	0
Prusia	13.093	5	43	145	4,5	2	4,6
Turquía, incluida Rumania	8.600	5					
Reino de Nápoles	7.622	2	20	116	2,8	0	0,1
Piamonte-Cerdeña	4.450	2	20	116	2,8	0	0,1
Resto de Italia	5.000	4	20	116	2,8	0	0,1
Suecia y Noruega	4.000	1	2	21	1,4	1,7	0,6
Bélgica	3.827	4	7	5	2	0,4	55,4
Holanda	2.750	3	7	5	2	0,4	55,4
Suiza	2.000	0	2		0,8	0,1	0
Dinamarca	2.000	1	16		1,6	0	0
Grecia	1.000	0					

1. Unidad de medida equivalente a unos dos acres.
2. Medida de capacidad equivalente aproximadamente a 50 litros.

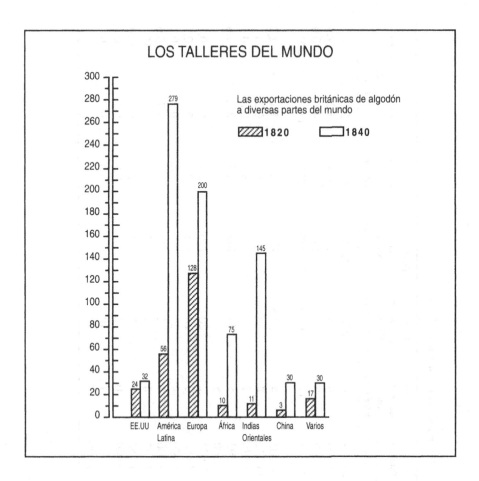

LOS TALLERES DEL MUNDO

Las exportaciones británicas de algodón
a diversas partes del mundo

1820   1840

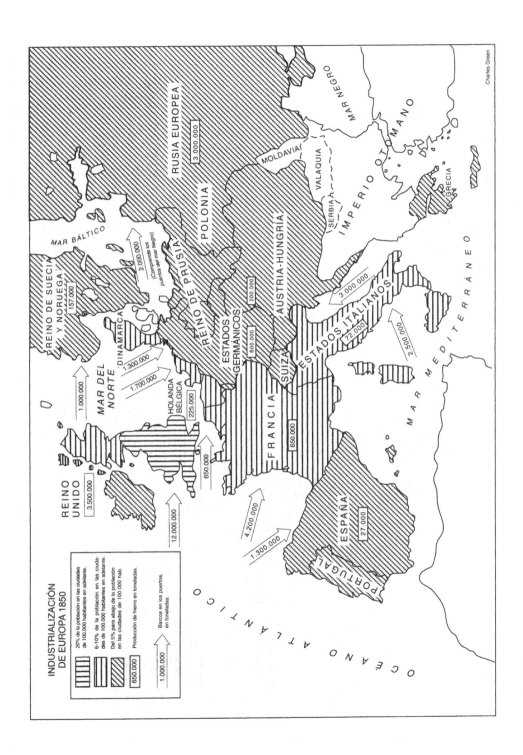

INDUSTRIALIZACIÓN DE EUROPA 1850

Charles Green

Leyenda:

- 20% de la población en las ciudades de 100.000 habitantes en adelante.
- 6-10% de la población en las ciudades de 100.000 habitantes en adelante.
- Del 5% para abajo de la población en las ciudades de 100.000 hab.
- 650.000 Producción de hierro en toneladas.
- 1.000.000 Barcos en los puertos, en toneladas.

REINO DE SUECIA Y NORUEGA — 157.000

RUSIA EUROPEA — 3.000.000

MAR BÁLTICO

MAR NEGRO

IMPERIO OTOMANO

MOLDAVIA

VALAQUIA

SERBIA

GRECIA

POLONIA

REINO DE PRUSIA

2.000.000 (Comprende los puertos del mar Negro)

DINAMARCA

MAR DEL NORTE

1.300.000

1.700.000

1.000.000

ESTADOS GERMÁNICOS — 600.000

200.000

AUSTRIA-HUNGRÍA

ESTADOS ITALIANOS — 72.000

3.000.000

2.500.000

MAR MEDITERRÁNEO

HOLANDA BÉLGICA — 225.000

650.000

REINO UNIDO — 3.500.000

12.000.000

SUIZA

FRANCIA — 650.000

4.200.000

1.300.000

ESPAÑA — 27.000

PORTUGAL

OCÉANO ATLÁNTICO

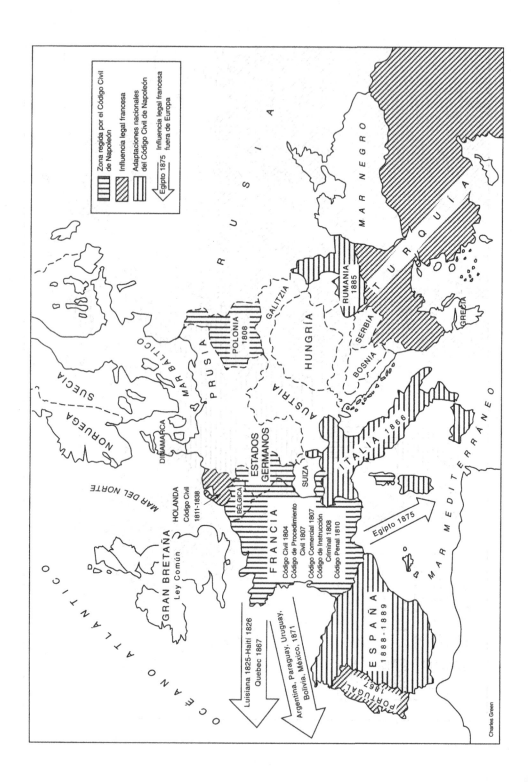

BIBLIOGRAFÍA

Tanto el tema de este libro como su literatura son tan vastos que incluso una bibliografía cuidadosamente seleccionada ocuparía varias páginas. Es, pues, imposible referirse a todos los libros que podrían interesar al lector. La Asociación Histórica Americana ha compilado algunas guías para orientar al lector: *A Guide to Historical Literature*, revisada periódicamente; *A Select List of Works on Europe and Europe Overseas 1715-1815*, editada por J. S. Bromley y A. Goodwin (Oxford, 1956), y *A Select List of Books on European History 1815-1914*, editada por Alan Bullock y A. J. P. Taylor (1957). La primera es la mejor. Los libros que en adelante se señalan con un asterisco contienen una bibliografía recomendable.

Hay varias series de historias generales referentes a este período o a parte de él. La más importante es *Peuples et civilisations*, porque incluye dos volúmenes de George Lefebvre que son obras maestras históricas: *La Révolution française** (vol. I, 1789-1793), traducida al inglés en 1962, y *Napoléon** (1953). F. Ponteil, *L'éveil des nationalités 1815-1848** (1960), sustituye a un volumen anterior del mismo título de G. Weill, que todavía es digno de ser consultado. La serie equivalente norteamericana *The Rise of Modern Europe* es más discursiva y limitada geográficamente. Los volúmenes más útiles son: *A Decade of Revolution, 1789-1799** (1934), de Crane Brinton; *Europe and the French Imperium** (1938), de G. Bruun, y *Reaction and Revolution 1814-1832** (1934), de F. B. Artz. Bibliográficamente la más útil de las series es «Clio», creada para los estudiantes y periódicamente puesta al día. Son dignas de especial mención las secciones que resumen los debates históricos. Los volúmenes más notables son: *Le siècle XVIII** (2 tomos), de E. Préclin y V. L. Tapié; *La révolution et l'Empire* (2 tomos), de L. Villat, y *L'époque contemporaine** (vol. I, 1815-1871), de J. Droz, L. Genet y J. Vidalenc.

Aunque antigua, la *Allgemeine Wirtschaftsgeschichte*, vol, II, *Neuzit* (reimpresa en 1954), de J. Kulischer, sigue siendo un excelente sumario de historia económica, pero también hay numerosos manuales universitarios norteamericanos de casi igual valor, como por ejemplo, la *Economic History of Europe since 1750* (1937), de W. Bowden, M. Karpovitch y A. P. Usher. *Business Cycles I* (1939), de J. Schumpeter, es más amplio de lo que su título sugiere. Entre las interpretaciones generales, tan distintas de las historias, son recomendables *Studies in the Development of Capitalism*, de M. H. Dobb (1946) [hay trad. cast.: *Estudios sobre el desarrollo del capitalismo*, Siglo XXI, Madrid, 1988 [21]], y *The Great Transformation* (publicada en Inglaterra en 1945 con el título de *Origins of Our Time*), de K. Polanyi, así como la más antigua (1928) de Werner Sombart, *Der moderne Kapitalismus III: Das Wirtschaftsleben im Zeitalter des Hochkapitalismus*. Para la población, *Histoire de la population mondiale de 1700 à 1948* (1949), de M. Reinhard, y en especial el breve y excelente trabajo de

C. Cipolla *The Economic History of World Population* (1962) [hay trad. cast.: *Historia económica de la población mundial*, Crítica, Barcelona, 1989⁵]. Para la técnica, es quizá corta de visión, pero muy útil para referencias *A History of Technology, IV: the Industrial Revolution 1750-1850*, de Singer, Holmyard, Hall y Williams (1958). *A Social History of Engineering* (1961), de W. H. Armytage, es una buena introducción, y *The Social History of Lighting* (1958), de W. T. O'Dea, es a la vez amena y sugestiva. Hay otros libros importantes sobre historia de la ciencia. Para la agricultura es anticuado pero conveniente, y aún no ha encontrado sustituto como manual el *Esquisse d'une histoire du régime agraire en Europe au XVIIIᵉ et XIXᵉ siècles** (1921), de H. Sée. No hay una buena síntesis de los modernos trabajos de investigación sobre cultivos. Respecto al dinero, son útiles el brevísimo *Esquisse d'une histoire monétaire de l'Europe* (1954), de Marc Bloch, y *The Banking Systems of Great Britain, France, Germany and the USA* (1945), de K. Mackenzie. Para quien desee una síntesis general, el libro de R. E. Cameron *France and the Economic Development of Europe 1800-1914* (1961), uno de los más sólidos trabajos de investigación aparecidos en los últimos años, puede servir como introducción al problema de créditos e inversiones, junto con la obra de L. H. Jenks, *The Migration of British Capital to 1875* (1927), no superada todavía.

No hay un buen estudio general de la Revolución industrial, a pesar de algunas obras recientes sobre el desarrollo económico, no siempre de gran interés para el historiador. La mejor ojeada comparativa puede leerse en el número especial de *Studi Storici*, II, 3-4 (Roma, 1961), y la más especializada *First International Conference of Economic History, Stockolm 1960* (París-La Haya, 1961). No obstante su edad, sigue siendo básica para Inglaterra la obra de P. Mantoux *The Industrial Revolution of the 18th Century* (1906). Nada hay tan bueno para estudiar el período hasta 1800. En *Britain and Industrial Europe, 1750-1870** (1954), W. O. Henderson describe la influencia británica, y «The Industrial Revolution in the Czech Lands»,* de J. Purs, *Historica*, II, Praga, 1960, contiene una importante bibliografía para siete países. El libro de W. O. Henderson *The Industrial Revolution on the Continent: Germany, France, Russia 1800-1914** (1961) se dirige a los posgraduados. Entre generales discusiones, *El capital*, de Karl Marx, sigue siendo un maravilloso tratado, casi contemporáneo, y la *Mechanisation Takes Command* (1948), de S. Giedion, es, entre otras cosas, un trabajo profundamente ilustrado y una sugestiva obra precursora sobre la producción masiva.

The European Nobility in the 18th Century (1953), de A. Goodwin, es un estudio comparado de las aristocracias. No hay nada parecido referente a las burguesías. Por fortuna, la mejor fuente para el estudio de éstas —las obras de los grandes novelistas, sobre todo las de Balzac— son de fácil acceso. Para las clases trabajadoras la obra de J. Kuczynski *Geschichte der Lage der Arbeiter unter dem Kapitalismus* (Berlín, 38 volúmenes) es fundamental. El mejor análisis contemporáneo sigue siendo la obra de F. Engels *La situación de la clase obrera en Inglaterra* [trad. cast. en Crítica, «OME», 6, Barcelona, 1978]. Para el subproletariado urbano, *Classes laborieuses et classes dangereuses à Paris dans la première moitié du XIXᵉ siècle* (1958), de L. Chevalier, es una síntesis brillante de testimonios económicos y literarios. Aunque limitado a Italia y a un período posterior, *Il capitalismo nelle campagne* (1946), de E. Sereni, es la más útil introducción al estudio del campesinado. La *Storia del paesaggio agrario italiano* (1961), del mismo autor, analiza los cambios en el paisaje debidos a las actividades productivas del hombre. *The History and Social Influence of the Potato* (1949), de R. N. Salaman, es admirable sobre la importancia histórica de un tipo de alimento; pero, no obstante las recientes investigaciones, la historia de la vida material sigue siendo poco conocida, aunque la obra de J. Drummond y A. Wilbraham *The Englishman's Food* (1939) sea una excelente precursora. Entre las escasas historias de las profesiones figuran *L'officier français 1815-1871* (1957), de J. Chalmin; *L'instituteur* (1957), de Georges Duveau, y *The School Teachers* (1957), de Asher Tropp. También los novelistas suministran la mejor guía para los cambios sociales del capitalismo, como, por ejemplo, John Galt en *Annals of the Parish*, para Escocia.

La más atractiva historia de la ciencia la tenemos en *Science in History** (1954), de J. D. Bernal. *A History of the Sciences** (1953), de S. F. Mason, es excelente en cuanto a la filosofía natural. *Histoire de la science** (Encyclopédie de La Pléiade, 1957), de M. Daumas, es muy útil. *Science and Industry in the 19th Century* (1953), de J. D. Bernal, analiza algunos ejemplos de su interacción. El artículo «The French Revolution and the progress of science», de R. Taton, en S. Lilley, ed., *Essays in the Social History of Science* (Copenhague, 1953), quizá sea la menos inaccesible de varias monografías. *Genesis and Geology* (1951), de C. C. Gillispie, es un libro ameno que examina las dificultades entre la ciencia y la religión. Sobre la educación, la obra citada de G. Duveau y los *Studies in the History of Education 1780-1870* (1960), de Brian Simon, pueden ayudar a compensar la carencia de un buen estudio comparativo. Sobre la prensa hay *Le journal* (1934), de G. Weill.

Existen numerosas historias del pensamiento económico, tema muy estudiado. Una buena introducción es la obra de E. Roll, *A History of Economic Thought* (varias veces reeditada). *The Idea of Progress* (1920), de J. B. Bury, sigue siendo útil. *The Growth of Philosophic Radicalism* (1938), de E. Halévy, es un monumento antiguo pero inconmovible. *Reason and Revolution: Hegel and the Rise of Social Theory* (1941), de L. Marcuse, es excelente, y *A History of Socialist Thought I, 1789-1850*, de G. D. H. Cole, una eficaz ojeada. *The New World of Henri Saint-Simon* (1956), de Frank Manuel, es el estudio más reciente de esta fugaz pero importante figura. La obra de Auguste Cornu *Karl Marx und Friedrich Engels, Leben u. Werk I, 1818-1844* (Berlín, 1954) parece definitiva. Es útil también *The Idea of Nationalism* (1944), de Hans Kohn.

No hay un estudio general sobre la religión, pero la obra de K. S. Latourette *Christianity in a Revolutionary Age I-III* (1959-1961) abarca al mundo entero. *Islam in Modern History* (1957), de W. Cantwell Smith, y *The Social Sources of Denominationalism* (1929), de H. R. Niebuhr, pueden presentar a las dos expansivas religiones de la época. Los *Movimenti religiosi di libertà e di salvezza** (1960), de V. Lanternari, explican las llamadas «herejías coloniales». *Weltgeschichte des juedischen Volkes, VIII y IX* (1929), de S. Dubnow, trata de los judíos.

Las mejores introducciones para la historia de las artes son probablemente: *Outline of European Architecture* (edición ilustrada de 1960), de N. L. B. Pevsner; *The Story of Art* (1950), de E. H. Gombrich, y *Music in Western Civilisation* (1942), de P. H. Lang. Por desgracia, no existe algo equivalente para la literatura, aunque A. Hauser, en su *Historia social de la literatura y el arte*, II (E. Guadarrama), abarca también este campo. *Painting and Sculpture in Europe 1780-1870** (1960), de F. Novotny, y *Architecture in the 19th and 20th Centuries** (1958), de H. R. Hitchcock, ambas en *The Penguin History of Art*, contienen ilustraciones y bibliografías. Entre las obras más especializadas sobre las artes plásticas, son dignas de mención las de F. D. Klingender *Art and the Industrial Revolution** (1947) y *Goya and the Democratic Tradition* (1948); *The Gotic Revival* (1944), de K. Clark; *Le style Empire* (1944), de P. Francastel, y las reflexiones brillantes pero caprichosas en «Reflections on Classicism and Romanticism» de F. Antal en *Burlington Magazine* (1935, 1936, 1940, 1941). Sobre música pueden leerse las obras de A. Einstein *Music in the Romantic Era* (1947) y *Schubert* (1951); sobre literatura, el profundo *Goethe und seine Zeit* (1955), de G. Lukacs; *The Historical Novel* (1962) y los capítulos sobre Balzac y Stendhal en *Studies in European realism* (1950); también el excelente libro de J. Bronowski *William Blake: a Man Without a Mask* (ed. 1954). Para unos pocos temas generales, pueden consultarse: *A History of Modern Criticism 1750-1950*, I (1955), de R. Wellek; *La légende du bon sauvage** (1946), de R. Gonnard; *The Cult of Antiquity and the French Revolutionaries* (1937), de H. T. Parker; *La sensibilité révolutionnaire 1791-1794* (1936), de P. Trahard; *L'exotisme dans la littérature française* (1938), de P. Jourda, y *Le romantisme social* (1944), de F. Picard.

Sólo unos cuantos temas pueden destacarse de la historia de los acontecimientos en este período. Sobre revoluciones y movimientos revolucionarios, la bibliografía sobre los de 1789 es gigantesca y bastante menor sobre los de 1815-1848. Las dos obras antes mencionadas de G. Lefebvre y su *The Coming of the French Revolution* (1949) son modelos para la revolución de 1789; el *Précis d'histoire de la Révolution française* (1962), de A. Soboul, es un lúcido libro de texto, y el de A. Goodwin, *The French Revolution** (1956), un útil sumario inglés. La literatura es demasiado copiosa para poder extractarla. Bromley y Goodwin proporcionan una buena guía. A las obras mencionadas pueden añadirse: *Les sans-culottes en l'an II* (1960), obra enciclopédica de A. Soboul; *The Crowd in the French Revolution* (1959), de G. Rudé [hay trad. cast.: *La multitud en la historia*, Siglo XXI, Madrid, 1989⁴], y *La contre-révolution* (1961), de J. Godechot. En *The Black Jacobins* (1938), C. L. R. James describe la revolución de Haití. Para conocer los movimientos insurreccionales de 1815-1848, el libro de C. Francovich *Idee sociali e organizzazione operaia nella prima metà dell'800* (1959) es un breve y buen estudio de un significativo país, que puede servir como introducción. La obra de E. Eisenstein *Filippo Michele Buonarroti** (1959) nos introduce en el mundo de las sociedades secretas. *The First Russian Revolution* (1937), de A. Mazour, trata de los decembristas, y *Polish Politics and the Revolution of November 1830* (1956), de R. F. Leslie, es un libro mucho más amplio de lo que su título sugiere. Sobre los movimientos obreros no hay un estudio general, pues el de E. Dolléans, *Histoire du mouvement ouvrier I* (1936), sólo se ocupa de Inglaterra y Francia. Véase también *The Revolutionary Theories of Auguste Blanqui* (1957), de A. B. Spitzer; *Le socialisme romantique* (1948), de D. O. Evans, y *Le mouvement ouvrier au début de la monarchie de Juillet* (1908), de O. Festy.

Sobre los orígenes de 1848, *The Opening of an Era, 1848* (1948), de F. Fejtö, contiene ensayos, en su mayor parte excelentes, sobre numerosos países; *Les révolutions allemandes de 1848* (1957) es valiosísima, y *Aspects de la crise... 1846-1851* (1956), de E. Labrousse, una colección de detallados estudios económicos sobre Francia. Los *Chartist Studies* (1959), de A. Briggs, son la obra más importante hasta la fecha sobre la materia. En *Comment naissent les révolutions?* (*Actes du centenaire de 1848*, París, 1948) intenta una respuesta general a esta pregunta para nuestro período.

Sobre asuntos internacionales, *L'Europe et la Révolution française I* (1895), de A. Sorel, suministra todavía un buen fondo, mientras *La grande nation* (1956, dos volúmenes), de J. Godechot, describe la expansión de la revolución en el extranjero. Los volúmenes IV y V de la *Histoire des relationes internationales** (por A. Fugier hasta 1815 y P. Renouvin 1815-1871, ambos de 1954) son guías lúcidas e inteligentes. Sobre el curso de la guerra, *The Ghost of Napoleon* (1933), de B. H. Liddell Hart, sigue siendo una buena introducción para el estudio de la estrategia terrestre, y la obra de E. Tarlé *Napoleon's Invasion of Russia in 1812* (1942), un buen estudio de aquella campaña. El *Napoléon** de Lefebvre contiene el mejor y más conciso esbozo de la naturaleza de los ejércitos franceses. *A Social History of the Navy 1789-1818* (1960), de M. Lewis, es de lo más instructiva. *The Continental System* (1922), de E. F. Heckscher, puede completarse con la sólida obra de F. Crouzet *Le blocus continental et l'économie britannique* (1958) en los aspectos económicos. Algunos interesantes aspectos esclarece la de F. Redlich, *De Praeda Militari: Looting and Booty 1500-1815* (1955). *A History of Geographical Exploration and Discovery** (1937), de J. N. L. Baker, y el admirable atlas ruso *Atlas geograficheskikh otkrytii i issledovanii* (1959) proporcionan el fondo para la conquista del mundo por Europa, mientras que *Asia and Western Dominance* (1954), de K. Panikkar, es un instructivo relato de esas conquistas desde un punto de vista asiático. *Le traite negrière aux Indes de Castille* (2 vols., 1906), de G. Scelle, y la *Histoire de l'esclavage dans les colonies françaises* (1948), de Gaston Martin, son fundamentales para estudiar el comercio de esclavos. *Geschichte des Zuckers* (1929), de E. O. v. Lippmann, se completa con *The History of Sugar* (2 vols., 1949), de N. Deerr. *Capitalism and Slavery* (1944), de Eric Williams, es una interpretación general, a veces esquemática. Para la característica colonización «informal» del mundo por el comercio y los cañones, son importantísimos los libros de M. Greenberg, *British Trade and the Opening of China* (1949), y de H. S. Ferns, *Britain and Argentina in the 19th Century* (1960). Para las dos grandes zonas bajo explotaciones europeas directas, es una brillante introducción el libro de W. F. Wertheim *Indonesian Society in Transition* (La Haya-Bandung, 1959). Véase también *Colonial Policy and Practice*, 1956, de J. S. Furnivall, que compara Indonesia y Birmania. De una extensa y frustrante literatura sobre la India, pueden exceptuarse las obras de E. Thompson y G. T. Garratt, *Rise and Fulfilment of British Rule in India* (1934); de Eric Stokes, *The English Utilitarians and India* (1959) —realmente esclarecedora—, y de A. R. Desai, *The Social Background of Indian Nationalism* (Bombay, 1948). No existe un estudio adecuado de Egipto bajo Mohamed Alí, pero puede ser consultado el libro de H. Dodwell *The Founder of Modern Egypt* (1931).

Es imposible hacer algo más que señalar una o dos historias de algunos países o regiones. Para Inglaterra sigue siendo fundamental la obra de E. Halévy *History of the English People in the 19th Century*, especialmente su gran análisis de Inglaterra en 1815 del volumen I, al que se puede añadir *The Age of Improvement 1780-1867* (1959), de A. Briggs. Para Francia son importantes *La formation de la société française moderne*, II (1946) de P. Sagnac, y *France in Modern Times* (1962), de Gordon Wright. También son recomendables *La monarchie parlamentaire 1815-1848* (1949), de F. Ponteil, y *France under the Bourbon Restoration* (1931), de F. Artz. Para Rusia, *Russia*, II (1953), de M. Florinsky, que abarca el período desde 1800, *Brief History of Russia*, I (1933), de M. N. Pokrovsky, y *History of the Russian National Economy* (1947), de P. Lyashchenko. *The Growth of Modern Germany* (1946), de R. Pascal, es un libro breve y bueno. También es útil *Modern Germany* (1954), de K. S. Pinson. *Restoration, Revolution, Reaction: Economics and Politics in Germany 1815-1871* (1958), de T. S. Hamerow, la obra citada de J. Droz y la de Gordon Graig *The Politics of the Prussian Army* (1955). Para Italia, lo mejor es la *Storia dell'Italia moderna 1815-1846*, II (1958), de G. Candeloro, como para España la *Histoire d'Espagne* (1949), de P. Vilar [hay trad. cast.: *Historia de España*, Crítica, Barcelons, 1993 ²⁷], soberbia breve guía, y la *Historia social de España y*

América Latina (1959), de J. Vicens Vives, que tiene, entre otros méritos, el de estar magníficamente ilustrada. Para Austria conviene leer *The Habsbourg Monarchy* (1949), de A. J. P. Taylor, y *From Joseph II to the Jacobin Trials* (1959), de E. Wangermann. Para los Balcanes tenemos *The Balkans since 1453* (1953), de L. S. Stavrianos, y el excelente libro de B. Lewis *The Emergence of Modern Turkey* (1961). Para el norte resulta muy útil la lectura de *The Scandinavian Countries 1720-1865*, 2 vols. (1943), de B. J. Hovde. Sobre Irlanda son excelentes *Irish Nationalism and British Democracy* (1951) y *The Great Famine, Studies in Recent Irish History* (1957), ambos de E. Strauss. Sobre los Países Bajos merecen consultarse la *Histoire de Belgique*, V-VI (1926-1932), de H. Pirenne, *La révolution de 1830* (1950), de R. Demoulin, y *Free Trade and Protection in the Netherlands 1816-1830* (1955), de H. R. C. Wright.

Unas palabras finales sobre algunas obras generales de consulta. La *Encyclopedia of World History* (1948), de W. Langer, o *Hauptdaten der Weltgeschichte* (1957), de Ploetz, proporcionan los datos principales, mientras que los admirables *Annals of European Civilisation 1501-1900* (1949) tratan especialmente de cultura, ciencia, etc. El *Dictionary of Statistics* (1892), de M. Mulhall, sigue siendo el mejor compendio de figuras. Entre las enciclopedias históricas, la nueva *Sovietskaya Istoricheskaya Entsiklopediya*, en 12 volúmenes, abarca el mundo entero; la Enciclopedia de La Pléiade dedica volúmenes especiales a la historia universal (3), a la de la literatura (2), a la de la investigación —muy valiosa— y a la de la ciencia; todas ellas organizadas narrativamente y no en forma de diccionario. *La Cassell's Encyclopedia of Literature* (2 vols.) y el *Dictionary of Music and Musicians*, en 9 volúmenes (1954), de Grove, son útiles. *La Encyclopedia of World Art* (en 15 volúmenes, de los que van publicados cinco) es sobresaliente. Aunque un poco anticuada, sigue siendo útil la *Encyclopedia of the Social Sciences* (1931). También pueden consultarse con provecho los siguientes atlas: *Atlas Istorii SSSR* (1950), *An Atlas of African History* (1958), de J. D. Fage, el *Atlas of Islamic History* (1943), de H. W. Hazard y H. L. Cooke, el *Atlas of American History* (1957), de J. T. Adams, y los generales *Grosser Historischer Weltatlas* (1957) y el *Atlas of World History* (1957), de Rand McNally.

ÍNDICE ALFABÉTICO

ÍNDICE